Gosztony · Hitlers Fremde Heere

Peter Gosztony

Hitlers Fremde Heere

Das Schicksal der nichtdeutschen Armeen im
Ostfeldzug

Econ Verlag · Düsseldorf · Wien

Fotonachweis: Sämtliche Fotos hat der Autor zur Verfügung gestellt

Karten: Jürgen Erlebach

1. Auflage 1976
Copyright © 1976 by Econ Verlag GmbH, Düsseldorf und Wien
Alle Rechte der Verbreitung, auch durch Film, Funk, Fernsehen,
fotomechanische Wiedergabe, Tonträger jeder Art
und auszugsweisen Nachdruck sind vorbehalten
Gesetzt aus 10 p Times der Linotype GmbH
Satz: Otto Gutfreund & Sohn, Darmstadt
Druck und Bindearbeiten: Ebner, Ulm
ISBN 3-430-13352-1

Inhalt

Vorwort

Als der französische Kaiser Napoleon Bonaparte 1812 den Feldzug gegen Rußland begann, hatte er mehr Ausländer in seinem Heer als Franzosen. 129 Jahre später, im Juni 1941, als das Unternehmen Barbarossa anlief, befanden sich in Hitlers Ostheer nur zwei fremde Armeen; die finnischen und die rumänischen Truppen. Nach und nach wuchs jedoch die Zahl der Divisionen der Kriegspartner Hitlers an der Ostfront. Diese rekrutierten sich keinesfalls aus Freiwilligen, sondern waren reguläre Verbände osteuropäischer und südeuropäischer Staaten.

Während die rumänischen und finnischen Truppen anfänglich noch für nationale Ziele kämpften, waren die Schlachtfelder der Sowjetunion für die Ungarn, Slowaken, Italiener und Kroaten fremde Kriegsschauplätze, die diesen Nationen außer propagandistischen Schlagwörtern nur Abenteuer, Entbehrungen, Verwundung, Gefangenschaft oder Tod brachten. Während der vier Jahre Krieg gegen die Sowjetunion verfügte Hitlers Wehrmacht zeitweise über etwa eine Million ausländischer Soldaten: Diese waren jedoch schlecht ausgerüstete, teilweise nach veralteten Methoden geführte, kampfunlustige Männer – im Grunde genommen nur »Kanonenfutter«. Allerdings gab es eine Ausnahme: die Finnen.

Lenin prägte 1920 den bemerkenswerten Satz, daß »in jedem Krieg der Sieg in letzter Instanz vom Kampfgeist jener Massen abhängt, die auf dem Schlachtfeld ihr Blut vergießen!« Diese ost- und südeuropäischen Soldaten haben zwar in der Sowjetunion ihr Blut vergossen; weil aber der Krieg nicht ihre Angelegenheit war, und ihre eigenen Regierungen in vielen Fällen mit dem Aufgebot nur ihre Position innerhalb des Hitler'schen Europa festigen wollten oder anderweitige außenpolitische Ziele verfolgten, verkörperten der Einsatz, der Kampf und der Zusammenbruch dieser Armeen mehr als ein staatliches Mißgeschick: Es war für die Beteiligten eine menschliche Tragödie ersten Ranges!

Das vorliegende Buch unternimmt erstmals den Versuch, die »Anabasis« von Hitlers fremden Heeren in der Sowjetunion sowohl in ihren Details als auch in ihrem größeren Zusammenhang zu behandeln. Es verwundert, daß unter der reichhaltigen Literatur über den Zweiten Weltkrieg und insbesondere über den Ostfeldzug dieses Phänomen entweder völlig vernachlässigt oder nur am Rande (und dann auch meistens verstellt) behandelt bzw. erwähnt wird.

Allerdings hat das *einen* guten Grund. Außer in Italien und Finnland war es in jenen Staaten, die nach 1945 unter Moskaus Einfluß fielen, verboten, sich mit dem »verbrecherischen Einsatz national-faschistischer Truppen« an der Ostfront zu befassen. Die jüngste Kriegsgeschichte dieser osteuropäischen Länder wurde in die Tagespolitik einbezogen, und die Archive, in denen die Dokumente dieses – sicher unrühmlichen – Feldzuges lagen, gerieten in den meisten Fällen erst in den sechziger Jahren aus den sowjetischen Beutemagazinen wieder in den Besitz ihrer Ursprungsländer. Aber noch heute, wo uns von jenem Sommer 1941 35 Jahre trennen, gibt es Länder (z. B. Rumänien und die CSŠR), in denen über das Schicksal dieser unter Hitlers Obhut nach Osten geschickten Truppen keinerlei Rechenschaft abgelegt wird, abgelegt werden darf!

So entstand dank mühseliger Kleinarbeit ein Buch, das vielleicht jenen der Ägyptologen ähnelt, die aus kleineren und größeren Mosaiksteinen die damaligen Geschehnisse für die Nachwelt rekonstruieren. Hier soll nicht nur über die Kriegsgeschichte berichtet werden: Der Autor war bestrebt, auch die damaligen politischen Strömungen nationalen Ursprungs in die Untersuchung einzubeziehen, um damit das *Hinterland* der im Feld stehenden, in die Wehrmacht integrierten Truppen zu beleuchten. Das Buch ist gleichzeitig auch ein verspätetes Requiem für den überwiegenden Teil dieser Soldaten ost- und südeuropäischer Nationalität, die für falsche Verheißungen und (symbolisch gesehen) unter einer fremden Fahne in die Sowjetunion zogen, gegen ein Land, das zu jenem historischen Zeitpunkt weder für sie noch für ihre Heimat effektiv der Feind war.

Bern, im Mai 1976.

I. Von Seelöwe bis Barbarossa

Als Führer und Kanzler des Großdeutschen Reiches hatte Adolf Hitler am 22. Juni 1940 den Gipfel seiner politischen und militärischen Laufbahn erreicht. An diesem Tag unterzeichneten Vertreter der deutschen Wehrmacht und die Bevollmächtigten des greisen französischen Marschalls Pétain im Wald von Compiégne den Waffenstillstand, der einer Kapitulation Frankreichs gleichkam. Was dem kaiserlichen Heer im Ersten Weltkrieg trotz eines jahrelangen, erbitterten Kampfes versagt geblieben war, gelang der Wehrmacht durch den extrem kurzen Feldzug von vierzig Tagen. Mit dem Fall Frankreichs schied eine Großmacht aus der antihitlerischen Koalition aus, so daß der Weg Adolf Hitlers für seine weiteren Machtpläne frei geworden zu sein schien.

In diesen Sommermonaten des Jahres 1940 mußte sich Hitler entscheiden: entweder Überquerung des Kanals und Eroberung des englischen Festlandes, um so die letzte im Krieg befindliche Großmacht zur Kapitulation zu zwingen, oder Konzentrierung der deutschen Streitkräfte in Osteuropa, um in einem raschen Feldzug die zur Zeit durch einen Nichtangriffs- und Freundschaftspakt verpflichtete Sowjetunion zu besiegen.

Es gab noch eine dritte Möglichkeit, die Hitler in diesen Monaten ernstlich erwog: das deutsche Heer zu einem sogenannten »Friedensheer« umzurüsten und vor weiteren Feldzügen eine ein- bis zweijährige Pause einzulegen. Schon am 4. Juni 1940 äußerte Hitler gegenüber Admiral Raeder, dem Oberbefehlshaber der Kriegsmarine, einen solchen Plan. Er sah vor, nach Frankreichs Niederlage ältere Jahrgänge und besonders Facharbeiter aus dem Heer zu entlassen, gleichzeitig jedoch die technische Ausrüstung der Luftwaffe und der Kriegsmarine voranzutreiben[1]. Das Problem England beherrschte jedoch die Gedanken Hitlers.

Zwar hoffte man in Berlin insgeheim, daß die britische Regierung nach dem Waffenstillstand zwischen Frankreich und Deutschland ihre unnachgiebige Haltung aufgeben und sich zu einem Kompromißfrieden bereit erklären würde. Nichts deutete aber darauf hin[2]. Hitler entschloß sich daher zur Invasion Englands. Doch was er von den verantwortlichen Strategen der Wehrmacht zu hören bekam, war alles andere als erfolgversprechend. Der Oberbefehlshaber der Kriegsmarine, Admiral Raeder, betonte am 21. Mai und erneut am 20. Juni ausdrücklich die Schwierigkeiten und den ungewöhnlichen Umfang der notwendigen Vorbereitungen für eine Landungsoperation an der englischen Küste. Auch Generalmajor Alfred Jodl, der Chef des Wehrmachtführungsstabes im Oberkommando der Wehrmacht, äußerte sich hinsichtlich einer Landung in Südengland pessimistisch. In einer Denkschrift vom 30. Juni über »Die Weiterführung des Krieges gegen England« betonte Jodl, die Invasion sei nur dann erfolgversprechend, »wenn die Luftherrschaft durch die deutsche Luftwaffe erkämpft ist. Eine Landung sollte daher nicht unternommen werden, um England militärisch niederzuwerfen, was praktisch durch Luftwaffe und Kriegsmarine erreicht werden könnte, sondern nur, um einem wehrwirtschaftlich gelähmten und zur Luft kaum mehr aktionsfähigen England den Todesstoß zu geben, falls es noch erforderlich sein sollte«[3].

Trotz dieser Warnungen befahl Hitler, die Operation »Seelöwe«, also die Invasion Englands, noch im Jahre 1940 vorzubereiten, beziehungsweise durchzuführen. Er selbst hatte dabei ein ungutes Gefühl. Generaloberst Halders (der Chef des Generalstabes des Heeres) Tagebuch bezeugt es. Er und Generaloberst Walter von Brauchitsch, der Oberbefehlshaber des Heeres, besuchten Hitler am 13. Juli, um vor einem kleineren Kreis von Generälen einen Vortrag über die Planungsarbeiten für die Operation »Seelöwe« zu halten. Danach notierte Generaloberst Halder in seinem Tagebuch:»Den Führer beschäftigt am stärksten die Frage, warum England den Weg zum Frieden noch nicht gehen will. Er sieht ebenso wie wir die Lösung dieser Frage darin, daß England noch eine Hoffnung auf Rußland hat. Er rechnet also damit, England mit Gewalt zum Frieden zwingen zu müssen[4].« In diesem Sinne wurden dann auch die nötigen Vorkehrungen getroffen. Drei Tage später, am 16. Juli, lag bereits die erste Weisung vor. Sie trug die Ziffer 16. Ihr Titel:»Über die Vorbereitungen einer Landungsoperation gegen England.« Der erste Satz lautete:»Da England trotz seiner militärisch aussichtslosen Lage noch keine Anzeichen einer Verständigungsbereitschaft zu erkennen gibt, habe ich mich entschlossen, eine Landungsoperation gegen England vorzubereiten und, wenn nötig, durchzuführen[5].«

Die Hoffnung, daß England dennoch, seiner verzweifelten militärischen Lage Rechnung tragend, in letzter Minute einlenken würde, gab Hitler auch im Juli noch nicht auf. Am 19. dieses Monats hielt er vor dem Reichstag in Berlin eine Rede, in der er die Möglichkeit eines Friedensschlusses mit England auffallend deutlich erwähnte. Eine Antwort aus London blieb jedoch aus. Die britische Regierung war voll und ganz mit ihren Abwehrvorbereitungen beschäftigt.

Warum schwieg England? Hegte das Land, dessen mit modernsten Waffen ausgerüstetes Expeditionskorps bei Dünkirchen zerschlagen worden war, etwa noch Hoffnungen, daß es jemand aus dieser mißlichen Lage befreien könnte? Hitler begann nach Gründen zu suchen, und er hatte Erfolg. Aber es war nicht die Mentalität der Briten, die ja bekanntlich ein»Spiel« nie vor der endgültigen Niederlage aufgeben. Churchill, der britische Premier, hoffte auf einen neuen Bundesgenossen, mit dem er den Krieg fortsetzen konnte. In diesem Fall kamen nur die USA oder die UdSSR in Frage. Da jedoch die USA wehrwirtschaftlich und militärisch noch fast unterentwickelt und obendrein vom europäischen Kriegsschauplatz weit entfernt waren (ganz zu schweigen von ihrer demokratischen Regierungsform, die eine schnelle Umstellung vom Friedens- auf den Kriegszustand nicht ermöglichte), blieb als künftiger britischer Bundesgenosse nur die UdSSR übrig.

Obwohl Hitler in seiner bereits erwähnten Reichstagsrede auch das Problem Rußland erwähnte und das deutsch-russische Verhältnis als sehr gut bezeichnete, beschäftigte ihn der Ostfeldzug immer mehr. Am 22. Juli versammelten sich die führenden Militärs bei Hitler zu einer Besprechung, deren Thema wiederum die Invasion Englands war. Allerdings blieb es nicht dabei. Hitler sprach zwar über die Fortsetzung des Krieges gegen Großbritannien, aber er erwähnte jetzt auch zum erstenmal die Möglichkeit eines Rußlandfeldzuges. Hier seine Ausführungen – dem Halder-Tagebuch entnommen:

»...

b) Führer: Unklar, was in England wird. Die Vorbereitungen zur Waffenentscheidung müssen so schnell wie möglich getroffen werden. Der Führer will sich die militärpolitische Initiative nicht aus der Hand nehmen lassen. Sobald Klarheit, wird politische und diplomatische Initiative wieder aufgenommen werden.

c) Gründe für Fortsetzung des Krieges durch England: 1. Hoffnung auf Umschwung in Amerika. (Roosevelt unsicher, Industrie will nicht investieren. England läuft Gefahr, die Stellung als erste Seemacht an Amerika abzugeben.) 2. Hoffnung auf Rußland. (Die Lage Englands ist hoffnungslos. Der Krieg ist von uns gewonnen, Umkehr der Erfolgsaussichten unmöglich).

...

e) Übersetzen (der Truppen nach England, Anm. d. Verf.) erscheint dem Führer ein großes Risiko. Übersetzen daher erst, wenn kein anderer Weg offen ist, um mit England zum Schluß zu kommen.

f) England sieht vielleicht folgende Möglichkeiten: Unruhe stiften via Rußland auf dem Balkan, um uns Betriebsstoff wegzunehmen und unsere Luftflotte lahmzulegen. Gleicher Zweck durch Einstellung Rußlands gegen uns...

...

h) Wenn England weiter Krieg führen will, dann wird versucht werden, alles politisch gegen England einzuspannen. Spanien, Italien, Rußland.

...

6. Mitte dieser Woche auf Vortrag Raeder Entschluß des Führers, ob Landungsunternehmen in diesem Herbst durchgeführt werden soll. Wenn nicht jetzt, dann erst Mai nächsten Jahres. Klarheit also wahrscheinlich Ende dieser Woche.

...

7. Stalin kokettiert mit England, um England im Kampf zu erhalten und uns zu binden, um Zeit zu haben, das zu nehmen, was er nehmen will und was nicht mehr genommen werden kann, wenn Frieden ausbricht. Er wird Interesse haben, daß Deutschland nicht so stark wird. Aber es liegen keine Anzeichen für russische Aktivität uns gegenüber vor.

8. Russisches Problem in Angriff nehmen. Gedankliche Vorbereitungen treffen. Dem Führer ist gemeldet:

a) Aufmarsch dauert 4–6 Wochen.

b) Russisches Heer schlagen oder wenigstens so weit russischen Boden in die Hand nehmen, als nötig ist, um feindliche Luftangriffe gegen Berlin und schlesisches Industriegebiet zu verhindern. Erwünscht, so weit vorzudringen, daß man mit unserer Luftangriffe wichtigste Gebiete Rußlands zerschlagen kann.

c) Politisches Ziel: Ukrainisches Reich. Baltischer Staatenbund. Weiß-Rußland – Finnland. Baltikum »Pfahl im Fleisch«.

d) Nötig 80–100 Divisionen; Rußland hat 50–75 gute Divisionen. Wenn wir in diesem Herbst Rußland angreifen, wird England luftmäßig entlastet. Amerika kann an England und Rußland liefern.

e) Operation: Welche Operationsziele können wir stellen? Welche Kräfte? Zeit und Raum der Bereitstellung? Operationsbahnen: Baltikum, Finnland – Ukraine. Berlin und schlesische Gebiete schützen. Rumänische Ölzentren schützen...[6]«

Dieses Dokument spricht für sich. Auffallend ist, wie Hitler die Sowjetunion, speziell ihre Wehrkraft und ihr militärischwirtschaftliches Potential abwertet. Den Aufmarsch im Osten will er in »4 bis 6 Wochen« durchführen, den Feldzug mit »80 bis 100 Divisionen« bestreiten, wobei er auf der Seite des Gegners nur mit »50 bis 75 guten Divisionen« rechnet.

Angesichts dieser Kräftekonstellation spielte Hitler im Juli 1940 sogar mit dem Gedanken, die Sowjetunion noch im Spätsommer anzugreifen, also noch *vor* der geplanten Invasion Englands! Jodl und Keitel rieten ihm von diesem Vorhaben ab. Dennoch wurden in der Zeit vom 21. bis zum 30. Juli im Oberkommando des Heeres (OKH) Operationspläne ausgearbeitet. Es ging um so grundlegende Fragen wie die Stoßrichtung des Angriffes (gegen Moskau oder gegen die Ukraine). In dieser Zeit wurden bereits Truppenteile von Westen nach Osten verlegt: das Armeeoberkommando 18, das am Frankreichfeldzug teilgenommen hatte, wechselte nach Ostpreußen über, und die Truppen im Osten, insbesondere im »Generalgouvernement« (ehemals Polen), wurden auf 24 Divisionen, darunter 6 Panzer- und 3 motorisierte Divsionen, erhöht[7].

Bereits am Abend des 28. Juli erhielt das Oberkommando des Heeres (OKH) eine Denkschrift der Seekriegsleitung, die, nach den Worten Halders, »alle bisherigen Besprechungen über ein Übersetzen auf die britischen Inseln« überflüssig machte. Die Kriegsmarine vertrat nämlich die Ansicht, sie sei nicht imstande, die Landungsoperation mit ihren beschränkten Mitteln zum von Hitler gewünschten Zeitpunkt durchzuführen. Diese Denkschrift war Hauptgegenstand der darauffolgenden Besprechungen zwischen Halder und Brauchitsch, die am 30. Juli – für den Fall des Ausbleibens der Invasion Englands – die weiteren Möglichkeiten der deutschen Kriegsführung sondierten.

In Hitler reifte jedoch schon ein anderer Plan: der Angriff auf die Sowjetunion. In diesem Sinne unterrichtete er auch den Wehrmachtsgeneralstab. Am 29. Juli ließ General Jodl den Chef der Abteilung Landesverteidigung im Wehrmachtführungsstab wissen, Hitler glaube, daß eine kriegerische Auseinandersetzung mit Rußland in absehbarer Zeit unvermeidlich sei. Als Begründung gab Jodl die für das Großdeutsche Reich unangenehme Aktivität Moskaus auf dem Balkan und die damit verbundene Gefährdung des rumänischen Erdölgebietes an. Er fügte jedoch beschwichtigend hinzu, daß Hitler gleichwohl versuchen würde».... eine Klärung auf diplomatischem Wege mit Rußland herbeizuführen[8]«. Wenn dies jedoch nicht gelingen sollte, sei der Führer entschlossen, im Zuge des bereits bestehenden Krieges das »Problem Rußland« ein für allemal durch einen Waffengang zu lösen.

Am 31. Juli 1940 waren die Würfel gefallen. Adolf Hitler hatte sich zu einem Krieg gegen die Sowjetunion entschlossen. Kriegsbeginn: Frühjahr 1941.

Die deutsch-russischen Beziehungen in der Vorkriegszeit

Seit den frühesten Anfängen der nationalsozialistischen Bewegung in Deutschland war in den Augen Hitlers das bolschewistische Rußland der Feind Nummer 1. Er und seine Anhänger sahen im russischen Kommunismus »den im 20. Jahrhundert unternommenen Versuch des Judentums, ... sich die Weltherrschaft anzueignen[9]«. Alfred Rosenberg, nationalsozialistischer Chefideologe und später Reichsminister für die besetzten Ostgebiete, pflegte in diesem Zusammenhang die plumpe, aber effektvolle Gleichung aufzustellen: »Rußland = Bolschewismus = Judentum[10]«. Aber der schon früh vorhandene Gegensatz zwischen den beiden »sozialistischen Bewegungen« basierte indes nicht nur auf ideologischen Differenzen, sondern deutscherseits auch auf eindeutig imperialistischen, politisch-wirtschaftlichen Ansprüchen.

Den Grundstock dafür legte Hitler schon frühzeitig in seinem

Buch »Mein Kampf«. »Einem Volk«, schrieb er, »wird die
Freiheit des Daseins nur durch eines gesichert: Lebensraum…
Wir Nationalsozialisten müssen unverrückbar an unserem außenpolitischen Ziele festhalten, nämlich dem deutschen Volk
den ihm gebührenden Grund und Boden auf dieser Erde zu sichern… Diese Aktion ist die einzige, die vor Gott und unserer
deutschen Nachwelt einen Bluteinsatz gerechtfertigt erscheinen läßt. Wenn wir aber von neuem Grund und Boden reden,
können wir in erster Linie nur an Rußland und die ihm unterta-
nen Randstaaten denken[11].«

In diesem Zusammenhang wurde auch der künftige deutsche
Osten mit Indien verglichen, da in Hitlers Augen dieses Land
das Musterbeispiel einer Kolonie war[12]. Dabei sollten die Einwohner der zu besetzenden Sowjetunion gewissermaßen nichts
anderes sein als eine Masse »weißer Sklaven«, dazu bestimmt,
der »Herrenrasse« zu dienen. »Nicht West- und nicht Ost-
orientierung darf das künftige Ziel unserer Außenpolitik sein,
sondern *Ostpolitik* im Sinne der Erwerbung der notwendigen
Scholle für unser deutsches Volk[13].« Somit ist es auch nicht
verwunderlich, daß er nach seiner Machtergreifung alle Vorschläge hinsichtlich einer Verständigung mit Rußland oder einer Annäherung ablehnte. Der Gedanke, im Osten einen Krieg
zu führen, beherrschte bereits seit 1933 die Vorstellungswelt
Hitlers und seiner Gefolgsmänner[14]. Daß es am 23. August
1939 trotzdem zu einem auf zehn Jahre befristeten »Nichtangriffspakt« kam, der am 29. September desselben Jahres durch
einen Freundschaftsvertrag ergänzt wurde, zeigt allzu deutlich,
wie unehrlich die Nationalsozialisten diesen Pakt einschätzten.

Der Pakt brachte Hitler in bezug auf seine Kriegspläne große
Vorteile. Die politische Zusammenarbeit zwischen Deutschland und der Sowjetunion kam zunächst in den gemeinsamen
Anstrengungen für einen sofortigen Frieden auf der Basis des
Status quo zum Ausdruck, die bereits nach der Aufteilung Polens verkündet wurden«. Am 29. September 1939 unterzeichneten die beiden befreundeten Staaten eine gemeinsame Erklärung, in der sie Großbritannien und Frankreich aufforderten,

einem »neuen München« zuzustimmen. Sollten sie jedoch dieses Treffen (an dem jetzt auch die Sowjetunion teilgenommen hätte) ablehnen, müsse die ganze Welt annehmen, daß für die Fortsetzung des Krieges allein England und Frankreich verantwortlich seien[15].

Für diese »Friedenskampagne« setzte Stalin den ganzen Apparat der Kommunistischen Internationale ein und schreckte auch davor nicht zurück, die französischen Kommunisten durch Maurice Thorez auffordern zu lassen, sich vom »imperialistischen Krieg« mit allen Mitteln fernzuhalten[16]. Die nach der Machtergreifung Hitlers nach Moskau geflüchteten Führer der deutschen Kommunisten taten sich durch besonders heftige Ausfälle gegen England und Frankreich hervor. Auch Walter Ulbricht, einer der Sekretäre der Komintern, setzte sich – gewiß nicht aus Überzeugung! – für Hitlers Friedensvorschläge ein und stellte fest, daß das sowjetische Volk und die deutschen Arbeiter ein gemeinsames Interesse daran hätten, die englischen Kriegspläne zu vereiteln[17].

Neben der politischen Zusammenarbeit gab es auch eine militärische Kooperation, an die man sich heute allerdings in Moskau nicht gern erinnert. Nicht Hitler, sondern seine Generäle, die an die militärischen Verbindungen der zwanziger Jahre dachten, wollten die Zusammenarbeit auf militärischem Gebiet intensivieren. Erste Ergebnisse zeigten sich zunächst im Bereich der Marinestrategie. Die Sowjetunion stellte Deutschland einen »Marinestützpunkt Nord« in der Nähe von Murmansk zur Verfügung, der bis Anfang September 1940 benutzt wurde[18]. Als Gegenleistung erhielten die Sowjets Baupläne für moderne Schlachtschiffe, Lizenzen für Flakbatterien, Schiffspanzertürme und ähnliches. Es wurde von Hitler auch gestattet, in Deutschland die modernsten Kampfflugzeuge zu testen und einige für die Rote Armee zu kaufen[19]. Solche und ähnliche Transaktionen wurden ab September 1939 durchgeführt. Die Sowjetunion übernahm auch den deutschen Kreuzer »Lützow«. Zusätzlich reisten deutsche Ingenieure nach Leningrad, um – im Rahmen einer technischen Hilfe – den Russen beim Bau und Umbau sowjetischer Kriegsschiffe behilflich zu sein. Diese Zusammenarbeit veranlaßte Admiral Raeder, Hitler am 23. September vorzuschlagen, er möge Stalin um die Überlassung von russischen U-Booten ersuchen, da die deutsche U-Boot-Flotte mit ihren 52 Booten für einen Seekrieg gegen England zahlenmäßig unzureichend sei. Hitler lehnte jedoch »aus politischen Gründen« ab und war auch nicht für den Plan zu gewinnen, deutsche U-Boote auf russischen Werften bauen zu lassen.

Die militärische Zusammenarbeit der beiden totalitären Staaten ging, sehr zum Bedauern Stalins, nach dem sowjetisch-finnischen Krieg praktisch zu Ende. Hitler, der sein Mißtrauen gegen die Sowjets nie überwinden konnte, sorgte dafür, daß diese Art von Beziehungen einfroren.

Dagegen funktionierte die wirtschaftliche Zusammenarbeit beider Länder, deren eigentlicher Nutznießer zweifellos Hitler war, wesentlich besser. Stalin legte größten Wert auf die korrekte Einhaltung der Bedingungen und auf die Berücksichtigung zusätzlicher deutscher Wünsche. Nach dem am 10. Februar 1940 abgeschlossenen großen Wirtschaftsabkommen sollte Deutschland aus der UdSSR innerhalb der ersten zwölf Monate Lieferungen im Wert von 800 Millionen Reichsmark beziehen. Darunter fielen unter anderem 900 000 Tonnen Erdöl, 100 000 Tonnen Baumwolle, 500 000 Tonnen Eisenerz, 300 000 Tonnen Schrott und Roheisen, 2400 Kilogramm Platin, ferner Manganerz, Bauholz, Futtergetreide und Hülsenfrüchte. Aus einer Notiz des deutschen Unterhändlers vom 28. September 1940 geht hervor, daß die Sowjetunion in einem Jahr allein fast 1 Million Tonnen Getreide geliefert hat[20]!

Die sowjetischen Lieferungen waren von Anfang an korrekt und erfolgten pünktlich. Dagegen verzögerten sich die deutschen Gegenlieferungen von Industriewaren infolge der straffen Kriegswirtschaft, was die Sowjetregierung im März 1940 veranlaßte, den deutschen Handelspartner an die strikte Einhaltung der Vertragsbestimmungen zu erinnern.

In vielen Fällen gab Stalin den deutschen Wünschen sogar

den Vorrang. So kamen zum Beispiel die britischen Gummi-
und Zinnlieferungen, für die nach dem Abkommen vom 11.
Oktober 1939 die Russen Nutzholz abgaben, teilweise auch
Deutschland zugute. Ebenso wurden andere für die deutsche
Kriegswirtschaft wichtige Rohstoffe in den Jahren 1939 bis
1941 durch die Einschaltung der sowjetischen Außenwirt-
schaftsunternehmungen beschafft. So konnte Hitler beinahe
unbeschränkt Material aus dem Fernen Osten und aus Übersee
beziehen. Es wurde über sowjetische Häfen oder von der
Transsibirischen Eisenbahn nach Deutschland gebracht und
stellte somit die Wirkung der britischen Seeblockade in
Frage.

Moskau und der Krieg in Europa

In der ersten Hälfte des Jahres 1939 kam es zu diplomatischen Gesprächen zwischen Paris und London einerseits und
Moskau andererseits, die im Juli und August in der sowjetischen Hauptstadt auf militärischer Ebene weitergeführt wurden[21]. Die beiden demokratischen Mächte verfolgten damit das
Ziel eines politisch-militärischen Brückenschlages zwischen
»Ost« und »West«, der durch seine bloße Existenz Hitler daran
hindern sollte, in Europa einen Krieg zu entfesseln. Die Sowjetregierung war bereit, dabei mitzuwirken, allerdings unter Bedingungen, welche die Westmächte weder akzeptieren wollten
noch konnten. Die Verhandlungen stagnierten. Am 21. August
1939 schließlich machte der sowjetische Delegationsführer,
Marschall Woroschilow, den Vertretern der beiden westlichen
Staaten folgende überraschende Mitteilung: »Ich nehme an,
daß unsere Delegationen ihre Beratungen für eine mehr oder
weniger lange Periode unterbrechen müssen[22]!« Am selben
Tag ließ die Sowjetregierung Berlin wissen, man sei mit einem
Besuch Ribbentrops in Moskau einverstanden. Der deutsche
Minister traf schon am folgenden Tag in der sowjetischen
Hauptstadt ein, und am 23. August wurde der »Nichtan-

griffspakt« zwischen dem Deutschen Reich und der Sowjetunion unterzeichnet. Dieses Abkommen bestimmte fast zwei
Jahre lang nachhaltig die sowjetische Außen- und Innenpoli-
tik.

Die Nachricht von der Unterzeichnung des Paktes war nicht
nur für die westliche Welt eine Sensation ersten Ranges. Auch
die sowjetische Bevölkerung, die seit der Machtergreifung Hitlers stets auf die Gefahr des »Hitlerfaschismus« für die
Menschheit hingewiesen worden war, wußte vorerst nicht, wie
dieser Vertrag zu bewerten war. Dafür unternahmen Partei und
Regierung erhebliche Anstrengungen, der Bevölkerung den
überraschenden Wechsel der sowjetischen Haltung plausibel
zu machen. Zu diesem Zwecke wurden Massenversammlungen
abgehalten, auf denen Bismarck als weiser Staatsmann gelobt
wurde und die Westmächte als »Kriegstreiber« gebrandmarkt
wurden[23]. Stalin sorgte in dieser Zeit dafür, daß das russische
Nationalbewußtsein, das bis 1936 vom Kreml selbst unterdrückt worden war, wieder auflebte: Die Bürger der UdSSR
gewannen den Eindruck, Stalin habe außenpolitisch das Erbe
des Zaren angetreten – was in der Tat auch der Fall war.

Der deutsch-sowjetische Nichtangriffspakt bot Stalin seit
dem Fiasko der frühen zwanziger Jahre erstmals die Möglichkeit, die Grenzen der Sowjetunion nach Westen hin auszudehnen. Das »geheime Zusatzprotokoll« des Vertrages, das erst
nach dem Zweiten Weltkrieg veröffentlicht wurde, regelte
nämlich die »beiderseitigen Interessensphären in Osteuropa«
wie folgt:

»1. Für den Fall einer territorial-politischen Umgestaltung in
den zu baltischen Staaten (Finnland, Estland, Lettland, Litauen) gehörenden Gebieten bildet die nördliche Grenze
Litauens zugleich die Grenze der Interessensphären
Deutschlands und der UdSSR...

2. Für den Fall einer territorial-politischen Umgestaltung der
zum polnischen Staate gehörenden Gebiete werden die Interessensphären Deutschlands und der UdSSR ungefähr
durch die Linie der Flüsse Narew, Weichsel und San abgegrenzt.

Die Frage, ob die beiderseitigen Interessen die Erhaltung eines unabhängigen polnischen Staates erwünscht erscheinen lassen und wie dieser Staat abzugrenzen wäre, kann endgültig erst im Laufe der weiteren politischen Entwicklung geklärt werden...

3. Hinsichtlich des Südostens Europas wird von sowjetischer Seite das Interesse an Bessarabien betont. Von deutscher Seite wird das völlige politische Desinteressement an diesen Grenzgebieten erklärt...[24]«

Am 1. September erfolgte der deutsche Angriff auf Polen. Vorerst bemühte sich die Sowjetpresse noch, die Ereignisse objektiv bzw. als neutraler Berichterstatter wiederzugeben und zu kommentieren. Doch schon am 10. September 1939 veröffentlichte die »Prawda« einen ersten zusammenfassenden Bericht über den Verlauf der Kampfhandlungen und lobte dabei die deutsche militärische Führung, die mit ihrer Übermacht an Panzern und Flugzeugen bereits den polnischen Widerstand zu brechen beginne. Obwohl – so wurde abschließend festgestellt – ein großer Teil der polnischen Armee die Weichsel noch nicht habe überschreiten können, sei das polnische Oberkommando kaum mehr in der Lage, den Deutschen wirksam Widerstand zu leisten.

Was sich tatsächlich seit dem 3. September hinter den Kulissen in Berlin und Moskau abspielte, wußten nur wenige. Hitler wünschte schon damals, daß Stalin mit seinen Armeen dem polnischen Staat den Todesstoß versetzte. Ribbentrop forderte Molotow telegraphisch mehrmals dazu auf, wobei er betonte, daß ein solcher Schritt der Sowjets eine »militärische Notwendigkeit« sei, da die deutschen Truppen bei ihrem Vormarsch an der vereinbarten Demarkationslinie nicht haltmachen könnten, sondern die polnischen Armeen weiter nach Osten verfolgen müßten. Dieses Problem könnte aber gelöst werden, wenn die Rote Armee zur »gegebenen Zeit« die ihr zugesprochenen Gebiete besetze. »Nach unserer Auffassung würde das nicht nur eine Entlastung für uns sein, sondern auch im Sinne der Moskauer Abmachungen sowie im sowjetischen Interesse liegen[25].«

Stalin jedoch lehnte bis zum 16. September eine unmittelbare Beteiligung an der Zerschlagung des polnischen Staates ab. Er hielt die Zeit für noch nicht gekommen, sich an der Seite Hitlers militärisch zu kompromittieren. Ihn interessierte vielmehr die Haltung der Westmächte in der polnischen Frage, besonders die britische Reaktion.

Doch die raschen Erfolge der deutschen Truppen und der Fall Warschaus stimmten Stalin um. Schon am 14. September erschien in der »Prawda« ein merkwürdiger Leitartikel, in dem behauptet wurde, die polnische Armee sei im Grunde überhaupt nicht bereit, für ihre Heimat zu kämpfen. »Warum leistet die polnische Armee den Deutschen keinen nennenswerten Widerstand? Weil Polen kein homogenes Land ist. Nur 60 Prozent der Bevölkerung sind Polen, der Rest sind Ukrainer, Weißrussen und Juden... Die elf Millionen Ukrainer und Weißrussen leben in einem Zustand nationaler Unterdrükkung... Die Verwaltungssprache ist Polnisch, keine andere Sprache wird anerkannt... Die polnische Verfassung verbietet, die Nichtpolen in ihrer eigenen Sprache zu unterrichten...«

Diese und ähnliche Artikel in der sowjetischen Presse dienten dazu, die Bevölkerung psychologisch auf den Angriff der Roten Armee gegen Polen vorzubereiten. Er erfolgte am 17. September 1939. An diesem Tage gab Molotow über den Moskauer Rundfunk bekannt, daß zwei Wochen Krieg die »innere Unfähigkeit« des polnischen Staates genügend demonstriert hätten, Warschau bereits gefallen sei und niemand wisse, wo sich die polnische Regierung aufhalte. Da die Sowjetregierung um die Sicherheit der in Ostpolen ansässigen Ukrainer und Weißrussen besorgt sei, habe die Rote Armee den Befehl erhalten, den Schutz ihrer Landsleute zu übernehmen[26].

»Es war ein echter Befreiungsfeldzug: er hatte das Ziel, die Bevölkerung der Westukraine und Westweißrußlands zu befreien und zu verhindern, daß die Faschisten weiter nach Osten vordrangen. Um diese Aufgaben erfüllen zu können... befreite die Rote Armee die Werktätigen der weißrussischen und ukrainischen Westgebiete vom Joch der polnischen Gutsbesitzer und der drohenden faschistischen Gefahr. Sie brachte ihnen den Frieden und rettete sie vor Elend und physischer Vernichtung« – so das Standardwerk der sowjetischen Geschichtsschreibung über den Feldzug der Roten Armee in Polen, die ein Gebiet von 178705 qkm besetzte[27]. Damals begann eine neue Phase der sowjetischen Außenpolitik, die in dem genannten Standardwerk als »die Erweiterung der sowjetischen Völkerfamilie und die Maßnahmen der UdSSR zur Sicherung ihrer Grenzen« bezeichnet wird.

Kaum war der Krieg in Polen zu Ende, drängte Stalin den baltischen Staaten »Beistands- und Handelsabkommen« auf, die es der Sowjetunion erlaubten, in Estland, Lettland und Litauen Heeres-, Luft- und Flottenbasen zu unterhalten. Dies alles war schon in dem geheimen Zusatzprotokoll zum deutsch-sowjetischen Vertrag geregelt worden. Ribbentrop und Molotow wurden indessen nicht müde, sich in Freundschaftsbeteuerungen zu ergehen. Am 27. September reiste der deutsche Außenminister erneut nach Moskau: »Ich fand bei Stalin und Molotow eine ausgesprochen freundliche, fast herzliche Aufnahme«, schrieb Ribbentrop später in seinen nach dem Krieg veröffentlichten Memoiren. »Bei diesem Besuch wurden die bekannten Grenzen zwischen dem späteren Generalgouvernement und der Sowjetunion in der großen Linie festgelegt. Gleichzeitig wurden weitreichende Handelsvereinbarungen besprochen und am 28. September 1939 ein Grenz- und Freundschaftsvertrag unterzeichnet. Die Zähigkeit der Russen bei der diplomatischen Verfolgung ihrer Ziele zeigte sich erneut, als Stalin und Molotow unter Verzicht auf gewisse Gebiete in Polen, im Gegensatz zu den im August getroffenen Abmachungen, nun auch Anspruch auf Einbeziehung Litauens in die sowjetische Interessensphäre erhoben. Weil die Russen in dieser Frage ganz hartnäckig blieben, verständigte ich vom Kreml aus den Führer telefonisch. Einige Zeit später wurde ich von ihm wieder angerufen, er erklärte mir, ... daß er einverstanden sei, Litauen mit in die russische Interessensphäre einzuschließen. Er fügte hinzu, ›ich möchte ein ganz enges Verhältnis herstellen‹. Als ich diese Bemerkung Stalin übermittelte, meinte er lakonisch: ›Hitler versteht sein Geschäft!‹...

Als ich nach der Unterzeichnung des Freundschaftsvertrages zu Stalin sagte, daß nach meiner Überzeugung nunmehr Deutsche und Russen niemals wieder die Waffen kreuzen dürften, überlegte Stalin eine Weile, bis er dann wörtlich erwiderte: ›Das sollte wohl so sein.‹ Noch eine andere Antwort Stalins ist mir aus unseren Gesprächen während meines zweiten Moskauer Besuches fest im Gedächtnis haften geblieben. Als ich bei ihm wegen einer möglichen engeren Bindung über den Freundschaftsvertrag hinaus in Richtung auf ein reguläres Bündnis für die kommenden Kämpfe mit den Westmächten sondierte, antwortete mir Stalin: ›Ich werde niemals dulden, daß Deutschland schwach wird!‹

Stalin gab uns ein großes Bankett, zu dem alle Mitglieder des Politbüros eingeladen waren. Als ich mit unseren Herren die große Treppe des ehemaligen zaristischen Palastes, in dem das Bankett stattfand, hinaufstieg, sahen wir zu meiner Überraschung vor uns ein großes Gemälde, das den Zaren Alexander II. unter seinen Bauern nach der Abschaffung der Leibeigenschaft darstellte. Es schien auch dies neben manch anderen Eindrücken ein Zeichen dafür, daß sich im Stalinschen Moskau eine Evolution von den weltrevolutionären Thesen in eine mehr konservative Richtung anbahne...

Von den Mitgliedern des Politbüros, die uns erwarteten, und von denen man so viel Sagenhaftes gehört hatte, war ich eigentlich angenehm überrascht, jedenfalls haben meine Mitarbeiter und ich in diesem Kreise einen harmonischen Abend verbracht. Der Danziger Gauleiter, der mich auf dieser Reise begleitete, sagte mir auf dem Rückflug, er habe manchmal fast geglaubt, ›sich unter alten Parteigenossen‹ zu befinden[28].«

Ribbentrop kehrte nicht mit leeren Händen nach Berlin zurück. Er gab vor seiner Abreise aus Moskau gegenüber der amtlichen sowjetischen Nachrichtenagentur TASS folgende Erklärung ab:

»Mein Aufenthalt in Moskau war wiederum kurz, leider zu

kurz. Das nächste Mal hoffe ich länger hierzubleiben. Trotzdem haben wir die zwei Tage gut ausgenützt. Folgende Punkte wurden geklärt:

1. Die deutsch-sowjetische Freundschaft ist nunmehr endgültig etabliert.
2. In den osteuropäischen Fragen werden sich die beiden Nationen niemals mehr hineinreden lassen.
3. Beide Partner wünschen, daß der Frieden wiederhergestellt wird und daß England und Frankreich den völlig sinnlosen und aussichtslosen Kampf gegen Deutschland einstellen.
4. Sollten die Kriegshetzer in diesen Ländern aber die Oberhand behalten, so werden Deutschland und Sowjetrußland dem zu begegnen wissen[29].«

Kaum waren große Teile Polens von den Sowjets besetzt und auch politisch und wirtschaftlich integriert worden, bereitete sich die Sowjetregierung auf die Eroberung neuer Gebiete vor. Der polnische Feldzug der Roten Armee mit seinen geringen Verlusten (734 Tote und 1862 Verwundete) war in Stalins Augen der Beweis für die Unbesiegbarkeit der sowjetischen Armee. Die Forderung nach einem Gebietsaustausch, den die Moskauer Regierung im Spätherbst 1939 an Finnland stellte, war anfänglich maßvoll und nach Ansicht Paasikivis und Kekkonens in gewissem Sinne auch verständlich[30]. Wenn es trotzdem zu einem Krieg zwischen den beiden Staaten kam, dann deshalb, weil die Sowjets nicht gewillt waren, ihre Forderungen im Rahmen von politischen Verhandlungen durchzusetzen. Sie waren überzeugt, daß im Falle einer militärischen Auseinandersetzung die Rote Armee die »weißen Finnen« in wenigen Tagen aufreiben und zur Kapitulation zwingen könnte, zumal Finnland weder von den Deutschen noch von der englisch-französischen Allianz Hilfe zu erwarten hatte. Das war jedoch eine folgenschwere Fehlkalkulation!

Am 29. November 1939 begannen die Kriegshandlungen, die erst im März 1940 beendet wurden. Die Rote Armee hatte hohe Verluste, fast 50000 Tote und 158000 Verwundete. Wenn auch der finnische Winterkrieg für Stalin im Endeffekt ein Sieg war (44 158 qkm fielen an die UdSSR), moralisch und politisch gesehen war er ein Fiasko[31]. Noch heute, nach mehr als dreißig Jahren, gibt es in der umfangreichen sowjetischen Kriegsliteratur kein einziges Werk, das sich ausschließlich mit diesem Krieg beschäftigt! Das »finnische Problem« beherrschte im Winter 1939/40 die sowjetische Öffentlichkeit. Daß der Krieg in Westeuropa inzwischen in eine neue Phase getreten war, daß die Deutschen Dänemark und Norwegen überrannt hatten, war nur ein zweitrangiges Gesprächsthema. Die sowjetische Presse hielt sich im großen und ganzen an die deutsche Berichterstattung. So veröffentlichte sie am 10. April 1940, zusammen mit der Meldung, daß die deutsche Wehrmacht in Kopenhagen und Oslo einmarschiert sei, in großer Aufmachung ein Memorandum der deutschen Regierung, das von Goebbels im Rundfunk verlesen worden war. Zwei Tage später berichtete TASS aus Oslo über Vidkun Quisling, den sie »den neuen Chef der norwegischen Regierung« nannte, verheimlichte allerdings nicht, daß die »andere« norwegische Regierung nach wie vor bestehe.

Eine sichtbare Nervosität befiel die Russen im Frühjahr 1940, als die Neutralität Schwedens in Gefahr geriet. Die osteuropäische Literatur vertritt heute gern die These, daß die Gefahr einer Verletzung der schwedischen Neutralität ausschließlich auf Grund »der faschistischen Aggression« bestanden hätte[32], in Wirklichkeit sah es ganz anders aus. Noch am 3. März 1940 erklärten die deutsche und die sowjetische Regierung in einem gemeinsamen TASS-Kommuniqué, daß die schwedische Neutralität eine der Hauptvoraussetzungen für den Frieden in Nordosteuropa sei und daß daher beide Mächte an ihrer Aufrechterhaltung interessiert seien[33]. In Paris und London entstand daraufhin der Eindruck, Stalin werde nun vollends auf den deutschen Kurs einschwenken. Die Russen wollten jedoch mit allen Mitteln verhindern, daß Schweden ein Aufmarschgebiet für englisch-französische Truppen werde. Ein Kriesenherd an den Grenzen der UdSSR war eine zusätzliche Gefahr.

Am 10. Mai 1940 überschritten deutsche Truppen die Grenzen Belgiens, Hollands und Luxemburgs. Der sogenannte »komische Krieg« gehörte damit der Vergangenheit an. Nach Hitlers Vorstellungen mußte diese Offensive der Wehrmacht eine rasche Entscheidung bringen. Es wurde fast die gesamte militärische Kapazität an der Westfront konzentriert[34]. Im Osten verblieben nur zehn Infanteriedivisionen, von denen zwei noch im Mai nach Frankreich verlegt wurden. Aus dieser bewußten Vernachlässigung der Ostgrenzen ging die Überzeugung Hitlers hervor, die Sowjets würden sich gegenüber Deutschland weiterhin loyal verhalten.

Der deutsche Vormarsch in Frankreich wurde indessen in Moskau mit gemischten Gefühlen aufgenommen. Die französische Armee hatte bei den russischen Militärs schon immer in gutem Ruf gestanden. Nun mußte das Offizierskorps der Roten Armee erleben, wie das französische Heer und die Luftwaffe in wenigen Wochen zerschlagen, demoralisiert und schließlich zum Waffenstillstand gezwungen wurden. Als der Widerstand der französischen Streitkräfte Mitte Juni 1940 zusammenbrach und Marschall Pétain die Deutschen um Einstellung der Kampfhandlungen ersuchte, fragte sich die sowjetische Führung, was wohl geschähe, wenn nun Großbritannien mit Deutschland Frieden schlösse. Plötzlich waren die Sowjets an einem Frieden nicht mehr interessiert, im Gegenteil. Sie wollten auf keinen Fall auch nur den Anschein erwecken, als respektierten sie die Souveränität der baltischen Staaten. Litauen, Estland und Lettland wurden im Juni 1940 durch die Rote Armee besetzt[35]. Neue Gesetze wurden erlassen. Rumänien mußte nach einem Ultimatum Bessarabien und die nördliche Bukowina abgeben[36]. All dies geschah in den letzten beiden Juniwochen des Jahres 1940.

Dennoch lief für Stalin alles zu langsam ab. Die Truppenverbände im Baltikum wurden erheblich verstärkt. Ihre Anwesenheit verstärkte den politischen Druck auf die ohnehin schon von den Sowjets kontrollierten Regierungen. Die am 14. und 15. Juli 1940 in allen drei baltischen Staaten veranstalteten

»Wahlen« brachten das erwartete Ergebnis:»Das werktätige Volk errang einen vollen Sieg. Am 21. und 22. Juli 1940 beschlossen die Volksvertreter an den Tagungen der höchsten gesetzgebenden Organe Estlands, Lettlands und Litauens einmütig, die Macht der Sowjets der Werktätigen zu errichten und ihre Republiken mit der Sowjetunion zu vereinigen… Nach diesen historischen Beschlüssen nationalisierten die gesetzgebenden Organe Estlands, Lettlands und Litauens Grund und Boden, liquidierten das Grundeigentum der Gutsbesitzer und nationalisierten die Industrie[37].«

Durch die Annexion des Baltikums erwarb die UdSSR weitere 188 863 qkm und schob ihre Grenzen bis an die Ostsee vor. Auch im Süden dehnte sich die Sowjetunion in diesem Sommer aus. Nach der Besetzung Bessarabiens und der Nordbukowina (28. Juni 1940) fand sie wieder Anschluß an die Donau (zwischen Galatz und dem Donaudelta) und stellte damit die Südwestgrenze des alten Zarenreiches wieder her.

Am 1. August 1940 hielt Volkskommissar Molotow vor dem Obersten Sowjet eine aufschlußreiche Rede. Er sprach über die deutschen Erfolge im Westen, erwähnte den Willen Großbritanniens, den Kampf trotz des Ausscheidens Frankreichs weiterzuführen (»… das bedeutet, daß die englische Regierung auf ihre Kolonien nicht verzichten will, die England in allen Weltteilen besitzt, und ihre Bereitschaft erklärt, auch weiterhin den Krieg für seine Weltherrschaft zu führen…[38]«), und stellte hinsichtlich der deutsch-sowjetischen Beziehungen fest, daß »unsere Beziehungen nicht auf ad-hoc-Überlegungen, sondern auf den fundamentalen staatlichen Interessen der beiden Länder gründen[39]«. Auch die »Befreiung« der baltischen Staaten, Bessarabiens und der Nordbukowina wurde erwähnt und betont, daß damit seit September 1939 die Bevölkerung der Sowjetunion um rund 23 Millionen Menschen angewachsen sei, was »einen bedeutsamen Zuwachs unserer Macht und unserer territorialen Ausdehnung« darstelle. Molotow schloß mit der Bemerkung, der Krieg würde noch lange dauern, die Sowjetvölker müßten sich daher in »mobilisierter und unermüdlicher Bereit-

schaft« halten und »stets wachsam sein«, da »kein Zwischenfall
und keine Tricks unserer ausländischen Feinde uns überra-
schen sollen!«

Molotow in Berlin

Auf das sowjetische Vorgehen gegen Rumänien im Sommer
1940 reagierten die Deutschen im Juli mit einer gesteigerten
diplomatischen Aktivität auf dem Balkan. Diese stand unmittelbar mit den territorialen Revisionswünschen Ungarns und
Bulgariens gegenüber Rumänien in Zusammenhang und veranlaßte die führenden Persönlichkeiten dieser Länder, mit der
deutschen Reichsregierung engere Verbindungen aufzunehmen. Dies mißfiel der Sowjetregierung, die den östlichen
Balkan bereits als nächste Etappe im Rahmen ihrer Anne-
xionspläne betrachtete. Als dann am 30. August 1940 in Wien
die Territorialfrage in Südosteuropa insofern notdürftig gelöst
wurde, als Ungarn und Bulgarien – beide Besiegte des Ersten
Weltkrieges – ihre ehemaligen Gebiete teilweise von Rumänien zurückerhielten und die rumänische Regierung für diese
Grenzen eine deutsche Garantie erhielt, wurden die Russen
nervös[40].

In scharfer Form beschuldigte Moskau Berlin, daß es mit der
Einmischung in die Angelegenheiten der Balkanländer den Artikel III des Nichtangriffspaktes vom 23. August 1939, der die
gegenseitigen Konsultationen regelte, verletzt habe. Darauf
ließ die Reichsregierung am 3. September 1940 in einer Note
verlauten, es seien schließlich die Sowjets gewesen, die nach
der Regelung der Bessarabienfrage verkündet hätten, keine
weiteren Interessen in Rumänien zu haben. Die Antwort Molotows ließ nicht lange auf sich warten: Die Reichsregierung irre
sich. Die Sowjetunion sei nach wie vor an allen Balkanfragen
interessiert. »Insbesondere bestehe nach wie vor ein Interesse
an der Südbukowina, und die UdSSR rechne dabei auf deutsche
Unterstützung[41].«

Der Notenwechsel hielt den ganzen September über an und bewies (ohne daß man sich in einer dieser Fragen geeinigt hätte), daß auf dem Balkan die Interessensphären der beiden mächtigsten Staaten des europäischen Kontinents kollidierten.

Was wollten die Sowjets auf dem Balkan? In erster Linie streckten sie ihre Fühler nach Bulgarien aus, mit dem sie – wie mit den baltischen Staaten – vorerst nur einen Vertrag über »Freundschaft und gegenseitige Hilfe« anstrebten[42]. Dies hätte ihnen unter anderem das Recht eingeräumt, in Bulgarien militärische Stützpunkte und Flottenbasen zu errichten, so daß sie das Land wie im Fall Litauen völlig hätten besetzen, die bürgerliche Regierung durch »Volkskundgebungen« verjagen und an ihre Stelle »Vertreter der fortschrittlichen Kräfte« setzen können. Von da an wäre es nur ein kleiner Schritt gewesen, Bulgarien in »die große Familie der Sowjetvölker« aufzunehmen. Nach Bulgarien wären Rumänien und die europäische Türkei avisiert worden, da Stalin danach strebte, im Rahmen der sowjetischen Annexionen die alten Vorstellungen der Zaren zu verwirklichen und die Dardanellen, wenn auch nur teilweise und vorerst lediglich als Stützpunkt, unter seine Kontrolle zu bringen[43].

Ende September informierten die Deutschen Molotow, daß Deutschland, Italien und Japan ein Militärbündnis (Dreimächtepakt) abzuschließen beabsichtigten, das gegen die Vereinigten Staaten von Amerika gerichtet sei. Molotow reagierte äußerst gereizt. Er verlangte, voll über den Vertrag informiert zu werden, da besonders die Beteiligung Japans (eines »alten« Feindes der UdSSR) ihn in seinem Mißtrauen bestärke. Ferner verlangte er detaillierte Auskunft über die Aktivität der Deutschen in Rumänien. Als Molotow erfuhr, daß eine deutsche Militärmission nach Bukarest entsandt worden sei, stellte er die bezeichnende Frage: Aus wieviel Divisionen besteht diese Mission?

Die Spannungen zwischen Berlin und Moskau verschärften sich. Am 13. Oktober schickte Ribbentrop einen langen, wortreichen und absichtlich vage gehaltenen Brief an Stalin, in dem er einen Besuch Molotows in Berlin vorschlug. »Ich wollte zunächst ein Zusammentreffen zwischen Stalin und Hitler herbeiführen. Der Plan scheiterte, weil der Führer meinte, Stalin könne nicht aus Rußland und er nicht aus Deutschland heraus[44].« In dem Brief betonte er, daß dieser Besuch deshalb wichtig sei, weil er »dem Führer die Gelegenheit gebe, seine Gedankengänge über die zukünftige Gestaltung der Beziehungen unserer beiden Länder Herrn Molotow persönlich auseinanderzusetzen[45]«.

Die deutsche Einladung wurde angenommen, da Stalin selbst daran interessiert war zu erfahren, was Hitler als nächsten Schritt vorhabe. Molotow traf am 12. November 1940 mit 32 Begleitern in Berlin ein, wo schon am Nachmittag die Verhandlungen begannen.

Über das Treffen der beiden Staatsmänner gibt es heute viele Erinnerungsprotokolle und Dokumente, mit deren Hilfe die Unterredung rekonstruiert werden kann.

Paul Schmidt, damals Chefdolmetscher des deutschen Auswärtigen Amtes, berichtet: »Ehe die beiden ›Schwergewichtler‹, Hitler und Molotow, in den Ring stiegen, fanden einige Vorrunden zwischen Ribbentrop und Molotow statt… Ribbentrop zeigte sich den ›Männern mit den starken Gesichtern‹ gegenüber von seiner zuvorkommendsten Seite… Molotow erwiderte diese Freundlichkeit nur in längeren Zwischenräumen. Dann glitt ein etwas frostiges Lächeln über sein intelligentes Schachspielergesicht. Immer wieder erinnerte mich der mittelgroße, etwas untersetzte Russe mit den lebhaften Augen hinter einem altväterlichen Kneifer an meinen Mathematikprofessor. Nicht nur äußerlich, auch in seiner Argumentation und Sprachweise hatte Molotow etwas mathematisch Präzises und unbeirrbar Logisches… ›Keine Macht auf der Erde kann etwas an der Tatsache ändern, daß für das britische Reich nunmehr der Anfang vom Ende gekommen ist‹, leitete Ribbentrop mit der üblichen Ouvertürenschallplatte das Gespräch ein. Er hatte an diesem Tage eine besonders starke Nadel gewählt, so daß mir schon nach einigen Takten die Ohren weh taten. Molotow ironisierte erst später die überlauten Töne Ribbentrops, als er gelegentlich von ›dem England, von dem sie annehmen, daß sie es bereits geschlagen haben‹, sprach.

›England ist geschlagen, und es ist nur eine Frage der Zeit, wann es schließlich seine Niederlage zugeben wird‹, tönte Ribbentrop weiter. ›Wenn die Briten sich nicht sofort zum Eingeständnis ihrer Niederlage entschließen, werden sie bestimmt im nächsten Jahr um Frieden bitten‹... In dieser im wahrsten Sinne unübertrefflichen Tonart ging es eine ganze Weile. Was mag sich Molotow dabei denken, ging es mir durch den Sinn, als ich sah, wie er mit unbeweglichem Gesicht aufmerksam den russischen Worten des Dolmetschers Hilger zuhörte[46].«

Ribbentrop sprach weiter. Er kam auf den Dreimächtepakt zu sprechen, der, wie er betonte, nur dem Weltfrieden diene, den man nach dem Krieg sichern wolle. Deshalb müsse man die »Konkursmasse des britischen Empire« schon jetzt unter den Großmächten aufteilen. Wenn die Sowjetunion daran interessiert sei, könne man den Dreimächtepakt ohne weiteres erweitern und auch die UdSSR aufnehmen. Ihm, Ribbentrop, liege sehr viel daran, daß die Sowjetunion und Japan einander näherkämen. So wie die deutsch-sowjetischen Interessensphären abgegrenzt worden seien, müsse dies auch zwischen Japan und der UdSSR möglich sein.

Damit nannte Ribbentrop den entscheidenden Punkt: Japans Interessen lägen im Süden und Hitler »... sei nun der Ansicht, daß es überhaupt vorteilhaft wäre, wenn einmal der Versuch gemacht werde, zwischen Rußland, Deutschland, Italien und Japan in großen Zügen die Interessensphären festzulegen«. Dies sei insofern nicht schwierig, als bei allen vier Völkern »die Stoßkraft ihrer Raumexpansion bei einer klugen Politik sämtliche in *südlicher* Richtung verlaufen würde...« Deutschland werde Zentralafrika anpeilen, Italien Nord- und Ostafrika, Japan den südlichen Pazifik. »Er – der Reichsaußenminister – frage sich, ob nicht Rußland, säkular gesehen, seinen natürlichen und für Rußland so wichtigen Ausgang zum freien Meer auch in südlicher Richtung finden würde.«Dies, so schloß Ribbentrop seine Ausführungen, seien die Themen, die Hitler mit Molotow besprechen wolle. »Was für ein Meer haben Sie eben gemeint, als Sie vom Zugang zur offenen See sprachen?« fragte Molotow. Ribbentrop gab zu, daß er sich den Persischen Golf und den Indischen Ozean, also Indien als zukünftige russische Interessensphäre vorgestellt habe. Molotow sprach nicht viel. Er konzentrierte sich auf die Debatte mit Hitler, mit dem er noch am selben Abend zusammentraf.

Hitler vermied es, beim Gespräch mit seinem Moskauer Gast das Problem Südexpansion zu erwähnen, anerkannte jedoch Sowjetrußlands Recht auf eine Verbindung zum offenen Meer. Er sprach vielmehr über den bevorstehenden Krieg mit den USA, die den Frieden »nicht in den Jahren 1944 oder 1945, sondern frühestens 1970 oder 1980... ernstlich gefährden« würden. Molotows Reaktionen waren für alle Anwesenden überraschend. Er verlangte wesentlich genauere Informationen über die Sowjetunion unmittelbar betreffende Angelegenheiten, als Hitler sie ihm gegeben hatte. »Mit einem leichten Tadel in der Stimme erwiderte Molotw, Hitler habe allgemeine Ausführungen gemacht... Dann ging er aber sofort auf akute Einzelfragen über. Er ergriff den Stier bei den Hörnern. ›Gilt eigentlich das deutsch-sowjetische Abkommen von 1939 auch in bezug auf Finnland noch?‹ fragte er unvermittelt. ›Was hat es mit der Neuen Ordnung in Europa und in Asien auf sich, und welche Rolle soll die UdSSR dabei spielen?‹ ›Was ist mit Bulgarien, Rumänien und der Türkei, wie steht es mit der Wahrung der russischen Interessen auf dem Balkan und im Schwarzen Meer; kann ich über die Abgrenzungen des sogenannten großasiatischen Raumes Auskunft bekommen, und was hat es mit dem Dreierpakt auf sich?‹ Die Fragen hagelten nur so auf Hitler hernieder. So hatte noch keiner der ausländischen Besucher in meiner Gegenwart mit ihm gesprochen!« Soweit Chefdolmetscher Schmidt[47].

Hitler reagierte auf Molotows Fragenattacke diplomatisch.

»Er war die Sanftmut und Höflichkeit selbst[48].« Als ihm dann die Sache peinlich wurde, zog er sich unter dem Vorwand zurück, daß ein britischer Luftangriff zu erwarten sei und es deshalb besser wäre, die weitere Diskussion auf den nächsten Tag zu verschieben.

Bei der Unterredung vom 13. November kristallisierten sich zwei Fragenkomplexe heraus. Der eine betraf den Balkan, der andere die Ostsee. Molotow wollte in bezug auf die Balkanfrage wissen, ob die deutsche Garantie der rumänischen Grenzen auch gegenüber der Sowjetunion gelte. Er ließ Hitler weiter wissen, daß die Sowjetregierung einen Beistands- und Freundschaftspakt mit Bulgarien anstrebe und aus Gründen der Sicherheit der UdSSR Stützpunkte am westlichen Schwarzen Meer und an den Dardanellen plane. Hinsichtlich des Ostsee-Raumes verlangte Molotow, daß Deutschland Moskau in der Finnland-Frage freie Hand lasse und seine dort stationierten Truppen zurückziehe. In der Tat hatte Hitler, nachdem er im sowjetisch-finnischen Krieg (1939/40) strikte Neutralität gewahrt hatte, im Sommer 1940 mit Helsinki ein Abkommen geschlossen, das den Transport deutscher Truppen und deutschen Kriegsmaterials durch finnisches Territorium nach Kirkenes in Norwegen gestattete.

Nun teilte Hitler Molotow ohne Umschweife mit, daß Deutschland nicht gewillt sei, die Garantie der Grenzen Rumäniens zu widerrufen, und er sich im Falle Bulgariens noch gar nicht entschließen könne. Eine Rücksprache mit Mussolini wäre nötig, da Bulgarien seines Wissens keine Garantien von der Sowjetunion verlangt habe. Und als Molotow eindeutige Antwort forderte, brach Hitler das Gespräch unter dem gleichen Vorwand wie am Vorabend ab.

Am Abend des 13. November gab Molotow zu Ehren seiner deutschen Gastgeber einen Empfang. Im großen Marmorsaal der sowjetischen Botschaft Unter den Linden waren die Tische in Form eines riesigen Hufeisens aufgestellt. Die Tafel war mit leuchtenden Nelken geschmückt. 500 Personen waren geladen. »Das entsprechende Service gab es seit langer Zeit in der Botschaft für besonders feierliche Anlässe[49].« Hitler erschien nicht zum Empfang.

Lediglich Ribbentrop war (außer Göring und Hess) anwesend, der – in Erinnerung an seine Mission im Jahre 1939 in Moskau – sein ganzes diplomatisches Geschick in die Waagschale warf, um wenigstens einen minimalen Erfolg dieser Verhandlungen zu erzielen. Doch man wechselte nur schöne Worte und Trinksprüche, die dann durch einen Fliegeralarm unterbrochen wurden.

Ribbentrop lud seinen sowjetischen Kollegen in den nahe gelegenen Bunker des Auswärtigen Amtes ein. Dort zog er zur größten Überraschung Molotows den Entwurf eines Abkommens aus der Tasche, das den Dreimächtepakt in einen Viermächtepakt verwandelte. Es sah die Anerkennung der sowjetischen Grenzen durch Deutschland, Italien und Japan vor und empfahl – dem geheimen Zusatzprotokoll entsprechend – der UdSSR, sich in Richtung Indischer Ozean territorial auszudehnen.

Molotow zeigte jedoch kein Interesse an diesem Vertrag. Er beharrte auf den Themen Finnland, Rumänien und Bulgarien. Ribbentrop verlor die Geduld und stellte direkt die Frage, ob die Sowjetunion bei der Liquidierung des britischen Imperiums mitwirken wolle oder nicht. Es bestehe aller Grund zu der Annahme, daß England faktisch schon zerschmettert sei. Darauf erwiderte Molotow:»Ist England zerschmettert, warum sitzen wir dann in diesem Bunker? Und wessen Bomben schlagen so nah ein, daß diese Einschläge sogar hier zu hören sind[50]?«

Der Aufenthalt Molotows in Berlin ging am nächsten Tag zu Ende, ohne daß eine Entscheidung fiel. Erst vierzehn Tage später nahm Stalin selbst die Verhandlungen von Moskau aus wieder auf. Er war jetzt bereit, als viertes Mitglied dem»Dreimächtepakt« beizutreten, allerdings unter folgenden Bedingungen:
– Unverzüglicher Rückzug der deutschen Truppen aus Finnland.
– Gewährleistung der Sicherheit der Sowjetunion in den Meerengen durch Abschluß eines gegenseitigen Beistands-

paktes zwischen der UdSSR und dem seiner geographischen Lage nach in der Sicherheitszone der Schwarzen-Meer-Grenzen der UdSSR liegenden Bulgarien sowie durch die Schaffung einer Basis für Land- und Seestreitkräfte der Roten Armee im Gebiet des Bosporus und der Dardanellen auf der Grundlage einer langfristigen Pacht.

– Anerkennung des Raumes südlich Batumi und Baku in der allgemeinen Richtung auf den Persischen Golf hin als Schwerpunkt der Interessensphäre der Sowjetunion.

– Verzicht Japans auf seine Kohle- und Öl-Konzessionsrechte auf Nordsachalin[51].

Die sowjetischen Vorschläge wurden deutscherseits trotz wiederholter Mahnungen Molotows nicht beantwortet. Hitlers Entschluß vom 31. Juli 1940, die Sowjetunion anzugreifen, festigte sich in den folgenden Monaten. Am 12. November 1940 – wenige Stunden vor der Ankunft Molotows in Berlin – erließ er die »Weisung Nr. 18«, welche die vorbereitenden Maßnahmen des Oberkommandos für die kommenden Militäraktionen nach Richtlinien zusammenfaßte und wo unter Ziffer 5 folgende Punkte festgehalten wurden: »Politische Besprechungen mit dem Ziel, die Haltung Rußlands für die nächste Zeit zu klären, sind eingeleitet. *Gleichgültig, welches Ergebnis diese Besprechungen haben werden, sind alle schon mündlich befohlenen Vorbereitungen für den Osten fortzuführen*[52].«

Das Unternehmen »Barbarossa«

Warum war Hitler nicht bereit, Stalin die gewünschten Zugeständnisse auf dem Balkan und in Nordeuropa zu gewähren? Warum nahm er die Chance nicht wahr, eventuell mit der UdSSR gemeinsam gegen Großbritannien vorzugehen? Auch die Tatsache, daß Hitler nicht auf die finnischen Nickelvorkommen verzichten wollte und in der sowjetischen Einmischung in Bulgarien eine Gefährdung des rumänischen Erdölgebietes sah, sind keineswegs wohldurchdachte Grundlagen seines Ent-

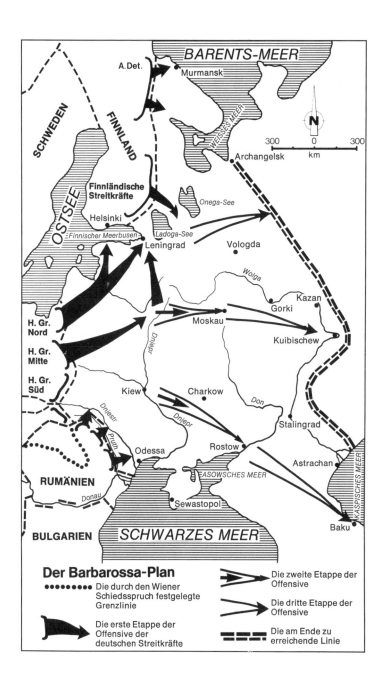

Der Barbarossa-Plan

●●●●●●●● Die durch den Wiener Schiedsspruch festgelegte Grenzlinie

Die erste Etappe der Offensive der deutschen Streitkräfte

Die zweite Etappe der Offensive

Die dritte Etappe der Offensive

Die am Ende zu erreichende Linie

schlusses,»das russische Problem« militärisch zu lösen. Entscheidend war vielmehr dies: Im Spätherbst 1940 wußte Hitler, daß er sich mit Stalin nie werde einigen können. Die Sowjets würden die Abmachungen nicht einhalten, bestenfalls nur eine gewisse Zeit. Hitler war überzeugt, daß Stalin als Fernziel die Beherrschung des gesamten Balkans und der Ostsee anstrebe. Und wenn er dies nicht mit diplomatischen Mitteln erreichte, würde er einen Krieg entfesseln, auch gegen Deutschland, und das vielleicht gerade dann, wenn Hitler im Kampf gegen England und die Vereinigten Staaten von Amerika gebunden wäre. In diesem Falle war Hitler verloren. Deshalb war er entschlossen zurückzuschlagen, solange die militärische Überlegenheit der Wehrmacht bestand und Deutschland an anderen Fronten noch nicht fest gebunden war.

Hitlers Entschluß war Mitte November 1940 unwiderruflich. Noch während einer Lagebesprechung in der Reichskanzlei mit den Generälen Brauchitsch und Halder über die geplanten Operationen teilte Hitler am 5. Dezember dem Oberkommando des Heeres mit, daß das Unternehmen »Seelöwe« aufzugeben und statt dessen die Vorbereitungen für das Unternehmen »Fritz« – so hieß der Ostplan ursprünglich – zu forcieren seien[53]. Hitler begründete seine Absicht damit, daß »Sowjetrußland erst neuerdings dadurch, daß es Bulgarien vom Dreimächtepakt abzuhalten vermochte, wieder den Beweis erbracht habe, daß es Deutschland immer, wo irgend möglich, in den Weg treten wolle[54]«. Am 17. Dezember wurden die beurlaubten Wehrmachtsangehörigen zu ihren Verbänden gerufen. Neuaufstellungen fanden statt, und Hitler forderte Generaloberst Halder auf, die »Grundzüge des Operationsplanes des Heeres« gegen die UdSSR soweit fertigzustellen, daß sie vorgetragen werden konnten.

Die Studie über den Ostfeldzug, die unter der Leitung von Generalmajor Marcks entstand, sah einen »Blitzkrieg«, also eine Überrumpelung der UdSSR vor. »Zweck dieses Feldzuges ist es«, so leitet Marcks seinen Entwurf ein, »die russische Wehrmacht zu zerschlagen und Rußland unfähig zu machen, in absehbarer Zeit als Gegner Deutschlands aufzutreten. Zum Schutz Deutschlands gegen russische Bomber soll Rußland bis zur Linie unterer Don – mittlere Wolga – nördliche Dwina besetzt werden. Rußlands kriegswirtschaftliche Hauptgebiete liegen im Lebensmittel- und Rohstoffgebiet der Ukraine und des Donezbeckens und in den Rüstungszentren um Moskau und Leningrad. Die östlichen Industriegebiete sind noch nicht leistungsfähig genug... Die Russen werden uns nicht den Liebesdienst eines Angriffs erweisen... Andererseits kann sich der Russe nicht wie 1812 jeder Entscheidung entziehen. Eine moderne Wehrmacht von 100 Divisionen kann ihre Kraftquelle nicht preisgeben. Es ist daher anzunehmen, daß sich das russische Heer in einer Verteidigungsstellung zum Schutz Großrußlands und der östlichen Ukraine zum Kampf stellt[55].«

Die Studie bezifferte die sowjetischen Kräfte auf insgesamt 151 Schützendivisionen, 32 Kavalleriedivisionen und 38 motorisierte (bzw. mechanisierte) Brigaden, von denen an der Front gegen Deutschland voraussichtlich etwa 147 große Verbände ständen. Die 147 deutschen Divisionen würden – so die Studie – nach den ersten sowjetischen Niederlagen in den Grenzschlachten zu einem eindeutigen deutschen Übergewicht führen. Der schnelle deutsche Vormarsch lasse den Sowjets keine Zeit, ihre Reserven zu mobilisieren bzw. an die Front zu führen. »Da der Russe diesmal nicht wie im Weltkrieg die Überlegenheit der Zahl besitzt, ist vielmehr damit zu rechnen, daß er, einmal durchbrochen, seine auf lang ausgedehnte Linien verteilten Kräfte nicht mehr zu einheitlichen Gegenmaßnahmen zusammenfassen kann und in Einzelkämpfen der Überlegenheit der deutschen Truppen und Führung bald erliegen wird.«

Der Feldzug würde, so nahmen die Planer an, mindestens neun, im ungünstigsten Fall 17 Wochen dauern, während Hitler immerhin mit 21 bis 22 Wochen rechnete.

Der Operationsplan wurde am 17. Dezember 1940, nach einigen Änderungen durch Hitler selbst, angenommen. Statt »Fritz« trug er jetzt den Tarnnamen »Barbarossa« und bestimmte damit auch den Charakter des kommenden Feldzuges: Es sollte ein Kreuzzug gegen den Bolschewismus werden[56]. Das Ergebnis der militärischen Besprechungen wurde in der »Weisung Nr. 21« (Fall »Barbarossa«) vom 18. Dezember 1940 zusammengefaßt: »Die deutsche Wehrmacht muß darauf vorbereitet sein, auch vor Beendigung des Krieges gegen England, Sowjetrußland in einem schnellen Feldzug niederzuwerfen. Das Heer wird hierzu alle verfügbaren Verbände einzusetzen haben...« In Übereinstimmung mit den vom Generalstab vorgelegten Operationsplänen verfügte Hitler weiter: »Die im wesentlichen in Rußland stehende Masse des russischen Heeres soll in kühnen Operationen unter weitem Vortreiben von Panzerkeilen vernichtet, der Abzug kampfkräftiger Teile in die Weite des russischen Raumes verhindert werden... Das Endziel der Operation ist die Abschirmung gegen das asiatische Rußland an der allgemeinen Linie Wolga–Archangelsk. Alle Vorbereitungen sind bis zum 15. Mai 1941 abzuschließen[57].«

Während in der Operationsabteilung des Generalstabes des Heeres bereits an den Aufmarschplänen gearbeitet wurde, hegten die Spitzen des Oberkommandos des Heeres nicht unbegründete Zweifel hinsichtlich des Unternehmens »Barbarossa«. Besonders den Generälen Halder und Brauchitsch kamen Bedenken, über die das Tagebuch Halders Auskunft gibt: »Barbarossa: Sinn nicht klar. Den Engländer treffen wir nicht. Unsere Wirtschaftsbasis wird nicht wesentlich besser. Möglich sogar, daß Italien nach Verlust seiner Kolonien zusammenbricht und wir durch Spanien, Italien und Griechenland eine Südfront bekommen. Wenn wir dann gegen Rußland gebunden sind, wird die Lage weiter erschwert[58].«

Hitler hörte jedoch weder auf seine Generäle, noch erkannte er die Gefahr der Unterschätzung der sowjetischen Wehrkraft. Er sprach sich gegen jede Verzögerung des Beginns des Ostfeldzuges aus und erklärte der Generalität am 30. März 1941: »Jetzt besteht die Möglichkeit, Rußland mit einem freien Rükken zu schlagen; sie wird so bald nicht wiederkommen. Ich wäre ein Verbrecher an der Zukunft des deutschen Volkes, wenn ich nicht zufaßte[59]!«

Wie beurteilte Hitler die politische Seite des Ostfeldzuges?
Seine Thesen über »die Kolonisation des Ostens« und die
physische Ausrottung der »jüdisch-bolschewistischen Füh-
rungsschicht« zusammen mit einer weitgehenden Dezimierung
des »slawischen Untermenschentums« waren der Wehrmacht
zunächst nicht bekannt. Auf Generalfeldmarschall Fedor von
Bocks Einwand – er sollte am 22. Juni 1941 die deutsche Heeresgruppe Mitte befehligen –, daß er zwar einen militärischen
Sieg über die Rote Armee für möglich halte, sich jedoch nicht
vorstellen könne, wie die Sowjets zum Frieden zu zwingen sei-
en, erwiderte Hitler, daß nach der Eroberung der Ukraine,
Moskaus und Leningrads die Sowjets sicher einem Vergleich
zustimmen würden[60]. Es gibt Vermutungen, wonach Hitler sogar mit dem Gedanken spielte, nach dem Sieg über die Sowjetunion Stalin zu gestatten, hinter dem Ural ein eigenes Reich
aufzubauen. Im großen und ganzen ging jedoch Hitler nie so
weit, sich Sorgen über eine endgültige Eingliederung der eroberten Gebiete der UdSSR in ein »Neues Europa« unter deutscher Vorherrschaft zu machen[61]. Vielmehr war er sich eines
raschen Sieges über die Rote Armee so sicher, daß er noch im
Frühjahr 1941 das Oberkommando des Heeres beauftragte,
Operationspläne für Feldzüge im Nahen Osten (Afghanistan)
und gegen Indien auszuarbeiten und als Aufmarschgebiet Ita-
lienisch-Nordafrika, die Türkei und den – bis dahin – eroberten
Transkaukasus zugrunde zu legen[62]! Als Zeitpunkt der neuen
Offensive bestimmte Hitler den Spätherbst bzw. den Winter
1941/42.
  Ab Februar 1941 wurden die Truppentransporte nach dem
Osten verstärkt. Die dorthin verlegten Divisionen ahnten nicht,
was sie erwartete. Noch im April und Mai, ja sogar noch im Juni
1941 dachte das Gros der deutschen Soldaten, es gehe nach Indien, um die Engländer auf Umwegen zu schlagen! Stalin
würde zu gegebener Zeit die Grenzen seines Landes öffnen und
den Durchmarsch nach Süden mit allen Mitteln fördern. Aber
nicht nur die Soldaten dachten so. Dr. Otto Dietrich, der Pres-
sechef der deutschen Reichsregierung, schreibt in seinen Memoiren:

»Als mir Anfang März 1941 von einem meiner Mitarbeiter
erzählt wurde, daß bei Kriegsberichterstattern Gerüchte umlie-
fen, wonach etwas gegen Rußland in der Luft liege, war ich sehr
erschrocken über derartige Vermutungen, von deren Unrich-
tigkeit ich völlig überzeugt war. Ich habe diese gefährliche Ge-
rüchtemacherei damals als politisches Verbrechen an den
paktmäßig festgelegten deutsch-russischen Beziehungen gebrandmarkt und sie meinen Mitarbeitern auf das strikteste
untersagt. Ich hielt sie für Phantasieprodukte von politisch
Irrsinnigen oder bewußte Sabotage... Als später im Laufe des
Frühjahrs 1941 die Gerüchte über angeblich bevorstehende
militärische Auseinandersetzungen zwischen Deutschland und
Rußland auch in der internationalen Presse auftauchten, führte
ich sie in Übereinstimmung mit der allgemeinen Annahme auf
militärisch übliche, unumgängliche Vorsichtsmaßnahmen des
deutschen Oberkommandos gegenüber einer wesentlichen Zusammenziehung russischer Truppen (an der sowjetischen
Westgrenze) zurück... Damals erregte die Verhaftung eines
Beamten im Propagandaministerium internationales Aufse-
hen, dem vorgeworfen wurde, in nicht nüchternem Zustande
auf einem diplomatischen Tee Bemerkungen über einen bevorstehenden deutsch-russischen militärischen Konflikt gemacht
zu haben. Hitler befahl damals auf Veranlassung Ribbentrops
eine strenge Bestrafung dieses Beamten, was ich darauf zurück-
führte, daß er von der Verbreitung derartiger Gerüchte eine
Schädigung des deutsch-russischen Verhältnisses befürchtete[63].«

Während der Truppenaufmarsch an den Ostgrenzen planmäßig verlief, geschah auf dem Balkan etwas Unvorhergesehe-
nes, das für den Rußlandfeldzug schwere Folgen hatte. Der
Belgrader Staatsstreich in der Nacht vom 26. auf den 27. März
1941, der die deutschfreundliche jugoslawische Regierung
stürzte, veranlaßte Hitler zu einem »kleinen Feldzug« auf dem
Balkan, wo Jugoslawien und Griechenland zwar besiegt wurden, der Tag »X« des Rußlandfeldzugs daraufhin jedoch um
mehr als einen Monat verschoben werden mußte. Der neue

Angriffstermin wurde zweimal geändert und schließlich auf den 22. Juni 1941, einen Sonntag, festgelegt.

Im Juni, nach der endgültigen Beendigung des deutschen Balkanfeldzuges, liefen die Vorbereitungen für das Unternehmen »Barbarossa« mit Hochdruck weiter. Bis zu diesem Zeitpunkt war die Geheimhaltung fast perfekt, so daß selbst höhere Kommandostäbe nicht wußten, daß ein Angriff gegen die Sowjetunion bevorstand[64]. Hitler gab die Luftaufklärung über die sowjetische Grenze hinaus erst am 31. Mai 1941 frei. Am 12. Juni kehrte er nach Berlin zurück, wo zwei Tage später die letzte große Besprechung vor dem Angriff stattfand. Zu dieser Zeit stand das Gros der deutschen Infanteriedivisionen – in drei Heeresgruppen gegliedert – bereits an der Ostgrenze. Nur die Panzerdivisionen mußten noch beschleunigt aus dem Balkan herangeführt werden[65]. Das Gros traf jedoch vor dem Tag »X« nicht mehr ein. Am 17. Juni erging der Vorbefehl an die Truppen: Die Uhrzeit des Angriffs wurde von 03.30 Uhr auf 03.00 Uhr des 22. Juni vorverlegt. Am 20. Juni notierte Generaloberst Halder, daß der Aufmarsch »planmäßig ablaufe«. Am 21. Juni um 19.30 Uhr wurde über das ganze Reichsgebiet eine Nachrichtensperre verhängt, und ab 03.00 Uhr des 22. Juni eine Personensperre. Zur gleichen Zeit begann an der gesamten Ostfront von der Küste des Schwarzen Meeres bis zur Ostsee der deutsche Angriff gegen die Sowjetunion.

Die Sowjetunion am Vorabend des Krieges

Ausländische Beobachter, welche die letzten Friedenswochen in Moskau verbrachten, berichteten übereinstimmend von der Nervosität der Russen – gleichgültig, ob es sich um Arbeiter, Angehörige der Intelligenz oder Funktionäre handelte. »Jeder hatte den Krieg erwartet, und trotzdem kam sein Ausbruch wie ein Blitz aus heiterem Himmel«, schreibt der Sowjetschriftsteller Konstantin Simonow[66]. Die Nachrichten vom deutschen Sieg auf dem Balkan und die Ausdehnung des Hitlerschen Machtbereiches in Europa wurden mit großem Unbehagen aufgenommen. Nur die Partei- und Staatsführung (Stalin und Molotow) zeigte sich optimistisch. Die Probleme mit den Deutschen, die Molotow selbst im letzten Herbst in Berlin zu klären versucht hatte, schienen vergessen. Allerdings war der Kreml weder bezüglich Bulgariens noch Finnlands mit neuen Anregungen an Hitler herangetreten; im Gegenteil, Stalin bemühte sich, die gutnachbarlichen Beziehungen mit Deutschland erneut äußerst sorgfältig zu pflegen. Die Getreide- und Rohstofftransporte nach Deutschland trafen pünktlich ein, obwohl seit April 1941 die deutschen Gegenleistungen praktisch ausblieben. Um die deutsch-sowjetische Freundschaft vor aller Welt zu demonstrieren, ging der sonst sehr zurückhaltende Stalin so weit, daß er am 13. April 1941 auf dem Jaroslawer Bahnhof in Moskau bei der Verabschiedung des japanischen Außenministers den stellvertretenden deutschen Militärattaché, Oberst im Generalstab Krebs, spontan ansprach und, wie Augenzeugen berichteten, auf die Uniform zeigend, fragte: »Das ist also eine deutsche Uniform?« Als Krebs grüßend bejahte, legte Stalin ihm mit breiter Geste den linken Arm um die Schulter und sagte: »Jetzt bleiben wir gute Freunde!« Oberst Krebs erwiderte: »Ich bin fest davon überzeugt, Herr Stalin[67]!«

Im Mai ging Stalin noch einen Schritt weiter. Um Hitler durch Bekundung seiner Freundschaft und »Solidarität« zu beeindrucken, ordnete er die Schließung der Moskauer Botschaften Belgiens, Griechenlands und Jugoslawiens an – also der Länder, die von der deutschen Wehrmacht besetzt waren –, was eine Art de facto-, wenn nicht gar eine de jure-Anerkennung ihrer Unterwerfung bedeutete.

Hinter den Kulissen wurden jedoch seit Monaten in aller Stille umfangreiche Vorkehrungen getroffen, die sowohl defensiven als auch offensiven Charakter hatten. Die Rote Armee, deren militärische Schlagkraft – und insbesondere deren Mythos – im Winterkrieg 1939/40 ernsthafte Einbußen erlitten hatte, wurde seit dem Frühjahr 1940 reorganisiert. Der neue Verteidigungskommissar, Marschall Timoschenko, stärkte die

Disziplin der Truppe mit allen Mitteln. Rangabzeichen wurden wieder eingeführt, die Kompetenzen der politischen Kommissare beschnitten und so die Verantwortlichkeit der Kommandanten gefestigt[68]. Es wurden auch ernste Anstrengungen unternommen, die durch die Tuchatschewski-Affäre und die blutigen Säuberungen stark gelichteten Reihen des Offizierskorps mit neuen Kadern aufzufüllen[69]. Zu dieser Zeit wurden im Westen drei »Besondere Militärbezirke« (mit den Hauptquartieren Riga, Minsk und Kiew) als Basen für Feldheeresgruppenkommandos gebildet. Man plante eine Verringerung der Stärke der Schützendivisionen von 18 000 auf 14 500 Mann und eine Zusammenziehung der Panzerformationen zu selbständigen Brigaden und Korps, weil diese bis zum Frühjahr 1941, als Folge des spanischen Bürgerkrieges, dezentralisiert und den Schützendivisionen zur Unterstützung zugeteilt worden waren. Auch die Ausstattung der Armee mit modernen Waffen und Geräten hatte begonnen, steckte jedoch noch in den Anfängen. Zwar verfügte die Rote Armee am Vorabend des Krieges über 24 000 Panzer, doch die meisten Fahrzeuge waren veraltet. Die ersten neuen Typen, die berühmten T-34 und die schweren Panzer »Kim Woroschilow«, trafen erst im April und Mai 1941 in den bevorzugten Grenzmilitärbezirken ein: Insgesamt waren es jedoch nicht mehr als 1740 Stück[70]. Schlimmer noch war, daß viele Panzerfahrer bei Kriegsbeginn nur über eine einein-halb- bis zweistündige Fahrpraxis verfügten. Auch hatten es nicht alle Kommandanten gelernt, Panzer- und motorisierte Verbände gemeinsam zu führen.

Die sowjetische Luftwaffe mit ihren 8000 bis 9000 meist veralteten Maschinen wies große Mängel auf. Hinzu kam, daß die Umstellung auf den Mobilmachungsplan von 1941 unvollständig war. Das Ausbildungsprogramm der Roten Armee sah für den Sommer 1941 überhaupt keine Vorkehrungen für einen Kriegsfall (auch nicht als Alternative!) vor, und die Truppenteile, die an Feldübungen teilnahmen, verbrauchten das ausgegebene Material unter der Parole: Im Herbst erhalten wir neues[71]!

Trotzdem stieg im Frühjahr 1941 die Zahl der Divisionen der Roten Armee im europäischen Teil der Sowjetunion stark an. Während die Rote Armee am 1. Januar 1939 über 100 Schützendivisionen, 32 Kavalleriedivisionen und 24 motorisierte Brigaden mit einer Gesamtstärke von zwei Millionen Mann verfügte, bezifferte der deutsche Generalstab die sowjetische Truppenstärke am 20. April 1941 auf 171 Schützendivisionen, 36 Kavalleriedivisionen und 40 motorisierte Brigaden mit einer Gesamtstärke von 4,7 Millionen Mann: Davon befanden sich 150 Divisionen in den vier westlichen Militärbezirken der Sowjetunion[72]. Sie schützten die 4500 km lange Staatsgrenze in einer Tiefe von mehr als 400 Kilometer. Diese Streitkraft wurde bereits am 10. April – vorübergehend – in Alarmzustand versetzt. An diesem Tag erfuhr nämlich Stalin von einer britischen Warnung vor einem unmittelbar bevorstehenden deutschen Überfall auf die UdSSR. Ende April ging Stalin sogar eine Warnung von Winston Churchill selbst zu, der folgende Botschaft an den sowjetischen Parteichef richtete:»Ich erhielt durch einen zuverlässigen Gewährsmann die Information, daß die Deutschen, nachdem sie Jugoslawien in ihren Netzen zu haben glaubten, d.h. also nach dem 20. März, damit begonnen haben, drei der fünf in Rumänien stehenden Panzerdivisionen nach Südpolen zu verlagern. Als sie von der serbischen Revolution erfuhren, wurde diese Truppenverschiebung abgebrochen. Eure Exzellenz werden die Bedeutung dieser Tatsache leicht ermessen können[73].«

Doch Stalin wollte dem »kapitalistischen Westen« nicht glauben.»Da sehen Sie«, sagte er zu dem Generalstabschef der Roten Armee, Georgi Schukow,»uns schreckt man mit den Deutschen und die Deutschen mit der Sowjetunion, und so hetzt man uns gegeneinander auf[74]!« Stalin vermutete eine Provokation, die ihn dazu veranlassen sollte, sich in einen Krieg mit Deutschland einzulassen, um so Großbritannien und die übrige kapitalistische Welt zu entlasten. Zwar traf er einige Vorkehrungen – wie zum Beispiel die Militärparade auf dem Roten Platz am 1. Mai in Moskau und die Übernahme der Re-

gierungsgewalt als Vorsitzender des Rates der Volkskommissare – (Molotow wurde daraufhin Stalins Stellvertreter), doch
gleichzeitig befahl er, daß unter keinen Umständen eines der
zahlreichen deutschen Aufklärungsflugzeuge, die ab 1. Juni die
Grenzgebiete der Sowjetunion überflogen, abzuschießen sei!
Eine deutsche Reaktion auf Stalins wirtschaftliche und diplomatische Gesten gab es nicht. »Die Spannung erhöhte sich«,
schreibt Schukow in seinen Memoiren. »Je größer die Kriegsgefahr wurde, desto fieberhafter arbeiteten die Führung des
Volkskommissariats für Verteidigung und der Generalstab...
Der Volkskommissar übernachtete oft im Amt... Am 13. Juni
bat Timoschenko in meiner Anwesenheit Stalin fernmündlich
um die Erlaubnis, für die Grenzwehrkreise Kampfbereitschaft
anzuordnen... ›Wir werden uns das überlegen‹, war Stalins
Antwort. Am nächsten Tag wandten wir uns wieder an Stalin,
verdeutlichten die alarmierende Stimmung in den Wehrkreisen
und betonten, daß die Truppen in höchste Kampfbereitschaft
versetzt werden müßten. ›Sie schlagen die Mobilmachung vor,
Sie wollen die Truppen in Marsch setzen und an die Westgrenzen führen? Das bedeutet doch Krieg! Begreifen Sie das denn
nicht?‹ Doch dann fragte er: ›Über wieviel Divisionen verfügen
wir im Baltischen, im Westlichen, im Kiewer und Odessaer
Wehrkreis?‹ Schukow zählte die Truppen auf. ›Na, ist das denn
nicht genug? Die Deutschen haben nach unseren Informationen nicht so viel Truppen‹, meinte Stalin. Ich berichtete, daß
die deutschen Divisionen nach Meldung des Geheimdienstes
kriegsmäßig aufgestellt seien. Eine Division bestand aus 14000
bis 16000 Mann. Unsere Divisionen, selbst die von 8000
Mann, seien nur halb so stark wie die deutschen. Stalin bemerkte: ›Man kann dem Geheimdienst nicht alles glauben!‹ Wir verließen schweren Herzens den Kreml...[75]«
Am selben Tag, als diese Unterredung zwischen Stalin und
Schukow stattfand, also am 14. Juni, genau eine Woche vor
dem deutschen Angriff, erschien in der sowjetischen Presse jenes berühmten TASS-Kommuniqué, das in allen sowjetischen
Veröffentlichungen während der Chruschtschow-Ära als das

verdammungswürdigste Beispiel Stalinscher Kurzsichtigkeit und Unfähigkeit herausgestellt wurde, seit 1964 jedoch in sowjetischen Publikationen über den Kriegsanfang nur beiläufig und ohne Kommentar erwähnt wird. Das TASS-Kommuniqué lautete:

»Die Gerüchte über einen ›baldigen Krieg‹ zwischen der Sowjetunion und Deutschland haben immer mehr zugenommen. Es heißt, Deutschland habe territoriale und wirtschaftliche Forderungen an die Sowjetunion gestellt... All das ist nichts anderes als plumpe Propaganda der Deutschland und der UdSSR feindlich gesinnten, an einer Ausdehnung des Krieges interessierten Kräfte. TASS ist ermächtigt festzustellen: Deutschland hat keinerlei Forderungen an die Sowjetunion gestellt, weshalb auch keine Verhandlungen notwendig sind. Deutschland erfüllt die Abmachungen des sowjetisch-deutschen Vertrages ebenso gewissenhaft wie die Sowjetunion. Den Bewegungen deutscher Truppen an der deutschen Ostgrenze müssen andere Ursachen zugrunde liegen, die nichts mit den sowjetisch-deutschen Beziehungen zu tun haben. Die Sowjetunion hält die Bestimmungen des sowjetisch-deutschen Vertrages ein und hat auch weiterhin die Absicht, dies zu tun. Alle Gerüchte über Vorbereitungen zu einem Krieg mit Deutschland entbehren jeder Grundlage. Die kürzlich erfolgte Einberufung von Reservisten sowie die durchgeführten Manöver bezwecken die Ausbildung von Reserveeinheiten sowie die Prüfung der Leistungsfähigkeit des Eisenbahnnetzes, und es ist zumindest absurd, diese Operationen als deutschfeindlich hinzustellen.«

Die deutsche Regierung reagierte nicht auf die TASS-Erklärung und ließ sie auch in Deutschland nicht veröffentlichen. Dagegen hatte diese Erklärung verheerende Auswirkungen in der Sowjetunion, besonders in der Roten Armee. General Sandalow berichtet in seinen Erinnerungen, daß die sorgenvolle Stimmung, in der sich Mitte Juni besonders die Kommandanten der vier westlichen Militärbezirke befanden, plötzlich verflog. Die Veröffentlichung einer derartigen Erklärung in einem Staatsorgan, wie es die »Prawda« ist, schläferte die Wachsamkeit der Truppen ein.»Bei den Stäben setzte sich die Meinung durch, unsere Regierung kenne uns unbekannte Faktoren, die sie berechtigte, die Lage an der Grenze gefaßt und zuversichtlich zu betrachten. Die Offiziere schliefen nicht mehr in den Kasernen, die Soldaten kleideten sich zur Nacht wieder aus[76].« Wenige Tage vor Ausbruch des Krieges warnte das Verteidigungskommissariat Stalin noch einmal vor dem deutschen Angriff.»Ihr verbreitet grundlos Panik«, war die Erwiderung. Marschall Bagramian berichtet, der Militärbezirk Kiew sei am Nachmittag des 19. Juni vom Kriegskommissariat gewarnt worden, Hitler könne schon in den nächsten Tagen angreifen, ohne zuvor den Krieg zu erklären[77]. Aber auch dann noch versetzte Stalin die Truppen in Grenznähe nicht in Alarmbereitschaft. Der damalige sowjetische Verteidigungsminister, Marschall R.J. Malinowskij, schreibt 1961 in seinen Erinnerungen:»Die Truppen in den Grenzbereichen machten Friedensdienst: Heeresartillerie blieb im Depot oder auf den Schießplätzen; Fliegerabwehr-Geschütze übten auf Flak-Schießplätzen, Pioniere auf ihren Übungsplätzen, und die ihrer schweren Waffen beraubte Infanterie lag in den Kasernen. Angesichts der drohenden Kriegsgefahr war das schon kein Mißgriff mehr, sondern ein Verbrechen. Hätte man das verhindern können? O ja, man hätte es verhindern können und müssen[78]!«

Stalin wollte die Realität nicht wahrhaben. Da er den Krieg gegen Deutschland fürchtete, verbot er alle Maßnahmen, die auf erhöhte Wachsamkeit hätten schließen lassen können, um Hitler jeden Vorwand für einen Krieg zu nehmen. Er begriff nicht, daß ein zum Kriege entschlossenes Deutschland leicht jenen Vorwand finden würde, den es brauchte, oder – wie es dann auch der Fall war – auf Vorwände überhaupt verzichten konnte. Stalin glaubte an Hitler und an den Vertrag mit ihm. Er wurde der Gefangene seiner eigenen Illusion.

Erst in der Nacht des 21. Juni versuchte man im Kreml, Klarheit über die deutschen Absichten zu gewinnen. Molotow ließ den deutschen Botschafter Graf Schulenburg zu sich bitten und fragte ihn ohne Umschweife:»Nun sagen Sie mir, was ist los?

Wir haben beunruhigende Nachrichten. Hat Deutschland irgendwelche Wünsche[79]?« Der deutsche Botschafter, ohne jede Information über Hitlers Vorhaben, war nicht in der Lage, Molotow eine ausreichende Antwort zu geben. Als er in seine Residenz zurückkehrte, lag die Anweisung Ribbentrops vor, der sowjetischen Regierung »ohne sich in irgendwelche Diskussion einzulassen«, mitzuteilen, daß »im Hinblick auf den unerträglichen Druck der russischen Truppen an der Ostgrenze die deutsche Wehrmacht in das Sowjetgebiet einmarschiert sei«[80]. Graf Schulenburg fuhr unverzüglich zum Kreml und las Molotow die aus Berlin eingetroffene deutsche Kriegserklärung vor. Die Uhr in Molotows Arbeitszimmer zeigte 5.25 Uhr an. Der Tag war bereits angebrochen. Es war Sonntag, der 22. Juni 1941. Wie Schulenburg später berichtete, hörte ihm der sowjetische Volkskommissar für Auswärtige Angelegenheiten schweigend zu und erwiderte: »Das heißt Krieg. Glauben Sie, daß wir das verdient haben?«

Zu jener Zeit – nach mitteleuropäischer Zeitrechnung war es 3.25 Uhr – marschierten die deutschen Truppen bereits seit 25 Minuten über die Westgrenzen der UdSSR in das Landesinnere ein.

II. Wie Hitler Verbündete für den Rußlandfeldzug gewann

In den Augen Adolf Hitlers war die Sowjetunion ein Riese, den er in einem schnellen Feldzug niederzuringen beabsichtigte, um das Land danach *erstens* beherrschen, *zweitens* verwalten und *drittens* ausbeuten zu können. In diesem Sinne faßte er seine Rußland-Politik unmittelbar nach Beginn des Feldzuges vor den Leitern seiner Partei zusammen[1]. Ihm schwebten im europäischen Rußland vier große geographisch-politische Verwaltungsgebiete vor – Ostland, d. h. das Baltikum, die Ukraine, der Kaukasus und Moskau –, die für die Deutschen in Zukunft Kolonien sein sollten. Allein an Finnland machte Hitler vorerst einige Konzessionen: es würde Teile von Nordrußland erhalten, vor allem diejenigen, die ihm von Stalin im Winterkrieg 1939/40 abgenommen worden waren. Dafür aber rechnete Hitler mit einer finnischen Beteiligung am Krieg.

In militärischer Hinsicht wurden anfänglich keinerlei Vorkehrungen zum Gewinn von Verbündeten für den deutschen Ostfeldzug getroffen. Sowohl im Marcks-Plan vom 5. August 1940 als auch in der Lossberg-Studie vom 15. September 1940 fehlen jegliche Hinweise auf den Einsatz nichtdeutscher Truppen gegen die Rote Armee[2]. Die planerstellenden Generalstabsoffiziere rechneten mit einem schnellen Feldzug in Rußland. Sie unterschätzten die sowjetischen Kräfte sowohl zahlen- als auch stärkemäßig und vertraten die Ansicht, die bereitgestellten deutschen Truppen würden ausreichen, das angestrebte Ziel zu erreichen.

Hitler entschied jedoch anders. Ohne in größerem Rahmen an territorialen Konzessionen gegenüber den zukünftigen Verbündeten zu denken, erwog er schon im Spätsommer 1940, Finnland in seine Pläne einzubeziehen. Rumänien war das andere Land, mit dem Hitler als Kampfgefährten rechnete. Beide Länder hatten unter nationalen Aspekten gute Gründe, sich an einem Krieg gegen die Sowjetunion zu beteiligen. Im Moskauer Frieden vom 12. März 1940 mußte das von der sowjetischen Übermacht besiegte Finnland weite Gebiete Kareliens abtreten, und das Königreich Rumänien, das durch das Molotow-Ultimatum vom 26. Juni 1940 Nordbukowina und Bessarabien verlor, hoffte insgeheim auf eine Zurückgewinnung – wenn nötig durch Krieg – dieser Provinzen. Die Tatsache, daß sich beide Länder an der Flanke der etwa 1800 km langen Westgrenze der Sowjetunion befanden, machte ihre Einbeziehung in den Ostfeldzug schon auf Grund der geopolitischen Lage notwendig. Demzufolge wurde bereits in der »Weisung Nr. 21« vom 18. Dezember 1940 Hitlers Idee festgehalten, die beiden osteuropäischen Länder bei der Planung des »Barbarossa« zu berücksichtigen[3].

Das Werben um Finnland

Das Verhältnis des Deutschen Reiches zur Republik Finnland war Anfang 1940 eher kühl. Hitlers Pakt mit Stalin im Jahre 1939, der die Aufteilung der Interessensphären in Osteuropa fixierte, zwang Berlin, im sowjetisch-finnischen Winterkrieg eine strikt neutrale Haltung einzunehmen. Die Ereignisse in Westeuropa und im Norden des Kontinents im Sommer 1940, Frankreichs Niederlage und Norwegens Besetzung durch die deutsche Wehrmacht isolierten nun auch die Finnen von ihren westlichen Verbündeten, die sie in den vergangenen Kriegsmonaten tatkräftig unterstützt hatten. Die Annektierung der baltischen Republiken durch die Rote Armee im Sommer 1940 und Stalins wiederholte drohende Haltung gegenüber Finnland machten die Lage in diesem Teil Osteuropas unsicher[4]. Im August 1940 glaubte die deutsche Reichsregierung sogar Anzeichen dafür zu erkennen, daß die Sowjetunion militärische Vorbereitungen treffe, um eventuell in den Besitz

der in Nordfinnland gelegenen Nickelminen von Petsamo zu
gelangen. Dies hätte die Deutschen stark getroffen, da es sich
hier um einen kriegswirtschaftlich wichtigen Rohstoff handelte[5]. Hitler ordnete daher Vorsichtsmaßnahmen an: die deutschen Verbände in Nordnorwegen – das Armeeoberkommando NORWEGEN – wurden verstärkt und in Alarmbereitschaft gesetzt.

Finnlands politische Lage nach der Beendigung des Winterkrieges wurde kritisch. Bedrängt von den zwei größten Konti-
nentalmächten Europas – Deutschland und die Sowjetunion –,
mußte es sich mit zahlreichen außen- und innenpolitischen
Problemen auseinandersetzen. Auf 24 923 Tote und 43 577
Verwundete beliefen sich die Verluste der Armee; beinahe
422 000 Flüchtlinge warteten in den an die Russen gefallenen
Gebieten darauf, neu angesiedelt zu werden. Die Annäherung
an Berlin war bedingt durch die Angst vor einem erneuten sowjetischen Angriff. Dabei versuchte die finnische Regierung,
den sowjetischen Wünschen, soweit diese mit der Unabhängigkeit der Republik vereinbart werden konnten, weitgehend zu
entsprechen. Auf Moskaus Betreiben wurde am 15. Oktober
1940 ein Vertrag unterzeichnet, der die Finnen dazu verpflichtete, die als Marinestützpunkt im Bottnischen Meerbusen liegenden, strategisch äußerst wichtigen Ålandinseln unbefe-
stigt zu lassen. In den schon in der Nachkriegszeit verfaßten
Memoiren des einstigen Oberbefehlshabers der finnischen
Armee, Feldmarschall Carl Gustav Mannerheim, können wir
nachlesen, daß die Armeeführung bereits im Herbst 1940 eine
erneute sowjetische Invasion befürchtete.

»Finnland ist ein kapitalistisches Land, das Estlands, Lettlands und Litauens Schicksal teilen wird. Wann Finnland an die
Sowjetunion angeschlossen wird, ist eine Frage von Wochen,
höchstens von einem Monat. Die Karte der kapitalistischen
Welt schrumpft immer mehr zusammen... Da das finnische
Volk nicht einen Anschluß (an die UdSSR) selbst wünscht, wird
sein Schicksal härter sein, denn Finnland wird mit Gewalt ein-
verleibt werden. Es kann der Roten Armee nicht widerstehen

und erhält auch keine Hilfe von anderer Seite!« Dies sind, nach Mannerheim, Äußerungen sowjetischer Offiziere, die in Salla Agenten für Finnland ausbildeten und deren Instruktionen der finnischen Abwehr in die Hände gefallen waren[6].

In Finnland war die Kommunistische Partei seit 1924 verboten. Die etwa 5000 illegalen Parteimitglieder unterstützten daher nach Kräften die im Mai 1940 gegründete »Finnisch-Sowjetische Gesellschaft für Frieden und Freundschaft«, die auch die Unterstützung linker Sozialisten genoß. Die Regierung hatte im selben Monat einen der führenden finnischen Kommunisten, das Politbüro-Mitglied Toiro Antikainen, der seit 1934 im Gefängnis saß, amnestiert und in die Sowjetunion ausreisen lassen[7]. Aber es kam nur zu einem kurzen Burgfrieden zwischen der von bürgerlichen Parteien beherrschten Regierung und den »Freunden« von der Finnisch-Sowjetischen Gesellschaft. Man betrachtete sie als eine »Fünfte Kolonne« der Russen im Lande und beschuldigte sie, der finnischen Unabhängigkeit ein Ende bereiten zu wollen. Obwohl die Gesellschaft keine große finnische Anhängerschaft besaß – gedacht waren an etwa 35000 bis 40000 Mitglieder –, wurde sie im Dezember 1940 durch ein Gerichtsurteil aufgelöst. Einige Monate später verhaftete man sogar dreihundert ehemalige Mitglieder, was später für die finnischen Kommunisten von gewissem Vorteil war, schuf sie doch Märtyrer für die Bewegung. Die Gesellschaft hatte vor allem Sympathien bei demjenigen Teil der Bevölkerung gehabt, der 1941 gegen eine deutsch-finnische Kriegsallianz eingestellt war.

Die sowjetische Politik gegenüber Finnland in der zweiten Hälfte des Jahres 1940 stand im Zeichen der allgemeinen Expansionsbestrebung Moskaus, alle Gebiete, die einst dem Zarenreich gehörten, unter Stalin zurückzugewinnen. Finnland geriet 1809 unter russische Herrschaft: der Zar war damit auch zum Oberhaupt der Finnen geworden. Als dann 1917 in Rußland die Februar-Revolution siegte und Zar Nikolaus II. abdankte, hatte Finnland sofort seine Unabhängigkeit verkündet und auch realisiert. Den bolschewistischen Wirren des darauffolgenden Jahres konnte der junge Staat mit Erfolg widerstehen, weil er sofort eine Armee aufstellte, die größtenteils aus Bauern bestand. Das Offizierskorps kam vorwiegend aus Deutschland: Es waren Mitglieder des Preußischen Jäger-Bataillons Nr. 27, das im Ersten Weltkrieg aus finnischen Freiwilligen gebildet worden war. Sie kehrten nach dem Zusammenbruch der Mittelmächte in ihre Heimat zurück, um ihre Dienste der Republik zur Verfügung zu stellen. Sie waren nicht nur deutschfreundlich eingestellt, sondern hatten auch eine Abneigung gegen Rußland, sowohl gegen das alte Zarenreich als nun auch gegen den Sowjetstaat.

Diese ehemaligen Angehörigen des 27. Jäger-Bataillons hatten im »Winterkrieg« 1939/40 wichtige Schlüsselstellungen in der finnischen Armee innegehabt. Einige waren als Regimentskommandeure und Generalstäbler im Hauptquartier und bei den Fronttruppen stationiert. Marschall Mannerheim konnte sich daher auf die Armee verlassen: sie war auch im Herbst 1940 ein Garant der Unabhängigkeit der Republik.

In der Außenpolitik hatte die finnische Regierung wenig Spielraum. Das starke deutsche Interesse an den Nickelvorkommen weckte in Helsinki die Zuversicht, daß die deutsche Reichsregierung nicht gewillt sei, Petsamo und damit auch Finnland ohne weiteres den Russen zu überlassen. Die Verhandlungen mit Berlin begannen im August 1940. Sie standen von der ersten Stunde an unter einem günstigen Stern. Wichtige Erfolge konnten erzielt werden. Am 1. Oktober 1940 fiel die Entscheidung: Im Auftrag des Reichsmarschalls Göring, der auch für die Planwirtschaft in Deutschland verantwortlich war, schloß sein Beauftragter, Oberstleutnant Veltjens, mit dem finnischen Verteidigungsminister, General Rudolf Walden, ein Abkommen ab. Danach erhielt Finnland vom Deutschen Reich Waffen im Wert von 50 Millionen Reichsmark. Berlin bekam das Vorkaufsrecht auf alle Erzkonzessionen in Finnland (einschließlich Petsamo) zugesprochen und durfte außerdem die Wehrmachtsangehörigen und Material von einem finnischen Hafen aus nach Norwegen transportieren.

Um sich sowjetische Proteste zu ersparen, machte der amtierende finnische Staatspräsident Risto Ryti auch der Roten Armee ein Zugeständnis. Das entsprechende Abkommen mit Moskau wurde bereits am 6. September unterzeichnet: Sowjetische Truppen und Waffen konnten sich in der Folge ungehindert zwischen der sowjetischen Grenze und dem Stützpunkt Hanko (Hangö) bewegen. Molotows Besuch in Berlin im November 1940 bereitete den Finnen einige Sorgen. Genaues wußte man nicht, aber man ahnte, daß es um die Zukunft Osteuropas und somit auch um Finnland ging.

In den kommenden Monaten wurden die finnisch-deutschen Beziehungen sowohl auf wirtschaftlicher als auch auf militärischer Ebene vertieft. Die finnische Armee besaß eine unzeitgemäße Ausrüstung, die noch zusätzlich durch den »Winterkrieg« zum Teil zerstört war. Deshalb baten die Finnen in erster Linie um die Lieferung moderner Waffen. Dies erforderte viel Fingerspitzengefühl, da Hitler – noch immer im Bund mit Stalin – vorsichtig vorgehen mußte, um in dieser Hinsicht keine sowjetischen Proteste auszulösen. So wurden zunächst die noch in norwegischen Häfen lagernden Waffen aus britisch-französischen Lieferungen für Finnland freigegeben. Aus Deutschland kamen in den folgenden Monaten vorwiegend Beutewaffen. Auch 150 französische »Morane«-Jagdflugzeuge wurden den Finnen zugesprochen. Es war jedoch nur ein Tropfen auf den heißen Stein.

Der finnischen Infanterie fehlten schwere Waffen. Die Artillerie war uneinheitlich und vielfach mit veralteten oder mit erbeuteten sowjetischen Geschützen ausgestattet. Die Munitionsfertigung wies große Lücken auf, groß war vor allem auch der Mangel an Kraftwagen und Nachrichtengeräten. Die Luftwaffe war ausschließlich auf Lieferung von Flugzeugen und entsprechenden Ersatzteilen aus Deutschland angewiesen. Finnland produzierte zudem nicht einen Tropfen Treibstoff, weder für Kraftwagen noch für Flugzeuge[8].

Die finnische Regierung – und vor allem Feldmarschall

Mannerheim – war sich über diese Mängel durchaus im klaren. Er, der Oberbefehlshaber der finnischen Streitkräfte war, machte es sich zum Ziel, das finnische Heer modern auszustatten und die Truppe besser zu kleiden und zu ernähren. Hilfe erwartete er von Deutschland, und die politischen bzw. wirtschaftlichen Kontakte zwischen den beiden Staaten wurden in der Tat Anfang 1941 vertieft. Im Januar reiste der finnische Generalstabschef, Generalleutnant Erik Heinrichs, auf Einladung des deutschen Generalstabs nach Berlin. Er hielt dort beim Oberkommando des Heeres einen stark beachteten Vortrag über den »Winterkrieg«.

Danach stattete er dem Chef des Generalstabes, Generaloberst Halder, einen Besuch ab. Dieser wußte bereits, daß deutscherseits die finnische Einbeziehung in den Ostfeldzug am 18. Dezember 1940 beschlossen und darüber auch der finnische Staatspräsident bzw. Mannerheim durch General Paavo Talvela unterrichtet worden waren. (»Finnland wird den Aufmarsch der aus Norwegen kommenden abgesetzten deutschen Nordgruppe zu decken und mit ihr gemeinsam zu operieren haben. Daneben wird Finnland die Ausschaltung Hangös zufallen[9].«) Wie General Heinrichs anschließend Mannerheim berichtete, empfing Halder ihn sehr freundlich und ließ die Bemerkung fallen, er freue sich, daß Finnland und Deutschland vielleicht noch einmal, wie im Jahre 1918, gemeinsam kämpfen würden. In einem solchen Falle könne es geschehen, daß der finnischen Armee die Aufgabe zufalle, gegen Leningrad vorzugehen. Heinrichs gab seinem Gastgeber keine verbindliche Antwort und berief sich auf die überaus heikle politische und militärische Lage seines Landes.

Die Ereignisse auf dem Balkan im Frühjahr 1941 und die abermalige Verstärkung der deutschen Position in Europa hatten indessen auch die Öffentlichkeit in Finnland mobilisiert. Es wurden Stimmen laut, die nach einer Revanche gegen die Sowjetunion verlangten. Einige hundert junge Männer verließen sogar ihre Heimat und meldeten sich in Deutschland zur Waffen-SS. Aber offiziell hielt man bis zuletzt an der Illusion fest, daß es gelingen werde, das Land aus dem Konflikt der Großmächte herauszuhalten.

Als Minister Karl Schnurre vom deutschen Auswärtigen Amt im Mai 1941 nach Helsinki geschickt wurde, um die finnische Regierung zu einer eindeutigen Zusage zu bewegen, sich dem geplanten Feldzug im Osten anzuschließen, erklärte ihm Staatspräsident Ryti am 20. Mai offiziell, daß Finnland, »so schmerzlich es auch durch den Moskauer Frieden getroffen worden sei, weder einen Angriffskrieg zu unternehmen noch überhaupt sich in einen Krieg der Großmächte einzumischen gedenke. Nur im Falle eines erneuten Angriffes gegen das Land wolle es sich verteidigen, auch ohne Verbündete – es wäre aber dankbar, wenn es im Falle eines Abwehrkrieges Hilfe von außen bekäme[10].«

Am 25. Mai 1941 traf eine finnische Militärdelegation in Salzburg ein, angeführt von General Heinrichs. Der Chef des Wehrmachtführungsstabes, Generaloberst Jodl, empfing die Gäste und informierte sie über den bevorstehenden deutschen Ostfeldzug, den er als Präventivschlag gegen den »grundlosen russischen Aufmarsch an deutscher Grenze« bezeichnete. Vorerst solle jedoch eine politische Klärung der Angelegenheit erfolgen. Die Armee müsse aber auf einen Feldzug vorbereitet sein. Jodl berücksichtigte die Schwächen und Mängel der finnischen Streitkräfte und stellte ihr lediglich die Aufgabe, sowjetische Verbände an der finnischen Grenze zu binden und deutsche Truppen aus Norwegen durch finnisches Gebiet marschieren zu lassen. Diese sollten dann gegen Salla und Murmansk vorgehen. Leningrad werde kein Angriffsziel für die Finnen sein, sondern von deutschen Truppen eingenommen werden.

Heinrichs Überraschung war groß. Korrekterweise gab er Jodl zu verstehen, er habe keine Vollmachten, politische oder militärische Fragen bindend zu behandeln. Finnland wolle keinen Angriffskrieg, was jedoch nicht bedeute, daß sich das Land im Falle eines Angriffes nicht verteidigen würde. Allerdings schloß Heinrichs die Möglichkeit nicht aus, daß, sollte der Krieg zwischen Deutschland und der Sowjetunion tatsächlich ausbrechen, ein kleines finnisches Armeekontingent gemeinsam mit den Deutschen an der Eismeerküste kooperieren würde. Am nächsten Tag trafen die Finnen in Zossen bei Berlin mit Halder zusammen. Der Generaloberst sprach jetzt ganz offen von einem Krieg im Osten und ließ Heinrichs wissen, was man von ihnen erwarte[11]. »Auf die Dauer ist eine solche Lage an der Ostgrenze unhaltbar«, sagte Jodl und versicherte weiter: »Wenn der Krieg ausbräche, würde er sich zu einem wahrhaften Kreuzzug entwickeln... ich bin kein Optimist und rechne nicht damit, daß der Krieg in einigen Wochen zu Ende sein wird, aber ebensowenig glaube ich, daß er viele Monate dauert[12].«

In Helsinki nahm man den Rapport des aus Deutschland zurückgekehrten Heinrichs mit Sorge auf. Mannerheim berichtete: »Es gab praktisch keine Möglichkeit, sich aus dem zu erwartenden Konflikt Deutschland – Sowjetunion herauszuhalten. Es hätte schon das Wunder geschehen müssen, daß erstens die Sowjetunion nicht zum Angriff geschritten wäre, auch wenn die Deutschen durch Lappland gegen Murmansk vordrängten, und zweitens die Deutschen Finnland weder durch wirtschaftliche noch durch andere Mittel gezwungen hätten, Farbe zu bekennen[13].« In diesem Zusammenhang erinnerte sich der Marschall an die Worte Stalins im Jahre 1939, der im Kreml unmißverständlich sagte, er verstehe, daß Finnland neutral bleiben wolle, aber er sei auch fest davon überzeugt, daß dies unmöglich sein werde. Die Großmächte würden dies keinesfalls zulassen.

Anfang Juni begannen Armeeführung und Staatsführung in Finnland insgeheim, Vorkehrungen für die Zukunft zu treffen. Der deutsche Oberst Erich Buschenhagen, Chef des Stabes des Armeeoberkommandos NORWEGEN, traf am 3. Juni in Helsinki ein und führte ausführliche Besprechungen mit dem finnischen Oberkommando, das zum Teil durchaus geneigt war, am Krieg gegen die Sowjetunion ohne Vorbehalt teilzunehmen. Der politische Teil der Aufgabe des deutschen Generalstabsoffiziers konnte dagegen nicht im Sinne Hitlers gelöst werden. Sowohl Präsident Ryti als auch Feldmarschall Mannerheim widersetzten sich entschieden der Forderung, daß Finnland im Falle eines deutsch-sowjetischen Krieges automatisch an der Seite Deutschlands den Krieg erklären solle. Der finnische Standpunkt war eindeutig: Das Land wolle sich nur an einem Verteidigungskrieg beteiligen.

Indessen war die politische Entscheidung der finnischen Regierung praktisch schon vorweggenommen worden, da die militärischen Vereinbarungen, zu denen sich das finnische Armeeoberkommando bekannte, eine Beteiligung finnischer Verbände an der deutschen Offensive von Nordfinnland aus gegen die Murmansk-Bahn vorsah: »Finnland stellt für die aus Nordfinnland zu führenden Operationen das 5. Armeekorps und die Abteilung Petsamo zur Verfügung. Das Armeekommando und die Abteilung werden nach Abschluß ihrer Mobilmachung dem deutschen Armeeoberkommando NORWEGEN unterstellt. Finnischerseits wird hierbei vorausgesetzt, daß das 5. Armeekorps spätestens nach Erreichen von Kandalakscha wieder dem finnischen Oberbefehlshaber zur Verfügung stehen wird. Der finnische Oberbefehlshaber legt Wert darauf, daß finnische Kräfte auch über die alte finnische Grenze hinaus im Angriff Verwendung finden[14].«

Diesem Abkommen, das rein militärischer Natur war, folgten keinerlei politische Vereinbarungen. Finnland hielt sich aus allen Angelegenheiten heraus, die mit dem Dreimächtepakt in Verbindung standen, ging keinerlei Bündnisverträge mit Deutschland ein und betrachtete die Ereignisse, die bevorstanden, mit Sorge und Unbehagen. Die Zusammenarbeit zwischen Berlin und Helsinki bei der Vorbereitung und Durchführung des bevorstehenden Ostfeldzuges beschränkte sich auf gegenseitige Informationen und Absprachen von Fall zu Fall. Allerdings: Spätestens seit der Unterstellung des inzwischen in 3. Armeekorps umbenannten finnischen Armeekorps in Nordfinnland unter das deutsche Armeeoberkommando NORWEGEN (am 15. Juni) war eine aktive Beteiligung finnischer Truppen am Kampf gegen die Rote Armee kaum mehr zu vermeiden. Am 12. Juni traf der deutsche General Dr. Waldemar Erfurth in Finnland ein, der zum »Kommandeur des Verbindungsstabes Nord« ernannt worden war. Am 17. Juni mobilisierte die finnische Armee. Sie stellte insgesamt 18 Divisionen, umgerechnet etwa 200000 Soldaten. Auch die Luftwaffe mit ihren über 200 Flugzeugen wurde in Alarmbereitschaft versetzt. Die finnische Armee nahm jedoch vorerst eine defensive Aufstellung ein. Allerdings wurde sie so gruppiert, daß sie sowohl westlich als auch östlich des Ladogasees im Notfall zur Offensive übergehen konnte. In Berlin wurde indessen der deutsche Aufmarschplan in Finnland festgelegt. Unter dem Befehl des Armeeoberkommandos NORWEGEN, Befehlsstelle Finnland, sollte eine deutsch-finnische Armee gebildet werden. Zum Oberbefehlshaber wurde Generaloberst Nicolaus von Falkenhorst ernannt. Diese Armee wurde wie folgt aufgeteilt:

1. Gruppe (links): Norwegisches Gebirgskorps (bestehend aus zwei deutschen Gebirgsdivisionen);

2. Gruppe (Mitte): Höheres Kommando 36. (bestehend aus einer deutschen Infanteriedivision und einer SS-Kampfgruppe);

3. Gruppe (rechts): Finnisches 3. Armeekorps (zwei Divisionen)[15].

Diese deutsch-finnische Armee erhielt ihre Weisungen vom Oberkommando der Wehrmacht. Für den Fall »Barbarossa« wurden Decknamen vereinbart: »Altona« bedeutete »Halt«, »Dortmund«»Los«.

Während auf militärischer Ebene alles problemlos ablief, gab es noch in den letzten Tagen vor »Barbarossa« mit Helsinki politische Schwierigkeiten. General Erfurth hatte aus Berlin die Anweisung, den Angriffsbeginn mit der deutschen Großoffensive genauestens zu koordinieren. Der finnische Staatspräsident wehrte sich jedoch dagegen, daß finnische Truppen *vor* einem deutschen Angriff bereitgestellt werden sollten. Das politische Leitmotiv dieser Haltung war immer noch die These, daß, wenn schon Finnland gegen seinen eigenen Willen in einen Krieg zwischen den beiden größten europäischen Mächten gezogen werde, die Konzeption eines Verteidigungskrieges unterstrichen werden müsse. Das bedeutete: Kein Kreuzzug gegen den Bolschewismus, kein Raubzug gegen die UdSSR, sondern eine Fortsetzung des »Winterkrieges« von 1939/40, der – so die Interpretation – überhaupt nichts mit dem Feldzug Hitlers gegen die Sowjetunion zu tun gehabt hätte. Die Teilnahme Finnlands am bevorstehenden Ostfeldzug hatte nun tatsächlich eine individuelle Note. Die »deutsch-finnische Waffenbrüderschaft«, über die in Berlin später so oft gesprochen wurde, bestand am Vorabend des 22. Juni 1941 eigentlich nur aus der finnischen Verpflichtung, den Deutschen ein Armeekorps und andere kleinere Kontingente an der Lapplandfront zu unterstellen. In Helsinki wurden weder ein gemeinsamer Oberbefehl noch ein festgelegtes gemeinsames Kriegsziel akzeptiert.

Am 21. Juni 1941 erreichte das Losungswort »Dortmund« General Erfurth: Vierundzwanzig Stunden später begann im Norden Europas der deutsche Ostfeldzug.

Der Fall Rumänien

Neben Finnland war Rumänien jenes Land, mit dem Hitler für den Ostfeldzug von Anfang an fest gerechnet hatte. Schon im Marcks-Plan vom 8. August 1940 wurde auf das südosteuropäische Königreich hingewiesen: »Auf den Angriff aus Rumänien darf dabei nicht verzichtet werden, auch wenn politische Gründe dort den Aufmarsch vor Kriegsbeginn verbieten... Der Hauptangriff des Heeres richtet sich von Nordpolen und Ostpreußen auf Moskau. Da ein Aufmarsch in Rumänien nicht möglich ist, gibt es keine andere entscheidende Operation...[16]«

Hitlers Interesse an Rumänien war von zwei Faktoren geprägt: Erstens war Rumänien der Erdöllieferant, ohne den Deutschland den Krieg nicht über längere Zeit hinweg hätte führen können, und zweitens war es der südliche Eckpfeiler der Front gegen die Sowjetunion, den er in jedem Falle als Aufmarschgebiet benötigte.

Die politische Lage im Königreich Rumänien war anfangs für Deutschland ungünstig. Das Land gehörte zu den Siegern des Ersten Weltkrieges, hatte seine Territorien sowohl nach Osten als auch nach Westen bzw. Norden hin beträchtlich ergänzen können und genoß das Wohlwollen Großbritanniens und Frankreichs. Hinzu kam, daß Rumänien ein aktives Mitglied der Kleinen Entente war, jenes Militärbündnisses, das 1921 entstanden und hauptsächlich gegen Ungarn bzw. gegen jegliche Änderung der Friedensverträge des Ersten Weltkrieges (im Donauraum) gerichtet war. In den entscheidenden Monaten vor und nach München (1938) nahm Rumänien eine strikt neutrale Haltung ein und suchte für den Fall einer militärischen Bedrohung durch Ungarn in London und Paris Hilfe. Das benachbarte Ungarn konnte den Verlust Siebenbürgens, eines Gebietes von über 102000 qkm, das es 1920 an Rumänien hatte abtreten müssen, nicht verkraften. In Budapest wartete man auf eine Gelegenheit, Siebenbürgen, wenn nötig mit Gewalt, zurückzugewinnen.

Als dann nach »München« die in den Versailler Friedensverträgen festgesetzten Grenzen teilweise korrigiert wurden und diese Tendenz weiterhin in Mittel-Osteuropa bestand, traf Rumänien Vorkehrungen, seine Position durch einen engen Bündnisvertrag mit einzelnen europäischen Großmächten zu sichern. Die britisch-französischen Garantien vom Frühjahr 1939 waren für Rumänien der erste Schritt, der dann noch im selben Jahr durch einen deutsch-rumänischen Wirtschaftsvertrag ergänzt wurde.

Die militärischen Erfolge der deutschen Wehrmacht in Westeuropa im Frühsommer 1940 beeinflußten jedoch nachhaltig die politische Lage Rumäniens. Hitler ließ, um sich die rumänischen Erdölfelder zu sichern und auch ein britisches Eingreifen vom östlichen Mittelmeerraum her zu verhindern, vom Oberkommando des Heeres einen Aufmarschplan gegen Rumänien ausarbeiten, der jedoch nach Frankreichs raschem Zusammenbruch nicht mehr zur Diskussion stehen konnte.

Drei Monate später richtete sich die Aufmerksamkeit der deutschen Reichsregierung erneut auf den rumänischen Raum, wo ein neues Spannungsfeld entstand. Die Sowjetunion meldete territoriale Ansprüche gegenüber Rumänien an und drohte Bukarest mit einer militärischen Intervention.

Das sowjetische Vorgehen erklärte sich ursprünglich aus dem deutsch-sowjetischen Nichtangriffspakt vom August 1939. In diesem war die Abgrenzung der beiderseitigen Interessenlagen in Osteuropa festgelegt worden. Nach dieser Vereinbarung fiel Bessarabien – ein Gebiet, das von 1823 bis 1918 zum russischen Zarenreich, danach jedoch zu Rumänien gehörte, an die Sowjetunion. Als dann Deutschland im Juni 1940 in Westeuropa gebunden war, hatte die UdSSR ihre auf dem Hitler-Stalin-Pakt beruhenden »Rechte« in Osteuropa geltend gemacht. Nach der Besetzung der baltischen Staaten wurde nun in Moskau die »rumänische Frage« auf die Tagesordnung gesetzt.

Am 23. Juni 1940 ließ die Sowjetregierung Berlin wissen, daß sie von Rumänien Bessarabien und die Bukowina fordere, was drei Tage später in ultimativer Form wiederholt wurde. Berlin erhob Protest gegen die Abtretung der einst zum Habsburgreich gehörenden Bukowina, weil diese im August 1939 kein Gegenstand russischer Ansprüche war. Daraufhin beschränkte sich die Sowjetunion auf einen Teil der Bukowina. Am 28. Juni stimmte das auf sich allein gestellte Rumänien dem Einmarsch der Roten Armee in Bessarabien und der Nordbukowina zu. Die Konsequenzen, die die Tatarescu-Regierung aus diesen Ereignissen zog, sahen so aus: Verzicht auf die britisch-französischen Garantien vom April 1939 (die den Rumänen gegen die Sowjetunion nichts nutzten) und offene Anlehnung an Deutschland. König Carol ersuchte Hitler bereits am 27. Juni, die neuen rumänischen Grenzen zu garantieren, und bat um die Entsendung einer deutschen Militärmission nach Rumänien[17].

Damit war jedoch die prekäre rumänische Situation noch nicht beseitigt. In den folgenden Monaten stellten weitere Nachbarn des Königreiches territoriale Forderungen. Ungarn

verlangte Siebenbürgen zurück, und Bulgarien meldete Ansprüche auf ein Gebiet im Süden des Landes (Süd-Dobrudscha,
genannt Kadrilater) an, das ihm nach dem Frieden von Bukarest im Jahre 1913 von den Rumänen mit Gewalt abgenommen
wurde. Mitte August scheiterten Versuche, die territorialen
Probleme Rumäniens und Ungarns durch direkte Verhandlungen friedlich zu lösen. »Még egy barázdát sem« (Nicht einmal
eine Ackerfurche Boden) – sagte, auf ungarisch, der rumänische Unterhändler zu dem Budapester Vertreter –»werden wir
euch von Siebenbürgen geben[18]!« Der Krieg schien unab-
wendbar. Doch jetzt griff Deutschland gemeinsam mit Italien
ein, um eine militärische Auseinandersetzung in Südosteuropa
mitten im europäischen Krieg zu verhindern. Es kam zu zähen
Verhandlungen, die einerseits mit dem sogenannten »Zweiten
Wiener Schiedsspruch« am 30. August, andererseits mit dem
Abkommen von Craiova am 7. September endeten. Bulgarien
erhielt das Gebiet Kadrilater (Süd-Dobrudscha) zurück, und
Siebenbürgen wurde zwischen Ungarn und Rumänien aufgeteilt – ohne daß beide Länder damit auf die Dauer zufriedenge-
stellt gewesen wären.

Der Verlust großer Gebiete an die Nachbarn (das den Ungarn abgetretene Nordsiebenbürgen hatte ein Territorium von
rund 42000 qkm mit einer Bevölkerung von 2300000 Einwohnern, überwiegend jedoch Ungarn) führte in Rumänien zu
einer regelrechten Staatskrise.

Schon bei der waffenlosen Preisgabe Bessarabiens hatte die
Empörung des rumänischen Volkes fast keine Grenzen ge-
kannt, aber niemand aus den Reihen der Politiker wagte es,
seine Meinung König Carol II. gegenüber zum Ausdruck zu
bringen. Als dann Nordsiebenbürgen abgetrennt wurde, kam
es im ganzen Lande, vor allem aber in Bukarest vor dem Kö-
nigsschloß zu Massendemonstrationen. Die Proteste richteten
sich gegen Carol II., gegen seine Geliebte, Madame Lupescu,
und gegen die Hofkamarilla... Die Regierung war unschlüssig,
der König ratlos. Nun meldete sich im Schloß ein General, der
58jährige Ion Antonescu. Carol II. kannte den Mann. Anto-

nescu stammte aus einer alten rumänischen Offiziersfamilie, war durch und durch Soldat, hatte schon im Weltkrieg 1914–18 verantwortungsvolle Posten innegehabt, stellte seine hohe organisatorische und operative Begabung auch beim Einsatz der königlichen Armee gegen die ungarische Räterepublik unter Beweis und hatte seine politische Einstellung während seiner Tätigkeit als Militärattaché in Paris und London gefestigt: Er war ententefreundlich eingestellt. 1933 ernannte ihn König Carol II. zum Chef des Großen Generalstabes. Aber Antonescu trat bereits nach einem Jahr zurück, nachdem der Monarch seine Reorganisationspläne abgelehnt hatte. Obwohl der General in der kurzlebigen Goga-Regierung (1937/38) noch Verteidigungsminister wurde, wuchs zwischen dem König und Antonescu die Spannung. Der General wurde sogar am 9. Juli 1940 für zwei Tage arrestiert; das Ende seiner Karriere schien gekommen. Nach der kurzen Internierung im Kloster Bistritza suchte Ion Antonescu am 1. September den König auf.

Die Unterredung der beiden war kurz und dramatisch. Antonescu berichtete über die Stimmung im Volke und insbesondere im Offizierskorps: Die Monarchie könne nur gerettet werden, wenn der König auf eine Reihe von Vorrechten verzichte, unter anderem auch auf den Oberbefehl über die Streitkräfte. Ferner müsse anstelle der Gigurtu-Regierung eine neue Regierung – unter Einbeziehung der »Eisernen Garde« – gebildet werden. (Antonescu hatte zwar früher Kontakt zum Führer der »Eisernen Garde«, Codreanu, wahrte jedoch Distanz zur Legionärsbewegung.) Auch was die Außenpolitik des Königreiches betraf, hatte Antonescu genaue Vorstellungen.

Anfangs zögerte Carol II., sich irgendwie zu binden. Er bestellte den Kommandeur der Bukarester Gardedivision zu sich und fragte ihn:»Coroama, kann ich mich auf Ihre Division verlassen? Ist die Division bereit, auf die meuternde Menge zu schießen?« General Coroamas Antwort war kurz und bündig:»Nein, Majestät!« Von den im Palast anwesenden Generälen erklärte sich nur ein einziger bereit, gegen Demonstranten mit Waffengewalt vorzugehen: das war General Gheorghe Mihail, ein ehemaliger Flügeladjutant Carols, der aber über keine Truppen verfügte[18a]. So mußte Carol II. sich Antonescus Wünschen beugen...

Am 4. September 1940 wurde Ion Antonescu mit weitreichenden Vollmachten zum »Staatsführer« (Conducatorul statului) ernannt. Carol II. blieb nur die Abdankung. Nachdem Antonescu sein Wort gegeben hatte, der König könne ungehindert und unversehrt das Land verlassen, verzichtete dieser am 6. September 1940 zugunsten seines 19jährigen Sohnes Mihâi. Neun Tage später bildete Antonescu eine Koalitionsregierung. Damit schien sich die Lage in Rumänien vorübergehend zu beruhigen.

General Antonescu bat noch Anfang September die deutsche Reichsregierung um Hilfe bei der Reorganisation der rumänischen Armee. Berlin sollte durch die Entsendung von Lehrkräften und -truppen und durch die Überlassung von modernem Kriegsgerät die bisher nach französischem Vorbild ausgebildete rumänische Armee »umschulen«. Der General, der seine antibolschewistische Einstellung keineswegs leugnete, schien für Hitler zum idealen Partner beim kommenden Ostfeldzug zu werden.

Bereits am 15. September traf der General der Infanterie, Kurt von Tippelskirch, Oberquartiermeister im Generalstab des Heeres, in Bukarest ein, um dort im Auftrag Hitlers die persönlichen Wünschen Antonescus entgegenzunehmen. Von nun an wurden die rumänisch-deutschen Beziehungen immer intensiver. Vom 10. Oktober bis zum 14. November 1940 hielt sich eine deutsche Militärmission in Rumänien auf. Sie bestand aus einer Heeres-, einer Luftwaffen- und einer Marinemission, die von sogenannten Lehrtruppen begleitet wurden. Insgesamt schätzt man die Zahl der deutschen Soldaten in Rumänien – inzwischen in einen sogenannten »Nationallegionären Staat« umgewandelt – auf achtzehn bis zwanzigtausend Mann, die selbstverständlich nicht nur als Ausbildungspersonal im Land waren[19].

In der Dienstanweisung für den Chef der Heeresmission –

mit dieser Aufgabe wurde General der Kavallerie Erik Hansen betraut – hieß es: Die Wehrmachtmission hat nur nach außen hin die Aufgabe, »das befreundete Rumänien bei der Organisation und Ausbildung seiner Wehrmacht anzuleiten«. Ihr tatsächlicher Auftrag besteht darin:» 1. Das Ölgebiet vor Zugriff einer dritten Macht und vor Zerstörung zu schützen, 2. die rumänische Wehrmacht nach einem straffen, auf die deutschen Interessen ausgerichteten Plan zur Lösung bestimmter Aufgaben zu befähigen, 3. für den Fall eines aufgezwungenen Krieges gegen Sowjetrußland den Einsatz deutscher und rumänischer Kräfte von Rumänien aus vorzubereiten[20].« All dies sollte selbstverständlich nicht publik werden und nur den obersten deutschen Militärs als Leitfaden dienen.

General Antonescu unterstützte die deutsche Militärmission in Rumänien vorbehaltlos. Er kannte selbst die Schwächen und Mängel der rumänischen Armee und hoffte, sie mit Deutschlands Hilfe zu beseitigen. Ziel der Reorganisation der Armee war die Entlassung des seit Sommer 1940 untätigen Massenheeres und die Schaffung einer kleinen, mit modernen Waffen und Geräten ausgerüsteten Armee von etwa 1 000 000 Soldaten. Die Gebietsverluste der vergangenen Monate wollte auch Antonescu nicht hinnehmen, aber er betrachtete die Sowjetunion als Feind Nr. 1 und sah in der deutschen Wehrmacht die einzige Kraft, die fähig war, die Rote Armee zu Fall zu bringen. Den Ungarn fühlte er sich im Streit um Siebenbürgen gewachsen. So begrüßte der General Hitlers Entschluß vom November 1940, eine weitere Panzerdivision nach Rumänien zu verlegen, und stimmte auch zu, als Hitler Anfang 1941 im südlichen Rumänien größere deutsche Verbände konzentrieren wollte. Sie waren für den Angriff auf Griechenland vorgesehen.

Während sich die deutschen Lehrtruppen in Rumänien einrichteten und ihre Tätigkeit aufnahmen, erlebte das Land eine neue innenpolitische Erschütterung. Die Versuche, dem Königreich durch die Proklamierung des »Nationallegionären Staates« zu einem sozialen Aufschwung zu verhelfen, erlitten bereits im November 1940 Schiffbruch. Die »Eiserne Garde«, eine chauvinistisch, sozialistisch und antisemitisch geprägte, einen völkischen Mystizismus predigende Vereinigung verschiedener Bevölkerungsgruppen, die mit Antonescu im September 1940 an die Macht gekommen war, hatte sowohl den Ministerpräsidenten als auch die rumänische Öffentlichkeit durch ihre Untaten aufhorchen lassen. Korruption, Raub und Verfolgungswahn charakterisierten die Zeit ihrer Mitregierung. Ende November gingen sogar blutige Ausschreitungen auf ihre Rechnung: 64 politische Gegner, unter ihnen der bekannte Historiker Professor Nicolae Jorga, ließ die »Eiserne Garde« ermorden[21]. Dies war für General Antonescu das erste Warnsignal. Als dann im Januar 1941 die Lage immer kritischer wurde und am 21. des Monats sogar Überfälle von Legionären auf Soldaten und Demonstrationen gegen den Ministerpräsidenten stattfanden, schlug Antonescu zu. Vergeblich wandten sich die Legionäre an das nationalsozialistische Deutschland: Hitler, den Antonescu rechtzeitig von seinem Vorhaben unterrichtet hatte, war nicht interessiert am Schicksal der rumänischen Rechtsradikalen. Die »Eiserne Garde« wurde als Vereinigung aufgelöst, ihre Mitglieder verfolgt und eingesperrt.

Andere, die sich nach Deutschland retten konnten – wie zum Beispiel ihr Anführer, der stellvertretende Ministerpräsident Horia Sima – wurden in Abwesenheit zum Tode verurteilt. Der am 14. September 1940 proklamierte Legionärstaat hatte nur fünf Monate existiert: mit einem königlichen Dekret vom 15. Februar 1941 wurde er auch offiziell aufgelöst. General Ion Antonescu blieb Alleinherrscher in Rumänien. Mit der Ausschaltung der »Eisernen Garde« verlor der General jedoch einen wichtigen Teil seiner ohnehin schmalen politischen Basis im Lande. Bis zum 23. August 1944 herrschte nun in Rumänien praktisch Antonescus Militärdiktatur, und dieser fehlte jede – dem Nationalsozialismus in Deutschland oder dem Faschismus in Italien vergleichbare – Ideologie.

Inzwischen ereignete sich auf außenpolitischer Ebene Bedeutendes. Noch Ende Oktober 1940 hatte Stalin drei rumänische Inseln im Donau-Delta bei Ismail mit der Begründung besetzen lassen, sie gehörten eigentlich zu Bessarabien. Die Gefahr aus dem Osten wurde damit erneut akut.

Vor diesem Hintergrund und angesichts der Tatsache, daß Frankreich als Großmacht ausgeschieden und England, völlig in die Defensive gedrängt, überhaupt nicht mehr am Schicksal des Balkans interessiert war, wurden die Beziehungen zwischen Bukarest und Berlin weiter intensiviert. Am 22. November reiste Antonescu zu Hitler, der von ihm stark beeindruckt war. Die Besprechungen konzentrierten sich zwar auf die Grenzgarantien, doch wurde auch das Ostproblem erörtert. »Das Verhältnis zwischen Deutschland und Rußland ist vertraglich geregelt«, sagte Hitler. Aber abgesehen davon könne er sich für den Notfall auf eine starke Armee und die Luftwaffe stützen. Die bisherigen Verluste Deutschlands an Menschen seien unbedeutend, an Material gleich Null. Im März 1941 werde Deutschland über 240 Divisionen verfügen, davon 20 Panzerdivisionen. Da es im Westen nicht mehr engagiert sei und höchstens noch in Norwegen einige Divisionen gebraucht würden, stünde diese bewaffnete Macht »für alle weiteren Notwendigkeiten« zur Verfügung[22].

Hatte Antonescu den Wink verstanden? Rechnete er mit dem baldigen Ausbruch eines Krieges zwischen Deutschland und der Sowjetunion? Die Dokumente geben darauf keine Antwort. Allerdings: Am 23. November trat Rumänien dem Dreimächtepakt (Deutschland, Italien, Japan) bei und verstärkte die Anstrengungen zur Modernisierung und besseren Ausbildung seiner Armee[23].

Die deutsche Militärmission gewann dabei zentrale Bedeutung, zumal im Dezember 1940 Hitlers Bemühungen, den Pakt zu einem Viermächtepakt (mit der Sowjetunion!) zu erweitern, total scheiterten.

Zu dieser Zeit bestand das rumänische Heer aus 29 Divisionen, wobei 10 Divisionen zweifache Kader hatten, um bei einer Mobilmachung genügend Kerntruppen für zusätzliche Divisionen zur Verfügung zu haben. Lediglich an motorisierten Aufklärungstruppen und motorisierten Etappendiensten fehlte es. Antonescus Vorsprache beim deutschen Militär blieb ohne Ergebnis. Keitel wies darauf hin, das Reich habe selbst Schwierigkeiten mit der Bereifung von Lastwagen. Die Deutschen hielten indessen die rumänische Armee für nicht geeignet, selbständig Aufgaben zu übernehmen. Lediglich drei Infanteriedivisionen, die sogenannten Kerndivisionen (von deutschen Lehrtruppen ausgebildet), sollten bei »Barbarossa« »in enger Anlehnung an die rechte Flügelgruppe der 12. Armee« den unteren Pruth und den Dnjestr überqueren und angreifen. Am 27. Dezember 1940 erfuhr Antonescu Genaueres über Hitlers Pläne. General Hansen, schon jetzt »Deutscher General beim Oberkommando der Rumänischen Wehrmacht«, weihte ihn in das geplante deutsche Unternehmen gegen Griechenland ein und unterrichtete ihn – in verklausulierter Form – auch über mögliche deutsche Militäraktionen gegen die Sowjetunion.

Als dann – Anfang 1941 – deutsche Verbände im Rahmen des Unternehmens »Marita« (Feldzug gegen Griechenland) in Rumänien eintrafen, brach Großbritannien die diplomatischen Beziehungen zur Antonescu-Regierung ab.

Inzwischen gingen in Berlin die Planungsvorbereitungen für den Ostfeldzug weiter, wobei unter anderem Rumäniens Rolle präzisiert wurde. Die rumänische Armee sollte danach den Angriff des deutschen Südflügels decken und gemeinsam mit den in der Moldau aufmarschierenden Wehrmachttruppen operieren. Für die Offensive war zunächst die 12. deutsche Armee vorgesehen. Ihren Vormarsch in Richtung Kiew sollten die Rumänen mit »ausgesuchten Kräften« unterstützen, während das Gros der rumänischen Armee für Besatzungs- und Hilfsaufgaben im Hinterland vorgesehen war.

Den ganzen Februar über wurde die Einsatzmöglichkeit der rumänischen Armee im Rahmen der deutschen Heeresgruppe Süd, die gerade erst aufgestellt wurde, geprüft. Verschiedene Varianten wurden in Erwägung gezogen. Zu dieser Zeit entschied man auch über die Kräftekonstellation der Heeresgrup-

74

pe. Unter dem Oberbefehl des Generalfeldmarschalls Gerd v. Rundstedt sollte ihr neben der 12. Armee in Rumänien die 17. Armee, die 6. Armee und die Panzergruppe 1 in Galizien und Wolhynien unterstellt werden. Im März änderte man jedoch die Planung: das Armeeoberkommando 12, dem im Rahmen des Unternehmens »Marita« (Griechenland) eine Führungsrolle zugedacht worden war, sollte auch nach der Besetzung Griechenlands auf dem Balkan verbleiben. Seine Aufgaben in Rumänien und beim Rußlandfeldzug wurden dem Armeeoberkommando 11 übertragen, das sich erst im Mai in Bukarest formierte. Am 30. März empfing Hitler auf dem Obersalzberg die Oberbefehlshaber der Heeresgruppen und Armeen, um sie in seine Pläne einzuweihen. Über Rumänien äußerte er sich ziemlich pessimistisch. Die rumänischen Verbände, so Hitler, besäßen keine Offensivkräfte. Überhaupt solle man sich keine Illusionen machen. Seine Ansichten wurden so wiedergegeben: »Mit den Rumänen sei gar nichts anzufangen. Vielleicht würden sie hinter einem ganz starken Hindernis (gemeint: Fluß) zur Sicherung ausreichen, wo nicht angegriffen werde. Antonescu habe sein Heer vergrößert, statt es zu verkleinern und zu verbessern. Das Schicksal großer deutscher Verbände dürfe nicht abhängig gemacht werden von der Standfestigkeit des rumänischen Verbandes[24].«

Noch während des deutschen Balkanfeldzuges, in dessen Folge Jugoslawien als Staatsgebilde zerschlagen und gemeinsam mit Griechenland besetzt wurde, verschärfte Hitler die Geheimhaltung gegenüber seinen Verbündeten. Zwar vertraute er Antonescu weiterhin, dessen Umgebung erschien ihm jedoch verdächtig. Die unmittelbare Einbeziehung Rumäniens in den Ostfeldzug sollte deswegen so spät wie möglich erfolgen. Diese Richtlinien hatte Hitler am 1. Mai 1941 dem Chef des Oberkommandos der Wehrmacht mitgeteilt. Dieser – der Generalfeldmarschall Keitel – teilte dann den Vertretern Finnlands, Ungarns und Rumäniens mit, daß die starken deutschen Truppenbewegungen in Richtung Osten nichts Besonderes zu bedeuten hätten. Deutschland bereite sich auf einen neuen Schlag gegen England vor. Der Schutz der Ostgrenzen dürfe jedoch nicht vernachlässigt werden, um die Sowjetunion nicht zu »unfreundlichen Überraschungen« zu verleiten... Am 6. Mai erhielt Generaloberst Eugen Ritter von Schobert den Befehl, sich als Oberbefehlshaber der 11. Armee nach Rumänien zu begeben. Er sollte den Dienstgrad »Oberbefehlshaber der Truppen des deutschen Heeres in Rumänien« führen. Ende Mai begann die Verlegung deutscher Divisionen nach Rumänien. Betrug die Anzahl der deutschen Truppen in Rumänien im April 1941 lediglich 55 000 Mann, so wuchs diese Zahl bis zum 4. Mai auf 105 000 an. In den folgenden Wochen nahmen die Truppentransporte weiter zu, so daß am 21. Juni 1941 200 000 deutsche Soldaten in der Moldau standen[25].

Am 9. Juni, knappe zwei Wochen vor dem Tage »X« im Osten, erließ von Schobert in seiner Eigenschaft als Oberbefehlshaber der 11. Armee den ersten Befehl unter dem Decknamen »Operation München«. Darin wurden sowohl die Voraussetzungen als auch die Ziele der Armee in allen Einzelheiten festgehalten. Auch in diesem Schriftstück wurde strengstens davor gewarnt, rumänische Dienststellen (»bis das Armeeoberkommando dafür nicht ausdrücklich Befehl gibt«) in die Angelegenheit einzuweihen. »Bis dahin darf ihnen gegenüber in keiner Form von einem beabsichtigten Angriff gesprochen werden[26]!«

Trotz schärfster Geheimhaltung durch deutsche militärische Stellen wußten die Rumänen spätestens seit Jahresanfang, daß ein deutscher Angriff im Osten nicht nur unvermeidlich war, sondern direkt bevorstand. In den letzten Monaten hatte sich die rumänische Öffentlichkeit sehr intensiv mit den Grenzfragen beschäftigt. Die Presse war voll von diversen Kampagnen, hauptsächlich gegen Ungarn. Rumäniens »alte« Größe wurde herausgestellt, und man forderte eine Revision des Wiener Schiedsspruches bzw. die Rückgabe Nordsiebenbürgens. Neben unverhohlener Feindseligkeit gegen die Sowjetunion, die Rumänien stets zu bedrohen schien und der breiten Masse als

Hauptschuldiger an der politischen Niederlage Rumäniens 1940 erschien, herrschten offener Haß gegen Ungarn, aber auch Mißtrauen gegen Italien und Bulgarien vor. »Wir werden kämpfen müssen mit dem Feind im Rücken«, so äußerte sich am 8. Juni 1941 in Focsani beim rumänischen AOK 4 ein hoher rumänischer Generalstabsoffizier gegenüber seinem deutschen Kollegen. Befremdet registrierte Bukarest Hitlers April-Entscheid, wonach das besetzte, einst jugoslawische Banat – auf das sowohl die Ungarn als auch die Rumänen Anspruch erhoben – »vorläufig«, auf jeden Fall aber »bis zum Kriegsende«, unter deutscher Militärverwaltung verblieb.

Ende April empfing Antonescu in seinem Sommersitz in Predeal General Ion Gheorghe, den rumänischen Militärattaché in Berlin. Er kehrte von einer ausgedehnten Erkundungsreise aus Griechenland zurück, tief beeindruckt vom deutschen Sieg und von der Wehrmacht selbst. Antonescu hörte dem Bericht seines Diplomaten aufmerksam zu und stellte dann die Frage: »Nun, was sagt man in Deutschland über einen Krieg mit den Sowjets?« Gheorghe vermochte nichts Genaues zu sagen, bestätigte aber die Gerüchte, nach denen die Verschiebung starker Streitkräfte in Richtung Osten den Eindruck erwecke, »daß die deutsche Führung offenbar ernsthaft an einen baldigen Feldzug zu denken scheint[27]«.

Schon vier Wochen nach diesem Gespräch wurde der rumänische Generalstab von Antonescu angewiesen, die rumänische Armee in der Moldau zu verstärken. Eine getarnte Teilmobilmachung begann. Innerhalb von zwei Wochen verlegte man neue Divisionen an die Ostgrenze, die man gegenüber Generaloberst Ritter v. Schobert mit der »notwendigen Sicherung des Landes gegen einen etwaigen russischen Angriff« begründete. Als General Antonescu am 12. Juni nach München reiste, um dort im sogenannten Führerbau mit Hitler zu konferieren, beliefen sich die deutschen Verbände allein in der Moldau auf sieben, die der Rumänen auf 15 Divisionen. Die rumänische Luftwaffe verfügte über 672 Flugzeuge, davon 219 Bomber und 146 Jagdflugzeuge. Die rumänische Marine, die ebenfalls aufgeboten wurde, hatte im Schwarzen Meer 3 Zerstörer, 2 U-Boote und andere kleine Schiffe liegen.

Die mehrstündige Besprechung der beiden Staatsführer in München stand vollkommen im Zeichen der kommenden Ereignisse. Hitler legte seine Angriffspläne gegen die Sowjetunion vor und begründete sie damit, daß er den Russen zuvorkommen wolle. Die deutsche Offensive sei ein Präventivschlag. Er, Hitler, dürfe den Sowjets keine Gelegenheit bieten, die Kriegslage im Westen auszunutzen und Deutschland in den Rücken zu fallen.»Als Führer des deutschen Volkes und Oberster Befehlshaber der Wehrmacht habe er in einer solchen Situation jede Maßnahme getroffen, um bereit zu sein, damit es keine Überraschungen gebe, die die Zukunft des Reiches und der mit ihm verbündeten Völker, zu denen er in erster Linie auch Rumänien rechne, gefährden.« Er verlangte dabei von den Rumänen keine Unterstützung. Sie sollten lediglich – in ihrem eigenen Interesse – Maßnahmen ergreifen, die das deutsche Vorrücken beschleunigten. In diesem Falle, so konnte Hitler dem rumänischen Staatsführer versichern, daß nach Beendigung des Krieges Rumänien von Deutschland Entschädigungen erhalten, die»territorial keine Begrenzung hätten«.

Endlich besaß Antonescu die Information, auf die er seit Monaten gewartet hatte! Sofort bot er die rumänische Armee an, um mit ihr an der Offensive teilzunehmen. Auf Hitlers geschickte Frage, ob die Rumänen nicht erst den deutschen Angriff abwarten wollten, um dadurch die Russen zu einer gewissen Zurückhaltung gegenüber Rumänien zu bewegen, antwortete Antonescu rasch:»Rumänien würde es General Antonescu nie verzeihen, wenn er die rumänische Armee Gewehr bei Fuß stehen ließe, während deutsche Truppen in Rumänien gegen die Russen marschierten!« Vom ersten Tag an wolle Rumänien sich aktiv an den Kämpfen beteiligen.

Zu klären blieb noch die Frage der Befehlsgewalt über die in Rumänien versammelten Truppen. Hitler schlug vor, Anto-

nescu selber solle den Oberbefehl über die deutsch-rumänischen Truppen übernehmen, wobei ein deutscher Verbindungsstab unter Generaloberst v. Schobert für die Einhaltung der allgemeinen operativen Richtlinien zu sorgen habe. Die zweifellos geschickte Geste Hitlers gegenüber seinem Gesprächspartner verfehlte ihre Wirkung nicht. Antonescu fühlte sich geschmeichelt und nahm das deutsche Angebot dankend an.
Hinsichtlich des Ausgangs des bevorstehenden Krieges äußerte sich der Rumäne »sehr positiv«. »Man dürfe sich nicht durch Beispiele aus der Geschichte irritieren lassen«, sagte er. »Während Napoleon und selbst die Deutschen im Jahre 1917 noch mit großen Raumschwierigkeiten zu kämpfen hatten, sei durch den Motor in der Luft und auf dem Boden der Raum als Verbündeter Rußlands nunmehr ausgeschaltet[28].«
(Hitler gewann bei diesem Treffen ein günstiges Bild von Antonescu. Der General verstand es durch seine soldatische Haltung, durch die Nüchternheit und Sachlichkeit der Argumentation, die Lage und Ziele Rumäniens zu schildern. Gleich bei der ersten Begegnung hatte Antonescu das Vertrauen des deutschen »Führers« gewonnen, ja ihm sogar in gewisser Hinsicht imponiert. Deshalb konnte der Rumäne auch bei den nachfolgenden Treffen Hitler seine Wünsche offen auf den Tisch legen und zur allgemeinen Verwunderung der Anwesenden manche seiner Meinungen durchsetzen. Das Verhältnis Hitlers – Antonescu war wie das zwischen zwei Partnern, der rumänische General figurierte bei Hitler nie als bloßer Befehlsempfänger!)
Die eigentliche Vorbereitung der rumänischen Armee auf den Angriff begann erst, nachdem Antonescu, aus München zurückgekehrt, sowohl den König als auch sein Kabinett unterrichtet hatte. Man bedenke: *Es wurde weder ein Militärbündnis mit Deutschland noch ein gemeinsamer Kriegsplan mit den Deutschen ausgehandelt bzw. abgeschlossen.* Dies entsprach vollkommen Hitlers Vorstellungen von einem Koalitionskrieg, der hinsichtlich der Beteiligung Rumäniens am Ostfeldzug am

17. Juni folgende Richtlinien ausgab:»Eine Operation, die vom Eismeer bis zum Schwarzen Meer reicht, bedarf einer zentralen einheitlichen Führung. Sie liegt naturgemäß in unserer Hand. Die Fehler früherer Koalitionskriege müssen wir vermeiden; jeder Verbündete nimmt teil an dem Gesamtruhm...[29]«

In den kommenden Tagen wurden die letzten Vorkehrungen in der Moldau getroffen. Die 3. und 4. rumänische Armee, die mit der 11. deutschen Armee die »Heeresgruppe Antonescu« bildeten, bereiteten sich auf die Stunde »X« vor. Auch die rumänische Luftwaffe wurde für den Kampf im Osten aufgeboten. Die für das Unternehmen »Barbarossa« bereitgestellten rumänischen Fliegerkräfte bestanden aus 104 Bomben-, 32 Schlacht-, 170 Jagd-, 70 Aufklärungs-, 17 Marine- und 30 Kurierflugzeugen.

Ungarn und »Barbarossa«

Obwohl das Königreich Ungarn seit der Zerschlagung der Polnischen Republik (1939) eine gemeinsame Grenze mit der Sowjetunion hatte, wünschte Hitler von Anfang an keine Beteiligung ungarischer Truppen am Ostfeldzug. Dies hatte seine Gründe. Vor den Ereignissen, die zum Münchner Abkommen führten, betrachtete er das Ungarische Königreich als einen Staat, der seine nach dem Ersten Weltkrieg verlorenen Gebiete »mit allen Mitteln« wiedergewinnen wollte und somit – was die gemeinsamen außenpolitischen Ziele betraf – ein natürlicher Bundesgenosse des Deutschen Reiches war. Im August 1938 mußte Hitler seine Ansichten jedoch ändern. Während des Kieler Treffens mit Reichsverweser Horthy wurde von deutscher Seite die militärische Zerschlagung der Tschechoslowakei erörtert. Hitler nahm an, daß sein ungarischer Gast ebenfalls die Zerstückelung der »Beneš-Republik« wünschte. Horthy jedoch lehnte eine militärische Lösung mit dem Hinweis ab, man wünsche zwar Korrekturen der gegenwärtigen Grenzen, aber keineswegs mit Gewalt, sondern mit Hilfe der Diplomatie. Auch später, als Hitler den Krieg gegen Polen entfesselte und einen freien Durchzug deutscher Truppen durch Ungarn verlangte, um so den polnischen Truppen in den Rücken fallen zu können, lehnten sowohl der Reichsverweser als auch die Regierung des Grafen Teleki ab[30].

Langsam kam Hitler der Verdacht, »daß diese Madjaren gar nicht mehr das kühne Reitervolk, das Volk der Helden seien«. Ihre Regierung erschien ihm als »schlapp«, später als »unheroisch« und »hinterhältig«[31]. Hinzu kam noch, daß Hitler beim Unternehmen »Barbarossa« – völlig unbegründet! – mit ungarischen Gebietsansprüchen in Galizien rechnete, die er keineswegs zu erfüllen beabsichtigte, da dort die Erdölfelder von Drohobycz lagen. Die ersten deutschen Militärstudien des Jahres 1940 enthalten also hinsichtlich des Ostfeldzuges keinerlei Hinweise auf eine ungarische Beteiligung.

In Budapest war man indessen mit eigenen Sorgen und Problemen beschäftigt. Obwohl es der Teleki-Regierung gelang, das Land aus den militärischen Auseinandersetzungen in Europa herauszuhalten und eine einigermaßen neutrale Haltung zu bewahren, wuchs der Einfluß des neuen Deutschland in Ungarn. Das konservativ-feudal regierte Land, in dem die meisten schlechten und guten Traditionen der Donaumonarchie weiterlebten, verfolgte seit 1920 eine revisionistische Politik, deren Zielen alle anderen Probleme untergeordnet wurden. Ungarn verlor nach dem Ersten Weltkrieg an die Tschechoslowakei, Österreich, Rumänien und Jugoslawien beträchtliche Teile seines Staatsgebietes. Das hieß nicht nur, daß die Gebiete, in denen Slowaken, Rumänen, Deutsche und Serben lebten, abgetrennt wurden, sondern es gerieten dabei auch etwa drei Millionen Madjaren unter fremde Herrschaft. Mit der Unterstützung Italiens und später Deutschlands konnten – infolge der Neuordnung im Donauraum Ende der dreißiger Jahre – einige Wünsche Ungarns befriedigt werden. So fiel durch den I. Wiener Schiedsspruch am 2. November 1938 ein Teil des einstigen Oberland (Südslowakei) an Ungarn zurück. Im März 1939, während der Auflösung der Rest-Tschechoslowakei, zogen ungarische Honvéd-Truppen in Ruthänien (heute Karpato-Ukraine) ein.

Im darauffolgenden Jahr, als es zwischen Ungarn und Rumänien wegen Siebenbürgen zu einer militärischen Auseinandersetzung zu kommen drohte, beeilten sich Deutschland und Italien, erneut den Schiedsrichter zu spielen. Durch den sogenannten II. Wiener Schiedsspruch vom 30. August 1940 übten sie Druck auf Bukarest aus und ließen, wie schon erwähnt, Siebenbürgen zwischen Ungarn und Rumänien aufteilen. Diese Lösung befriedigte bekanntlich keine der beiden Parteien. Die Ungarn verlangten auch in der Folgezeit ganz Siebenbürgen, während die Antonescu-Regierung keinen Hehl daraus machte, daß sie mit Hilfe Deutschlands die vollständige Revision des »Wiener Diktats« wünschte.

Einigermaßen gutnachbarliche Beziehungen unterhielt Ungarn in jener Zeit mit Jugoslawien. Am 12. Dezember 1940 schloß die Teleki-Regierung mit Belgrad einen Freundschaftsvertrag, der im Februar 1941 vom Parlament ratifiziert wurde. Eine Abmachung, die vorerst geheim blieb, regelte zwischen den beiden Ländern auch die strittigen Grenzfragen. Ungarn sollte »nach dem Krieg« einige von Magyaren bewohnte jugoslawische Gebiete erhalten und dann »für ein und allemal« auf die historische Grenze im Süden des ehemaligen Stephansreiches verzichten.

Ungarns politische Lage war also am Vorabend des deutschen Balkanfeldzuges (März 1941) mehr als heikel. Militärpolitisch war dieses Land indessen für Berlin aus zwei Gründen interessant: Es stellte die Verbindung zwischen Deutschland und den Ländern des Balkans dar und konnte als Bundesgenosse einen militärischen Beitrag leisten. Der deutschen Generalität war der Einsatzwille des ungarischen Soldaten im Ersten Weltkrieg noch gut in Erinnerung, und man hielt die Honvéd (Landwehr) für anspruchslos und zäh. Die Bedeutung Ungarns als Bindeglied zum Balkan – insbesondere zu Rumänien und Bulgarien – wurde erstmals im Oktober 1940 deutlich. Die deutschen Ausbildungstruppen, die zur Unterstützung der deutschen Militärmission nach Rumänien kamen, mußten Ungarn durchqueren. Die Teleki-Regierung bereitete diesbezüglich keine Schwierigkeiten: Am 20. November 1940 trat das Königreich – auf Einladung Hitlers – dem Dreimächtepakt bei[32]. Damit gehörte die neutralistische Haltung Ungarns der Vergangenheit an. Der Status, den die Teleki-Regierung besaß, war nun der einer sogenannten »nicht kriegführenden Macht«. Der ungarische Ministerpräsident, der zweifellos ein Bewunderer der Briten und keineswegs ein Freund Hitlers war, versuchte dabei, sein Land weiterhin aus dem Konflikt der Großmächte herauszuhalten.

Die Beziehungen Ungarns zur Sowjetunion waren Ende der dreißiger Jahre kühl, aber korrekt. Der Antikommunismus des Horthy-Regimes, der 1919 entstanden war und mit der Proletardiktatur Béla Kuns zusammenhing, galt als Regierungsprogramm. Die einheimische Kommunistische Partei befand sich im Untergrund: Ihre Mitglieder wurden polizeilich verfolgt. Die Partei – genaue Angaben über ihre Stärke fehlen noch heute, doch waren es Ende der dreißiger Jahre höchstens vier- bis sechshundert Mitglieder – war so stark mit internen Streitigkeiten beschäftigt, daß sie ohnehin keinen Einfluß auf die ungarische Politik ausüben konnte. Zeitweise fehlte sogar jeder Kontakt zu Moskau und damit zur Komintern[33].

Sowjetische Ansprüche an Ungarn gab es in jener Zeit nicht. Es sah eher so aus, als ob der Kreml ein gutnachbarliches Verhältnis zum konservativen Ungarischen Königreich anstrebe. Mitte September 1939 wurden die diplomatischen Beziehungen, die zeitweise ruhten, im Rahmen des Hitler-Stalin-Paktes wieder aufgenommen, und in den folgenden Monaten wurde eine ganze Reihe von Handelsverträgen abgeschlossen. Es war fast eine Sensation, als sich die Sowjetunion 1941 mit einem eigenen Pavillon an der traditionellen Budapester Frühjahrsmesse beteiligte. Unterdessen kam es zu einem eigenartigen Tauschgeschäft zwischen den beiden Regierungen: Moskau wurden zwei zu lebenslänglicher Haft verurteilte ungarische

KP-Funktionäre (Mátyás Rákosi und Zoltán Vas) übergeben und die Russen gaben dafür den Ungarn jene 56 Freiheitsfahnen zurück, die Zar Nikolaus I. 1849 von den Honvéd-Truppen erbeutet hatte. Diese Fahnen wurden im März 1941 durch eine Offiziersabordnung der Roten Armee nach Budapest gebracht. Die Zeremonie der Fahnenübergabe erfolgte in aller Öffentlichkeit – und unter Abspielung der bisher streng verbotenen »Internationale« durch eine Honvéd-Kapelle.

Moskau brach die diplomatischen Beziehungen zu Ungarn auch in jenen Apriltagen nicht ab, als ungarische Truppen am deutsch-jugoslawischen Krieg teilnahmen und am 11. April (nachdem Belgrad bereits gefallen war und Kroatien seine Unabhängigkeit proklamierte) in die Bácska (Batschka) einmarschierten. Nur Wischinskij, der Stellvertreter des Volkskommissars für Auswärtige Angelegenheiten, ließ den ungarischen Gesandten József Kristóffy kommen und machte ihm Vorwürfe wegen Ungarns Teilnahme am Angriff gegen Jugoslawien. Kristóffy erklärte daraufhin, der ungarisch-jugoslawische Freundschaftsvertrag habe seine Gültigkeit mit dem Zerfall Jugoslawiens verloren und das Königreich Ungarn erachte es als seine moralische und politische Pflicht, seinen Landsleuten in Jugoslawien zu Hilfe zu eilen. Und als Wischinskij mit Gegenargumenten aufwartete, ließ es sich Kristóffy nicht nehmen, zu erwähnen, Ungarn habe 1941 in Jugoslawien dasselbe getan, was die Sowjetunion im September 1939 gemacht hatte, als die Rote Armee nach Polen einmarschierte, um ihre eigenen Nationalitäten zu schützen...

Ungarns militärische Beteiligung am Unternehmen »Marita« wurde nur von den Briten beanstandet: Sie brachen die diplomatischen Beziehungen zu Budapest ab. Zu einer Kriegserklärung kam es jedoch noch nicht. Churchill sah Ende März 1941 Ungarns heikle Lage realistisch: Der Freitod Ministerpräsident Telekis, der so seinem Lande und der ganzen Welt die ausweglose Lage des Landes deutlich vor Augen führte (eine Weigerung, die deutschen Truppen durch Ungarn ziehen zu lassen, hätte zur Besetzung des Königreiches geführt!), mäßigte die britische Reaktion. Für Ungarn jedoch bedeutete der Zerfall des Königreiches der Südslawen eine erneute Gebietserweiterung: 500000 Ungarn, die geschlossen in der Bácska (Batschka) lebten, gehörten wieder zum Mutterland. Mit dem deutschen Balkanfeldzug wuchs jedoch Ungarns Abhängigkeit von Berlin, und Horthys neue Regierung – von László Bárdossy, einem Berufsdiplomaten, gebildet – mußte endgültig ihre abwartende Politik aufgeben.

Am 24. April besuchte der Reichsverweser Hitler in seinem Feldhauptquartier in Mönichkirchen. Man kam auch auf »das russische Problem« zu sprechen. Horthy hatte – wie er später in seinen Erinnerungen berichtete – bereits in jenen Apriltagen Meldungen über die »zur Entladung drängende Spannung zwischen dem Deutschen Reich und der Sowjetunion« erhalten[34]. Dies gab er auch gegenüber Hitler unumwunden zu. Sein Gesprächspartner erwiderte jedoch, daß die deutsch-sowjetischen Beziehungen »völlig korrekt« seien und dem Reich von dieser Seite keine Gefahr drohe.

Horthy ließ sich durch diese Worte beruhigen; nicht jedoch der ungarische Generalstab. Die königliche ungarische Armee, die eigentlich bis 1938 nur über sehr bescheidene Mittel für die Ausrüstung und Bewaffnung verfügte und obendrein diversen Beschränkungen des Friedensvertrages von 1920 unterworfen war, befand sich im Aufbau. Ihre bisherigen Einsätze waren mit militärischen Operationen kaum vergleichbar. Der Generalstabschef wollte jedoch seine Leistungsfähigkeit in einem »richtigen Krieg« unter Beweis stellen, und zwar im Rahmen eines Bündnisses mit Deutschland, dem er persönlich sehr zugetan war. Bereits am 6. Mai 1941 riet Generaloberst Henrik Werth dem Ministerpräsidenten Bárdossy, ein Militärbündnis mit Deutschland einzugehen – für den Fall, daß es zwischen Berlin und Moskau zu einem Krieg käme. Horthy lehnte jedoch ab. Auch zwei spätere Memoranden des Generals (vom 31. Mai und 14. Juni), in denen er eine »sofortige« und »freiwillige« Beteiligung Ungarns am kommenden Ostfeldzug forderte, stießen beim Reichsverweser und beim Kabinett auf Ablehnung[35]. Der Ministerrat, der u.a. auch diese Angelegenheit prüfte, wies am 15. Juni General Werths Vorschlag mit der Begründung zurück, die deutsche Reichsregierung hätte das Königreich nicht aufgefordert, sich für kommende militärische Operationen bereitzuhalten. Zusätzlich dürfe nicht unberücksichtigt bleiben, daß die ungarische Armee wegen der feindlichen Umgebung des Landes intakt bleiben müsse und nur für die eigenen nationalen Interessen eingesetzt werden dürfe! (Sogar nach seiner Ablösung, im Winter 1942, verteidigte General Werth seinen Standpunkt. Laut der Budapester Zeitung »Magyar Nemzet« vom 27. Mai 1945 sagte er wörtlich: »Für mich war das wichtigste, daß wir aus diesem Krieg nicht ausbleiben.... Im übrigen, nicht das war ein Fehler, daß wir uns an diesem Krieg beteiligten, sondern daß wir von Anfang an mit viel zuwenig Truppen an der Ostfront angriffen. Hätten wir uns stärker beteiligt, wäre die Entscheidung bereits bei Lemberg [Lwow] gefallen und nicht beim Uman. Der ganze Krieg hätte in diesem Fall eine andere Wende bekommen!«)

Obwohl es von Gerüchten wimmelte, die von einem deutschen Angriff auf die Sowjetunion sprachen, wollte die ungarische Regierung nicht an einen solchen Schritt Hitlers glauben. Ministerpräsident László Bárdossy kehrte Anfang Juni aus Rom von einem Gespräch mit Mussolini zurück. Er berichtete, es sei Auffassung des Duce, daß der Krieg für die Achsenmächte bereits gewonnen sei. Man müsse nur auf die Haltung der Vereinigten Staaten von Amerika Rücksicht nehmen, deren Kriegseintritt zwar bevorstehe, die den Ausgang jedoch nur hinauszögern, nicht aber beeinflussen könne. Was die Sowjetunion betreffe, so stehe dort ein Ausgleich mit Hitler unmittelbar bevor, da Mussolini »Stalin für einen vernünftigen Menschen halte, der bereit ist, für Hitler die nötigen Konzessionen zu machen[36]«.

Um so größer war die Überraschung in Budapest, als am 16. Juni 1941 das Deutsche Auswärtige Amt durch seinen Botschafter Otto von Erdmannsdorff der ungarischen Regierung offiziell folgende Mitteilung überbringen ließ: »Im Hinblick auf die starke Anhäufung russischer Truppen an der deutschen Ostgrenze werde der Führer voraussichtlich bis spätestens Anfang Juli gezwungen sein, das deutsch-russische Verhältnis eindeutig zu klären und hierbei gewisse Forderungen zu stellen. Da der Ausgang dieser Verhandlung nicht abzusehen sei, halte die Deutsche Regierung es für notwendig, daß auch Ungarn seinerseits Schritte zur Sicherung seiner Grenzen unternimmt[37].«

Diese sogenannten Sicherungsmaßnahmen hatte der ungarische Generalstab bereits im April 1941 eingeleitet. Damals hatte er sowjetische Truppen-Umgruppierungen in Galizien zum Anlaß genommen, zwei ungarische Brigaden auf Kriegsstärke zu bringen und an die Grenze zu verlegen. Nach dem 16. Juni erhielt das Generalkommando des 8. Armeekorps, dessen Standort sich in Grenznähe befand, den Befehl, seine Truppen in Bereitschaft zu halten und gleichzeitig die Ostgrenze verstärkt zu sichern. Andere Maßnahmen militärischer oder politischer Art wurden unterlassen. Man wartete auf das Kommende und auf weitere Informationen aus Berlin.

Diese blieben jedoch vorläufig aus. Die ungarische Armee war in Berlin für den Ostfeldzug nicht einkalkuliert worden. Noch am 17. März 1941 notierte General Halder in seinem Tagebuch:»Ungarn ist nicht verläßlich. Hat keinen Grund, gegen Rußland anzutreten[38]!« Und am 1. Mai, als die Verantwortlichen des Oberkommandos des deutschen Heeres über die Richtlinien bezüglich der Beteiligung einiger osteuropäischer Nationen am Ostfeldzug berieten, hieß es, Ungarn solle nur eine »erhöhte Abwehrbereitschaft« zeigen. Am 1. Juni erklärte man:»Die Ausnützung ungarischen Gebietes für den Aufmarsch von Teilen der Heeresgruppe Süd wird nur insoweit erwogen, als es zweckmäßig ist, zwischen den ungarischen und rumänischen Truppen einen deutschen Verband einzuschieben[39].«

Erst am 19. Juni wurde der ungarische Generalstab, und auch jetzt nur inoffiziell, über Angriff und Angriffstag der Wehrmacht im Osten unterrichtet. Von Bukarest kommend unterbrach Generaloberst Halder in Budapest seine Flugreise und führte ein Gespräch unter vier Augen mit General Werth. Dabei wurden die Ungarn über »das Nötigste« informiert...[40] Ein ungarischer Offizier, der ungenannt bleiben wollte, berichtete von diesem Treffen wie folgt:

»Mit Generaloberst Werth und mit Generalmajor Dezsö László, Chef der Operationsabteilung, zusammen begaben wir uns an diesem Junitag in einem PKW nach Mátyásföld, um Halder zu empfangen. Meine Aktenmappe war gefüllt mit den eventuell nötigen Papieren. Auf dem Weg zum Militärflughafen ließ General Werth seinen Gedanken freien Lauf. Er meinte, der russische Aufmarsch in Westrußland habe die Deutschen unruhig gemacht... Ob es bald zum Krieg kommen würde? Stalin werde sich – so sagte der Generaloberst – Hitlers Forderungen schlußendlich doch beugen und seine Truppen hinter den Ural zurückbeordern. Die Deutschen ihrerseits würden auch zweimal überlegen, ob sie das Risiko eines Zweifrontenkrieges eingehen würden... Ich meldete Gegenmeinung an: ich könnte mir ganz gut vorstellen, daß Hitler im Osten aktiv werde, weil ihn die bisherigen Erfahrungen mit Blitzkriegen dazu verleiten würden...

In Mátyásföld besprachen sich Halder und Werth unter vier Augen. Auf dem Rückweg in die Stadt sagte uns Werth, die Deutschen seien entschlossen, im Osten zum Angriff überzugehen. Von uns Ungarn verlangten sie keine Teilnahme an diesem Feldzug. Ihre Wünsche beschränkten sich lediglich auf die Verstärkung der Karpaten-Grenze Ungarns, um zu verhindern, daß die Russen dort durchbrechen und von Süden her den deutschen Angriffstruppen in den Rücken fallen könnten.«

In sein Amt zurückgekehrt, unterrichtete der Generalstabschef die Abteilungsleiter über Halders Mitteilungen. Danach begab er sich in die königliche Burg, um den Reichsverweser zu informieren. Als Ergebnis dieser Besprechungen wurden alle Vorkehrungen getroffen, die ungarische Karpaten-Grenze schleunigst zu verstärken...

Versuche zur Gewinnung weiterer Verbündeter für den Ostfeldzug

Interessanterweise wurde Bulgariens Einbeziehung in den Ostfeldzug in Berlin kaum je ernstlich in Erwägung gezogen. Dieses Land, das im Ersten Weltkrieg im Bündnis mit Deutschland gekämpft hatte und nach der Niederlage im Friedensvertrag von Neuilly bei Paris (1919) weite Gebiete an den Nachbarn abtreten mußte, unterhielt schon immer gute Beziehungen zu Deutschland, zumal ein Zar regierte, dessen Vorfahren dem deutschen Coburg-Geschlecht angehörten.

Die europäischen Kontinentalmächte bemühten sich, das Agrarland Bulgarien in ihren Interessenbereich einzubeziehen. In erster Linie waren Deutschland und Italien um eine Ordnung und Stabilisierung ihres politischen Einflusses auf dem Balkan bemüht. Bulgarien fiel dabei im Rahmen der etwas groben deutsch-italienischen Interessenabgrenzung in den italienischen Bereich[41]. Mussolini jedoch kümmerte sich wenig um das Zarenreich, obwohl die Gattin des Monarchen eine italienische Prinzessin war. Die deutsche Präsenz in Bulgarien machte sich bis zum Frühjahr 1941 nur wirtschaftlich und kulturell bemerkbar, wobei die Souveränität des Landes in jeder Hinsicht strikt beachtet wurde.

Dies ist eine Tatsache, die heute auch die volksdemokratische bulgarische Historiographie wahrheitsgetreu registriert[42].

Die Sowjetunion unternahm ihrerseits Anstrengungen, ihre Interessen im östlichen Teil des Balkans geltend zu machen. In den Jahren 1939 und 1940 schlug die Sowjetregierung Bulgarien jeweils einen Vertrag vor, der den Russen das Recht einräumte, unter anderem auch Militärstützpunkte auf bulgarischem Territorium zu errichten. Dafür war die Sowjetunion bereit, die Garantie, Bulgarien vor jeder Invasion zu schützen, zu übernehmen.

Die bulgarische Regierung, die sich zwar den Russen als Slawen verbunden fühlte, jedoch den Kommunismus ablehnte,

beantwortete Moskaus Angebot negativ. Im November 1940 –
anläßlich des Besuches Molotows in Berlin – wurde das Thema
Bulgarien (unter anderem) Gegenstand einer Polemik zwischen Hitler und dem Volkskommissar, der für sein Land dieselben Rechte bezüglich Bulgariens forderte, die Hitler im
Falle Rumäniens besaß. Molotow wurde bedeutet, daß Hitler
sich nicht in die inneren Angelegenheiten einmische, doch zuerst die Frage geklärt werden müsse, ob Bulgarien selbst russische Garantien wünsche. Ihm – Hitler – sei von einem solchen
Ersuchen der bulgarischen Regierung nichts bekannt[43]!

Die Bulgaren, denen das Schicksal der baltischen Staaten
vom Sommer 1940 noch in guter Erinnerung war, wünschten
selbstverständlich keine sowjetischen Garantien, obschon der
Filoff-Regierung viel daran lag, die Sowjetunion nicht herauszufordern. Der Anfang 1940 mit der UdSSR abgeschlossene
Handelsvertrag über den Austausch von Waren und Roh-
stoffen wurde in der Folgezeit erweitert. Doch lehnte Bulgarien
im Verlauf der Verhandlungen mit der sowjetischen Regierungsdelegation – die, von Arkadij Sobolew, dem stellvertretenden Volkskommissar für Auswärtige Angelegenheit, angeführt, am 25. November 1940 in Sofia eintraf – den Vorschlag,
einen Freundschafts- und Beistandspakt zwischen den beiden
Regierungen abzuschließen, höflich, aber entschieden ab[44].

Bulgariens Absage an die Sowjetunion fiel zeitlich mit einer
raschen Annäherung an Deutschland zusammen. Ministerpräsident Filoff schloß sich am 1. März 1941 dem Dreimächtepakt
an und erlaubte – wenn auch zögernd – den Einmarsch deutscher Truppen in Bulgarien[45]. Diese Truppen benutzten das
Land als Aufmarschgebiet für einen Einsatz gegen britische
Truppen auf dem Balkan bzw. gegen Griechenland. Sogar die
heutige bulgarische Geschichtsschreibung vertritt die Ansicht,
daß eine Absage an Hitler die Besetzung des Landes durch
Deutschland zur Folge gehabt hätte[46]. Alles, was die Regierung
in Sofia erreichen konnte, war die Zusicherung Berlins, Bulgarien brauche sich an den kommenden Kriegshandlungen nicht
zu beteiligen.

Nach dem Balkanfeldzug, der mit dem Zusammenbruch Jugoslawiens und Griechenlands endete, konnte Bulgarien sein Staatsgebiet sowohl nach Westen als auch nach Süden hin erweitern. Ihm wurde Serbisch-Mazedonien zuerkannt sowie einige Gebiete Rest-Serbiens. Bulgarische Truppen marschierten in den griechischen Teil Mazedoniens ein: sie besetzten das reiche Thrazien, das Bulgarien als endgültiger Besitz zugesprochen wurde. Außerdem fielen in den folgenden Monaten Gebiete im Raume von Saloniki an Bulgarien. Dadurch wurden deutsche Truppen für andere Aufgaben frei. Der territoriale Zuwachs, den man offiziell »Neu-Bulgarien« nannte, betrug rund 50 000 qkm[47].

Diese Gebiete militärisch zu sichern, war ab April 1941 Aufgabe der bulgarischen Armee. Einige Verbände der 20 Divisionen waren mit deutschen Waffen und Geräten, die noch aus der Zeit vor 1939 stammten, ausgerüstet. Die Armee war eindeutig deutschfreundlich: die gemeinsamen Kämpfe im Ersten Weltkrieg waren noch nicht vergessen. Sowohl die politische als auch die militärische Führung waren sich darin einig, daß eine Gefahr für das Land hauptsächlich von Süden her drohe: nämlich durch eine Invasion durch die Türkei und (später) durch anglo-amerikanische Truppen. Deswegen waren die Bemühungen darauf ausgerichtet, eine eventuelle Bindung im Osten mit allen Mitteln zu vermeiden.

Am 7. Juni 1941 war Zar Boris III. von Bulgarien Hitlers Gast auf dem Berghof in der Nähe Salzburgs. Eine genaue Aufzeichnung dieser Unterredung gibt es nicht, da beide ohne Dolmetscher, also unter vier Augen, die Probleme ihrer Länder besprachen[48]. Nachträglich wurde nur bekannt, daß Hitler den Zaren damals in seinen Rußlandplan einweihte, dieser aber jegliche Teilnahme an einem solchen Unternehmen mit dem Hinweis auf die starken pro-russischen Gefühle seines Volkes ablehnte[49]. Ob dies nur eine Ausrede war – die bulgarische Armee kämpfte im Ersten Weltkrieg, 1916, bekanntlich gegen die Russen –, läßt sich nicht mit Sicherheit sagen. Fest steht nur, daß Bulgarien sich keinesfalls im Osten engagieren wollte. Da es seine nationalen Ziele auf dem Balkan erreicht hatte, achtete es darauf, daß seine bisherige Haltung im Interessenkonflikt der Großmächte sich nicht änderte. Dies fiel dem Land um so leichter, als Hitler – wie wir aus den Planungsarbeiten am Unternehmen »Barbarossa« wissen – keinerlei Wert auf eine bulgarische Beteiligung am Krieg gegen die Sowjetunion legte.

Anfang Mai 1941 wurden in Berlin Überlegungen angestellt, wie die schwedische Armee gegen die Sowjetunion eingesetzt werden könne für den Fall, daß Stockholm von sich aus der UdSSR den Krieg erkläre. Als aber das deutsche Auswärtige Amt in dieser Richtung Erkundigungen einholte, klärte sich die Lage schnell. Der Gesandte Karl Schnurre konnte Anfang Juni nach Berlin melden, die schwedische Regierung denke nicht an einen Krieg, sie sei jedoch, wenn nötig, bereit, deutschen Truppen auf dem Weg von Norwegen nach Finnland ihr Territorium zu öffnen.

Eine türkische Teilnahme am Ostfeldzug erwog Hitler relativ früh: am 31. Juli 1940. Ihm war der Einsatz der türkischen Armee im Ersten Weltkrieg im Kaukasus noch gut in Erinnerung, und er hätte es begrüßt, wenn man die Rote Armee im Rahmen des Unternehmens »Barbarossa« gleichzeitig an zwei Fronten hätte binden können. Obwohl Rosenbergs sogenanntes Ostministerium bereits feste Pläne in bezug auf den Kaukasus hatte (das Gebiet sollte primär wirtschaftlich ausgebeutet werden), erwog Hitler dennoch die Möglichkeit, es »später« als Belohnung an die Türkei abzugeben[50].

Bei den Planungen des Ostfeldzuges war die Türkei aber vorerst nicht berücksichtigt worden. Erst Mitte März 1941 leitete Hitler Gespräche ein, um sie als Bundesgenossen zu gewinnen. Am 17. März teilte er dem türkischen Gesandten in Berlin mit, was Molotow bei seinem Novemberbesuch 1940 in der Reichshauptstadt über den strategischen Wert der Dardanellen gesagt hatte, und welche Pläne die Sowjets hinsichtlich der Einrichtung militärischer Stützpunkte auf türkischem Territorium hatten. Doch habe er, Hitler, diese Pläne vereitelt und somit eine Abhängigkeit der Türkei von den Sowjets verhindert! Diese Mitteilung brachte Deutschland eine nicht geringe Sympathie seitens der türkischen Regierung ein, was am 18. Juni 1941 zum Abschluß eines deutsch-türkischen Freundschaftsvertrages führte. Gleichzeitig wurde Berlin jedoch mitgeteilt, die Türkei sei nur dann bereit, in den Krieg einzutreten, wenn ein Zusammenbruch der UdSSR sicher sei[51].

Die Slowakei, der kleinste und zugleich einzige slawische Verbündete Deutschlands – wenn man vom Sonderfall Kroatien absieht –, wurde Mitte Juni 1941 über die deutschen Absichten informiert. Diese Republik im Donauraum, die seit dem 14. März 1939 auf dem Gebiet des ehemaligen tschechoslowakischen Staates lag, hatte sich sofort nach ihrer Gründung dem Deutschen Reich untergeordnet und mit der Reichsregierung einen »Schutzvertrag« abgeschlossen. Die 2,6 Millionen Slowaken konnten sich unter diesen Umständen auf ihrem Staatsgebiet (38 000 qkm) behaupten. Eine auf den päpstlichen Sozialenzykliken, dem deutschen und italienischen politischen Rechtsradikalismus und der Verfassung Portugals und Österreichs basierende, aber der slowakischen Eigenart angepaßte Staatsverfassung – das Grundgesetz wurde am 21. Juli 1939 verabschiedet – bildete die rechtsstaatliche Grundlage der Republik. Die eigentliche Macht lag in den Händen der »Volkspartei« (Hlinka-Partei) und ihrer Organe.

Ein Landtag existierte zwar, aber er geriet immer mehr unter den Einfluß der »Hlinka-Partei«, die ein radikaler Befürworter des deutschen Nationalsozialismus war.

Staatspräsident war ein ehemaliger Landpfarrer, Prälat Dr. Josef Tiso, Ministerpräsident der Germanophile Dr. Vojtech Tuka (ab 1940), der einen »slowakischen Nationalsozialismus« propagierte und ein radikaler Verfechter der Hitlerschen Politik in Europa war. Das Innenministerium befand sich in den Händen des Chefs der »Hlinka-Garde«, Alexander Mach. Sie waren auf ihre Weise alle slowakische Patrioten, die erstmals in der Geschichte ihres Volkes einen eigenen, freilich von Hitler abhängigen Staat regierten. Sie hatten nicht viele Freunde im

Ausland: Die Tschechen haßten sie genauso wie die Ungarn, an die sie seit 1938/39 territoriale Forderungen stellten. Auch mit den Polen waren sie wegen Gebietsansprüchen verfeindet. Obwohl die Sowjetunion die Slowakische Republik am 18. September 1939 diplomatisch anerkannte und es zu einem Gesandtenaustausch kam, war das Verhältnis zwischen Moskau und Bratislava (Preßburg) nie besonders gut. Trotz des »gemeinsamen slawischen Blutes« dominierte in der offiziellen slowakischen Politik der Antikommunismus, dessen Wurzeln einerseits in der Staatsideologie, andererseits im ausgeprägten Katholizismus der Bevölkerung lagen.

Die slowakische Armee rekrutierte sich aus Resten der tschechoslowakischen Streitkräfte und sollte eigentlich eine starke nationalistische Basis haben. Aber nicht wenige Offiziere – obwohl Slowaken von Geburt – waren Freunde der in München zu Grabe getragenen Republik. An der Spitze des Verteidigungsministeriums stand General Ferdinand Čatloš. Seine Grundausbildung hatte er noch in der k.u.k. Armee erhalten, sprach, wie manche Slowaken, fließend ungarisch, weniger gut deutsch und war in der ehemaligen tschechoslowakischen Armee Oberstleutnant gewesen. Ausrüstung und Bewaffnung der vorerst aus sechs Divisionen bestehenden Armee stammten vorwiegend aus tschechischen Beständen[52]. Russische und französische Waffen ergänzten sie; später kamen noch deutsche Lieferungen hinzu, und auch in der Slowakei selbst entstand nach 1939 eine bescheidene eigene Rüstungsindustrie.

Schon im Frühjahr 1939 wurde eine deutsche Militärmission nach Bratislava entsandt, um den Aufbau der slowakischen Wehrmacht zu unterstützen. Im Herbst 1939 wurden eine deutsche Heeres- und eine deutsche Luftwaffen-Mission gebildet. Diese trugen nun die Verantwortung für die Ausbildung und zum Teil auch für die Organisation und Bewaffnung der slowakischen Wehrmacht, hielten sich ansonsten strikt an ihre Ratgeberfunktion.

Kaum hatte am 1. September 1939 der deutsche Angriff auf

Polen begonnen, trat die slowakische Armee in den Krieg ein. Mit zwei Infanteriedivisionen unterstützte sie die vom slowakischen Raum aus operierende deutsche 17. Armee und besetzte, allerdings ohne auf Widerstand zu stoßen, polnisches Territorium. Ihren Einsatz honorierte Hitler mit der Rückgabe von 1919 bzw. 1938 an Polen gefallenen Gebieten (im Raum Jaworina und im Orava-Distrikt) sowie mit der Verleihung des Schwarzen-Adler-Ordens an Prälat Tiso[53]. Bei den Vorbereitungen des Balkan-Feldzuges diente die Slowakische Republik, die am 24. November 1940 dem Dreimächtepakt beitrat, als Aufmarschgebiet der Wehrmacht. Es ist bezeichnend, daß sich die Slowakei weder mit Frankreich noch mit Großbritannien im Kriegszustand befand.

Die slowakische politische Führung setzte bei ihrem Propagandakrieg gegen Ungarn in erster Linie auf Hitler. Nach dem Balkanfeldzug im Jahre 1941 wurden in Bratislava wieder Stimmen laut, welche die Grenzfrage aufwarfen, d. h. eine neue Bestimmung der ungarisch-slowakischen Grenze forderten. Am 2. Mai äußerte der slowakische Gesandte in Berlin, Černak, in einer Demarche bei Weizsäcker im Namen seiner Regierung die Bitte, »bei der Neuverteilung des Balkans doch nicht ganz vergessen zu werden«. In diesem Gepräch bezifferte der Diplomat die Grenzkorrekturen, welche die Slowakei von Ungarn verlangte, auf etwa 4 000 qkm[54].

Die Deutschen beschwichtigten jedoch ihre Verbündeten, da sie wußten, daß im Falle einer Zusage von den Rumänen sofort Nordsiebenbürgen gefordert würde.

Statt zu Grenzverhandlungen wurden die Slowaken zu etwas anderem »eingeladen«. Am 19. Juni 1941 traf Generaloberst Halder, von Bukarest und Budapest kommend, auf dem Flugplatz von Bratislava ein. Er wurde dort vom General der Infanterie Paul Otto, dem Chef der deutschen Heeresmission in der Slowakei, empfangen. Die beiden Generäle unterhielten sich über den bevorstehenden deutschen Angriff auf die Sowjetunion, und General Otto wurde beauftragt, diese Nachricht an die slowakische Staatsführung weiterzuleiten und ihr nahezulegen, sich »umgehend« und »freiwillig« am Angriff zu beteiligen. Die politisch Verantwortlichen entschlossen sich rasch. Sie waren bereit, gleich nach Kriegsbeginn dem OKH zweieinhalb Divisionen zur Verfügung zu stellen[55].

Die beiden Hauptverbündeten Hitlers, das Kaiserreich Japan und das faschistisch regierte Italien, wurden erst zu Beginn des Feldzuges offiziell informiert. Allerdings hatte die japanische Regierung schon einige Wochen vor Kriegsbeginn vertrauliche Informationen über die bevorstehende deutsche Offensive erhalten. Japan, Mitbegründer des »Dreimächtepaktes« von 1940, hätte – theoretisch – in Hitlers Pläne eingeweiht werden müssen, vor allem deshalb, weil die japanische Regierung nie ein Freund der kommunistischen Sowjetunion gewesen war. Beide Staaten waren in der Mandschurei Ende der dreißiger Jahre sogar in Grenzkämpfe verwickelt gewesen. Aber zu der Zeit, als Hitler gegen Moskau rüstete, lagen Japans politische und militärische Interessen eindeutig in Südostasien. Deshalb schloß auch der japanische Außenminister Matsuoka, der von seinen Berlin-Besprechungen über Moskau zurückreiste, am 13. April 1941 mit der sowjetischen Regierung einen Nichtangriffspakt ab, der Japan Rückendeckung für die Kämpfe gegen China sicherte.

Hitler hielt eine japanische Beteiligung am Krieg gegen die Sowjetunion vorerst nicht für wichtig, schon deswegen, weil er mit einem kurzen Feldzug und einem schnellen Zusammenbruch der Roten Armee rechnete.

Japan sollte gemäß der »globalen Strategie« Hitlers lediglich Großbritannien in Südostasien bekämpfen, um so der »gemeinsamen Sache« im Rahmen des Dreimächtepaktes zu dienen[56].

Erst in den allerletzten Tagen vor der Offensive, also Anfang Juni, besann sich Hitler plötzlich anders. Bei einem vertraulichen Gespräch mit Japans Botschafter in Deutschland, General Hiroshi Oshima, äußerte er sich zum Problem UdSSR. Es sei sein langgehegter Wunsch, die Sowjetunion zu beseitigen. Diese Pläne habe er bis heute nicht aufgegeben. Er glaube, daß es ein

Dienst an der ganzen Menschheit sei, sie in die Tat umzusetzen. Dann fragte er seinen Gast: »Welche Haltung würde Japan im Falle eines deutsch-sowjetischen Krieges einnehmen?« Er, Hitler, stelle es Japan frei, ob es sich sofort an diesem Feldzug beteiligen oder sich zu einem solchen Schritt erst »später« entschließen wolle. Aufgrund von Einzelfragen Hitlers gewann Oshima dann den Eindruck, den er in einem Brief an Außenminister Yosuke Matsuoka wiedergab, daß man nämlich »in Berlin eine japanische Mitwirkung wünscht[57]«.

Die Wehrmachtsführung indessen wußte bis zuletzt nichts über Japans eventuelle Einbeziehung in den Rußlandfeldzug. Eine solche Möglichkeit wurde gar nicht erwogen! Der letzte Satz der OKW-Weisung Nr. 24 vom 5. März 1941 lautete: »Über das ›Barbarossa‹-Unternehmen darf den Japanern gegenüber keinerlei Andeutung gemacht werden[58]!«

In Tokio wurde Hitlers plötzliche »Einladung« zurückhaltend aufgenommen. Vertreter der japanischen Marineführung bzw. des Heeresgeneralstabes lehnten eine sofortige Teilnahme am Krieg ab, ließen aber gleichzeitig Pläne ausarbeiten, die darauf abzielten, im Falle eines raschen Zusammenbruches des Sowjetregimes, die Industriegebiete am Ural zu überfallen und zu besetzen. Im japanischen Ministerrat plädierte lediglich Außenminister Matsuoka für eine möglichst schnelle Beteiligung am deutsch-sowjetischen Krieg, wurde jedoch von seinen Ministerkollegen überstimmt.

Wie wenig man beim deutschen Generalstab auch noch *nach* Beginn der Offensive an eine unmittelbare japanische Beteiligung dachte, sollte sich zeigen, als im Herbst 1941 – nach zeitweiliger Ernüchterung – die frühere Zuversicht hinsichtlich eines nahe bevorstehenden Sieges über Stalin wieder auflebte. »Ließ sich doch damals die Hybris im deutschen Hauptquartier sogar mit den auf ein angebliches japanisches Angebot gemünzten Worten vernehmen: man brauche keine Leichenfledderer[59]!«

Und Italien? – Hitler vertraute Mussolini bezüglich seiner Rußlandpläne nicht. Waren die beiden »Führer« in den dreißiger Jahren auch Verfechter einer ziemlich gemeinsamen Ideologie und persönliche Freunde, so erfuhr dieses Verhältnis zu Beginn des Zweiten Weltkrieges eine grundlegende Änderung. Von August 1939 bis Juni 1941 fand praktisch ein geheimes Duell Hitler – Mussolini statt: Der Duce hielt vor Hitler seine Griechenland-Pläne geheim, und dieser war gegenüber Mussolini äußerst schweigsam, wenn es um seine Osteuropainteressen ging. Noch bei seinem letzten Treffen mit Mussolini vor Kriegsbeginn, am 2. Juni 1941 am Brenner, hatte der italienische Regierungschef den Eindruck gewonnen, daß sein Gesprächspartner keinen genauen Plan für das Jahr 1941 hatte[60].

Bei der mehr als dreistündigen Unterredung wurde kein Wort über die Sowjetunion gesprochen. Trotzdem oder vielleicht gerade deswegen war Mussolini beunruhigt; er ließ die Lage in Osteuropa nach Einholung diplomatischer bzw. nachrichtendienstlicher Informationen analysieren. Das Ergebnis sollte vorerst ein großes Geheimnis bleiben: Der Aufmarsch der deutschen Wehrmacht im Osten Europas!

Mussolinis Dilemma war im Grunde eine Selbsttäuschung. Hitler hatte nicht die Absicht, die Italiener am neuen Krieg zu beteiligen. Für ihn war es wichtiger, daß seine Verbündeten im Mittelmeerraum Großbritannien in Kämpfe verstrickten. Spätestens während des Feldzuges gegen Griechenland mußte Hitler erkannt haben, was Italien militärisch zu leisten vermochte. Andererseits hatte Italien keinerlei Gründe, sich an einem Krieg gegen die Sowjetunion zu beteiligen: Gebietsansprüche gab es nicht, und auch Streitfälle mit Problemen von nationalem Interesse waren nicht vorhanden.

Die feindselige Einstellung Italiens gegenüber der Sowjetunion beruhte allein auf den Grundlagen seines faschistischen Regimes, das von Anfang an den Antikommunismus zu einem seiner politischen Grundsätze gemacht hatte. Aber auch diese »Ideologie« hielt sich während der zwanzigjährigen Herrschaft der »Schwarzhemden« in Grenzen und berührte die außenpolitischen Interessen Italiens kaum.

Das Italien Mussolinis war nämlich der erste Staat der Welt gewesen, der nach Lenins Machtübernahme die Sowjetunion anerkannt hatte, und zwar am 7. Februar 1924. Der Neutralitäts- und Nichtangriffspakt mit der Sowjetunion vom 2. Dezember 1933, der auf Mussolinis Initiative entstanden war, vertiefte die Beziehungen zwischen Rom und Moskau. Das Verhältnis der beiden Staaten in der Zeit vom Abschluß des Hitler-Stalin-Paktes am 23. August 1939 bis zum Beginn des deutschen Überfalls auf die UdSSR kennzeichneten zwei Gesichtspunkte[61]. Einerseits hatte Mussolini keinen Hehl daraus gemacht, daß er vom Abschluß des Nichtangriffspaktes am 23. August nicht begeistert war (wahrscheinlich, weil er sich isoliert fühlte); andererseits stand er im Banne der sowjetischen Annexionen in Osteuropa und insbesondere des Überfalles der Roten Armee auf Finnland. Dies veranlaßte Mussolini zu Hilfeleistungen verschiedener Art zugunsten des kleinen nordischen Staates, was wiederum zur zeitweiligen Abberufung des sowjetischen Botschafters aus Rom und schließlich zu derjenigen des italienischen Botschafters aus Moskau führte.

Vor diesem Hintergrund entstand Mussolinis Brief an Hitler – datiert vom 3. Januar 1940 –, in dem der Duce seinem Verbündeten unmißverständlich die Planung und Durchführung eines Feldzuges gegen die Sowjetunion empfahl: »Die Lösung Ihres Lebensraumes liegt doch in Rußland und nicht anderswo. Rußland hat die gewaltige Ausdehnung von 21 Millionen Quadratkilometern und neun Einwohnern pro Quadratkilometer. Es ist fremd gegenüber Europa und Asien. Das ist nicht nur die These von Spengler. Bis vor vier Monaten war Rußland der Weltfeind Nr. 1 – es kann nicht der Freund Nr. 1 geworden sein und ist es auch nicht. Das hat die Faschisten in Italien sehr gestört und vielleicht auch viele Nationalsozialisten in Deutschland. An dem Tage, an dem wir den Bolschewismus vernichtet haben, werden wir unseren beiden Revolutionen die Treue gehalten haben[62]!«

Damals war Italien noch neutral; erst als es nach dem Überfall auf Frankreich in den Krieg eintrat (10. Juni 1940), änderte es seine Politik auch gegenüber der Sowjetunion. Zwischen Juni und Dezember 1940 gab Mussolini dem neuen italienischen Botschafter in Moskau, Augusto Rosso, konkrete Instruktionen, eine Wiederannäherung an die UdSSR zu suchen und sich um die Aufnahme von Verhandlungen zu bemühen[63]. In erster Linie erhoffte sich der Duce dadurch russische Rohstoffe – wie Kohle, Erdöl und Stahl –, die Italien zur Fortsetzung des Krieges dringend benötigte. Aber er hatte auch einen politischen Hintergedanken: Er wollte – wie so oft – Hitler auch auf diesem Gebiet ebenbürtig sein und sich obendrein mit der nicht kriegführenden Sowjetunion einen Spielraum für die »große Diplomatie« sichern. Mussolinis Bestreben, eine Erneuerung des Nichtangriffs- und Neutralitätspaktes von 1933 bzw. seine Anpassung an die neue internationale Situation zu erreichen, war jedoch erfolglos.

Die April-Ereignisse des Jahres 1941 auf dem Balkan hatten Mussolinis »italienische Ostpolitik« vorläufig unmöglich gemacht. In Wien wurde dann die Beute des Balkanfeldzuges verteilt. Italien erhielt das Gebiet um Ljubljana als neue Provinz, ferner Dalmatien. Kroatien wurde von Serbien getrennt und ein selbständiges Königreich, das einen italienischen Prinzen, den Duce i Spoleto, als König erhalten sollte. Ante Pavelić, ein kroatischer Rechtsextremist und Nationalist, der bisher in Italien politisches Asyl genoß, übernahm die Führung des neuen Staates, der sich nun »Unabhängiger Staat Kroatien« (Nezavisna Država Hrvatska) nannte und italienisches Einflußgebiet werden sollte. Auch Montenegro sollte wieder als selbständiger Staat auferstehen. Die Königin von Italien war ja eine montenegrinische Prinzessin: es fand sich jedoch niemand aus ihrer Familie, der die Königskrone im Lande der »schwarzen Berge« übernehmen wollte. Griechenland wurde Mussolini als Besatzungsgebiet überlassen: die Deutschen behielten sich nur Saloniki und den Hauptteil von Kreta vor.

Erst im Juni 1941 gewann die Rußlandfrage, vor allem durch Hitlers auffallendes Schweigen über dieses Problem anläßlich des Treffens auf dem Brenner, wieder an Aktualität. »Der

Duce sagte mir«, schrieb in diesen Tagen General Ugo Cavalle-ro, damals Chef des Generalstabes der italienischen Streitkräf-te, in sein Tagebuch, »daß er mit der Möglichkeit eines Konflik-tes zwischen Deutschland und Rußland rechne. Er sagte, daß wir in diesem Falle nicht abseits stehen könnten, weil es sich um den Kampf gegen den Kommunismus handeln würde. Daher wäre es notwendig, Vorbereitungen zu treffen, um im Raum zwischen Ljubljana und Zagreb zu den dort stationierten Gre-nadierdivisionen noch eine motorisierte und eine Panzerdivi-sion aufzustellen[64].«

Am 14. Juni hatte Mussolini schon eindeutige Beweise in Händen; er betonte gegenüber seinem Generalstabschef »die Unvermeidlichkeit eines Konfliktes zwischen Deutschland und Rußland«.

Demselben Tagebuch ist zu entnehmen, daß am 15. Juni 1941 im Palazzo Venezia in Rom eine Besprechung zwischen Mussolini, Cavallero und General Enno v. Rintelen, dem deut-schen Militärattaché, stattfand. Der spätere Marschall von Ita-lien, Giovanni Messe, auf den wir noch zurückkommen wer-den, behauptet in seinen Memoiren, daß bereits bei diesen Be-sprechungen Mussolini die Meinung vertreten habe, die Italie-ner müßten am Ostfeldzug mit einem Expeditionskorps teil-nehmen[65].

Es ist eine historische Tatsache, daß die Deutschen von Mus-solini keinerlei militärische Beteiligung am Unternehmen »Barbarossa« verlangten. Desgleichen ist erwiesen, daß Mus-solinis einsamer Entschluß, am Ostkrieg teilzunehmen, und somit Italien in einen sogenannten »Parallelkrieg« zu stürzen, im Grunde genommen seinem Größenwahn entsprungen ist, überall dort zu sein, wo sich die Deutschen befanden. Während der Sitzung des italienischen Ministerrates nahm Mussolini so-gar für sich das Verdienst in Anspruch, Hitler die Initiative zu der »historischen Entscheidung« suggeriert zu haben. Er nannte auch die Gründe für sein Handeln: »In Anbetracht der gewaltigen Ereignisse, die das Schicksal Europas und der gan-zen Welt vollkommen verändern, habe ich entschieden, daß

Italien nicht abseits bleiben kann bei dieser neuen Front, sondern aktiv am Kriege teilnehmen muß. Daher habe ich den sofortigen Abmarsch von drei Divisionen nach Rußland angeordnet. Sie können Ende Juli an der Front sein. Ihnen werden drei weitere Divisionen folgen, die zur Zeit bereitgestellt werden... Es gibt ein Problem, das mich beschäftigt und auf das ich immer wieder zurückkomme: Wird nicht nach dem deutschen Sieg über Rußland ein zu großes Mißverständnis zwischen dem deutschen und italienischen Beitrag am Krieg bestehen? *In dieser Frage ist der hauptsächlichste Grund zu suchen, der mich veranlaßt hat, die italienischen Truppen an die russische Front zu schicken.* Gleichzeitig habe ich dem Generalstab befohlen, die Operationen im Mittelmeerraum zu verstärken, weil die Italiener, und nur die Italiener, die Engländer besiegen können...[66]«

Aber diese Worte deckten sich nicht ganz mit der tatsächlichen Meinung Mussolinis. Es scheint, daß er gewisse Bedenken hinsichtlich eines Krieges gegen die Sowjetunion hatte! Wie anders wäre sonst seine Reaktion zu erklären, als er in der Nacht vom 21. auf den 22. Juni in seinem Ferienort Riccione einen Telefonanruf erhielt. Rachele Mussolini, die Frau des Duce, nahm das Gespräch an:

»Ich fragte, was man zu dieser ungewohnten Zeit wünsche. Es war der Militärattaché der deutschen Botschaft in Rom, der dringend den Duce sprechen wollte. Auf meine Frage, ob denn nicht das Gespräch später stattfinden könnte, um meinen Mann jetzt nicht zu wecken, bestand man am anderen Ende darauf, und schließlich sagte der Attaché mir, um die Dringlichkeit des Gesprächs zu beweisen, in trockenen Ton: ›Ich muß die Kriegserklärung Deutschlands an Rußland mitteilen!‹ Ich lief in das Zimmer Mussolinis und weckte ihn. Er kam zum Telefon, beschränkte sich aber nicht darauf, die Meldung anzunehmen, sondern sprach lange und in erregtem Ton auf Deutsch. Dann sagte er mir ganz außer sich: Das ist doch Tollheit! Das ist unser Ruin! Ich glaube nicht, daß uns Rußland angegriffen hätte. Deutschland kann wohl Krieg führen, aber von Politik versteht es nichts[67]!«

Noch in derselben Nacht fuhr der Duce nach Rom und befahl sofort, die schon vorher bereitgestellten Truppen – das Expeditionskorps – für einen Abtransport an die neue Front zu mobilisieren. Die Begründung, die er seiner Frau gegenüber abgab, war typisch für Mussolini: »Wir müssen den Deutschen mit allen Mitteln zu einem Blitzkrieg verhelfen. Entweder wird Rußland in einigen Monaten geschlagen – oder überhaupt nicht[68]!«

III. »Nach Osten… Marsch!«

Der Tagesbefehl Hitlers vom 22. Juni 1941 wurde der Truppe an der Ostgrenze des Großdeutschen Reiches bereits am späten Abend des 21. Juni verlesen. Millionen von Männern mußten nun einer unausweichlichen Tatsache ins Auge sehen: dem Krieg gegen Sowjetrußland!

»Soldaten der Ostfront!« So beginnt Hitlers historische Proklamation. »Gebeugt unter der Last einer schweren Aufgabe und seit Monaten zum Schweigen verurteilt, teile ich Euch mit, daß nun die Stunde gekommen ist: Soldaten, endlich darf ich offen zu Euch reden… Etwa hundertsechzig russische Divisionen sind an unserer Grenze zusammengezogen. Seit Wochen wiederholen sich ständige Verletzungen dieser Grenze, nicht nur auf unserem Gebiet, sondern ebenso in Rumänien und im hohen Norden. Russische Stoßtrupps haben vielfach versucht, auf das Gebiet des Deutschen Reiches einzudringen, und es ist zu langen und schweren Kämpfen gekommen, ehe man sie zurücktreiben konnte… Nun aber ist, *Soldaten der Ostfront,* für uns der Zeitpunkt zu einem Unternehmen gekommen, das wegen seiner räumlichen Ausdehnung und der eingesetzten Streitkräfte das Gewaltigste ist, das die Welt bisher erlebt hat! Im Norden kämpfen an den Ufern des Eismeeres unsere Kameraden zusammen mit den finnischen Divisionen. Ihr aber werdet die Ostfront aufbauen. Und in Rumänien stehen am Ufer des Pruth und der Donau sowie am Strand des Schwarzen Meeres deutsche und rumänische Soldaten… Wenn diese Gemeinschaft von Armeen, die *größte der Weltgeschichte,* nun zum Angriff übergeht, so geschieht dies nicht nur, um diesen großen Krieg unter unverzichtbaren Bedingungen siegreich zu beenden oder um die gegenwärtig betroffenen Länder zu schützen, sondern um die gesamte Kultur und Zivilisation Europas zu retten. Deutsche Soldaten! Wieder einmal habe ich heute beschlossen, das Schicksal Europas, die Zukunft des Deutschen Reiches und das Leben unseres Volkes in Eure Hände zu legen. Ihr geht einem schweren und verantwortlichen Kampf entgegen.

Gott helfe uns allein in diesem Kampf[1]!«

Was hatte Hitler noch am 3. Februar 1941 vor seinen Generälen behauptet? »Wenn ›Barbarossa‹ steigt, hält die Welt den Atem an und verhält sich still...[2]«

Wer konnte ihm entgegenhalten, daß es keinerlei Grenzverletzungen seitens der Roten Armee gegeben hatte? Wer konnte ihm gegenüber darauf hinweisen, daß vorläufig nur deutsche und rumänische Soldaten zum Angriff übergegangen waren, daß die Finnen noch in Frieden mit ihren östlichen Nachbarn lebten und daß Europa, in dessen Namen Hitler sprach und in dessen Namen er von seinen Soldaten Opfer verlangte, nicht ein Europa der freien Nationen war, sondern ein Konglomerat von fast ausschließlich unter seinem Einfluß stehenden Staaten?

Aber die Würfel waren gefallen.

Am 22. Juni 1941 um 03.15 Uhr ging das deutsche Ostheer an einer Front, die von der Ostsee bis zu den Karpaten reichte, zum Großangriff über. Die Stoßkeile des Heeres überrannten die sowjetischen Grenzbesetzungen, während die Luftwaffe den Gegner in jeder Hinsicht lähmte. Die Taktik war aufgegangen: Die Rote Armee hatte sich überall zum Kampf gestellt und damit die grundsätzlichen Voraussetzungen für das Gelingen des deutschen Plans geliefert. (»Das Ziel eines Feldzuges gegen Sowjetrußland ist es, in *schnellen* Operationen die in Weißrußland stehende Masse des russischen Heeres zu vernichten, den Abzug kampfkräftiger Teile in die Weite des russischen Raumes zu verhindern und dann unter Abschneiden Weißrußlands von den Meeren bis zu einer Linie vorzustoßen, die uns die wichtigsten Teile in die Hand gibt und leicht gegen das asiatische Rußland abzuschirmen ist.«) Schwierigkeiten – allerdings nur vorübergehend – traten lediglich bei der südlich des Pripjetgebietes angesetzten *Heeresgruppe Süd* ein. Die von Generalfeldmarschall Fedor von Bock befehligte *Heeresgruppe Mitte* riß innerhalb weniger Tage die gegnerische Front auf und trieb die motorisierten und die Panzerverbände an den Flanken tief in den weißrussischen Raum vor. Auch der im litauisch-lettischen Kampfraum operierende Generalfeldmarschall Wilhelm Ritter von Leeb war mit seiner *Heeresgruppe Nord* total offensiv: Die Düna-Linie wurde durchbrochen, die Rigaer Bucht erreicht, und etwa zwölf bis fünfzehn Divisionen der Roten Armee wurden aufgerieben. Nur im Norden, in Finnland, und im Süden, in Rumänien, gab es Unstimmigkeiten, die aber nach wenigen Tagen bewältigt werden konnten. Wie sah dort die Lage aus?

Wie macht man Kriege?

Die Bukarester Bevölkerung hatte am 21. Juni 1941 keine Ahnung davon, daß für Land und Bevölkerung die letzten Stunden des Friedens gekommen waren. Lediglich der sowjetische Botschafter Anatolij Josifowitsch Larentjew war nervös und unruhig. Seit Wochen meldete er seine Beobachtungen nach Moskau: rumänische und verstärkt deutsche Truppenverschiebungen im Land, die eindeutig einen Angriff in Richtung Osten anzeigten. Doch Stalin war an solchen Nachrichten nicht interessiert...

In den Morgenstunden des 22. Juni verkündete der rumänische Staatsführer, daß mit Deutschlands Angriff im Osten auch für Rumänien der Krieg begonnen habe. Es sollte nach den Worten Antonescus »ein heiliger Krieg der rumänischen Nation« sein, der die Schmach des letzten Jahres (gemeint war die durch ein sowjetisches Ultimatum von Rumänien erzwungene Abtretung der Provinzen Bessarabien und Nordbukowina) auslöschen und die »Rumänische Erneuerung« herbeiführen sollte.

Die Proklamation Antonescus strahlte der Bukarester Sender als Aufzeichnung aus. An jenem 22. Juni des Jahres 1941 war General Antonescu bereits mit seinem Sonderzug »Patria« unterwegs zur Front, um dort, wie vorgesehen, den Oberbefehl über die deutsch-rumänische Armeegruppe in der Moldau zu übernehmen. Die Regierungsgeschäfte waren einem Namensvetter Antonescus, dem 37jährigen Professor für Völkerrecht und Staatsminister Mihai Antonescu, übertragen worden. Als der rumänische General seine Truppe erreichte, war auch an diesem Frontabschnitt die Offensive bereits im Gange. Laut Operationsplan sollten die deutsch-rumänischen Truppen vorerst nur kleinere Brückenköpfe über den Pruth bilden, die dann zu gegebener Zeit die Ausgangsstellung für einen tief in das gegnerische Hinterland reichenden Großangriff werden sollten. Die Kämpfe um die Brückenköpfe würden sich, so glaubte man, so lange hinziehen, bis die Truppen des Generalfeldmarschalls Rundstedt bei Lemberg den sowjetischen Widerstand gebrochen hatten und gegen das Schwarze Meer vorrücken konnten. Bis zu diesem Zeitpunkt mußte die Armeegruppe Antonescus die Rote Armee an Ort und Stelle binden und verhindern, daß der Gegner seinerseits Rumänien angriff.

Der rumänische Überfall überraschte zwar die Truppen des Odessaer Militärbezirks, aber er löste weder Panik noch Chaos aus. Sehr schnell organisierte die sowjetische militärische Führung den Widerstand. Nur unter schweren Verlusten gelang es den Rumänen in den nächsten Tagen, am Ostufer des Pruth (bei Stefanesti, Sculeni und Ungheni) kleinere Brückenköpfe zu bilden. Besonders schwer wurde bei Sculeni gekämpft: Sowjetische Panzerkräfte versuchten immer wieder, die Rumänen in den Fluß abzudrängen. Bereits diese Kämpfe bewiesen die mangelhafte technische Ausrüstung der Rumänen: Die notwendigen Panzerabwehrkräfte fehlten, und die Luftunterstützung war praktisch wirkungslos.

Während Rumänien im Banne der ersten deutschen Siege in der Ukraine und in Weißrußland stand und sich von seinem eigenen *heiligen Krieg* einen raschen und möglichst reibungslosen Rückgewinn der östlichen Provinzen erhoffte, »vergaß« die Regierung, in Moskau eine Kriegserklärung abzugeben. Sogar der rumänische Gesandte in Moskau, Grigore Gafencu, wurde von der eigenen Regierung ignoriert. In seinen 1944 in Zürich veröffentlichten Memoiren beteuert Gafencu, nichts von den Absichten seiner Regierung gewußt zu haben. »In den unruhigen Tagen, welche dem Ausbruch der Feindseligkeiten vorangingen, erhielt ich weder eine Botschaft noch eine Anweisung[3]!« Erst am frühen Morgen des 22. Juni wurde Gafencu von den Ereignissen unterrichtet, und auch dann lediglich von einem deutschen Diplomaten. »Die rumänische Regierung stellt Sie unter unseren Schutz«, fügt dieser hinzu. Während jedoch die sowjetischen Behörden die deutsche Botschaft in Moskau sofort hermetisch von der Außenwelt abriegelten, konnten sich die Rumänen noch einige Zeit frei bewegen.

Erst am 24. Juni erhielt Gafencu eine »Einladung« aus dem Kreml. Molotow, der Volkskommissar für auswärtige Angelegenheiten, wünschte ihn zu sprechen. »Der Volkskommissar war blaß und schien ermüdet«, schildert später der Rumäne. »Indessen kam er mir mit Ruhe und Sicherheit entgegen und reichte mir die Hand: ›Ich wollte wissen, Herr Gesandter, wie es zwischen uns steht?‹ – sagte Molotow. ›Wir lebten bis gestern in Frieden. Heute haben sich Ihre Truppen den deutschen Banditen angeschlossen. Können Sie mir eine Erklärung dafür geben?‹«

Gafencu: »Ich antwortete wahrheitsgemäß, ich war über nichts unterrichtet worden und wußte nichts von dem, was vorging. Ich dachte, daß die sowjetrussische Gesandtschaft in Bukarest besser über die laufenden Ereignisse unterrichtet sein müsse.«

Molotow bemühte sich, den Gesandten von den Folgen eines Krieges gegen die Sowjetunion zu überzeugen. Wußte Molotow zu diesem Zeitpunkt vielleicht immer noch nicht, daß Rumäniens Kriegsbeteiligung bereits seit 48 Stunden feststand? Molotow bezeichnete Rumäniens Bündnis mit Deutschland als »das Ende der Unabhängigkeit« des Landes. Gafencu blieb die

Antwort nicht schuldig. Obwohl er kein besonderer Freund Hitlers war (er ging wenige Jahre später in die Emigration), sah er es als eine patriotische Pflicht an, Molotow auf die aggressive Politik der Sowjetunion gegenüber Rumänien in den vergangenen zwölf Monaten hinzuweisen: »Durch Ihr brutales Ultimatum vom vorigen Jahr«, sagte er, »als sie (die Russen) nicht nur Bessarabien, sondern auch die Bukowina und eine Ecke der alten Moldau forderten; durch die darauf folgenden ständigen Verletzungen unseres Gebietes; durch die Gewaltstreiche an der unteren Donau gerade zu dem Zeitpunkt, da Verhandlungen über die Festlegung der neuen Demarkationslinie im Gange waren – durch all dies hat die Sowjetunion jedes Gefühl des Vertrauens und der Sicherheit in Rumänien zerstört und die berechtigte Angst hervorgerufen, daß die Existenz des rumänischen Staates auf dem Spiele steht. Dann hat Rumänien auf einer andern Seite Unterstützung gesucht...« Und dann bezeichnete der Rumäne den angebrochenen Krieg als um so tragischer, »da das rumänische Volk bis zu diesem Tage (22. Juni 1941) niemals gegen das russische Volk im Kriege gestanden hat und niemals Gefühle der Feindschaft oder des Hasses zwischen unsern beiden Nationen bestanden haben[4]«. Gafencu verabschiedete sich von Molotow per Handschlag: »Als ich – zum letzten Male – den Kreml verließ, schnürte mir die Erregung die Kehle zu...« Wie würde das rumänische Volk den Krieg überstehen? Und er dachte auch an Molotows drohende Frage: »Was können Sie von einem deutschen Sieg erhoffen[5]?«

Der deutsche Vormarsch ging indessen weiter. Ziel war zunehmend das sowjetische Hinterland. Obwohl die Luftstreitkräfte der Roten Armee bereits in den ersten 24 Stunden des Angriffes empfindlich geschwächt und zur Unterstützung der Bodentruppen kaum mehr fähig waren (Moskauer Quellen geben die Zahl der von der deutschen Luftwaffe vernichteten sowjetischen Flugzeuge mit 1200 Maschinen an[6]), war die strategische Luftflotte der Sowjets noch immer in der Lage, zumindest in gewissen Lufträumen, Gegenangriffe zu führen. In den

frühen Morgenstunden des 26. Juni tauchten 26 sowjetische
Flugzeuge über Bukarest auf und bombardierten Regierungs-
und Wohnviertel. Nach amtlichen Angaben richteten sie jedoch wenig Schaden an, da die meisten Bomben nicht explodierten. Es gab vier Tote und zwölf Verletzte[7]. Weitere Angriffe flogen die Russen gegen das rumänische Erdölgebiet von
Ploieşti und gegen Konstanza, wo sie mehrere Ölraffinerien in
Brand setzten. Die Luftsperre der deutsch-rumänischen Flie-
gerabwehr wurde umgangen, indem sowjetische Piloten ihre
Maschinen in geringer Höhe über die Ziele steuerten und nicht
erreichbar waren für den Sperrfeuergürtel der deutsch-rumänischen Bodentruppen.

An den Flanken der Ostfront – wo sie von den Deutschen
noch nicht ausgeschaltet werden konnte – entfaltete die sowjetische Luftwaffe in diesen Junitagen eine besondere Aktivität –
eine Aktivität, die offenbar nicht immer im Einklang mit den
Vorstellungen der sowjetischen politischen Führung stand. Bei
den Oberkommandos der Luftstreitkräfte der Wehrkreise
Nord und Süd, also um Leningrad und Odessa herum, scheint
damals eine nicht geringe Verwirrung geherrscht zu haben. Die
»beruhigenden« Anweisungen der letzten Wochen aus Moskau, die von keinerlei Kriegsgefahr sprachen, und die Tatsache,
daß am 22. Juni der Krieg gegen Deutschland ausgebrochen
war, hatten wahrscheinlich bei manchen verantwortlichen Befehlshabern dieser Wehrkreise zu unüberlegten und – politisch
gesehen – gefährlichen Entscheidungen geführt. Aus den un-
längst in Moskau veröffentlichten Memoiren des heutigen So-
wjetmarschalls A. I. Pokrischkin, der 1941 als Fliegeroffizier
im von den Sowjets besetzten Bessarabien Dienst tat, wissen
wir, daß seine Fliegereinheit bereits am 22. Juni 1941 mehrere
Feindflüge in den Luftraum über der Moldau unternahm und
demnach schon in den ersten vierundzwanzig Stunden zum
Einsatz kam[8]. Zwar stand Rumänien mit den Sowjets im
Kriegszustand, doch hatte Molotow noch am 24. Juni Gafencu
empfangen und ihn – nach den Worten des rumänischen Gesandten – vor einem Bündnis mit Deutschland gewarnt.

Die sowjetische Luftwaffe flog auch Angriffe gegen bulgarische Städte – so gegen Rustschuk an der Donau am 26. Juni[9] – obwohl das Königreich der Sowjetunion nicht den Krieg erklärt, ja nicht einmal die diplomatischen Beziehungen mit Moskau abgebrochen hatte.

Schwerwiegender als der Luftangriff auf Rustschuk war jedoch der Einsatz der sowjetischen Luftwaffe im Norden, also gegen Finnland, das zu Beginn des deutschen Großangriffs im Mittelabschnitt der Ostfront überhaupt nicht am Krieg beteiligt war. So drangen bereits am 22. Juni morgens zwischen sechs und sieben Uhr sowjetische Flugzeuge an mehreren Stellen in finnisches Hoheitsgebiet ein: Um 6.05 Uhr bombardierten mehrere Maschinen in zwei Gruppen finnische Panzerboote; um 6.15 Uhr belegten vier Flugzeuge die Küstenverteidigung von Alstaer mit Bomben und um 6.45 Uhr griffen Flugzeuge aus großer Höhe finnische Fahrzeuge in den Schären von Abo mit Bomben an.

Allerdings: Am 22. Juni 1941 rückte das deutsche Gebirgskorps von Kirkenes aus in das Gebiet von Petsamo vor. Finnische und deutsche Seestreitkräfte begannen gemeinsam, den östlichen Teil des Finnischen Meerbusens durch Minensperren abzuriegeln. Der sowjetische Flottenstützpunkt Hangö wurde von deutschen Flugzeugen bombardiert, die von Süden her aus dem Bereich der Heeresgruppe Nord angriffen. Die Russen erwiderten das Feuer, wobei sie keinerlei Unterschied zwischen Deutschen und Finnen machten. So beschoß die russische Artillerie bereits am Morgen des 22. Juni von Hangö aus finnisches Gebiet, und am Abend desselben Tages eröffnete auch die Infanterie an der finnischen Grenze östlich von Imatra das Feuer.

Diese Angriffe, die im Prinzip nur Grenzverletzungen waren, veranlaßten das finnische Außenministerium, dem Gesandten der Sowjetunion in Helsinki, Pawel Orlow, eine Protestnote zu überreichen. Dieser wies sie jedoch zurück. Er beschuldigte seinerseits die Finnen, ihre Luftwaffe habe Angriffe gegen sowjetisches Territorium geflogen. Danach fragte der sowjetische

Gesandte ohne Umschweife, welche Haltung Finnland angesichts des Krieges zwischen Deutschland und der Sowjetunion einzunehmen gedenke. Der Minister wich einer direkten Antwort aus und berief sich auf den finnischen Reichstag, der am 25. Juni in dieser Angelegenheit eine Grundsatzerklärung verabschieden werde[10].

Am 23. Juni wurde der finnische Gesandte in Moskau, P. J. Hyninen, zu Molotow gerufen. Dieser beschuldigte Finnland, das Feuer auf Hangö eröffnet und Leningrad überflogen zu haben. Der Gesandte wurde ersucht, unverzüglich festzustellen, ob sein Land die Absicht habe, neutral zu bleiben. Wie Mannerheim später berichtete, hielten die russischen Behörden das Telegramm des Gesandten vierundzwanzig Stunden zurück. Und da sie anschließend die telegrafischen Verbindungen abbrachen, war es sinnlos, auf eine Antwort zu warten[11].

Am 25. Juni bereitete das sowjetische Oberkommando einen massierten Schlag der eigenen Fliegerverbände gegen finnische Zielpunkte vor. Im frühen Morgengrauen dieses Tages starteten 263 Bomben- und 224 Jagdflugzeuge zum Angriff. Abo, Helsingfors und Lapreenrante, ein Städtchen im Südosten Finnlands, wurden mit Bomben belegt. Ganze Wohnviertel brannten. Auch ostfinnische Städte griffen die Sowjets an[12]. Dabei wurde besonders Mittelfinnland in Mitleidenschaft gezogen, so z.B. die Stadt Pielsamali. Der finnischen Luftabwehr gelang es an diesem Tage, sechsundzwanzig Flugzeuge abzuschießen. Mannerheim berichtet: »Die Verluste an Menschenleben, gar nicht zu reden von den materiellen Schäden, waren beträchtlich. An der Reichsgrenze eröffneten die Russen Infanterie- und Artilleriefeuer. All diese Unternehmen waren so beschaffen, daß sie nicht länger als vereinzelte, von niederen Kommandeuren eingeleitete Aktionen betrachtet werden konnten. Da sie sich außerdem ausschließlich gegen rein finnische Ziele und solche Ziele des Landes richteten, wo es keine Deutschen gab, war es klar, daß die Sowjetunion die Feindseligkeiten eröffnet hatte[13].«

Moskau war anscheinend von Kriegsbeginn an davon überzeugt, daß Finnland mit Deutschland gemeinsam operieren werde.»In Wirklichkeit«, schreibt der sowjetische Historiker Lew Besymenski in einem 1968 veröffentlichten Buch,»wurde am 17. Juni die (finnische) Mobilmachung bekanntgegeben, und die finnischen Truppen begannen die Kampfhandlungen gegen die UdSSR gemeinsam mit der Wehrmacht[14]!«

Die Situation war jedoch komplizierter.

Die finnische politische Führung stand natürlich vor der Frage, wie sie sich im Falle eines deutschen Angriffes auf die Sowjetunion verhalten solle. Der finnische Generalstab hatte bereits vor dem 22. Juni umfangreiche Vorkehrungen getroffen, die jedoch sowjetischerseits sowohl als Verteidigungs- als auch als Angriffsmaßnahmen gewertet werden konnten. Und Hitlers Tagesbefehl an die Soldaten der Ostfront, in dem offen von einer Beteiligung der finnischen Armee die Rede war, machte die Lage noch verwirrender. (Am 22. Juni meldete sogar die in Helsinki erscheinende schwedische Zeitung»Hufvudstadsbladet« in ihrer Sonderausgabe auf dem Titelblatt:»Finnland und Deutschland griffen gemeinsam Rußland an!«) Die finnische politische Führung hatte jedoch in den Tagen nach dem 22. Juni noch gar keinen Entschluß gefaßt, was ihre Kriegsbeteiligung betraf.

Mannerheim schreibt:»Die Regierung hatte die Absicht gehabt, am 25. Juni im Reichstag zu erklären, daß Finnland seine Neutralität aufrechterhielte. Am 24. Juni abends lag die Rede des Ministerpräsidenten fertig vor, doch die Ereignisse des nächsten Tages zwangen die Regierung, die Angelegenheit zu überprüfen, wobei man nicht umhin konnte, festzustellen, daß die Russen planmäßige Kriegshandlungen eingeleitet hatten. Der Bericht, den der Ministerpräsident am Abend vor dem Reichstag abgab, hatte ein einstimmiges Vertrauensvotum zur Folge, nachdem der Reichstag seinerseits festgestellt hatte, daß Finnland aufs neue in einen Verteidigungskrieg hineingezwungen war[15].«

Im Rahmen eines Kriegsverbrecherprozesses im Herbst 1945 gab der ehemalige – im Juni 1941 jedoch noch amtierende – Staatspräsident Risto Ryti eine ähnliche Erklärung ab:

»Als am 22. Juni 1941 zwischen Deutschland und Rußland Krieg ausbrach, versuchten wir uns ehrlich von dem herauszuhalten. Wir maßen den Angriffen, die Rußland in den ersten Tagen machte, kein zu großes Gewicht bei, und wir unsererseits vermieden alles, was bei Rußland den Eindruck hätte erwecken können, daß Moskau Grund habe, uns als Feinde zu betrachten. Einige Tage gelang uns das, aber aus unbekannten Gründen startete Rußland nach dem 25. Juni einen totalen Luftangriff auf unser Land, und die russischen Truppen begannen sich unseren Grenzen entlang zu bewegen... Da sich der Angriff fast ausschließlich gegen rein finnische Ziele und gegen Landesteile, wo keine Deutschen waren, richtete, war klar, daß er ausdrücklich gegen uns gerichtet wurde und daß man gegen uns Krieg begonnen hatte[16]!«

Lassen wir in diesem Zusammenhang noch den finnischen Außenminister Väinö Tanner zu Worte kommen. Der sozialdemokratische Politiker hat am 9. August 1943 während eines abendlichen Spazierganges mit Marschall Mannerheim, Ministerpräsident Edwin Linkomies und dem Verteidigungsminister folgendes gesagt:

»... schließlich gerieten wir in eine Diskussion darüber, ob Finnland es hätte vermeiden können, 1941 wieder in einen Krieg gezogen zu werden und wie Finnlands Lage in jenem Fall nun ausgesehen hätte. Wir waren der Ansicht, daß wir früher oder später sowieso auf der einen oder andern Seite in den Krieg gezogen worden wären – ganz egal, ob wir versucht hätten, neutral zu bleiben –, nachdem Hitler Rußland angegriffen hatte und sowjetische Flugzeuge unser Land verwüstet hatten. Die Schlußfolgerung des Meinungsaustausches läßt sich so zusammenfassen, daß jedenfalls, nachdem Finnland im Herbst 1940... deutschen Truppen den Durchmarsch durch das Land nach Norden und von dort nach Norwegen gestattet hatte..., die Dinge mit logischer Unausweichlichkeit ihren Lauf genommen hatten. Nachdem Deutschland Rußland am 22. Juni

1941 angegriffen hatte, hatte die Sowjetunion mit dem Bombardement von Zielen in Finnland begonnen, weil sich deutsche Truppen im Land befanden[17].«

Eine sowjetische Zurückhaltung gegenüber Finnland im Juni 1941 hätte den Russen eventuell eine neue Front – wenn auch nur vorübergehend – erspart. Das Vorgehen gegen Helsinki erleichterte jedoch der finnischen Regierung und dem Reichstag den Entschluß.

In den Mittagsstunden des 26. Juni hielt Staatspräsident Ryti eine Rundfunkrede. Er informierte seine Landsleute über den Stand der Dinge. Der Staatspräsident nannte dabei den militärischen Konflikt absichtlich einen »Verteidigungskampf«. Er sei nichts anderes als die Fortsetzung jenes Krieges, der 1940 im Moskauer Frieden seinen vorübergehenden Abschluß gefunden habe[18].

Der Beschluß des Reichstages, der dieser Proklamation vorangegangen war, bezog sich wiederum auf »Verteidigungsmaßnahmen« finnischerseits, die mit allen verfügbaren Mitteln des Staates durchgeführt werden müßten[19].

Die Stimmung der finnischen Bevölkerung war angesichts des neuen Krieges alles andere als optimistisch. Die Finnen hatten die Entbehrungen von 1939/40 noch nicht vergessen und waren weit davon entfernt, sich für einen neuen Krieg zu begeistern. Andererseits waren sie von der Notwendigkeit des »Fortsetzungskrieges« (so hieß in der Folgezeit finnischerseits der Krieg von 1941 bis 1944) durchaus überzeugt, da sie sich angegriffen fühlten, und hofften, daß die Rote Armee von der deutschen Wehrmacht geschlagen werde, was für sie den Rückgewinn der auf Grund des Moskauer Friedensvertrages verlorenen Territorien in Karelien bedeutet hätte. Dies war das finnische Kriegsziel!

Der Verbündete der Sowjetunion in Finnland, die einheimische Kommunistische Partei (sie hatte im Herbst 1944 offiziell erst 2000 Mitglieder[20]), wurde von der Regierung polizeilich verfolgt und in den Untergrund gedrängt. Sie war nicht imstande, von irgendeiner Bevölkerungsschicht politische Unterstützung zu erlangen.

Weitere Opposition gegen das Bündnis mit Deutschland trieb die sozialdemokratische Partei Finnlands, die auch in der Regierung vertreten war. Im Gegensatz zum »Winterkrieg« hatte der finnische »Fortsetzungskrieg« die Bevölkerung keineswegs zu einer »geschworenen Einheit« zusammengeschweißt. Der Grund dafür lag ja nicht in einer etwaigen Sympathie für die Sowjetunion. Es war eher die Tatsache, daß sich Finnland im Bündnis mit einem extremistischen Staat befand, dessen politische Ziele nicht seine eigenen waren. Außerdem konnte Finnland möglicherweise einer Konfrontation mit Großbritannien und den Vereinigten Staaten von Amerika (beides wahre Freunde der finnischen Republik) nicht ausweichen.

Am 26. Juni wurde die finnische Armee angewiesen, das Feuer an den Grenzen zu erwidern. Sie zu überschreiten, verbot das Hauptquartier Mannerheims, das in diesen Tagen nach Mikkeli (St. Michel), einem Städtchen unweit von Helsinki, verlegt wurde. Von hier aus operierte das finnische Oberkommando während des gesamten Krieges. Im Schulhaus in der Nähe der großen Kirche lebte und arbeitete Mannerheim in all diesen Jahren. Hier kannte er sich aus, denn Mikkeli war schon der Sitz des Hauptquartiers in den vorangegangenen Unabhängigkeitskriegen Finnlands gewesen. Aus Dankbarkeit und in Anerkennung der gastlichen Aufnahme schenkte Mannerheim der Stadt 1943 zwei gekreuzte Feldmarschallstäbe, die noch heute das Wappen der Stadt schmücken.

Es war für Mannerheim der vierte Krieg in seinem Leben. Der mit einer Russin verheiratete Marschall war ursprünglich russischer General gewesen, verehrte den Zaren, dessen Fotos er bis zu seinem Tod auf seinem Nachttisch liegen hatte, und war und blieb ein Gegner der Bolschewisten. Auch im Zweiten Weltkrieg trug er an seiner Uniform die für den Kampf gegen die Deutschen verliehenen hohen zaristischen Orden und das Eiserne Kreuz I, das er 1918 von Kaiser Wilhelm II. bekommen hatte.

Am 28. Juni 1941 wurde den finnischen Truppen der später

viel kritisierte Tagesbefehl des Oberbefehlshabers verlesen. Denkwürdigerweise war hier keine Rede von einem »Verteidigungskrieg«, vielmehr von einem »heiligen Krieg gegen den Feind des finnischen Volkes«. Positiv wurde das Bündnis mit Deutschland erwähnt. Die Soldaten wurden zu einem *Kreuzzug* gegen die Sowjetunion aufgerufen, um Finnland eine gesicherte Zukunft zu schaffen. Der Aufruf Mannerheims schloß mit den Sätzen:»Waffenbrüder! Folgt mir noch einmal, zum letzten Male, jetzt wo Karelien sich erhebt und die Morgenröte eines neuen Tages für Finnland uns entgegenleuchtet[21]!«

Die Bombardierung von Kassa – oder Ungarns Kriegserklärung an die Sowjetunion

Als sich an jenem Junisonntag die deutsche Wehrmacht im Osten bereits seit Stunden in der Offensive befand, herrschte in Budapest und in ganz Ungarn noch Friedensstimmung. Reichsverweser Miklós von Horthy wurde am frühen Vormittag vom deutschen Gesandten Otto von Erdmannsdorff aufgesucht, der den Auftrag hatte, ihm einen persönlichen Brief Hitlers auszuhändigen. Der Deutsche teilte darin seinen Entschluß und die Gründe mit, die ihn dazu bewegt hatten, seinen bisherigen Vertragspartner zu überfallen. Hitler bezeichnete auch in diesem Brief den deutschen Schritt als einen Präventivschlag und sprach von sowjetischen Grenzverletzungen (die nicht stattgefunden hatten) sowie von einer Bedrohung Europas durch die Rote Armee.»Was die Haltung Ungarns betrifft«, so der Brief, »so bin ich der Überzeugung, daß es mit seinem Nationalbewußtsein meine Haltung würdigen wird. Eurer Durchlaucht möchte ich an dieser Stelle danken für die verständnisvollen Maßnahmen der ungarischen Wehrmacht, die schon durch die bloße Tatsache einer verstärkten Grenzsicherung russische Flankenangriffe verhindern und russische Kräfte binden werden...[22]«
Es fiel kein Wort über eine militärische Beteiligung an den

Kämpfen im Osten; auch nicht andeutungsweise ließ Hitler etwaige politische Wünsche in bezug auf Ungarns Haltung in diesem Konflikt erkennen, ganz zu schweigen von einem möglichen Druck auf die Regierung, sich »freiwillig« zu beteiligen!

Erdmannsdorff konnte jedoch nach Berlin melden, Horthy »als alter Kreuzritter gegen den Bolschewismus« begrüße »begeistert« Hitlers Kriegsentschluß: »Seit zweiundzwanzig Jahren habe er diesen Tag herbeigesehnt und sei nun selig. Noch nach Jahrhunderten werde die Menschheit dem Führer für diese Tat danken. 180 Millionen Russen würden nun von dem ihnen durch zwei Millionen Bolschewisten aufgezwungenen Joch befreit werden[23].«

Die Ernüchterung trat rasch ein. Horthy besprach die Lage mit seinen Ministern. Sie begrüßten zwar Hitlers Entschluß, jedoch was Ungarns Haltung betraf, waren sie vorsichtiger. Erstens wollten sie die Reaktion Großbritanniens auf den deutschen Angriff im Osten abwarten, und zweitens war es wichtig zu erfahren, wie Ungarns Nachbarn sich verhalten würden. Italiens Kriegserklärung an die Sowjetunion, die am 22. Juni erfolgte, und Rumäniens militärische Aktivität am Pruth waren dann aber ganz im Sinne jener Parteien im Ministerrat, die auf eine rasche Entscheidung – also auf einen Krieg – drängten.

Am 23. Juni meldeten sich die Militärs zu Wort. Besonders Generaloberst Werth, der Chef des ungarischen Generalstabs, forderte die sofortige Kriegserklärung an Moskau und den offensiven Einsatz der gesamten Honvéd-Armee im Karpaten-Abschnitt[24]. Doch dieser Vorschlag wurde im Ministerrat abgelehnt. Man beschloß lediglich den Abbruch der diplomatischen Beziehungen mit der Sowjetunion. Ministerpräsident Bárdossy war einer der Hauptbefürworter eines solchen Schrittes während der Innenminister zum Abwarten riet.

Die »Neue Zürcher Zeitung« kommentierte dieses Ereignis damals wie folgt: »Der Abbruch der diplomatischen Beziehungen zwischen Ungarn und der Sowjetunion, der am Montag vom Kabinett Bárdossy beschlossen wurde, hat nicht überrascht, weil Ungarn bei seinen nahen Beziehungen zu Deutschland und Italien sowie als Mitgliedstaat des Dreimächtepaktes und wichtiges Bindeglied zwischen Deutschland und Rumänien von vornherein nicht eine neutrale Haltung einnehmen konnte... Bei der Freundschaft zwischen den Achsenmächten und dem von jeher bestehenden allgemeinen Gegensatz zur Sowjetunion, der während der Periode der deutsch-russischen Annäherung in Ungarn nur äußerlich zurückgestellt und verschwiegen wurde, war eine andere Haltung nicht zu erwarten...[25]«

Während der ungarische Ministerrat über weitere Maßnahmen beriet, bat Molotow in den Vormittagsstunden des 23. Juni den ungarischen Gesandten in Moskau, József Kristóffy, zu sich. Er verlangte Auskunft über Ungarns zukünftige Haltung im deutsch-sowjetischen Krieg. Er beteuerte, die Sowjetunion ihrerseits habe keinerlei Angriffspläne und werde – sofern es der ungarischen Regierung gelänge, das Land aus diesem Krieg herauszuhalten, dies bei den späteren Friedenskonferenzen insofern würdigen, als sie für Ungarns Anspruch auf ganz Siebenbürgen einstünde[26]. Kristóffy, der die Haltung der Bárdossy-Regierung nicht kannte, bat Molotow um Geduld. Er wolle Budapest unterrichten. Sein Telegramm traf jedoch – da es einen Umweg über die Türkei machte – erst am 24. Juni in Budapest ein und blieb von Bárdossy unbeantwortet. Der ungarische Ministerpräsident hat in der Folgezeit weder den Reichsverweser noch das Parlament bzw. den Ministerrat über Molotows Botschaft unterrichtet[27]!

Was danach geschah – darüber kann noch heute nichts Genaues und Zusammenhängendes gesagt werden. Aus den Akten des deutschen Auswärtigen Amtes geht eindeutig hervor, daß die ungarische politische Führung die Entscheidung noch bis zum 26. Juni hinauszögerte und durch diverse Ausreden versuchte, das Land vor einer unmittelbaren Kriegsbeteiligung im Osten zu bewahren. Dagegen drängten die Militärs zu Taten – und erhielten dabei von ihren deutschen Berufskollegen Schützenhilfe.

Am 23. Juni meldete der »Deutsche General beim ungari-

schen Oberkommando«, Generalmajor Kurt Himer, seinem
Vorgesetzten, er habe ohne Erfolg versucht, die Verantwortlichen der ungarischen Politik persönlich zu sprechen. Reichsverweser Horthy sei »beim Polospiel auf der Margarethen-In-
sel«, Verteidigungsminister Károly Bartha angle und Generaloberst Werth befinde sich gleichfalls nicht in der Hauptstadt.
Dem deutschen General, dem Vertreter des Oberkommandos
der Wehrmacht in Ungarn, ging es um Ungarns militärische
Teilnahme am Unternehmen »Barbarossa«. Als er am frühen
Nachmittag endlich mit Werth sprechen konnte, erfuhr er, wie
Horthy die Lage einschätzte. Der Reichsverweser – so steht es
im Kriegstagebuch Himers – betonte, die ungarische Regierung
lege keinen Wert auf einen Angriff gegen die UdSSR. Er,
Werth, sehe das anders, aber Horthy sei der Oberbefehlshaber
der Honvéd-Armee, dessen Standpunkt auch für ihn als Soldat
verbindlich sei.

Es ist nicht ganz geklärt, warum Generaloberst Halder, der
nie großen Wert auf eine ungarische Beteiligung am Ostfeldzug
gelegt hatte, Himer aufforderte, durch General Werth Druck
auf die ungarische politische Führung auszuüben, freiwillig
Truppen für den Krieg zur Verfügung zu stellen[28]. In diesem
Sinne erfolgte am 24. Juni eine Unterredung zwischen Bárdossy und Werth, der dem Ministerpräsidenten im Namen Halders mitteilte, Deutschland nehme jegliche Beteiligung Ungarns am Krieg gegen die UDSSR dankend an. (General Jodl
hatte bereits in den Mittagsstunden des 22. Juni mit Himer tele-
foniert: »Jede ungarische Hilfe wird jederzeit akzeptiert. Wir
wollen nicht fordern, aber alles, was freiwillig angeboten wird,
wird dankend angenommen. Es ist keine Rede davon, daß wir
etwa eine Teilnahme Ungarns nicht wollen[29]!«) Die Meinungs-
änderung der ungarischen politischen Führung erfolgte zweifellos am Abend des 25. Juni. An diesem Tag erfuhr der Ministerrat, daß nach Rumänien auch die Slowakische Republik der
Sowjetunion den Krieg erklärt hatte und sogar ankündigte, sie
werde zum Kampf gegen den Bolschewismus Truppen an die
Ostfront schicken. Neben Rumänien war auch die Slowakei ein

Rivale des Ungarischen Königreiches und es schien, als ob die Verantwortlichen befürchteten, Antonescu und Tiso wollten bei Hitler »Pluspunkte« hinsichtlich der Zukunft ihrer Länder im Donauraum sammeln, und zwar zu Lasten Ungarns. Aus Rom trafen zudem Nachrichten ein, die Ungarns »merkwürdige Haltung« zu einer Zeit, wo in ganz Europa das »Kampffieber« ausgebrochen sei, kritisierten. Fünf Tage waren inzwischen seit Hitlers Angriff vergangen. Auch am 26. Juni konnte General Himer dem Oberkommando der Wehrmacht lediglich melden, daß diverse politische Stellen in Ungarn bei ihm angefragt hätten, wie Berlin wohl reagieren werde, wenn Ungarn ein Freikorps gegen die UdSSR aufstellte. Schließlich habe die Bárdossy-Regierung noch immer keine Entscheidung getroffen. Dürfe er, Himer, falls es dazu komme, Organisation und Führung dieses Freikorps übernehmen?

Als diese Frage gestellt wurde, hatte der ungarische Ministerrat schon beschlossen, eine Teilmobilisation anzuordnen: Die Fliegereinheiten, die Luftabwehr und ein Schnellkorps, bestehend aus zwei motorisierten Schützen- und einer Kavalleriebrigade, sollten so schnell wie möglich in Bereitschaft stehen. (Die königliche ungarische Armee bestand aus: 9 Armeekorps mit je 3 Leichten Divisionen, diese verfügten über 2 Infanterie- und 1 Artillerieregiment sowie über Divisionstruppen; 1 schnellen Armeekorps mit 2 motorisierten Schützen- und 2 Kavalleriebrigaden; 2 Gebirgsbrigaden; 3 Grenzjägerbrigaden; einer Luftwaffe mit 12 Staffeln; 3 Fliegerabwehrbrigaden und der Donauflottille[30].)

Die Ereignisse, die dann folgten, bestätigten diejenige Partei, die bereits seit Tagen für einen sofortigen Krieg gegen die Sowjetunion eintrat.

In den frühen Nachmittagsstunden des 26. Juni 1941 näherten sich aus dem slowakischen Luftraum mehrere Bomber der ungarischen Grenzstadt Kassa (Košice). Sie überflogen um 13.00 Uhr in etwa 700 m Höhe die von der Stadtmitte lediglich ca. zehn Kilometer entfernte Landesgrenze. Bei den acht Beobachtungsposten des zivilen Luftschutzes war die Überraschung so groß, daß die Warnsirenen zu spät betätigt wurden. Der Bomberverband beschrieb über der Stadt einen Halbkreis und warf dann, in Richtung Nordwest-Südost fliegend, dreißig Fünfzig-Kilogramm-Sprengbomben ab, um anschließend den Luftraum um 13.11 Uhr in östlicher Richtung wieder zu verlassen. Zivile und militärische Stellen berichteten einstimmig, daß die zweimotorigen gelb bzw. sandfarbig gestrichenen Maschinen keine Hoheitszeichen trugen. Dagegen waren die hellgelben, einheitlichen Erkennungszeichen der Achsenmächte (am vorderen Rumpf und an den hinteren Steuerflächen) von allen Beobachtern klar zu erkennen[31]. Nach den Aussagen der nur notdürftig ausgebildeten Beobachtungsposten konnten die Maschinen – was ihren Typ betraf – sowohl russischer als auch deutscher Herkunft sein. Die ersten Meldungen sprachen von drei Bombern. Die Experten, die Ende Juni an Bombenresten das Warenzeichen einer Leningrader Fabrik entdeckten, kamen auf Grund des Trefferbildes der Bombeneinschläge zu dem Ergebnis, daß es sich lediglich um zwei Maschinen handelte.

Die Bomber hatten ausschließlich militärische Objekte angegriffen. Von den abgeworfenen Bomben explodierten neunundzwanzig. Dreißig Einwohner der Stadt wurden getötet, 283 verletzt. Der Umstand, daß die Flugzeuge über ausgezeichnete Ortskenntnisse verfügten – das Postamt wurde getroffen und die Telefonzentrale außer Betrieb gesetzt –, ließ in Kassa das Gerücht aufkommen, die unbekannten Bomber hätten slowakische Piloten gehabt, die mit ihren Maschinen vom nur einige Kilometer entfernten slowakischen Fliegerhorst aufgestiegen seien. Da das Verhältnis zwischen Ungarn und der Slowakei seit 1939 mehr als gespannt war, glaubte man, daß die Bombardierung ein Racheakt der Slowaken war, obwohl die Flugzeuge, wie gesagt, keine Hoheitszeichen trugen, dafür aber am Rumpf und an den hinteren Steuerflächen die gelben Erkennungszeichen der Achsenmächte. Andere wiederum – wie zum Beispiel Hauptmann Ádám Krudy, am 26. Juni Diensthabender Offizier beim ungarischen Fliegerhorst in Kassa – nahmen an, die Angreifer seien Deutsche gewesen. In Budapest selbst kursierte das Gerücht, Göring lasse Kassa bombardieren, um Ungarn einen Casus belli zur Kriegserklärung an die UdSSR zu liefern! An einen sowjetischen Angriff wollte niemand glauben... Offiziell hieß es in Budapest allerdings: Kassa wurde von der sowjetischen Luftwaffe angegriffen! Und da es an diesem Nachmittag des 26. Juni noch zu anderen Luftzwischenfällen kam – unter anderem griffen eindeutig als russische Flugzeuge identifizierte Maschinen zwischen Tiszaborkut und Rahó einen Schnellzug an, wobei mehrere Menschen den Tod fanden –, traf Ministerpräsident Bárdossy unverzüglich eine Entscheidung. Im Namen des Ministerrates, der am Nachmittag in aller Eile eine Sitzung abgehalten hatte – teilte er noch am selben Abend dem deutschen Botschafter in Budapest mit: »Die ungarische Regierung betrachte sich mit Sowjetrußland im Kriegszustand. Die ungarische Luftwaffe würde noch heute auf den Angriff entsprechend reagieren...[32]«

Daß Bárdossy die offizielle Untersuchung, die wenige Tage nach dem 26. Juni erfolgte, nicht abwartete und innerhalb von Stunden einen schicksalsschweren Entschluß faßte, ist Gegenstand berechtigter Kritik! Ungeachtet der Tatsache, daß bis heute ungeklärt ist, welcher Nationalität die Flugzeuge waren, die Kassa bombardiert hatten (es gibt eine »slowakische«, eine »deutsche« und auch eine »russische« Version[33]!), hätte in dieser heiklen Situation ein derartiger, relativ harmloser Luftzwischenfall für Ungarn kein Anlaß zu einer Kriegserklärung sein dürfen.

Schließlich hatte Molotow noch am Abend des 26. Juni im Moskauer Rundfunk die Anschuldigungen an die Sowjetunion zum Vorfall bei Kassa zurückgewiesen. Außerdem besaß Bárdossy nach ungarischen Gesetzen nicht das Recht, ohne die Zustimmung des Parlaments eine Kriegserklärung abzugeben. In dieser Beziehung traf auch den Reichsverweser die Schuld, der Bárdossys Entschluß unterstützte, obwohl er wissen mußte, daß er in Sachen Kriegserklärung selbst vom Parlament abhängig war. Horthy hat übrigens sein Verhalten in seinen Memoiren nur wenig glaubwürdig entschuldigt.

Eine offizielle Kriegserklärung an die Sowjetunion erfolgte von ungarischer Seite nicht. In den Vormittagsstunden des 27. Juni ließ Bárdossy das Parlament zusammenrufen und teilte in vier lapidaren Sätzen mit, daß sich Ungarn auf Grund des gestrigen russischen Angriffs mit der Sowjetunion im Kriegszustand befände. Die ungarische Armee habe bereits den Befehl erhalten, »entsprechende Vergeltungsmaßnahmen« zu treffen. Ein schwacher Protest gegen die Kriegserklärung kam nur aus den Reihen der Opposition. Er konnte aber nichts mehr ändern. Schon in den frühen Morgenstunden des 27. Juni hatte die ungarische Luftwaffe – als Retorsion für Kassa – sowjetische Städte in Galizien bombardiert. Die Schwäche der ungarischen Wehrmacht zeigte sich bereits bei diesem ersten Kampfeinsatz. Von den zwanzig Maschinen erreichten nur acht die Zielstädte: Zwei Flugzeuge hatten bereits beim Start Motorschaden, zwei wurden von der gegnerischen Luftwaffe abgeschossen, zwei mußten auf sowjetischem Gebiet notlanden, und sechs Maschinen fanden das Ziel nicht und waren gezwungen, ohne ihren Kampfauftrag erfüllt zu haben, zu ihrem Fliegerhorst zurückkehren[34]. Trotzdem: Die Entscheidung war gefallen. Am 27. Juni schloß sich die Armee des Ungarischen Königreiches der deutschen Offensive an.

Italien und die anderen europäischen Staaten

Dem italienischen Außenminister Graf Galeazzo Ciano fiel die Aufgabe zu, am Morgen des 22. Juni dem sowjetischen Botschafter die Kriegserklärung seiner Regierung zu überreichen. Der Botschafter mußte jedoch gesucht werden. Er und beinahe das gesamte Personal waren nach Fregene zum Baden gefahren. Erst um 12.30 Uhr empfing der Sowjetdiplomat Ciano. Er nahm die Nachricht »mit ziemlicher Gleichgültigkeit entgegen… Die Mitteilung erfolgte ganz kurz, ohne überflüssige Worte. Die Unterredung hatte zwei Minuten gedauert und war keineswegs dramatisch« – so steht es im Tagebuch des Grafen[35].

In den nächsten Tagen trafen Erfolgsnachrichten von der Ostfront ein. Mussolini schrieb bereits am 23. Juni einen Brief an Hitler, in dem er eine ganze Reihe von Vorteilen aufzählte, die – nach seiner Meinung – die Lösung der russischen Frage brächten. Außerdem habe sie auf den Gesamtkrieg einen positiven Einfluß. Die Stimmung des italienischen Volkes, so betonte er weiter, sei »vorzüglich« und »vor allem ist das italienische Volk mit vollem Bewußtsein entschlossen, bis zuletzt mit dem deutschen Volk zu marschieren und alle erforderlichen Opfer zu tragen, um den Sieg zu erringen«. Danach sprach der Duce offen von seinem Wunsch, italienische Truppen an die Ostfront zu schicken, da »in einem Krieg, der einen derartigen Charakter aufweist, Italien nicht abseits bleiben kann[36]«!

Voller Euphorie ließ Mussolini nun das italienische Militärkontingent für die Ostfront zusammenstellen. Mit den Verantwortlichen des Großen Generalstabes wählte er das sogenannte »Transportable Armeekorps« (Corpo d'Armata Autotransportabile) für den Einsatz gegen die UdSSR aus. Dieses Korps bestand aus zwei motorisierten Infanteriedivisionen (mit den Bezeichnungen »Pasubio« und »Torino«) und der 3. Schnelldivision »Principe Amedeo Duca d'Aosta«. Zusätzlich wurden diesem Korps eine Artilleriegruppe, ein Fliegerverband und eine Sonder-Intendanz-Abteilung zugeteilt. Das »Commando Aviazione des Corpo de Spedizione Italiano« verfügte über 3 Fliegergruppen. Die 22. Gruppe mit vier Staffeln (51 Macchi-C-200-Jagdflugzeuge) sollte zur Bodenunterstützung, die 61. Gruppe mit 22 Caproni-Ca-311 zur Aufklärung und eine Gruppe mit 10 SM-81 zum Lufttransport eingesetzt werden. Einschließlich einer Verbindungsstaffel betrug die Gesamtstärke des italienischen Fliegerkontingents etwa 100 Flugzeuge. Die Geburtsurkunde« des Verbandes im Tagesbefehl des Oberkommandos vom 9. Juli lautete folgendermaßen:

»Alle Land- und Luftstreitkräfte, die für die Operationen an der Rußlandfront bestimmt sind, bilden das *italienische Expedi-*

tionskorps in Rußland (C.S.I.R.). Demzufolge übernimmt das Kommando des ›Transportablen Armeekorps‹ mit Wirkung vom 10. Juli 1941 die Bezeichnung: Kommando des Italienischen Expeditionskorps in Rußland[37].«

Zum Kommandierenden General dieses etwa 60 000 Soldaten zählenden Armeekorps wurde General Francesco Zingales ernannt. Man hatte den Plan, die italienischen Truppen an der Grenze zwischen Rumänien und Ruthenien im Karpatenvorfeld operieren zu lassen. Obwohl der italienische Generalstab im Osten mit einem Blitzfeldzug rechnete, war er darauf bedacht, die italienischen Truppen am Südabschnitt der Front – wegen des günstigeren Klimas – einzusetzen. In diesem Sinne wurde auch Berlin unterrichtet.

Mussolini ließ es sich nicht nehmen, die für die Ostfront bestimmten Divisionen zu besichtigen. Er reiste mit dem deutschen Militärattaché, Enno von Rintelen, nach Verona. Als einziger Begleiter des Duce durfte der Deutsche im Fond des Wagens Platz nehmen, mit dem Mussolini an den Spalier stehenden Regimentern vorbeifuhr. Damit wollte der Duce die enge Verbundenheit mit der deutschen Wehrmacht unterstreichen. Anschließend umringte ihn eine jubelnde Volksmenge. »Wir kamen so ins Gedränge, daß ich ihm kaum folgen konnte«, schreibt von Rintelen später und bemerkt, daß, auch wenn Mussolini ein guter Volkstribun sein mochte, ihm jeder Maßstab zur Beurteilung einer Feldtruppe fehlte. »Er war begeistert über seine Soldaten und sah nicht ein, daß ihre Bewaffnung und Ausrüstung viel zu wünschen übrigließen[38]!«

Diese Sorge teilten auch General Ugo Cavallero (der spätere »Marschall von Italien«), der italienische Generalstabschef, und diejenigen verantwortlichen Militärs, die später Verbände des italienischen Expeditionskorps in Rußland befehligten. Da Deutschland bei seinen Operationsplanungen von einem Blitzfeldzug ausging, war es selbstverständlich, daß die Wehrmacht über eine Vielzahl von motorisierten Divisionen verfügte, die sowohl Umfassungsmanöver als auch Vorstöße in die Tiefe des Hinterlandes durchführen konnten. Die geographischen Verhältnisse des Kriegsschauplatzes – riesige Gebiete, in denen es außer Wasserläufen keine natürlichen Hindernisse gab – waren ideal für die Panzerverbände. Die Infanterie hatte die Aufgabe, diese Verbände bei ihrem Vorstoß durch Parallelaktionen bzw. durch Sicherung der eroberten Gebiete zu unterstützen.

Im Hinblick auf die besondere Geographie der UDSSR und auf die Bewaffnung und Ausrüstung der Truppen bzw. die Konzeption des Feldzuges im Osten hätten die Verbündeten Hitlers – auch der Achsenpartner Italien – die notwendigen Konsequenzen ziehen müssen. Dies bedeutete: genügend Panzerverbände, geeignete Panzerbekämpfungsmittel und weitgehende Beweglichkeit durch Motorisierung der Infanterie.

Das italienische Expeditionskorps erfüllte diese Forderungen keineswegs! Ihre »Panzerwaffe« bestand aus einer Anzahl leichter Panzer des Typs »L-3«, die schon größenmäßig weder mit dem russischen 52-t-Panzer »Klim Woroschilow« noch mit dem deutschen Panzer des Typs »Mark III« bzw. »Mark IV« zu vergleichen waren. Die Panzerabwehr setzte sich aus Geschützen vom Kaliber 47 mm zusammen, die zwar technisch ausgereift, aber bei der immer stärker werdenden Panzerung des gegnerischen Kampfwagens (zum Beispiel des Typs »KW« mit 52 Tonnen oder »T-34«) nicht genügend Durchschlagskraft besaßen. Auch zahlenmäßig war die Bewaffnung des Expeditionskorps unzureichend.

Was die Motorisierung des Korps betraf, so verfügte es lediglich über zwei LKW-Einheiten, von denen die eine dem Nachschub, die andere dem Transport allenfalls *einer* der beiden Infanterie-Divisionen diente. Die Bezeichnung motorisierter Verband (»autotrasportabile«) war falsch, da es nicht möglich war, alle Einheiten gleichzeitig zu bewegen. Die Kriegsführung an der Ostfront stellte aber gerade diese Forderung.

Am 11. Juli 1941 begann der Eisenbahntransport des C.S.I.R. zum Aufmarschgebiet. Zwei Tage später meldete man Mussolini, daß der als Kommandierender General vorgesehene General Zingales plötzlich erkrankt und in eine Wiener Klinik eingeliefert worden sei. Wer sollte nun den Oberbefehl über das C.S.I.R. übernehmen? Cavallero schlug dem Duce den 47jährigen General Giovanni Messe vor, der sich beim Balkanfeldzug bewährt hatte und als guter Truppenführer galt. Messe nahm das neue Kommando an und begab sich unverzüglich – über Wien, wo er dem erkrankten General Zingales einen Besuch abstattete – nach Mármarossziget (Ungarn), um die ersten Truppentransporte, die dort vom 17. Juli an eintrafen, zu empfangen.

Das italienische Expeditionskorps war noch nicht im Einsatz, da hatte Mussolini schon den Plan gefaßt, so rasch wie möglich ein zweites Armeekorps nach Rußland zu entsenden. Gegenüber seinem Generalstabchef erklärte er: »... was die Ostfront betrifft, so dürfen wir nicht hinter anderen, kleineren Staaten zurückstehen und müssen ein zweites motorisiertes Armeekorps aufstellen. Wir können uns nicht von der Slowakei in den Schatten stellen lassen, das schulden wir unserem deutschen Verbündeten[39]!«

Wie sah dieser Zeit die Lage in der Slowakei aus?

Es gab in der slowakischen Hauptstadt am 22. Juni 1941 keinen Politiker von Rang, der den Krieg im Osten nicht begrüßt hätte. Der Gedanke eines antibolschewistischen Kreuzzuges, zu dem auch die Slowakische Republik – ungeachtet ihrer territorialen Größenordnung – ihren Anteil beitragen wollte, bestimmte die Haltung der Tuka-Regierung. Als Staatspräsident Tiso seine Entscheidung hinsichtlich einer slowakischen Beteiligung hinauszögerte, drängte ihn der Ministerpräsident zum »Mitmachen«. Er argumentierte, daß – sollte sich die Slowakei der deutschen Offensive nicht anschließen – die territorialen Streitigkeiten mit Ungarn auf Kosten der Slowakei gelöst würden. Dieses Argument zog bei Tiso stets, und so konnte der deutsche Gesandte dem Auswärtigen Amt in Berlin mitteilen, die Slowakei sei bereit, eigene Streitkräfte aufzubieten[40].

(Nach dem Krieg, im Jahre 1947, erklärte Tiso vor dem Volksgericht in Bratislava zu seinem Juni-Entschluß: »Auch wenn wir entgegen unserem Willen in den Krieg einbezogen wurden, waren wir immer bestrebt, das Maß unserer Teilnahme selbst zu bestimmen. Wir wähnten, den Krieg so mit geringeren Opfern beenden zu können, als wenn uns die Deutschen dirigiert hätten... Ich vertrete die Ansicht, daß das slowakische Volk bei einer eigenen Kriegführung weniger Verluste erlitt, als es unter deutscher Befehlsgewalt zu verzeichnen gehabt hätte...[41]«)

Von deutscher Seite wurde auf die Slowakei kein Druck ausgeübt. Ribbentrop billigte am 22. Juni den Abbruch der diplomatischen Beziehungen zur Sowjetunion durch die Tuka-Regierung. Auch gegen eine militärische Beteiligung der Slowakei hatte er keine Einwände.

Da Staatspräsident Tiso keine Konfrontation mit bestimmten Kreisen des slowakischen Parlaments, besonders mit dem panslawisch und antideutsch eingestellten Vorsitzenden Dr. Martin Sokol, wünschte, umging er die formelle Kriegserklärung an die Sowjetunion (zu der er nach den Gesetzen der Republik die Zustimmung des Parlaments hätte einholen müssen), indem von Tuka ein Telegramm an Hitler schicken ließ, das die Mitteilung enthielt, die Slowakei befinde sich an Deutschlands Seite im Kampf gegen die Sowjetunion!

Am 23. Juni erklärte General Ferdinand Čatloš, der slowakische Wehrminister, in einem Tagesbefehl den Sinn des bevorstehenden Kampfes. »An der Seite der Armeen der verbündeten Staaten hat auch unsere Armee, geführt von der siegreichen deutschen Wehrmacht, eine Stahlmauer gegen die Europa und seine Zivilisation bedrohende Todesgefahr errichtet. Der rote Bolschewismus, der das große russische Volk versklavt hat und unter dem Deckmantel erlogener Gleichheitsschlagworte die primitivsten Forderungen der persönlichen und religiösen Freiheit blutig unterdrückt, wollte der Entwicklung sein Gesetz aufzwingen, um sie unter die Gewalt der roten Judenkommissäre zu bringen... Es geht hier nicht um einen Kampf gegen das russische Volk oder gegen das Slawentum. Mit diesen Schlagworten operieren nur die Feinde von Volk und Staat, die eine Auflösung vorzubereiten suchen und uns in das Elend stürzen wollen. In diesem Kampf, dessen Ergebnis klar ist, wird auch das russische Volk seinen Platz im neuen Europa finden[42]!«

Schon am 23. Juni war die »Schnelle Brigade« als erster Verband marschbereit. Sie stand unter dem Befehl von General Rudolf Pilfousek, einem ehemaligen tschechischen Obersten, der sich 1939 als »Sudetendeutscher« ausgab. Der etwa 3500 Soldaten zählende Verband, ungefähr zur Hälfte motorisiert, sowie ein Panzerbataillon, das mit leichten Panzern tschechischer Herkunft ausgerüstet war, überschritten in den nächsten vierundzwanzig Stunden bei Medzilaborce die Grenze und wurden vorerst dem deutschen KORÜCK 103 (Kommando des rückwärtigen Kriegsgebietes) unterstellt. Die Slowaken erreichten am 26. Juni den Fluß San und drangen dort – ohne Feindberührung – weiter in Richtung Lwow (Lemberg) vor.

Zu dieser Zeit lief in Bratislava die Mobilmachung eines Armeekorps auf vollen Touren. Dieser Großverband sollte zwei Infanteriedivisionen sowie Korpstruppen, insgesamt über 50 000 Mann umfassen. Den Befehl übernahm General Čatloš selbst. Das Armeekorps konnte jedoch nicht motorisiert werden. Alle verfügbaren Fahrzeuge der slowakischen Armee waren der »Schnellen Brigade« zugeteilt worden oder dienten dem Nachschub, der aus der Slowakei erfolgte. So marschierte Čatloš' Armeekorps zu Fuß, nur mit Fuhrwerken ausgerüstet. Am 1. Juli 1941, auf den Spuren ihrer »Schnellen Brigade«, begannen die Slowaken den Vormarsch in den für sie bestimmten Raum um Lisko und Sanok. Sie wurden der 17. deutschen Armee (Heeresgruppe Süd) unterstellt und übernahmen vorerst Sicherungsaufgaben, da die Front zu dieser Zeit weit vor ihnen lag.

Nach den Abmachungen, die General Čatloš mit General Halder getroffen hatte, sollte das slowakische Armeekorps »möglichst« geschlossen und unter eigenem Generalkommando eingesetzt werden. Die Befehlsgewalt deutscherseits lag in den Händen des Chefs der Deutschen Wehrmachtsmission (General Otto) bzw. seines Vertreters, der sich beim slowakischen Generalkommando im Felde befand. Weiter wurde grundsätzlich festgelegt, daß die slowakischen Verbände selbst für ihre Versorgung aufkamen: Für den Sanitätsdienst und die

Verpflegung war allerdings die 17. deutsche Armee verantwortlich, die ihrerseits in einem Sonderbefehl die Beziehungen
zu den Slowaken regelte.

Als Verbündeter der Achsenmächte im Donauraum galt der
aus dem jugoslawischen Königreich hervorgegangene »Unabhängige Staat Kroatien«, der am 10. April 1941, nachdem eine
deutsche Panzerdivision Zagreb erreicht hatte, seine Unabhängigkeit proklamierte. Dieser Staat war der jüngste in Hitlers
Europa. Obwohl die Kroaten, die vom 11. Jahrhundert an bis
1918 in einer Personalunion mit Ungarn lebten und später Bestandteil des Königreiches Jugoslawien waren, Unabhängigkeit
und keine Diktatur wünschten, hatten ihr Staatsführer, (»Poglavnik«) Ante Pavelić, und seine politische Anhängerschaft,
die »Ustascha« (Aufständischen), ein autoritäres rechtsradika-
les Regime errichtet.

Von Anfang an stand der kroatische Staat unter italieni-
schem Einfluß. Das bestimmte das Geheimabkommen aus dem
Jahr 1939 zwischen Hitler und Mussolini. Es war eine folgenschwere Fehlentscheidung. Zwischen Italienern und Kroaten
bestand stets eine Rivalität, die oft zu Feindseligkeiten führte.
Die Tatsache, daß Italien in seinem Expansionsdrang nicht nur
die ganze Adria, sondern auch die Gebiete am Ostufer beanspruchte, förderte keineswegs die Beziehungen zwischen Rom
und Zagreb, das nun die Hauptstadt Kroatiens war. Am 18.
Mai 1941 wurde in Rom ein italienisch-kroatischer Staatsvertrag abgeschlossen. Italien erhielt fast das ganze dalmatische
Festland und die meisten dalmatischen Inseln. Dieser Vertrag
räumte den Italienern in Kroatien viele Rechte ein, unter anderem auch die Vormundschaft bei der Aufstellung, Ausbildung
und Ausrüstung einer kroatischen Armee. Er gestattete eine
kroatische Luftwaffe, sah aber keine Kriegsmarine vor. Italien
duldete an der Adria nur die eigene Flotte. Nach diesem Staatsvertrag hatte Italien die Garantie der kroatischen Unabhängigkeit übernommen, wobei die kroatische Regierung sich ihrerseits die Beschränkung auferlegte, »keine internationalen

Verpflichtungen einzugehen, die nicht mit der Garantie und dem Geist des Abkommens vereinbar sind[43]«. Mussolini wollte Kroatien in ein Königreich umwandeln, zu dessen Monarchen der Herzog von Spoleto aus dem Hause Savoyen ausgerufen werden sollte.

Um der totalen italienischen Hegemonie zu entgehen, versuchte der im Grunde proitalienisch eingestellte »Poglavnik« auf den Rat seiner Umgebung hin, die Beziehungen zu Deutschland zu intensivieren. Obwohl Hitler mehrfach sein Desinteresse an Kroatien bekundete (er wollte sich wegen dieses Staates nicht mit Mussolini überwerfen!), wuchs mit fortschreitender Zeit der deutsche Einfluß in Zagreb. Dies zeigte sich nicht nur auf wirtschaftlichem Gebiet. Auch Hitlers Siege in Europa beeindruckten das kroatische Militär, das größtenteils aus der alten k.u.k. Armee stammte und in der deutschen Wehrmacht den einstigen Waffenbruder sah. Mit Hitlers Unterstützung dehnte sich 1941 das Staatsgebiet Kroatiens beträchtlich aus, und zwar auf Kosten des alten Serbiens. (Mit der letzten Gebietseingliederung umfaßte der Unabhängige Staat Kroatien im Herbst 1941 102 000 qkm. Er hatte rund sechs Millionen Einwohner, von denen lediglich drei Millionen das eigentliche »Staatsvolk«, die katholischen Kroaten, ausmachten.)

Der kroatische Verteidigungsminister, Marschall Slavko Kvaternik und seine Umgebung sahen indessen in den Vertretern der deutschen Wehrmacht in Kroatien und im Oberkommando der Wehrmacht (OKW) natürliche Verbündete gegen die italienische Hegemonie. Ihnen widerstrebte es, die Landesstreitkräfte nach italienischen Instruktionen zu organisieren — zumal Italien zu dieser Zeit in Afrika bereits die ersten militärischen Rückschläge erlitten hatte: Im Mai 1941 hatte bei Amba Alabi die Armee des Herzogs von Aosta kapituliert.

Als im Juni 1941 der Krieg im Osten ausbrach, hielt Ante Pavelić sofort einen Kampfaufruf gegen den Bolschewismus. Im Landwehrministerium in Zagreb war indessen bereits die Idee geboren, einem in die deutsche Wehrmacht eingegliederten kroatischen Verband nach Rußland zu entsenden. Damit verfolgte die prodeutsch eingestellte Gruppe um Marschall Kvaternik zwei Ziele: ein militärisches und ein politisches. Einmal würde die Bereitstellung kroatischer Soldaten für diese Truppe deutsche Militärhilfe in Form von Ausrüstung und Ausbildung bedeuten. Da der Verband ständig ergänzt werden mußte, konnte man eine Ersatzeinheit aufstellen, den zukünftigen Kader der kroatischen Armee. Nach dem Krieg im Osten würde dann diese Truppe das Gerüst für eine nach deutschem Muster organisierte nationale Armee bilden. Und politisch gesehen hoffte man, mit dem Einsatz Kroatiens an der Ostfront Hitlers Sympathie zu gewinnen, um so später der totalen italienischen Vorherrschaft zu entgehen[44].

Um den Staatsvertrag mit Italien vom Mai 1941 nicht zu verletzen, beschloß man in Zagreb, nur »Freiwillige« in die Sowjetunion zu entsenden. In diesem Sinne wurde auch der Deutsche Bevollmächtigte General im »Unabhängigen Staat Kroatien«, General der Infanterie Edmund Glaise von Horstenau, ein ehemaliger österreichischer Generalstabsoffizier, unterrichtet und um Unterstützung gebeten. Generaloberst Halder war schon am 26. Juni informiert worden. Das Oberkommando der Wehrmacht beurteilte den kroatischen Wunsch positiv. »Da in der österreichisch-ungarischen Armee vor 1918 die kroatischen Truppenteile hohes Ansehen genossen und der kroatische Soldat als besonders tapfer galt, wurde erwartet, daß Kroatien auch jetzt wieder einen wertvollen militärischen Beitrag leisten werde[45]!«

Da Kroatien bereits am 15. Juni 1941 dem Dreimächtepakt beitrat, hatte Hitler keine Bedenken gegen die kroatische »Freiwilligen-Formation«. In diesem Sinne ließ er am 30. Juni Pavelić unterrichten. Am 1. Juli schrieb er einen persönlichen Brief an »Poglavnik«, in dem er ihm für das Angebot dankte und versprach, »daß die Kriegsfreiwilligen innerhalb der einzelnen Wehrmachtsteile – Heer, Luftwaffe und Kriegsmarine – geschlossen zum Einsatz gelangen werden[46]«.

Dies war mehr, als die Kroaten erreichen wollten. Während

in wenigen Tagen 5000 Freiwillige dem Aufruf »Poglavniks«
folgten, wurden auch Vorkehrungen für die Aufstellung zweier
Fliegerstaffeln getroffen. Außerdem plante man eine Marine-
truppe in der Stärke von etwa 1000 Matrosen unter Führung
von ehemaligen k.u.k. Seeoffizieren sowie ihren Einsatz auf
leichten Kriegsschiffen im Schwarzen Meer. Damit sollte das
italienische Verbot umgangen werden.

Die kroatischen Freiwilligen versammelten sich in Varaždin.
Dort wurden sie aus Beständen der alten jugoslawischen Armee eingekleidet und nach dem Truppenübungsplatz Doellersheim (Österreich) verlegt. Es folgte eine kurze Ausbildung.
Die Kroaten wurden in einem Regiment zusammengefaßt, und
zwar in dem »verstärkten kroatischen Infanterie-Regiment
369«, das Bestandteil der 100. Leichten (später Jäger-) Division der deutschen Wehrmacht wurde.

Das Regiment entsprach dem Muster eines deutschen Infanterieregiments. Es umfaßte:
- Regimentsstab,
- Stabskompanie,
- drei Bataillone zu je 3 Infanterie- und 1 Maschinengewehr-
  kompanie, wobei die 11. Kompanie im Bataillon eine Rad-
  fahrerkompanie war,
- die 13. Kompanie mit schweren Waffen,
- die 14. Kompanie mit Panzerabwehrgeschützen des Kalibers
  37mm und
- die 15. Kompanie (Verpflegung und Troß).

Als Verstärkung erhielt das Regiment eine Artillerieabteilung (Stab, Stabsbatterie und 3 Geschützbatterien mit deutschen Geschützen vom Kaliber 105 mm ausgerüstet). Alle Einheiten verfügten über Pferdegespanne. Die Bewaffnung und
Ausrüstung stammte aus deutschen Beständen. Die Kroaten
erhielten in Doellersheim deutsche Uniformen, trugen jedoch
am linken Ärmel ein Schild mit dem kroatischen Wappen und
der Anschrift »Hrvatska« (Kroatien)[47].

Über die Aufstellung des kroatischen Regiments im Rahmen
der deutschen Wehrmacht wurde zwischen beiden Regierun-

gen kein Vertrag geschlossen. Lediglich ein Abkommen zwischen den Militärs regelte die Einzelheiten. Die wichtigsten Bestimmungen waren:

Das Regiment fungierte nicht als Bestandteil der deutschen Wehrmacht, sondern als kroatischer Verband. Obwohl die Numerierung des Regiments dem deutschen Organisationsschema entsprach, erkannte man an der Ärmelmarkierung, daß es sich um einen kroatischen Verband handelte. Im Regimentsstab sowie in jedem Bataillon saßen wie bei den anderen verbündeten Armeen deutsche Verbindungsoffiziere. Da das Regiment nicht selbständig operieren konnte, gliederte man es als Drittes Infanterie-Regiment in die 100. Leichte Division ein.

Die Angehörigen des kroatischen Regimentes hatten auf Adolf Hitler den Soldateneid geleistet und sich verpflichtet, an der Ostfront gegen die Bolschewisten »unerschrocken und tapfer« zu kämpfen. Obwohl das Regiment deutschen Militärgesetzen und den deutschen Gerichten unterstellt worden war – die dadurch entstandenen Schwierigkeiten und Probleme werden später behandelt –, hatte das Zagreber Landwehrministerium das Recht, Angehörige des Regimentes zu befördern, zu versetzen oder nach Kroatien zurückzubeordern. Sogar das gesamte Regiment konnte auf Verlangen der Regierung zurückgerufen werden.

Zum ersten Regimentskommandeur des »verstärkten kroatischen Infanterie-Regiments« wurde Oberst Ivan Markulj ernannt. Er war ein Berufsoffizier, der seine Ausbildung in der k.u.k. Armee erhalten hatte, in der Zwischenkriegszeit Offizier des königlichen jugoslawischen Heeres gewesen war und seit April 1941 als kroatischer Nationalist dem Unabhängigen Staat Kroatien diente. Den Regimentsstab befehligte mit Oberst Stejpan Grlić gleichfalls ein Offizier aus der alten österreichisch-ungarischen Armee. Die Artillerieabteilung wurde von Oberstleutnant Marko Mesić angeführt, der in der k.u.k. Armee die Kadettenschule absolviert hatte und seit 1922 jugoslawischer Offizier war.

Die Verladung des kroatischen Infanterieregiments erfolgte

am 21. August 1941. Der Zugtransport ging von Doellersheim nach Wien und von dort über Bratislava und Budapest bis nach Botosani in Rumänien. Dann folgte ein mehrwöchiger Fußmarsch. Hinter den vorrückenden deutschen Truppen überquerten die Kroaten den Bug, den Dnjestr und den Dnjepr, bis sie Ende September erstmals in diesem Krieg der Roten Armee gegenüberstanden...

Obwohl der Krieg im Osten von der deutschen Propaganda sehr schnell als ein »europäischer Feldzug gegen den Bolschewismus« gewertet bzw. propagiert wurde und die Bevölkerung der von den Deutschen besetzten oder abhängigen Staaten auch in diesem Sinne beeinflußt wurde, war die Resonanz so gering, daß es zu keiner weiteren Abkommandierung nichtdeutscher Truppen kam. Einzig Franco stellte der Ostfront sofort eine Infanteriedivision zur Verfügung, die, von der Wehrmacht eingekleidet und bewaffnet, im September 1941 zur Heeresgruppe Nord stieß und im Raum von Leningrad eingesetzt wurde. Die »Blaue Division«, wie sie im Volksmund hieß, verfügte über 14 000 Mann und galt als Francos Dank für die deutsche Hilfe zugunsten der Falange im Spanischen Bürgerkrieg. Das offizielle Spanien wahrte weiterhin den Status einer nichtkriegführenden Nation.

Die sogenannte europäische »Freiwilligen-Bewegung«, die nach dem Kriegsausbruch überall in den von den Deutschen besetzten Ländern entstand, war keineswegs das Werk der jeweiligen Regierung. Sie wurde von nationalen rechtsradikalen Parteien bzw. Bewegungen ins Leben gerufen. Diese Militärformationen – sie hatten höchstens Regimentsstärke – trugen deutsche Uniformen und Waffen und wurden an der Ostfront auch de jure in deutsche Verbände eingegliedert[48].

Die Rolle Frankreichs

Bezeichnend war in diesem Zusammenhang die Haltung Frankreichs, besser gesagt diejenige der Vichy-Regierung. Auf der allgemeinen antisowjetischen Woge reitend, hatte das von deutschen Truppen verschont gebliebene Rest-Frankreich am 30. Juni 1941 die diplomatischen Beziehungen zur Sowjetunion abgebrochen. Deutscherseits scheint kein Druck ausgeübt worden zu sein[49].

Die Darlan-Regierung entschloß sich sogar zur Aufstellung eines französischen Freiwilligenverbandes für die Ostfront und setzte deshalb jenes Gesetz außer Kraft, das französischen Staatsangehörigen den Wehrdienst außerhalb der französischen Armee untersagte. Die Idee, französische Truppen als Waffengefährten der deutschen Wehrmacht nach Rußland zu entsenden, kam indessen nicht aus Vichy, sondern aus dem besetzten Paris. Es ist bis heute ungeklärt, ob die französischen Rechtsradikalen oder der deutsche Botschafter Otto Abetz der Initiator war. Sicher ist nur, daß dieser am 5. Juli von Ribbentrop erfuhr, daß »jetzt (in Hitlers Hauptquartier) entschieden worden sei, daß französische Staatsangehörige als Freiwillige für den Kampf gegen die Sowjetunion aufgenommen werden« könnten, die Initiative zur Gründung der Legion jedoch nicht vom offiziellen Frankreich, sondern von »den politischen Gruppen des besetzten Gebietes« ausgehen müsse[50]. Hitler entschied indessen, daß die »Französische Legion« die Größenordnung von 15 000 Mann nicht überschreiten, und daß Aufstellung und Verwendung der Truppe keinerlei Verpflichtungen deutscherseits gegenüber der französischen Regierung mit sich bringen dürfe.

So wurde im von den Deutschen besetzten Teil Frankreichs mit Hilfe verschiedener rechtsradikaler Parteien ein Aktionskomitee für die »Légion des Volontaires Français contre le bolchevisme« (LVF) gegründet, das mit deutscher Unterstützung eine großangelegte Werbekampagne in Paris und in Teilen des besetzten Frankreichs durchführte. Die Darlan-Regierung geriet in eine schwierige Lage. Sie konnte die generelle Genehmigung nicht zurückziehen und sah sich bei politischen Kreisen in Paris stark kompromittiert. Außerdem hatte es Ribbentrop möglicherweise bewußt versäumt, offiziell den deutschen

Wunsch nach einer französischen Beteiligung zu äußern. Ministerpräsident Darlan lehnte daher eine materielle Unterstützung der Legion ab und beschränkte sich auf eine moralische.

Botschafter Abetz und seinen französischen Gesinnungsgenossen war dies mehr als recht: Die Freiwilligen konnten so aus Beständen der Wehrmacht eingekleidet sowie von Deutschland besoldet und ausgerüstet werden. Sie leisteten auch ihren Eid auf Adolf Hitler. Lediglich am Ärmel trugen die Legionäre ein kleines blau-weiß-rotes Abzeichen mit der Aufschrift »France«[51].

Das französische Freiwilligenregiment wurde Ende 1941 vorerst ins Generalgouvernement (Polen) verlegt, wo es eine kurze militärische Ausbildung erhielt. Anschließend erfolgte der Transport an die Ostfront, wo die Franzosen zur Heeresgruppe Mitte stießen. Im November kam es vor Moskau zu ersten Gefechten mit der Roten Armee, was von der Pro-Hitler-Presse propagandistisch entsprechend ausgeschlachtet wurde. Im Endeffekt war jedoch der Einsatz des französischen Freiwilligenregiments militärisch bedeutungslos – »aber ihre Leiden waren wegen organisatorischer Mängel, die zu zahlreichen Erfrierungen führten, und nicht zuletzt wegen der notorischen politischen Rivalität unter ihren Führern fürchterlich[52]!«

Abschließend muß festgestellt werden, daß es Hitler selbst war, der keinen Wert auf leistungsfähige Bundesgenossen (außer Finnland und Rumänien) legte. Er hielt auch die sogenannte »Freiwilligen-Bewegung« für überflüssig, da er Stalin mit der deutschen Wehrmacht besiegen wollte, um anschließend die eroberten Gebiete ausschließlich für Deutschland zu sichern. Auf diese Weise wollte er aus dem Osten das machen, was er sich seit jeher wünschte: eine Kolonie des Großdeutschen Reiches!

IV. Der Feldzug der Verbündeten 1941

Am 3. Juli 1941 schrieb der Chef des deutschen Generalstabs, Generaloberst Franz Halder, in sein Kriegstagebuch: »Es ist wohl nicht zuviel gesagt, wenn ich behaupte, daß der Feldzug gegen Rußland innerhalb von 14 Tagen gewonnen wird[1]!«

Die Erfolge der deutschen Wehrmacht, die innerhalb von zwei Wochen über 150000 qkm sowjetisches Gebiet besetzte und dabei der Roten Armee an Menschen und Material empfindliche Verluste zufügte, schien Halder zunächst recht zu geben[2].

Obwohl die Russen beinahe überall Widerstand leisteten, konnten sie im Sommer 1941 den Vormarsch der Deutschen nicht aufhalten. Nachdem die sowjetische Luftwaffe bereits in den ersten Kriegstagen praktisch ausgeschaltet worden war, beherrschten Görings Flugzeuge den Luftraum. Die motorisierten und Panzer-Verbände der drei deutschen Heeresgruppen trieben Keile in die Flanken des Gegners und zwangen diesen zu stetigem Rückzug – oder zur Kapitulation. Am 25. Juni stand die Heeresgruppe Mitte bereits vor Minsk, der Hauptstadt Bjelorußlands; am 1. Juli war Riga in deutschen Händen, während die Verbände der Heeresgruppe Nord in Richtung auf Leningrad vorstießen, die Diwa überquerten und am 5. Juli Ostrow, am 9. Juli Pleskau einnahmen.

Die Heeresgruppe Süd jedoch hatte Schwierigkeiten. Zunächst war der Durchbruch des Nordflügels der 17. und der 6. deutschen Armee dieser Heeresgruppe – gestützt auf die Panzergruppe 1 des Generals v. Kleist – geplant, doch konnten diese Verbände die zahlenmäßig überlegenen sowjetischen Truppen nicht im ersten Ansturm überrennen. Ein wesentliches Hindernis war das auf Grund des schlechten Wetters aufgeweichte Terrain, das großangelegte Manöver unmöglich machte. Die Grenzschlachten in diesem Bereich dauerten bis zum 27. Juni. Der Durchbruch gelang den Deutschen erst, als die Russen den Kampf abbrachen und den Rückzug antraten, wobei sie zum Teil ihre gesamte Ausrüstung zurückließen. Am 30. Juni fiel Lwow (Lemberg). Anschließend setzte das Oberkommando der Heeresgruppe Süd auch seine motorisierten Reserven ein, um die Front zu verbreitern und so effektiver operieren zu können.

Zwischen Dnjestr und Bug

Generalfeldmarschall Gerd v. Rundstedt, der Oberkommandierende der Heeresgruppe Süd, nahm an, daß die Sowjets die »Stalin-Linie« (d. h. die sowjetische Befestigungslinie an der alten Grenze von 1939) besetzen wollten, um von hier aus die weitere Abwehr zu organisieren. Deshalb unternahm er alles, um gleichzeitig mit den zurückweichenden Russen die »Stalin-Linie« zu erreichen. Am 5. Juli gelang dem Nordflügel der Heeresgruppe der Durchbruch. Die Deutschen stießen nun in Richtung Berditschew und Schitomir vor, das am 9. Juli fiel. Damit war die Basis für weitere Operationen geschaffen! Die 6. deutsche Armee hatte nun die Aufgabe, ihre Offensive in Richtung Kiew fortzusetzen und Brückenköpfe über den Dnjepr zu errichten. Die Panzergruppe 1, unterstützt von Infanterieverbänden, operierte weiterhin mit dem Ziel, die gegen die Heeresgruppe Süd kämpfenden sowjetischen Truppen zu umzingeln. Biala Zerkiew wurde eingenommen. Gleichzeitig blieb auch die 17. deutsche Armee aktiv. Sie mußte den Gegner weiterhin frontal binden.

In der Nordwestukraine waren die Deutschen der Roten Armee eindeutig überlegen. Die sowjetische Südwestfront (Oberbefehlshaber war Generaloberst M. P. Kirponos) verfügte zwar über 43 Divisionen, aber diese wurden bereits in den

**Die Offensive der deutschen Armeen und
ihrer Verbündeten im Jahre 1941**

Grenzschlachten und beim Rückzug stark dezimiert. Die sowjetische Südfront, die erst am 22. Juni in aller Eile aus dem
Wehrkreis von Odessa gebildet worden war und die Südukraine verteidigen sollte, wurde von dem wenig bekannten
General I. W. Tjulenjew befehligt. Ihm standen zwei Armeen
zur Verfügung, die durch zwei motorisierte Armeekorps verstärkt worden waren.

Der rumänische Angriff, dem bereits kleinere Operationen
vorangegangen waren, erfolgte planmäßig am 2. Juli. Bis zu
diesem Zeitpunkt hatte die Armeegruppe Antonescu (4. rumänische, 11. deutsche und 3. rumänische Armee) ihre Aufgabe gelöst: Sie sicherte Rumänien vor einem überraschenden
sowjetischen Gegenangriff. Während die 4. rumänische Armee
weiterhin defensiv blieb, hatte die 3. rumänische Armee im
Raum Jassy/Botosani den Pruth überschritten und ihre Offensive in Richtung Nordosten fortgesetzt. Der Vormarsch verlief
relativ zügig: Schon am 4. Juli tauchte vor der Truppe die Sil-
houette der Stadt Czernowitz auf. Die Nordbukowina wurde
besetzt, und in den folgenden Tagen kämpfte man bereits um
Bessarabien, das seit einem knappen Jahr sowjetisches Hoheitsgebiet war. Die Bevölkerung bereitete den Siegern einen
triumphalen und herzlichen Empfang. Am 14. Juli wurde auch
die 4. rumänische Armee aktiv. Unter dem Oberbefehl von
General der Infanterie Ciupercă ging sie von den Brückenköpfen am Ostufer des Pruth aus zum Angriff über. Die russischen
Verbände mußten Südbessarabien räumen. Als dann am 21.
Juli bei Tulcea eine rumänische Division die untere Donau
überquerte und am 26. Juli Getatea-Alba (Akkerman) ein-
nahm, war das Hauptziel der Rumänen erreicht: Ganz Bessarabien und die Nordbukowina waren zurückgewonnen! (Das
populärste Lied in Rumänien war in dieser Zeit ein Frontlied.
In freier deutscher Übersetzung heißt es:
>>Heut nacht begann am Pruth der Krieg,
Rumänen marschieren hinüber,
Sie holen mit Waffen zurück,
ihr Gut, das sie vorigen Sommer verloren!<<)

Die Siegesmeldungen der Armeegruppe Antonescu, die Tag
für Tag in Bukarest eintrafen und die Massen begeisterte, hatten jedoch auch eine negative Seite. Bereits kurz nach Kriegsbeginn entstanden zivile und militärische Probleme. Antonescus Rolle als »selbständiger Heerführer« wurde Ende Juni von
den Deutschen beschnitten. Die Realität zwang sie zu dieser
Maßnahme. Vom Oberkommando der Heeresgruppe Süd
(Generalfeldmarschall v. Rundstedt) mußten kurzfristig verbindliche Befehle an das Armeeoberkommando 11 (General
Ritter v. Schobert) und später auch an die rumänischen Armeekorps erteilt werden. Man wollte Antonescus »fremde«
Führung nicht mehr hinnehmen, sondern allein entscheiden.
Deswegen richtete Hitler schriftlich am 29. Juni an General
Antonescu die Bitte: »... um die Operationen der 11. Armee in
operative und später sogar in taktische Übereinstimmung mit
den Gesamtoperationen des Generalfeldmarschalls von Rundstedt zu bringen, müssen unter Umständen allgemeine Weisungen sehr kurzfristig gegeben werden. Sollten daher derartige
Wünsche für den Ansatz der 11. Armee von der Heeresgruppe
Süd bei Ihnen unmittelbar eingehen, so sind sie von mir gebil-
ligt, und ich bitte Sie daher, im Interesse einer einheitlichen und
straffen Führung diesen stattzugeben...[3]«

Damit war das Armeeoberkommando 11 über die deutschen
und rumänischen Verbände der Heeresgruppe Süd unmittelbar
unterstellt.

Antonescu begriff die Situation. Er widersetzte sich nicht und
hatte auch nicht die Absicht, Hitler an sein Münchener Versprechen vom Juni zu erinnern. Er, der auch in den späteren
Monaten den deutschen Wünschen sehr viel Verständnis ent-
gegenbrachte (ohne sich jedoch in die Rolle einer Marionette
drängen zu lassen), befahl »zur Sicherstellung einer einheitlichen Führung«, daß die 3. rumänische Armee der 11. deutschen Armee direkt unterstellt wurde.

In jedem rumänischen Verband gewährleisteten indessen
Deutsche Verbindungskommandos (DVK) die deutsche Führung. Diese DVK hatten die Aufgabe, die deutschen Komman-

dostellen schnellstens über wichtige Vorgänge im rumänischen Kampfabschnitt zu unterrichten und Situation und Strategie der benachbarten deutschen Truppenverbände den rumänischen Kommandostellen zur Auswertung zu übermitteln. Außerdem hatten die deutschen Verbindungsoffiziere – die bis auf Divisionsebene integriert waren – die Aufgabe, die rumänische Truppenführung im Sinne der deutschen Führung zu beeinflussen. Dies war schon deshalb wichtig, weil die rumänische Führung bis kurz vor dem Kriegsbeginn nach französischem Vorbild ausgebildet worden war.

Der schnelle Vorstoß der Armeegruppe Antonescu vom 2. Juli an täuschte die deutsche Generalität über die Schwierigkeiten der rumänischen Truppen nicht hinweg. Bereits am 23. Juni meldete ein deutscher Verbindungsoffizier aus dem Bereich der 4. rumänischen Armee, daß »es sich in den letzten Tagen zunehmend erwiesen habe, daß sowohl der russische Einzelkämpfer als auch die russische Führung auf allen Stufen dem rumänischen Soldat und der rumänischen Führung überlegen ist«! Eine interne Studie des Deutschen Verbindungskommandos 2 bei der 4. rumänischen Armee vom 25. Oktober 1941 kritisierte, freilich sehr einseitig, das rumänische Heer: »Der Mangel an Kriegsbekleidung und -ausrüstung aller Art führte vor allem am Anfang des Krieges zu merkwürdigen Bildern. Man sah Soldaten, die barfuß marschierten und ritten, sah Meldereiter ohne Sattel und Decke, das Pferd nur mit einem Strick gezäumt. Es kam vor, daß Soldaten auch im Gefecht, zum Beispiel Munitionsschützen, als einzige Waffe das blanke Bajonett in der Säbeltasche trugen. Eine besondere Note verliehen dem Heere die überaus zahlreichen kleinen, oft mit Malereien geschmückten Bauernwagen, die meist von 2, oft 3, manchmal 4 nebeneinander gespannten Geschirren gezogen wurden. Oft waren diese Wagen zur Tarnung mit übermannshohen Zweigen ringsum besteckt, oft flatterte daran die rumänische Flagge, mitunter die Hakenkreuzfahne…«

Die Beurteilung der Infanterie war etwas positiver. Man lobte den persönlichen Mut der Rumänen und sprach sich anerkennend über die Opferbereitschaft der aktiven Offiziere aus. Nur die Einzelausbildung wurde kritisiert. »Die Ausbildung der Offiziere ist schematisch, die Befehlsgebung blutleer, die Ausbildung der Reserveoffiziere erscheint überhaupt ungenügend. Der Mangel an schweren Infanteriewaffen wirkte sich besonders nachteilig aus. Im ganzen ist die Infanterie als Waffengattung vernachlässigt[4]!«

Antonescu selbst kannte die Mängel seiner Armee. Als General Giovanni Messe, der Kommandierende General des italienischen Armeekorps in Botosani, ihm Ende Juli einen Höflichkeitsbesuch abstattete und dabei seine Glückwünsche hinsichtlich der tapferen Haltung einer im deutschen Heeresbericht genannten rumänischen Division zum Ausdruck brachte, antwortete der Staatsführer: »Stimmt, aber 24 Stunden später habe ich dem Kommandanten den Prozeß gemacht und mehrere hohe Offiziere bestraft, weil die Division nach ihrem Erfolg sich in aller Seelenruhe in Marsch gesetzt hatte, ohne für ihre Sicherheit zu sorgen, weil sie überzeugt war, daß der Feind sich fluchtartig zurückziehen würde. Dieser machte aber eine überraschende Gegenoffensive und brachte unserer Division schwere Verluste bei[5]!« (Es handelte sich hier um die 35. Infanteriedivision, die in den rumänischen Stäben noch lange Zeit als die »Schande der Nation« bezeichnet wurde.)

Antonescu widmete sich in diesen Wochen ganz der Truppe. Tagelang war er unterwegs, inspizierte Bataillone und Regimenter an der Front, besuchte Soldaten in der Etappe und prüfte u. a. ihre Verpflegung, um sich ein konkretes Bild machen zu können. Die Kommandostäbe lebten sozusagen in Panik, weil ihr Oberbefehlshaber jederzeit auftauchen konnte. Seine Strafen waren hart und nicht immer gerecht: Divisionskommandeure mußten ihre Posten räumen, Truppenoffiziere wurden urplötzlich in den Ruhestand versetzt – und das, obwohl es der rumänischen Armee an geeigneten Offizieren fehlte, da die Verluste der ersten Kriegswochen auch das Offizierskorps hart getroffen hatten.

Am 18. Juli erreichten die deutsch-rumänischen Truppen

den Dnjestr, den sie an mehreren Stellen überqueren konnten. Antonescus Oberbefehl über diese Verbände wurde nun auch offiziell aufgehoben. Der General zog sich aus der militärischen Führung zurück und begab sich wieder nach Bukarest, um sich den Staatsgeschäften zu widmen. Die 4. rumänische Armee schied aus der Armeegruppe aus und wurde direkt dem rumänischen Generalstab unterstellt. Die 11. deutsche Armee wurde gemeinsam mit der 3. rumänischen Armee der Heeresgruppe Süd zugeteilt und nahm am weiteren Vormarsch teil – die Rumänen allerdings als Nachhut der Wehrmachtsverbände.

Antonescu hatte unterdessen viel in Bukarest zu tun. Das Königshaus und der junge König, Mihai, lehnten ihrerseits einen weiteren Krieg im Osten ab. Die Zurückgewinnung Bessarabiens und der Nordbukowina begrüßten sie zwar, aber nach Erreichen dieses nationalen Zieles sahen sie keinen Grund mehr, den Krieg gegen die Rote Armee fortzusetzen. König Mihai inspizierte zwar im Juli die im Felde stehenden Truppen, warnte jedoch gleichzeitig Antonescu: »Am Dnjestr müssen wir haltmachen. Nach Rußland einfallen bedeutet, gegen das Wohl des Landes zu handeln[6]!« In dem Bestreben, den Krieg an der Seite Deutschlands nach Rückgewinn der östlichen Provinzen Rumäniens zu beenden, wurde der König von bürgerlichen Politikern – namentlich vom Oppositionsführer Constantin Bratianu, Vorsitzender der Liberalen Partei, aber auch von Juliu Maniu, dem Vorsitzenden der Nationalen Bauernpartei – tatkräftig unterstützt. Auch im Generalstab wurden in diesem Sinne Stimmen laut, zumal im Sommer 1941 die »Ungarn-Frage« wieder an Bedeutung gewann.

Die Beziehungen zwischen Budapest und Bukarest hatten 1941 einen absoluten Tiefpunkt erreicht, obwohl Ungarn und Rumänien in demselben politischen Lager standen und ihr militärisches Engagement an der Ostfront sie sogar zu »Verbündeten« machte. Das Siebenbürgen-Problem verhinderte jedoch jede Einigung. Rumänien wollte den Wiener Schiedsspruch des Jahres 1940 rückgängig machen. Die Öffentlichkeit vertrat die

Meinung, daß jetzt, wo die Ostprovinzen zurückgewonnen waren, auch die ungarische Okkupation Nordsiebenbürgens sein Ende haben muß. Ende Juli/Anfang August kam es zu Zwischenfällen an der siebenbürgischen Grenze, die am 9. August bei Fiatfalva-Filias zu einem regelrechten Gefecht zwischen rumänischen und ungarischen Truppen führten. In Bukarest gab es eine Pressekampagne gegen Ungarn, und Gerüchte wollten wissen, daß der unter deutscher Militärverwaltung stehende Bánát, auf den auch Rumänien Anspruch erhob, Ungarn bereits versprochen sei!

Die Feindseligkeiten wurden von den Ungarn erwidert. Als Honvéd-Generalstabsoffiziere zum Oberkommando der 11. deutschen Armee abkommandiert wurden, um mit Generaloberst Ritter v. Schobert den Vormarsch des ungarischen Schnell-Korps zu koordinieren, lehnten sie es ab, sich General Antonescu vorzustellen:»Wir haben nichts mit den Rumänen zu tun. Wir wurden einzig und allein zu der deutschen Wehrmacht abkommandiert!« Antonescu seinerseits forderte ultimativ die Ablösung des ungarischen Verbindungsoffiziers beim Armeeoberkommando 11, des Obeȓst Jenö v. Baitz, der als ehemaliger Militärattaché in Bukarest beim rumänischen Generalstab als Persona non grata galt. Der rumänische Staatsführer war auch nicht bereit, den Nachschub für die im Juli in Ostgalizien operierenden ungarischen Truppen über rumänisches Gebiet laufen zu lassen. Deshalb mußte das Oberkommando des Heeres noch im Juli das ungarische Schnelle Korps aus der Front herauslösen und nach Norden verlegen – um eine Berührung der Honvéd (Landwehr) mit rumänischen Verbänden zu vermeiden!

Am 6. August besuchte General Antonescu Hitler im ukrainischen Hauptquartier bei Berditschew. Der Rumäne wurde – als erster Ausländer – mit dem deutschen Ritterkreuz ausgezeichnet. Hitler äußerte sich anerkennend über die Erfolge der rumänischen Truppen, beglückwünschte Antonescu zu der Wiedergewinnung der Ostprovinzen und besprach mit ihm die weiteren Aufgaben der rumänischen Armee. Sie sollte nun über die neue Ostgrenze hinaus in den Raum südwestlich des Bug vorstoßen und die Sicherung dieses Gebietes, das unter rumänische Militärverwaltung gestellt werden sollte, übernehmen. Antonescu sagte zu und bot – um die deutsche Wehrmacht zu entlasten – für diese Phase des Feldzuges 15 rumänische Divisionen an. Daraufhin wies das Oberkommando des Heeres am 12. August die Heeresgruppe Süd an, die Besetzung der Nordküste des Schwarzen Meeres westlich des Dnjepr den Rumänen zu überlassen. Das rumänische Gebirgskorps und das Kavalleriekorps sollten gemeinsam mit der in den vorherigen Schlachten stark dezimierten Panzerbrigade die Kämpfe östlich des Dnjepr bestreiten.

Diese neue Ausdehnung des Operationsbereiches der rumänischen Armee billigte Antonescu zwar – er wurde am 23. August zum »Marschall von Rumänien« ernannt und konnte somit seine politische und militärische Position selbst festigen –, aber er verlangte auch, daß die in Gebiete jenseits des Dnjepr vorstoßenden Truppen aufgefrischt und ihre Ausrüstung aus deutschen Beständen ergänzt werden sollte. Die Deutschen boten ihre Hilfe an. Die rumänische Armee war deshalb relativ leicht mit Waffen zu versorgen, weil sie vorwiegend mit Waffentypen aus der französischen Rüstungsindustrie ausgestattet war, so daß man deutscherseits auf die Beute aus dem Frankreichfeldzug zurückgreifen konnte.

In der zweiten Augusthälfte beanspruchte die Eroberung von Odessa die rumänischen Truppen total. Dieser Schwarzmeerhafen sollte das Zentrum Transnistriens (das Gebiet zwischen Dnjestr und Bug) bilden. Die rumänische Belagerung begann am 18. August und endete erst am 16. Oktober. Das Oberkommando der Roten Armee, das seit Juli den Rückzug ihrer Südfront hinnehmen mußte, hatte schon am 5. August beschlossen: »Odessa wird nicht aufgegeben und ist unter Heranziehung der Schwarzmeerflotte bis zum letzten zu verteidigen[7]!«

Der Kampf um Odessa

Der 4. rumänischen Armee fiel die Aufgabe zu, Seehafen und Stadt zu erobern. Antonescu machte keinen Hehl daraus, daß die Besetzung der Stadt für Rumänien eine Prestigefrage war. Die 4. rumänische Armee wurde wesentlich verstärkt. Am ersten Belagerungstag verfügte der Oberbefehlshaber der Armee, General Ciupercă, über drei Korps mit neun Infanteriedivisionen, einer Panzerdivision, einer Kavalleriebrigade und verschiedenen Artillerieabteilungen. Die Armeereserve bestand aus drei Divisionen und vier schweren Artillerieregimentern, denen noch eine Kavalleriebrigade angeschlossen wurde. Insgesamt zählte die 4. rumänische Armee in diesen Augusttagen über 160 000 Soldaten[8].

Aber bereits bei der Aufklärung hatten die Rumänen mehrere Fehler begangen. Vor allem unterschätzten sie den Gegner und glaubten, die belagerte Stadt im Sturm nehmen zu können. Tage vergingen, und die 4. rumänische Armee stand noch immer vor dem gut ausgebauten Befestigungsring von Odessa, wo sich 34 000 Rotarmisten unter Konteradmiral G. W. Schukow gemeinsam mit der Zivilbevölkerung zur Wehr setzten. Deutsche Ratschläge hinsichtlich des Schwerpunkts des Angriffes schlugen die Rumänen aus. General Nicolae Ciupercă hatte eine französische Militärausbildung genossen und operierte strategisch entsprechend. Der Erfolg mußte ausbleiben. Der rumänische Angriff verlief schwerfällig, schematisch und schwunglos. Ciupercă vermied jedes Risiko und begründete diese Maßnahme später mit der mangelnden Schlagkraft seiner Armee, die im Vergleich zur anderen Feldarmee des Königreiches, der 3. Armee, materiell und personell von Anfang an schlechter ausgerüstet war.

Der noch Ende August 1941 unklare Verlauf der Kämpfe beunruhigte die Deutschen. Die Heeresgruppe Süd machte am gesamten ukrainischen Frontabschnitt Fortschritte: Der Fall von Odessa war schon auf Grund der Gesamtlage erwünscht! Der Chef der Deutschen Heeresmission bei den Rumänen, Generalleutnant Arthur Hauffe, sprach daraufhin eingehend mit Marschall Antonescu und bot die Hilfe der Wehrmacht an. Dieser lehnte ab. Nur der Einsatz deutscher Flugzeuge sei erforderlich. Im übrigen versprach man von rumänischer Seite, Odessa spätestens Anfang September einzunehmen.

Dieser Termin konnte nicht eingehalten werden. Die Verluste der 4. Armee nahmen zu. Nun wurden Konsequenzen gezogen: Am 9. September löste der Marschall den bisherigen Oberbefehlshaber und gleichzeitig dessen Stabschef ab. Der rumänische Kriegsminister General Iosif Jacobici und General Nicolae Tătăranu als Stabschef übernahmen nun die Führung. Die 4. Armee wurde abermals verstärkt. Am 12. September ging sie erneut zum Angriff über. Zwar stand den Rumänen jetzt die Sturmgruppe des deutschen Generals de Courbiers zur Verfügung. Sie sollte jedoch, da sie vor allen auf Straßenkämpfe spezialisiert war, für die Besetzung des eigentlichen Stadtkerns in Reserve gehalten werden. Auch der neue rumänische Oberbefehlshaber konnte – abgesehen von einigen Geländegewinnen um Odessa – das Ziel nicht erreichen. Es kam zu Unstimmigkeiten zwischen der rumänischen und der deutschen Führung. Ende September wurde die Belagerung von Odessa zeitweilig sogar eingestellt.

Der Fall Odessa drohte zu einem Debakel zu werden.

Die rumänische Öffentlichkeit hatte zwar die Erweiterung des Staatsgebietes bis zu den früheren Grenzen begrüßt, lehnte aber diesen verlustreichen Krieg ab. »Was haben unsere Truppen bei Odessa zu suchen?« fragte man sich, wie General Gheorghe in seinen Memoiren berichtet. »Rumänien unternahm diesen Krieg, um Bessarabien und die Bukowina wieder zu besetzen. Das ist, Gott sei Dank, doch bereits geschehen. Was suchen die rumänischen Truppen jenseits des Dnjestr? Einmal an den alten Grenzen angelangt, hätten sie stehenbleiben müssen. Mögen die Deutschen, wenn sie Lust haben, sich weiterhin allein mit den Russen herumschlagen[9]!«

Zu dieser Zeit wurde auch die rumänische Schwarzmeerflotte aktiv. Aber die lediglich aus drei Zerstörern, drei Torpedobooten, vier Kanonenbooten und zwei Unterseebooten bestehende königliche Kriegsmarine konnte die Seeherrschaft der sowjetischen Flotte kaum antasten. Ihr Einsatz vor Odessa war erfolglos, wie auch die rumänische Luftwaffe nur lokale Angriffe gegen die Seefestung Odessa fliegen konnte. Da der deutsche Vormarsch im Südabschnitt der Ostfront Ende September bedeutende Fortschritte machte (am 26. September fiel Kiew und am 29. September eroberte die 11. deutsche Armee den Tatarengraben auf der Perekop-Landenge, wobei die 3. rumänische Armee in wenigen Tagen das Asowsche Meer erreichte), wurde Odessa zu einem deutschen Problem. Am 23. September beschäftigte sich das Oberkommando des Heeres selbst mit der dortigen Kampfführung. Man erwog, zwei deutsche Divisionen mit Korpstruppen nach Odessa in Marsch zu setzen, die dann mit neuen rumänischen Verbänden frühestens am 25. Oktober die Belagerung der Stadt forcieren sollten.

Zur nicht geringen Überraschung der Rumänen gingen die Sowjets am 2. Oktober von der Odessaer Vorstadt Dalnik aus zum Gegenangriff über: Zwei Regimenter drangen mit Panzerunterstützung in rumänische Stellungen ein. Die Verluste an Menschen und Material waren empfindlich. Wie sich später herausstellte, sollte dieser sowjetische Gegenangriff die Gesamtlage nur verschleiern. Mit der Bedrohung der Krim und dem Verlust großer Gebiete in der Südukraine verlor das Ausharren der Sowjets in Odessa nämlich an strategischer Bedeutung. Am 1. Oktober beschloß das sowjetische Oberkommando, die Besatzung der Seefestung zu evakuieren und Odessa aufzugeben. Die musterhafte Tarnung dieser Entscheidung ließ die Rumänen über die wahren Absichten ihres Gegners im ungewissen. Noch wenige Tage vor der endgültigen Räumung der Stadt fanden Gegenangriffe der Roten Armee statt. Am 15. Oktober sprengten die Verteidiger nicht transportables Kriegsgerät. Dann schifften sich die letzten der Belagerten ein. Die deutsche Aufklärung meldete am Morgen des 16. Oktober 1941: »Ruhiger Verlauf der Nacht. Abteilung Bock meldet seit

6.40 Uhr Schiffe in Fahrt von Odessa nach Osten[10]!« Es war die Besatzung des im Jahre 1965 zur »Heldenstadt« erklärten Schwarzmeerhafens Odessa!

Die rumänischen Truppen stießen erst gegen die Stadt vor, als die letzten Sowjetsoldaten sie verließen. Am 16. Oktober um 13 Uhr erreichten sie den Stadtrand. Eine Stunde später standen Antonescus Soldaten im Hafengebiet von Odessa.

Der »Kommandant der Streitkräfte von Odessa«, Korpsgeneral Jacobici, meldete am selben Tag den Sieg. Vize-Ministerpräsident Mihai Antonescu erließ einen Aufruf, in dem auch derjenigen Soldaten gedacht wurde, die ihr Leben verloren hatten. Die Verluste der 4. rumänischen Armee waren äußerst hoch: 110000 Tote, Verwundete und Vermißte. Fast $9/10$ der Verluste der Armee hatten die Kämpfe vor Odessa gebracht. Besonders schwer trafen die Ausfälle das Offizierskorps: 4161 Offiziere waren getötet oder verwundet worden[11].

Am 8. November, dem Staatsfeiertag Rumäniens, wurde in Bukarest die große Siegesparade abgehalten. Einheiten, die vor Odessa gekämpft hatten, marschierten durch den Arc de Triomphe, den König Carol nach dem Sieg im Ersten Weltkrieg errichtet hatte. Generalfeldmarschall Wilhelm Keitel erschien aus Berlin und der kaum 20jährige König Mihai zeichnete Offiziere und Soldaten der Armee aus, »ungeachtet der Tatsache, ob sie für eine gute oder schlechte Sache kämpften; sie standen für ihr Land im Einsatz und der König hatte die Pflicht, ihren Mut und Einsatzwillen zu würdigen[12]!«

Mit dem Fall von Odessa fiel das Land jenseits des Dnjestr (bis zum Bug), genannt »Transnistrien«, als neue Provinz an Rumänien. Zum Gouverneur wurde Professor Gheorghe Alexianu ernannt. Die rumänische Öffentlichkeit hielt die Ausdehnung des rumänischen Staatsgebietes für endgültig, obwohl das deutsch-rumänische Abkommen vom 30. August in Tighina unterschiedlich auszulegen war. Es hieß offiziell »Vereinbarung über die Sicherung, Verwaltung und Wirtschaftsauswertung der Gebiete zwischen Dnjestr und Bug (Transnistrien) und zwischen Bug und Dnjepr (Bug-Dnjepr-Gebiet)«. Die rumänischen Sicherheitskräfte unterstanden hier zwar einem rumänischen Korpskommandanten, aber »im Interesse der gemeinsamen Kriegführung« wurde eine »Verbindungsstelle der deutschen Wehrmacht in Odessa« errichtet, welche die Rumänen bei der Beschaffung und Verteilung der für die gemeinsamen Operationen notwendigen Mittel unterstützen sollte. Deutscherseits betrachtete man dieses Abkommen als ein Provisorium, das nach der Beendigung des Feldzuges im Osten präzisiert werden mußte[13].

Die Einnahme Odessas bedeutete für das Rumänische Königreich das Ende des Feldzuges im Jahr 1941. Ein Teil der 3. Armee – das Gebirgs- und Kavalleriekorps – wurde der 11. deutschen Armee angegliedert. Sie beteiligten sich am Vormarsch auf der Krim und waren sowohl an der Belagerung Sewastopols als auch an den Kämpfen bei Kertsch beteiligt. Alle übrigen rumänischen Truppen, vor allem die 4. Armee, wurden ins Landesinnere zurückgezogen, um neu aufgefüllt bzw. reorganisiert zu werden. Lediglich vier Divisionen blieben als Besatzungstruppen in Transnistrien. Sie hatten praktisch die Funktion einer Polizei und waren nur mit leichten Waffen ausgestattet.

Honvéds in der Ukraine

Ungarns Krieg gegen die Sowjetunion war bei der Bevölkerung von Anfang an unpopulär. Die gegenseitigen Beziehungen waren – anders als in Rumänien – problemlos; sowjetische Truppen hatten keine ungarischen Gebiete besetzt, und die zentrale Parole der Regierung – »Unsere Soldaten ziehen zum Schutze Europas gegen den Bolschewismus in den Kampf« – hatte keinerlei Wirkung. So beklagte sich im Parlament ein Abgeordneter der Regierungspartei bereits am 25. Juni mit den Worten: »... die bekannte ungarische Begeisterung flammt nicht genügend auf... die Massen beteiligen sich nicht, die Glocken läuten nicht... nicht einmal die Studenten gehen auf die Straße, um gegen den Bolschewismus zu demonstrieren[14]!«

Die Honvéd-Armee nahm vorerst nur beschränkt an den Militäraktionen an der Ostfront teil. Am 28. Juni überquerten zwei Brigaden, die in der »Karpatengruppe« zusammengefaßt und durch ein Schnelles Korps ergänzt worden waren, die Wald- und Ostkarpaten[15]. Befehlshaber dieser Streitmacht war Generalleutnant Ferenc Szombathelyi, ein politisch nüchtern denkender Soldat. Da sich die Rote Armee zu dieser Zeit auf dem Rückzug befand, ging der Vormarsch der Ungarn relativ zügig voran. Die 8. Grenzjägerbrigade operierte vom Verecke-Paß aus und konnte bereits am 30. Juni bei Turka die Verbindung mit dem rechten Flügel der 17. deutschen Armee aufnehmen. Auch die 1. Gebirgsbrigade machte Fortschritte: Am 1. Juli wurde Tatarow erreicht, und am 3. Juli zog die 2. motorisierte Brigade des Schnellen Korps in Kolomea ein. Obwohl das Wetter ungünstig war – seit Tagen fiel starker Regen –, setzen die Honvéd ihre Operationen fort. Am 6. Juli hatten sie bei Nizniow das Nordufer des Dnjestr erreicht, am 8. Juli stieß das Schnelle Korps bis zum Sereth vor und überquerte den Fluß am darauffolgenden Tag.

Der relativ schnelle Vorstoß der Honvéd-Truppen verbarg die Mängel dieser Verbände keineswegs. Sowohl die Versorgung als auch die Ausrüstung und die Bewaffnung waren unzureichend[16]. Das schlechte Straßennetz in Galizien und der Mangel an Lastkraftwagen erschwerten schon in den ersten Tagen den Nachschub, der um so problematischer wurde, je weiter sich die Truppe von Ungarn entfernte. Hinzu kam, daß auch die »Karpatengruppe« ein bunt zusammengewürfelter Verband war, der von der Kavallerie bis zu den Radfahrern alle Einheiten der damaligen Honvéd-Armee umfaßte. Das Schnelle Korps, zweifellos ein ungarischer Eliteverband, besaß einen ziemlich veralteten Panzerpark. Die leichten »Ansaldo«-Panzer, in denen nur zwei Soldaten Platz hatten, verfügten lediglich über ein Maschinengewehr. Die Panzerung war so schwach, daß eine gewöhnliche Gewehrkugel sie aus der Nähe

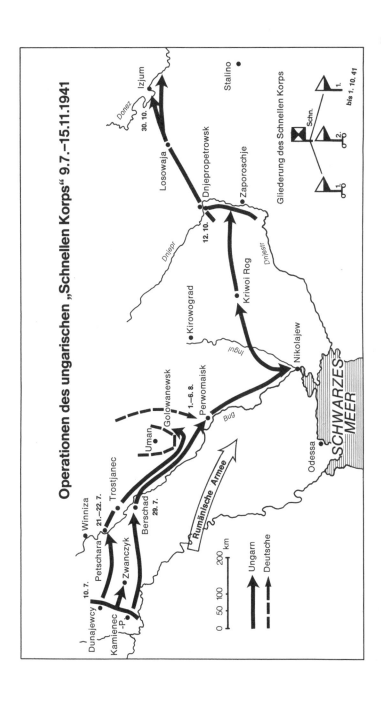

Operationen des ungarischen „Schnellen Korps" 9.7.–15.11.1941

durchschlug. Die Motorisierung hatte gerade erst begonnen, der aus diversen italienischen, deutschen und ungarischen Fabrikaten zusammengesetzte Wagenpark erschwerte die Ersatzteilbeschaffung[17]. (Das Schnelle Korps verfügte über insgesamt 160 Panzer – davon 65 des Typs »Ansaldo« und 95 des Typs »Toldi«. Letzterer leichter Panzer wurde nach schwedischer Lizenz in Ungarn hergestellt.) Ursprünglich sollte das Schnelle Korps höchstens für drei Monate an der Ostfront eingesetzt werden. Der ungarische Generalstab rechnete im Juli 1941 schließlich mit einem deutschen Blitzkrieg, also mit dem raschen Zusammenbruch der Roten Armee. Der Einsatz des Schnellen Korps sollte lediglich Ungarns Wehrwillen an der Ostfront demonstrieren. General Béla von Miklós, dem Kommandierenden General des Korps, empfahl man bei seinem Abschied in Budapest: »Auf deine Panzer sollst du besonders achtgeben. Einen Ersatz dafür gibt es nicht!« Die Mahnung kam vom Generalstabschef, und zwar vom Generaloberst Henrik Werth, der am genauesten wußte, wie prekär die Lage für die ungarischen Panzer war.

Am 9. Juli wurde die »Karpatengruppe« als Verband aufgelöst. Sie hatte ihren ursprünglichen Auftrag erfüllt, und ihre Grenzjäger bzw. Gebirgsbrigaden kehrten – nach einem vorübergehenden Einsatz in Galizien – in die Heimat zurück. Das Schnelle Korps wurde nun der 17. deutschen Armee (Heeresgruppe Süd) unterstellt und beteiligte sich in der Folge an deren Operationen. Außer Bodentruppen verfügte das Korps auch über eigene Fliegerverbände, die, aus mehreren Jagd-, Bomber- und Aufklärungsstaffeln zusammengestellt, mehrheitlich aus italienischen Flugzeugen bestanden. Die Stärke der ungarischen Fliegerverbände beim Schnellen Korps lag bei 51 Flugzeugen und unterstand dem Kommando von Oberstleutnant Béla Orosz, dem Kommandeur der »Önálló Kikülönitett Repülöcsoport«. Am 20. Juli erreichte das Korps den Bug, wo ihm der Durchbruch und die Errichtung eines Brückenkopfes am Ostufer gelang. Dieser wurde anschließend der Kavalleriebrigade überlassen, wobei die Husaren als Fußtruppe eingesetzt werden mußten. Die deutsche Führung war mit den ungarischen Leistungen zufrieden, achtete jedoch darauf, daß im Rahmen des schnellen Vormarsches rumänische Verbände nicht mit ungarischen Truppen in Berührung kamen. Im allgemeinen waren die Beziehungen zwischen ungarischen und deutschen Truppen gut. Unter den Offizieren gab es kaum Sprachschwierigkeiten, da die meisten höheren Offiziere der Honvéd ihre Militärlaufbahn noch bei der k.u.k. Armee begonnen hatten und somit die deutsche Sprache beherrschten.

Ende Juli erlebte das Stabsquartier der 1. motorisierten Brigade den ersten sowjetischen Partisanenangriff. In den nächsten Monaten fanden solche Attacken regelmäßig statt. Als beim Vormarsch im Raum von Uman, wo damals eine Kesselschlacht tobte, der Stab der ungarischen Brigade sein Quartier in einem Krankenhaus von Petschara beziehen wollte, eröffnete eine Gruppe versprengter Rotarmisten das Feuer. Etliche Offiziere wurden getötet, andere verwundet. »Es dauerte einige Stunden, bis die russischen Schützen endlich von einem Stoßtrupp unter Einsatz von Fliegerabwehr-Maschinenkanonen niedergekämpft wurden[18].« Obwohl das Haus, aus dem die Schüsse fielen, nach der Schießerei durchsucht wurde, fand man keine sowjetischen Soldaten. Sie hatten sich auf dem Dachboden im Wasserreservoir versteckt und konnten bei Anbruch der Dunkelheit ihren Schlupfwinkel verlassen!

Am 1. August wurde gemeinsam mit deutschen Truppen Losowaja erobert. Die Honvéds wurden so zum südlichen Stoßkeil bei der Kesselschlacht um Uman. Eine Woche lang tobten hier die Kämpfe. Die 6., die 12. und Teile der 18. russischen Armee wurden eingekreist. Da die Ausbruchversuche mißlangen und die Lage hoffnungslos schien, kapitulierten sie: 103 000 Rotarmisten, darunter die Befehlshaber, gerieten in Kriegsgefangenschaft. Die Rote Armee hatte 317 Panzer, 858 Geschütze und 242 Panzerabwehrkanonen verloren.

Nach der Schlacht bei Uman wurde das Schnelle Korps der deutschen Panzergruppe 1 (befehligt von Generaloberst Ewald v. Kleist) unterstellt, die sich im Raum Perwomaisk konzentrierte. Der neue Kampfauftrag betraf den Süden: Vorstoß zwischen Bug und Ingol auf einer etwa 45 km breiten Front. Ziel war der Schwarzmeerhafen Nikolajew. Um den Gegner aufzuhalten, praktizierte die sowjetische Führung die Taktik der »verbrannten Erde«. General Béla von Lengyel: »Das Operationsgebiet zeigte während der Nächte mit seinen lichterloh brennenden Dörfern und Gehöften ein wahrhaft apokalyptisches Bild[19]!«

Nikolajew wurde von deutschen und rumänischen Infanteristen, die der 11. deutschen Armee unterstellt waren, besetzt. Der Vormarsch der ungarischen Truppen wurde vor der Stadt gestoppt. Neue Aufgabe war die Sicherung des Südflügels der Heeresgruppe Süd entlang des Dnjepr. Mit dieser Maßnahme wollten die Deutschen eventuelle Zusammenstöße zwischen Rumänen und Ungarn vermeiden.

Noch während der Schlacht um Uman kam es in Budapest zwischen der Regierung bzw. dem Reichsverweser und dem Generalstabschef zu politischen Auseinandersetzungen hinsichtlich der Fortsetzung der Operationen und – grundsätzlich – der weiteren Teilnahme ungarischer Truppen am deutschen Ostfeldzug. Generaloberst Werth verlangte wie schon im Juni eine allgemeine Mobilmachung, um nach rumänischem Vorbild dem deutschen Kriegspartner mindestens zwei Feldarmeen für den weiteren Feldzug in die UdSSR anbieten zu können. Ein solches Versprechen hatte der General dem deutschen Militärattaché in Budapest bereits am 5. August gegeben. In seinem Memorandum an die Regierung begründete er die allgemeine Mobilmachung wie folgt: Ungarn muß den Deutschen mindestens soviel Soldaten wie Rumänien anbieten, um bei der definitiven Lösung der Siebenbürgenfrage nach Kriegsende nicht benachteiligt zu werden. Eine größere und freiwillige Beteiligung an den Kämpfen in der Sowjetunion würde Ungarn sowohl neue Gebiete innerhalb der Grenzen vor 1918 einbringen als auch einen Anteil an sowjetischen Rohstoffquellen sichern.

Ministerpräsident Bárdossy und Reichsverweser v. Horthy lehnten jedoch den Antrag General Werths ab. Insbesondere

Horthy wünschte kein größeres ungarisches Engagement an der Ostfront. Die Entwicklung der politischen Weltlage (namentlich das Bündnis UdSSR – Großbritannien, dem sich Roosevelt mit dem Versprechen, der Sowjetunion Kriegsmaterial zu liefern, angeschlossen hatte) war den ungarischen Verantwortlichen zu gefährlich und stimmte sie zur Vorsicht. Dazu noch fürchtete sich v. Horthy vor der Möglichkeit, daß ungarische Truppen im Kaukasus oder noch vorher gegen britische Soldaten zu kämpfen hätten, da man in Budapest annahm, Churchill würde der Roten Armee auch mit einer Expeditionsarmee zu Hilfe eilen.

General Werths Memorandum wurde also nicht nur verworfen, man legte ihm auch nahe, um seine Demission zu bitten, was er auch tat. Der neue Generalstabschef, Generaloberst Ferenc Szombathelyi, war politisch ein Bundesgenosse v. Horthys. Er befürwortete zwar gleichwohl die beschleunigte Ausrüstung der Honvéd-Armee mit modernen Kriegsgeräten – aber im Interesse Ungarns als zukünftigem »Ordnungshüter« im Donauraum. Den Krieg im Osten lehnte Szombathelyi ab: »Es ist nicht unser Krieg, wir haben in Rußland nichts zu suchen!« äußerte er gegenüber Vertrauten.

Anfang September erhielt v. Horthy eine Einladung Hitlers in sein Hauptquartier in Ostpreußen. Bárdossy und Szombathelyi reisten zusammen mit dem Reichsverweser an. Bei den Besprechungen in der »Wolfschanze« am 8. und 9. September ging es um den Einsatz der Honvédtruppen im Osten. Horthy wünschte die Rückführung des Schnellen Korps und gab als Grund die 50- bis 70prozentigen Materialverluste der Truppe an. »In diesem Zustand nützt Ihnen das Korps nichts«, argumentierte er. »Andere Truppen können wir aber nicht zur Verfügung stellen, da Sie mit bloßen Infanteristen im weiten Raum Rußlands nicht viel anfangen können!« In der Ukraine war selbst die Kavallerie eine wirkungslose Waffengattung; der krankheitsbedingte Ausfall der Pferde war beträchtlich. Die Besprechungen endeten mit einem Kompromiß. Hitler stimmte der sofortigen Rückführung der Kavalleriebrigade zu.

Andere Verbände des Schnellen Korps sollten erst nach Abschluß der gegenwärtigen deutschen Operationen zurückgeführt werden. Dagegen verpflichteten sich die Ungarn, den Deutschen vier Infanteriebrigaden als Besatzungskräfte für die Ukraine zur Verfügung zu stellen[20].

Zu dieser Zeit bezogen die teilweise stark abgekämpften Brigaden des Schnellen Korps am Dnjepr zwischen Dnjepropetrowsk und Zaporoschje Stellung und vereitelten Versuche der Roten Armee, den ca. 200 km breiten Frontabschnitt zu durchbrechen. Am 19. September fiel Kiew. Der deutsche Vormarsch ging weiter. Während die Kavalleriebrigade von der Front abgezogen wurde und in ihre Heimatgarnison zurückkehrte, erhielt das ungarische Schnelle Korps einen neuen Auftrag. Am 12. Oktober setzten die Honvéds über die Brücke von Dnjepropetrowsk zum Ostufer des Dnjepr über und beteiligten sich an der deutschen Offensive in Richtung Izjum am Donez.

Nicht nur v. Horthy, auch General v. Miklós lag viel daran, dem Schnellen Korps weitere Einsätze zu ersparen und es so schnell wie möglich nach Ungarn zurückzuführen. Der Kommandierende General beantwortete eine inoffizielle Botschaft des Grafen Bethlens, der damals Führer der Opposition war, mit den Worten, »er sei gut im Bilde, und er wisse sehr gut, daß dieser Krieg nicht unser ist und somit wir hier nichts zu suchen haben«! Er selbst drängte auch seine deutschen Vorgesetzten, dem Korps keinen neuen Kampfauftrag zu erteilen. Daß die Honvéds den Krieg in der UdSSR nicht als nationale Angelegenheit betrachteten, bewiesen auch andere Symptome. Die Exzesse des nationalsozialistischen Besatzungsregimes, das die sowjetischen Bürger als »Untermenschen« behandelte, stieß vielerorts in Ungarn auf strikte Ablehnung. Die Honvéds waren nicht selten Zeugen der Tätigkeit von SD-Einsatzgruppen. Ein Beispiel: Als nach dem Fall von Kiew in der ersten Oktoberhälfte zwischen Dnjepropetrowsk und Nowomoskowsk der Nachschub für das Schnelle Korps wegen schlechten Wetters von der Rollbahn abkam, mußten die Soldaten, bedingt durch die unfreiwillige Wartezeit, die Barbarei des Sonderkommandos des deutschen Sicherheitsdienstes erleben. In der Nähe eines Sandbergwerkes wurden Tausende von Juden – Kinder, Frauen, Alte und Junge – exekutiert. Der Quartiermeister des Korps mußte daraufhin General v. Miklós melden: »Die Soldaten der Nachschubeinheit befinden sich in äußerster Erregung, sie weigern sich, weiter vorzurücken, und fragen ihre Offiziere, ob sie mit ihrem Einsatz ein solches Vorgehen schützen müssen«[21].

Am 30. Oktober erreichte das Schnelle Korps bei Izjum den Donez. General v. Miklós verließ hier seine Truppe und flog nach Budapest, um beim Generalstab die Rückführung des Korps zu beschleunigen. Er unterrichtete auch v. Horthy über die Lage in der Sowjetunion, erwähnte das Scheitern des deutschen Blitzkrieges, hielt die Rote Armee für noch keineswegs geschlagen und war der Ansicht, man werde mit Überraschungen rechnen müssen. »Ein langer und blutiger Krieg, dessen Ausgang mehr als fraglich ist, wartet auf die Deutschen. Ungarn sollte mit diesem Krieg nichts zu tun haben, wir können dabei nur verlieren[22]!« Horthy stimmte dem General zu, der daraufhin am 10. November zu seinem Korps zurückflog. Er brachte den Ablösungsbefehl für das Schnelle Korps sowie die Zustimmung zum Rücktransport mit. Die oberste deutsche Führung – die übrigens mit der Leistung der Honvéd zufrieden war, ja deren Einsatz am Donez öffentlich lobte – beugte sich den Fakten: Nach dem $4^1/_2$monatigen Fronteinsatz war das Korps derart geschwächt, daß ihm weitere Aktionen nicht mehr zugemutet werden konnten.

Es hatte in den vergangenen Wochen mehr als tausend Kilometer zurückgelegt. Von den 26 000 Soldaten fielen etwa 8 000 durch Tod, Verwundung oder Krankheit aus. Besonders die Materialverluste waren groß: 90 Prozent der Panzer, 30 Flugzeuge sowie 1 200 Fahrzeuge wurden zerstört. Lediglich die geländegängigen Mannschaftswagen vom Typ »Botond«, die zahlenmäßig kaum ins Gewicht fielen, hatten die Strapazen überstanden. Die Rückführung des Korps begann Mitte November, am 6. Dezember trafen die Einheiten in Budapest ein.

Im Dezember 1941 beteiligten sich am deutschen Ostfeldzug ungarischerseits lediglich ein Radfahrerbataillon in Dnjepropetrowsk (das für den Eisenbahnrücktransport des zurückgelassenen Kriegsmaterials verantwortlich war) und vier Infanterie-Brigaden, die weit hinter der eigentlichen Front lagen und in Galizien als Besatzungstruppe fungierten[23].

»Avanti Italiani…!«

Seit Napoleons Rußlandfeldzug hatten italienische Truppen osteuropäischen Boden nicht mehr betreten. Im Jahre 1941 stieß jedoch ein italienisches Armeekorps quer durch Ungarn nach Galizien vor, um sich mit der 11. deutschen Armee (Heeresgruppe Süd) am Unternehmen »Barbarossa« zu beteiligen. Offiziell unterstand das Korps dem italienischen Oberkommando in Rom, strategisch-taktisch jedoch dem Armeeoberkommando 11, dessen Befehlshaber General Ritter v. Schobert am 21. Juli dem italienischen Kommandierenden General den Befehl erteilte, den Verband in den Raum von Jampol (am Dnjestr) zu verlegen, wo es vorläufig als Armeereserve fungieren sollte.

Von allen deutschen Verbündeten waren die Italiener am ehesten daran interessiert, so schnell wie möglich eingesetzt zu werden. Unter den Soldaten des Expeditionskorps (C.S.I.R.) herrschte eine allgemeine Euphorie. Sie rechneten mit einem raschen Zusammenbruch der Roten Armee und einem leichten Sieg im Osten. General Messe berichtet in seinen Memoiren, daß er sowohl mit der Disziplin als auch mit dem Kampfgeist seiner Truppe mehr als zufrieden war. Trotzdem hielt er es für nötig, Offizierskorps und Mannschaften über die zu erwartenden Schwierigkeiten aufzuklären, war dabei aber nur bedingt erfolgreich. Besonders die jüngeren Offiziere sahen in Messes Warnungen nichts als »Angstmacherei« und warfen dem erfahrenen Truppenkommandanten insgeheim vor, »ein entsetzlicher Spielverderber« zu sein[24].

Bereits Ende Juli kam es zu Reibereien mit dem deutschen Oberkommando wegen der Frage, wie das italienische Expeditionskorps eingesetzt werden sollte. Da die Operationen der Heeresgruppe Süd im Juli und August immer mehr Truppen beanspruchten, wollte das Armeeoberkommando 11 die ersten im Aufmarschgebiet eintreffenden Einheiten der Italiener sofort an der Front einsetzen. General Messe jedoch bestand darauf – gemäß entsprechenden Direktiven aus Rom –, daß das Korps nur als geschlossener Verband operierte. Trotzdem wurde das erste italienische Infanterieregiment, kaum war es in Jampol eingetroffen, an der Front eingesetzt – allerdings in Übereinstimmung mit dem italienischen Verbindungsoffizier beim Armeeoberkommando 11. Messe protestierte. Dieser Fall wurde selbst bei obersten Militärs der Verbündeten publik. Generalfeldmarschall Keitel mußte jetzt dem italienischen Generalstabschef Cavallero schriftlich versichern, daß die Heeresgruppe Süd den Befehl erhalten werde, das Expeditionskorps, »wenn immer möglich«, nur geschlossen einzusetzen.

Zur geplanten Versammlung des gesamten Korps bei Jampol kam es indessen nicht mehr. Die italienischen Divisionen folgten vielmehr, teilweise zu Fuß, den im Gebiet zwischen Dnjestr und Bug vorrückenden Deutschen. Dabei operierte besonders die Division »Pasubio« wirkungsvoll, die nach Verlassen Jampols am 6. August über alle Transportfahrzeuge des Korps verfügte und somit beweglich war. Diese Division wurde – mit dem Einverständnis General Messes – durch eine Artillerieabteilung verstärkt. Sie sollte auf deutschen Wunsch so schnell wie möglich nördlich von Wosnessensk den Bug erreichen. Es ging um die Einkesselung größerer russischer Verbände. Die Division »Pasubio« führte diesen Befehl zum ersten Einsatz der Italiener an der Ostfront mit besonderem Elan aus! Am 10. August erreichte die Vorhut der »Pasubio« die Gegend von Wosnessensk, bereits am 13. August kam es bei Jasnaja Poljana zur Feindberührung. Dort deckte ein Schützenregiment, verstärkt durch drei Batterien, den Rückzug der sowjetischen Truppen hinter den Bug. Die Bersaglieri, eine der Elitetruppen der italienischen Armee, formierten sich zum Angriff; es gelang ihnen (gemeinsam mit dem Gros der Division »Pasubio«), die feindlichen Stellungen zu überrennen und die Räumung der sowjetischen Brückenköpfe bei Nikolajew (die dann von deutschen und rumänischen Truppen besetzt wurden) zu beschleunigen.

Zu dieser Zeit ließ General Messe auch die anderen Verbände des Korps nachrücken. Die Italiener mußten beträchtliche Fußmärsche zurücklegen, da sich die meisten Lkw bei der »Pasubio« befanden. Die Schnelle Division z.b. legte die 340 km lange Strecke von Botoşani nach Petschana in sieben Tagen zurück. Die Division »Torino« traf ebenfalls zu Fuß am Dnjestr ein. Hier wurde das Expeditionskorps aus dem Verband der 11. deutschen Armee herausgelöst und der Panzergruppe 1 von General Ewald v. Kleist unterstellt. Mitte August waren die C.S.I.R.-Verbände folgendermaßen verteilt: Das Generalkommando befand sich in Oligopol; die Division »Pasubio« in der Gegend von Bratiskoje; die Schnelle Division im Raum von Oligopol/Petschana (sie bewegte sich auf Perwomaisk zu); die Division »Torino« im Gebiet von Sagajkanj; und die Luftwaffe im Feldfliegerhorst Tudora.

Am 20. August traf bei General Messe der neue Einsatzbefehl ein, der zunächst, also parallel zu den Operationen im Rahmen der Überquerung des Dnjepr, den Schutz der linken Flanke der Panzergruppe 1 vorsah, und später, Mitwirkung beim weiteren Vorstoß in die Gebiete jenseits des Flusses. Messe erkannte sofort die auf ihn zukommenden Probleme, die sowohl organisatorischer als auch nachschubtechnischer Natur waren. Die Deutschen nahmen die Bezeichnung »motorisiert« wörtlich und erteilten dem italienischen Expeditionskorps entsprechende Befehle. Hinzu kam noch, daß Nachschub und Versorgung der Italiener (beides kam größtenteils aus Italien) bereits nach dem Erreichen des Dnjestr ins Stocken geraten waren und jetzt, wo es um einen weiteren Vorstoß ging, die gesamte Logistik durcheinandergeriet! Messe entschloß sich, alle diese Probleme Mussolini persönlich vorzutragen, da der Duce einen Besuch an der Ostfront bereits angekündigt hatte.

Ende August nämlich begab sich Benito Mussolini auf Einladung Hitlers mit großem Gefolge nach Rastenburg. Zweck des Besuches war eine Informationsreise an die Ostfront, wo die Deutschen äußerst erfolgreich operierten und Hitler seinem Bundesgenossen und Achsenpartner die deutsche Wehrmacht »in Aktion« zeigen wollte. Bei der Lagebesprechung im Führerhauptquartier wurde das bisher Erreichte in ein äußerst günstiges Licht gerückt. Hitler schien besonderen Wert darauf zu legen, daß der Duce die deutschen Soldaten in guter Erinnerung behielt. So wurde z. B. die Truppe im Hauptquartier angewiesen, bei der Ankunft des Gastes auf die gewohnten militärischen Ehrenbezeigungen zu verzichten und ihn »jubelnd zu begrüßen«. Dabei kam es – nach Augenzeugenberichten – zu einem künstlichen, erzwungenen Gefühlsausbruch, der die Italiener eher peinlich berührte[25].

Von Rastenburg aus flogen die beiden Staatsführer nach Brest-Litowsk, wo die Kriegsschauplätze der ersten Tage besichtigt wurden. Mit dem Zug ging es weiter zum Hauptquartier des Oberbefehlshabers der Heeresgruppe Süd in Strychow (zwischen Krakau und Lemberg). Nach kurzem Aufenthalt flog man nach Uman, wo gerade die vorgeschobene Befehlsstelle Feldmarschalls v. Rundstedt eingerichtet wurde. Mussolini besichtigte hier auch italienische Truppen. General Messe berichtet: »Die Parade fand am 28. August am Kreuzweg von Ladishinka, 18 km südlich von Uman, statt. Ich erwartete dort das Eintreffen der beiden Regierungschefs. Sie kamen früh um 8 Uhr auf einem mächtigen, geländegängigen Auto an. In ihrer Begleitung befanden sich Keitel, Cavallero, von Rundstedt und Botschafter Alfieri. Mussolini stellte mich Hitler vor und sagte dann, zu mir gewandt: ›Ich bin gewiß, daß Sie das vom Führer in die italienischen Truppen gesetzte Vertrauen verdienen!‹«

Während man auf den Vorbeimarsch der Truppen wartete, nahm Mussolini den General beiseite und erkundigte sich nach dem Expeditionskorps. Messe: »Ich unterrichtete ihn über unsere Lage, betonte vor allem den Mangel an Kraftfahrzeugen, der uns in ernste Schwierigkeiten brachte bei dem Bemühen, nicht den Anschluß an die beweglichen deutschen Divisionen zu verlieren und den Nachschub von der weit entfernten Versorgungsbasis sicherzustellen. Auch sagte ich ihm, daß die Deutschen anfingen, unter Treibstoffmangel zu leiden, und daß unsere Anforderungen daher mit Verspätung erfüllt würden. Die Folge sei eine Verlangsamung unserer Vormarschbewegung zur Operationszone. Andererseits zeige sich unser Verbündeter ständig ungeduldiger bezüglich unseres Einsatzes. Mussolini sagte kein Wort: er schien wie abwesend[26]!«

Das Gespräch wurde durch das Eintreffen der ersten italienischen Einheiten unterbrochen. Um die Parade rascher abnehmen zu können, entschloß sich Hitler, den vorbeiziehenden Kolonnen entgegenzufahren. Abschließend sprachen dann die beiden Staatsführer General Messe für die Disziplin und Ordnung der Truppen ihre Anerkennung aus. (Ehrlich war dies nicht gemeint. In seinen Erinnerungen, die Generalfeldmarschall Keitel unmittelbar nach dem Krieg verfaßte, lesen wir, daß Vorbeimarsch und Begrüßung der italienischen Truppen für Hitler und die deutschen Gäste eine maßlose Enttäuschung waren. »Besonders die völlig überalterten Offiziere machten einen trostlosen Eindruck und mußten hinsichtlich des Wertes solcher zweifelhaften Hilfstruppen höchst bedenklich stimmen. Wie sollten solche Halbsoldaten den Russen standhalten, wenn sie schon vor dem armseligen Hirtenvolk der Griechen versagt hatten? Der Führer glaubte an Mussolini und sein revolutionäres Werk, aber der Duce war nicht Italien, und die Italiener waren ›Italiener‹ geblieben[27]!«)

Schon bei diesem Treffen hatte Mussolini gegenüber Hitler angedeutet, er beabsichtige für die deutsche Ostfront neue Divisionen zur Verfügung zu stellen. Die Gründe vertraute er Filippo Anfuso, dem späteren Staatssekretär des Äußeren, an: »Unsere zahlenmäßige Anwesenheit an der russischen Front ist wesentlich. Hier glaubt Hitler, den Krieg zu gewinnen. Bleiben wir fern, so wird auch die Tatsache, daß ich als erster den Kommunismus bekämpft habe, nichts bedeuten gegenüber der Feststellung, die Italiener waren nicht in Rußland. Unsere Beteiligung ist deshalb von kapitaler Bedeutung[28]!«

Mit diesem Entschluß wollte Mussolini auch aus der unmittelbaren Vergangenheit die nötigen Lehren ziehen: Im Sommer 1940 hatten die Italiener erst in die Kämpfe in Frankreich eingegriffen, als die französische Armee praktisch schon besiegt war, und so alle Vorteile, die ein gemeinsamer Sieg über Frankreich mit sich gebracht hätte, verspielt!

Der erste und letzte Frontbesuch im Osten bestärkte Mussolini in der Ansicht, daß es in der Sowjetunion trotz der optimistischen Stimmung der Deutschen keinen Blitzkrieg, geschweige denn einen Blitzsieg geben werde. An Stalins Niederlage zweifelte der Duce allerdings nicht. Er hielt es daher für seine Pflicht, Hitler weitere Truppen zur Verfügung zu stellen, zumal Anfang Oktober in Rom die Nachricht von der Einnahme der »Stadt und Seefestung Odessa« durch die Rumänen eintraf. Antonescus Truppen sollten aber nach Mussolinis Willen in der UdSSR kein größeres Gewicht besitzen als die italienischen! Gleichzeitig würde ein verstärkter Einsatz italienischer Truppen die deutsche Militärhilfe in Afrika kompensieren. Als dann am 24. Oktober General Cavallero Mussolini versicherte, Italien werde bis zum Frühjahr 1942 über 92 fronterfahrene Divisionen verfügen, beschloß der Duce endgültig, im folgenden Jahr nicht weniger als fünfzehn italienische Divisionen an die Ostfront zu verlegen. Graf Ciano, der Ende Oktober 1941 Hitler in seinem Hauptquartier »Wolfsschanze« aufsuchte, bot den Deutschen zunächst ein Alpini-Korps an. Hitler dankte ihm mit den Worten, dieser Eliteverband werde dem deutschen Ostheer insbesondere nach dem Eindringen in den Kaukasusraum von großem Nutzen sein.

Mussolinis Entschluß war schon deshalb leichtsinnig und im Grunde genommen unüberlegt, weil er damals bereits genau über die nicht zufriedenstellende Lage des Expeditionskorps an der Ostfront unterrichtet war. Die Herbstmonate des Jahres 1941 brachten für die italienischen Truppen zusätzliche Strapazen mit sich. Zwar gelang es General Messe Anfang September, seine Divisionen kurzfristig an der Dnjepr-Linie zu konzentrieren, aber der Verband mußte wegen der Kriegslage bald wieder auseinandergerissen werden. Die Division »Pasubio« wurde der 17. deutschen Armee unterstellt, die den Fall von Kiew strategisch nutzen wollte und gegen Poltawa vorrückte. Am 18. September wechselte die Division »Pasubio« bei Derjewka auf die andere Seite des Dnjepr über, um dort die rechte Flanke der deutschen Armee zu decken. Die anderen beiden Divisionen des C.S.I.R. faßte man in der »Gruppe Mackensen« zusammen. Sie bezogen am Dnjepr, und zwar zwischen der Mündung des Oreli und dem Brückenkopf Dnjepropetrowsk, Stellung. Von hier aus erfolgte dann, gemeinsam mit den Deutschen, der Vorstoß der »Torino« und der Schnellen Division in Richtung Donez. Anschließend kam es bei Petrikowka zu einer Kesselschlacht. Die deutsch-italienischen Truppen machten über 10000 Gefangene und erbeuteten Waffen, Lkw, Pferde und anderes Material.

Die Siegesmeldungen und der Geländegewinn waren indessen nur die eine Seite des italienischen Einsatzes im Osten. General Messe ließ sich keineswegs von diesen Erfolgen blenden. Er sah auch den Preis, den man dafür zahlen mußte, und war bereit, darüber Rechenschaft abzulegen.

Das C.S.I.R. erreichte die Dnjepr-Linie nach anstrengenden Fußmärschen. Von dort aus ging es weiter zum sowjetischen Industriezentrum im Donez-Becken. Beide Vorstöße waren äußerst flexibel. Der Nachschub, der nach dem deutsch-italienischen Abkommen vom 27. Juni 1941 teils von Italien, teils von Deutschland aus erfolgen sollte, begann nach Überquerung des Bug durch die italienischen Truppen zu stocken und drohte Ende September/Mitte Oktober völlig auszubleiben.

Der Kommandant der Intendantengruppe (Nachschub) des C.S.I.R., General Biglioni, schrieb im Juli 1942 rückblickend an General Messe:

»Ich erinnere mich noch an den durch das schlechte Wetter erzwungenen Aufenthalt Mitte Oktober jenseits des Dnjepr. Alle Transporte standen still, während die Truppen marschierten. Ich dachte an die unüberbrückbare Distanz zwischen den Truppen und den Hilfsdiensten, an die absolute Unmöglichkeit der Versorgung, an neue Regenfälle und an den Winter, der sich durch die ersten Fröste ankündigte… Es kamen angsterfüllte Tage: die Verbindung zwischen den Truppen und der Intendanz riß völlig ab; die Versorgung wurde auf dem Luftwege versucht, aber es waren nur Tropfen in ein Meer. Um das schmerzliche Gefühl des Abgeschnittenseins, das mich überwältigte, etwas zu betäuben, ging ich in die Lazarette und fragte die Verwundeten, die mit Flugzeugen aus den Frontgebieten hertransportiert waren, über das, was dort vorging: Ich wollte so wenigstens eine Art Kontakt mit den Truppen herstellen, die 300 km entfernt unter so schweren Bedingungen kämpften…[29]«

Das einzige funktionierende Transportmittel war das Flugzeug. Es wurde eingesetzt, wenn die Versorgung der Truppe mit Nahrungsmitteln und Munition vordringlich war. Es standen jedoch nur wenige Maschinen zur Verfügung. Im Oktober fehlte es bei den kämpfenden Einheiten beinahe an allem: an Stiefeln, Uniformen, Munition, Treibstoff. Als dann auch noch der Herbstregen begann und die Eisenbahntransporte ins Stokken gerieten, wurde die Lage kritisch. Am 15. November 1941 mußte die italienische Intendantur zur Kenntnis nehmen, daß die monatlichen Versorgungszüge zum C.S.I.R. von 25 auf 15 reduziert worden waren und auch diese mit beträchtlicher Verspätung die Ausladebahnhöfe erreichten. So befand sich zum Beispiel Anfang November die Winterbekleidung für das C.S.I.R. noch immer in Italien, und General Messe, der sich seiner Verantwortung für die Soldaten bewußt war, wandte sich – ungeachtet seiner vorherigen Eingaben beim italienischen Generalstab – mit einem persönlichen Brief direkt an den Duce.

Mussolini: »Ich sandte Oberst Gandin zum Schauplatz (d. h. in die ukrainische Ebene), der einen erschreckenden Bericht über die Schwierigkeiten, welchen die C.S.I.R. begegnet waren und noch immer begegnen, nach Rom zurückbrachte. Als ich den Bericht gehört habe, schickte ich Messe ein Telegramm mit folgendem Text: ›Oberst Gandin hat mir Einzelheiten berichtet von Schwierigkeiten, denen die C.S.I.R. gegenüberstehen, und von der übermenschlichen Ausdauer Ihrer Truppen. Stop. Zwei Monate Steckenbleiben auf primitiven oder nichtexistierenden sowjetischen Straßen muß ungeheure Hindernisse im Nachschubbereich geschaffen haben, welche nur Generalsfähigkeiten wie Sie und Soldaten wie die C.S.I.R.-Truppen überwinden konnten. Stop. Obschon fern, haben wir diese Schwierigkeiten umständehalber empfunden. Stop. Gandin sagt mir, Lage habe sich nun gebessert. Stop. Mein Glückwunsch an Offiziere und Mannschaft der C.S.I.R., auch für Ertragen der Schwierigkeiten mit römischer Ruhe und faschistischer Stärke. Stop. Ich sende Ihnen, mein lieber Messe, meine wärmsten Grüße! Stop[30]‹«

Mussolinis Grüße, nicht aber seine Hilfe, erreichten das Expeditionskorps während des Vormarsches weiter nach Osten zum Industriegebiet am Donez...

Die Schlacht am Asowschen Meer und die Besetzung des Donezbeckens

Am 21. September 1941 wies das Oberkommando des Heeres der Heeresgruppe Süd neue Aufgaben zu. Sie sollte mit ihren Verbänden, darunter 35 Infanteriedivisionen, 2^1/2 motorisierte Divisionen, 3 italienische Divisionen, 6 rumänische Infanteriebrigaden, 2 ungarische Brigaden, 1 slowakische Division, 1 kroatisches Regiment und einige Sicherungstruppen, die Krim erobern und das Donezbecken am Unterlauf des Dons sowie das wichtige Industriezentrum Charkow besetzen[31]. Die Voraussetzungen für diese Operationen waren keineswegs günstig: Nicht nur die Truppen der Verbündeten, auch die deutschen Verbände hatten nach den Schlachten der vergangenen Zeit starke Verluste an Menschen und Material erlitten. Engpässe im Nachschub und Mangel an Kraftfahrzeugen schufen stets neue Probleme, die noch zahlreicher wurden, als die ukrainische »Schlammperiode« begann und die aufgeweichte Schwarzerde großangelegte Truppenbewegungen nicht zuließ.

Die zahlenmäßige Größe und die Verschiedenartigkeit der verbündeten Truppen innerhalb der Heeresgruppe Süd bereiteten dem Oberkommando einiges Kopfzerbrechen. Manchen Generalstabsoffizieren kam es vor, als sei das alte österreichisch-ungarische k.u.k. Heer auferstanden: das Sprachengewirr, die nationale Eigenwilligkeit jeder einzelnen Truppe, die im Rahmen der Möglichkeiten berücksichtigt werden mußte, und nicht zuletzt das Problem des unterschiedlich organisierten Nachschubs der Verbündeten erschwerte beträchtlich die Arbeit der Führungs- und Verwaltungsstäbe des Oberkommandos der Heeresgruppe Süd!

Für General Giovanni Messe und seine Truppen war das Donezbecken die äußerste Aktionsgrenze. »Darüber hinaus ist unsere weitere Mitwirkung – ohne eine entsprechende Ruheperiode zur Reorganisierung und Erholung – nicht möglich[32]!« In diesem Sinne unterrichtete er auch das Oberkommando der Panzergruppe 1. Die Antwort fiel entsprechend aus: Das italienische Armeekorps sei lediglich ein Glied in einem größeren deutschen Verband und habe zu gehorchen wie jedes x-beliebige deutsche Armeekorps! Messe ließ sich nicht einschüchtern. Er wandte sich an das eigene Oberkommando in Rom und erstattete über den Zustand der Truppe detaillierten Bericht. Seine Eingabe schloß mit den Sätzen: »... die Bataillone der ›Pasubio‹ und viele Einheiten der Schnellen Division marschieren und kämpfen ohne oder nur mit sehr geringer Verpflegung..., sehr viele Soldaten sind ohne ausreichendes Schuhwerk. Diese Bedingungen sind nicht länger tragbar, zumal der Winter sich bemerkbar zu machen beginnt...[33]« Vergeblich wartete er jedoch auf eine Antwort aus Rom, wo man sich offenbar nicht für die Probleme des Korps interessierte...

Somit hatte das italienische Expeditionskorps keine andere Möglichkeit, als sich an der Eroberung des Donezbeckens zu beteiligen. General Messes Truppen rückten gegen Stalino vor. Der Vormarsch war – nicht zuletzt aufgrund der Verminung des Vorfeldes der Stadt und des Stadtkerns selbst – äußerst schwierig. Die Verluste waren entsprechend groß. »Bei jedem Schritt stieß man auf Minen – Minen der verschiedensten Art, von den primitivsten bis zu den kompliziertesten, aber alle von sicherer Wirkung. Diese hinterlistigen Fallen kosteten uns viele Verluste[34].« Die Russen machten in und um Stalino ausgiebig von der Taktik der »verbrannten Erde« Gebrauch. »Alle Brücken aus Holz, aus Mauerwerk, aus Eisen wurden zum Einsturz gebracht, alle Eisenbahnlinien unterbrochen – unter Verwendung von Spezialmaschinen, die mit unerhörter Schnelligkeit und Vernichtungskraft arbeiteten und alles unbrauchbar machten[35]!«

Schließlich schlug auch das Wetter um. Gewitterartige Regenfälle verwandelten das Gelände in Morast, die Straßen waren für motorisierte Fahrzeuge unpassierbar.

Am 21. Oktober gab die Rote Armee Stalino auf. Die Italiener zogen in Fußmärschen weiter ostwärts. Die Tagesetappe der Infanterie lag bei 30, die der Kavallerie bei 50 Kilometern. Ein italienischer Soldat schrieb später seinen Angehörigen: Regen und leichter Schnee drangen durch und durch, bei jedem Schritt versank man tief in dem schlammigen, schlüpfrigen Boden, der Wind peitschte einem ins Gesicht – und die so wertvolle Unterstützung der Luftaufklärung fehlte! Von der anfänglichen Begeisterung der Italiener an der Ostfront war hier nichts mehr zu spüren...

Nach dem Fall von Stalino – dem Industriezentrum im Donezbecken – erhielt General Messe vom Oberbefehlshaber der ehemaligen Panzergruppe 1, der jetzigen 1. Panzerarmee, einen neuen Befehl. Das C.S.I.R. sammelte sich wieder und sicherte in den folgenden Wochen die nach Süden vorstoßenden Truppen der 1. Panzerarmee. Gorlowka, Rikowo und andere Orte im Donezbecken wurden erobert. Rikowo wurde erst nach verlustreichen Straßenkämpfen durch das 3. Bersaglieri-Regiment eingenommen. Diese Operation war die letzte im Rahmen des Sommer- und Herbstfeldzuges des C.S.I.R.; General Messe berichtete später: »Wir bewältigten in deren Folge mehr als 1400 km, hatten zahlreiche siegreiche Gefechte hinter uns, 12 000 Gefangene, 33 abgeschossene Flugzeuge, große Mengen an erbeutetem Kriegsmaterial aller Art, Waffen und Munition, Fahrzeugen und Pferden – das war die positive Bilanz des italienischen Expeditionskorps in jener Periode[36]!«

Nach den schon am Südabschnitt der Ostfront stehenden Rumänen, Italienern und Ungarn trafen in der zweiten Septemberhälfte 1941 auch die slowakischen und kroatischen Militärkontingente bei der Heeresgruppe Süd ein. Die schnellen Stoßtrupps des slowakischen Armeekorps rückten aus dem Raum Lwow (Lemberg)/Drohobycz über Žloszow/Proskurow nach Winnica vor. Hier kämpften sie an der Seite deutscher Divisionen gegen die in Richtung Lipowic/Ilinci/Uman zurückweichende Rote Armee. Sie hatten die Aufgabe, diesen Raum zu sichern und den Rückzug des Gegners nach Südosten zu verhindern.

Am 22. Juli 1941 stieß die Schnelle Brigade vor Winnica auf ein unerwartetes Hindernis. Sowjetische Truppen stellten sich bei Lipowic in einem gut vorbereiteten Verteidigungssystem zum Kampf, der auf einer Frontbreite von sechs Kilometern ausbrach. Er war für die Slowaken äußerst verlustreich. Empfindliche Ausfälle gab es bei den leichten Panzern, einem tschechischen Fabrikat. Obwohl der erste Einsatz der Slowaken im Ostfeldzug ihren Befehlshaber zufriedenstellte, hatten die deutschen Beobachter und Verbindungsoffiziere ihre Bedenken. Sie faßten ihr Urteil in einem Geheimbericht (datiert vom 27. Juli) folgendermaßen zusammen: »... Trotz vorsichtigen Einsatzes der slowakischen Infanterie unter deutscher Führung, ging die Truppe bei Beginn des Artilleriefeuers nach bereits beträchtlichem Geländegewinn ohne Befehl in die Ausgangsstellung zurück. Die 295. Division, welche die Brigade wirklich sehr gut aufgenommen und geführt hatte, verzichtet auf weiteren Einsatz der Infanterie!« Allein für die Panzerabwehr und für das Artillerieregiment fand der Autor des Berichts, Major v. Lengerke, anerkennende Worte[37].

Auch die Slowaken faßten zu dieser Zeit Geheimberichte ab.

Sie kritisierten das Verhalten der ungarischen Truppen in Galizien, die dieses Gebiet noch vor dem slowakischen Armeekorps erreicht hatten. Der Bericht, den Oberstleutnant i.G. Štefan Tatarko, der Stabschef des Armeekorps, verfaßt und an die Deutsche Heeresmission in der Slowakei geschickt hatte, bezichtigte die verbündeten Ungarn des Raubes, der Plünderung – »und was noch schlimmer sei« – der Fraternität mit den Einheimischen, besonders mit den Polen. »Aber was das Wichtigste ist und die ukrainische Bevölkerung am meisten beunruhigte, ist, daß mit den Ungarn sehr viele ehemalige polnische Offiziere und Zivilisten kamen, die im Jahre 1939, während des polnisch-deutschen Krieges, nach Ungarn geflohen waren, aber auch polnische Terroristen, die die Ungarn... auch gegen uns verwendeten. Diese verbreiten jetzt unter der polnischen und jüdischen Bevölkerung von Galizien verschiedene Nachrichten und wiegeln das Volk auf...[38]«

Die slowakische Abschlußmeldung über die »Schlacht bei Lipowic« trug den Versäumnissen und Mißerfolgen der eigenen Truppen dennoch Rechnung. Das eigentliche Kampfgebiet konnte nämlich erst am 23. Juli erobert werden: Eine deutsche Division wiederholte an diesem Tag den Angriff und zwang den Gegner – es waren die Regimenter General Tkatschenkos – zum Rückzug. Die deutsche Führung gab der Schnellen Brigade eine Aufgabe, welche in keinem Falle ihrer Zusammensetzung und Stärke angemessen war... »Die Stimmung der Mannschaft ist gedrückt«, klagten die Slowaken[39].

Mit deutschem Einverständnis wurde nun die Brigade aus der unmittelbaren Front herausgelöst und verstärkt. Lediglich das Artillerieregiment 11 (inzwischen den Deutschen unterstellt) setzte seinen Vormarsch in Richtung Berditschew/Shitomir und Kiew fort. Die slowakische Luftwaffe (zwei Jagdfliegerstaffeln, ausgerüstet mit Jagdflugzeugen der ehymaligen tschechoslowakischen Armee vom Typ Avia B-534 und eine Aufklärungsfliegergruppe mit Flugzeugen des Typs Letov Š-328) unterstützte die Operation der Deutschen in Richtung Kiew und sicherte die Verlegung des slowakischen Armeekorps nach Skwira, das zum Reorganisationsort bestimmt wurde. (Das Armeekorps zählte am 25. Juli 1941 40 393 Truppenangehörige und 1 346 Offiziere. Es verfügte über 2 011 Lkw sowie 695 Pkw. Die Verluste des Armeekorps beliefen sich bis zum 3. August 1941 auf 106 Tote, 188 Verwundete und 30 Vermißte.)

Ein großer Teil der Mannschaft wurde aus Skwira in die Slowakei zurückverlegt. An der Ostfront blieben etwa 18 000 Soldaten, aus denen man eine Sicherungsdivision und eine Schnelle Division formierte. Diese Divisionen verfügten jedoch lediglich über je zwei Infanterieregimenter, ein Artillerieregiment und diverse Divisionstruppen. Ein Panzerbataillon besaß nur die Schnelle Division, die Oberst Malár unterstellt wurde, während General Anton Pulanich zum Befehlshaber »der slowakischen Einheiten, die sich im Felde befinden«, ernannt wurde. Der slowakische Wehrminister, General Čatloš, verließ am 14. August 1941 die Truppe und kehrte nach Bratislava zurück, um von dort aus die Nachschubfrage zu lösen.

Nach den Vereinbarungen zwischen deutschen und slowakischen Kommandostellen lag die taktische Führung der slowakischen Verbände an der Front in den Händen der lokalen deutschen Befehlshaber. Offiziersstellenbesetzung, Ersatz, Disziplinargewalt, Gerichtsbarkeit und zum größten Teil auch Versorgung und Nachschub fielen jedoch in die Kompetenz des slowakischen Wehrministeriums. Wenn auch die Deutschen im großen und ganzen an den slowakischen Soldaten als Einzelkämpfer nichts auszusetzen hatten, so kamen ihnen doch beim Offizierskorps Bedenken. Sie hielten die Offiziere für »verweichtlicht«, bemängelten die zahlenmäßige Überbesetzung der Stäbe – nach deutscher Meinung waren viele überflüssig –, und sahen später – nach dem ersten Kriegswinter 1941/42 – in den slowakischen Einheiten keine Verstärkung ihrer Ostfront, sondern, wie noch berichtet wird, eher einen Unsicherheitsfaktor[40].

Mitte September 1941 nahm die Schnelle Division unter Oberst Malár an den Kämpfen um Kiew teil, indem sie südlich der ukrainischen Metropole am Dnjepr Teile einer deutschen Division ablöste. Mit ständigem Artilleriefeuer unterbrachen die Slowaken sowjetische Versuche, den Dnjepr zu überqueren. Jetzt wurde auch die Sicherungsdivision eingesetzt. Sie zählte 8 475 Offiziere und Soldaten und verfügte über 138 Lkw, 51 Pkw, 42 Motorkrafträder, 601 Bauernkarren sowie über 2 577 Pferde. Sie sollte die von den vorrückenden deutschen Truppen bereits besetzten Gebiete säubern und absichern. Die Division − tatsächlich eher eine Brigade − verfügte lediglich über leichte Waffen.

Nach dem Fall von Kiew (19. September) wurde die Schnelle Division zur beweglichen Reserve des Oberkommandos der Heeresgruppe Süd. Über Gorodiste und Krementschug folgte sie den deutschen Truppen bis nach Magdalinowka, wo sie in die Kampfhandlungen eingriff. Sie übernahm die Rückendeckung der Panzergruppe 1, die zu dieser Zeit bereits am Ostufer des Dnjepr operierte. Kurz nach der Ankunft wurden die Slowaken nach Golubowka verlegt, wo sie bei Pereschepino die sowjetischen Angriffe abwehren mußten: Zwei sowjetische Divisionen, d. h. deren Überreste, rückten hier zum Dnjepr vor, um den deutschen Angriff an den Flanken aufzuhalten. Da die Slowaken bereits über deutsche Panzer verfügten (sie hatten sie bei Lipowic für die vernichteten tschechischen erhalten) und die Infanterie Kriegserfahrung besaß, wurde der Angriff abgewehrt. Die verbündeten Kommandobehörden waren mit den slowakischen Leistungen jetzt zufrieden. Noch zwanzig Jahre später erinnerte sich Čatloš an das Lob der Deutschen[41]. Zwei Kommandeure der Schnellen Division, die späteren Generäle Malár und Turanec, wurden mit dem deutschen Ritterkreuz ausgezeichnet.

In diesen Oktobertagen, als Regen, Sturm und Schlamm die Straßen fast unpassierbar machten, rückte die Schnelle Division nach Süden vor. Michajlowka wurde innerhalb von zwei Tagen erreicht. Dort tobten am Nordufer des Asowschen Meeres schwere Kämpfe. Von der deutschen 11. Armee und der 1. Panzerarmee wurden am 6. Oktober die inneren Flügel des großen Kessels bei Orechow, tags darauf die äußeren bei Berdjansk geschlossen, und sechs bis sieben russische Divisionen eingekesselt. Die Schlacht am Asowschen Meer endete am 10. Oktober mit der Kapitulation von fast 100 000 Rotarmisten. Die 1. Panzerarmee stieß anschließend, ohne eine Ruhepause einzuschalten, weiter nach Osten in Richtung Rostow vor. Die 11. Armee sollte nun mit sechs Infanteriedivisionen und dem rumänischen Gebirgskorps die Krim erobern.

Die slowakische Schnelle Division blieb indessen weiterhin der 1. Panzerarmee unterstellt. Mitte November gelangte sie, ziemlich »abgenützt«, nach Kalinowka. Da die Deutschen selbst einsahen, daß die Slowaken eine ausgiebige Ruhepause benötigten und der Verbandskommandeur diese seit langem forderte, übertrug man ihnen – wie ihrer Schwesterdivision in der Ukraine – Sicherungsaufgaben am Asowschen Meer, von Mariupol bis Taganrog. Hier stießen sie auf einen anderen Verbündeten Hitlers aus dem Donauraum: auf die Kroaten.

Das »verstärkte kroatische Infanterie-Regiment 369« erreichte am 25. August Jassy. Von dort aus ging es mit der deutschen 100. Leichten Division über Perwomajsk, Krementschug und Poltawa weiter in Richtung Charkow. Den ersten Einsatz erlebten die Kroaten bei Weliki, einem Ort zwischen Poltawa und Charkow. Sie wurden sogar am 26. September 1941 im Wehrmachtsbericht erwähnt: Die deutsche 6. Armee begann nach der Eroberung von Kiew damit, das wichtige südrussische Industriezentrum Charkow zu erobern. Es war der Zeitpunkt, als in Berlin die Entwicklung des deutschen Vormarsches im Osten äußerst zuversichtlich beurteilt wurde. Charkow ergab sich am 24. Oktober den Truppen von Generaloberst v. Reichenau. Mit den Deutschen zogen auch die Kroaten in die Stadt ein. Sie waren in derart schlechter Verfassung, daß das deutsche Oberkommando der Einheit eine mehrwöchige Ruhepause gewährte. Diese dauerte bis Mitte November, wurde jedoch ständig gestört, weil die Kroaten den östlichen Stadtteil von Charkow gegen Partisanen und zurückgebliebene Rotarmisten sichern mußten. Lediglich die kroatische Pionierabteilung unterstützte im November den weiteren Vormarsch der Deutschen.

Bereits zu dieser Zeit gab es im Regiment Probleme, die Oberst Markulj und dem deutschen Oberkommando nicht geringes Kopfzerbrechen bereiteten. Als man seinerzeit die Truppe in Kroatien aufstellte, hatte man sie den deutschen Militärgesetzen und somit den deutschen Feldgerichten unterstellt. Die Freiwilligen wußten zwar, daß sie in der Sowjetunion unter deutschem Kommando und in deutscher Uniform kämpfen würden, nahmen aber an, daß das Regiment in allen anderen Angelegenheiten seinen nationalen Charakter beibehalten werde. Dies war nicht der Fall. Die Mentalität des Kroaten – so schreibt Oberstleutnant a. D. Ivan Babić in einer Studie –, seine militärische Disziplin, sein Verhältnis zu den Vorgesetzten sowie sein Pflichtbewußtsein sind grundverschieden von denen eines Deutschen. Hinzu kam noch die zu kurze militärische Ausbildung. Die Deutschen hingegen seien in der Anwendung ihrer Gesetze zu streng, zu kurzsichtig und zu starr. So kam es in der Anfangsphase des Einsatzes des Regiments zu einigen Todesurteilen durch das Feldgericht. Es handelte sich meistens um Delikte, die nach dem deutschen Militärgesetz zwar »Verbrechen« waren, nach der allgemeinen Auffassung der Kroaten jedoch nur harmlose Vergehen, wie z.B. die kurze Entfernung von der Truppe, um Freunde in anderen Einheiten zu besuchen oder sich mit einer Russin zu treffen. Als die deutschen Feldgerichte diese Vergehen nach deutschem Gesetz, also mit Todesstrafe, ahndeten, erregte dies bei den kroatischen Soldaten Unwillen. Für sie war die Hinrichtung ihrer Kameraden Mord! Auf die Haltung und den Kampfgeist der Truppe wirkte sich dies natürlich »sehr negativ aus«[42]. Es vergingen Monate, bis die juristischen Praktiken geändert wurden, während natürlich die erforderliche Disziplin nicht erreicht werden konnte. Nicht ein deutscher Offizier, sondern der kroatische Regimentskommandeur wurde nun der »Gerichtsherr«, der – allenfalls in Gegenwart eines deutschen Justizoffiziers – den Gerichtshof

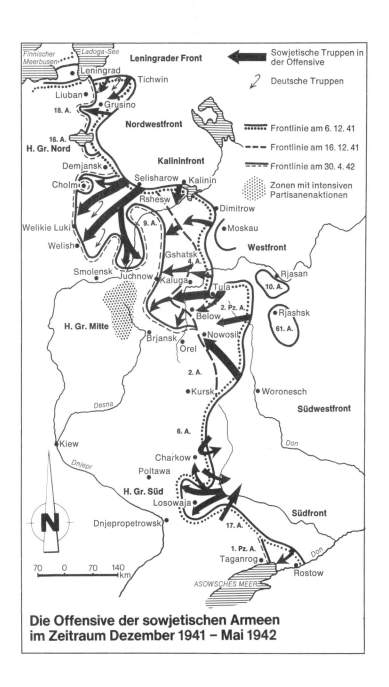

**Die Offensive der sowjetischen Armeen
im Zeitraum Dezember 1941 – Mai 1942**

ernannte, die Urteile bestätigte und die Vollstreckung oder die Begnadigung verfügte. Auf diese Weise fielen in den nächsten Monaten die (allerdings nötigen) Disziplinarverfahren etwas lassiver aus...

Die weitere Entwicklung des Kriegsgeschehens verlief dann so: Als am 17. November zwei sowjetische Armeen an den Flanken der in Richtung Rostow vorstoßenden deutschen 1. Panzerarmee überraschend zum Gegenangriff übergingen und die Stadt heftig umkämpft wurde, griffen auch die Kroaten (im Rahmen ihres deutschen Verbandes) ein. Das Regiment erhielt den Befehl, nach Stalino vorzurücken. Die Stadt wurde nach Gewaltmärschen in wenigen Tagen erreicht. Dort erfuhr man, daß die 1. Panzerarmee gezwungen gewesen war, am 28. November das bereits eroberte Rostow aufzugeben. Der Oberbefehlshaber der Heeresgruppe Süd, Generalfeldmarschall v. Rundstedt, bat Hitler wegen der prekären Lage um die Genehmigung, die Front hinter den Mius zurückzuverlegen. Es kam zu heftigen Kontroversen zwischen dem Führerhauptquartier und dem Oberkommando der Heeresgruppe Süd. Der Generalfeldmarschall wurde abgelöst. Seinen Posten übernahm der bisherige Oberbefehlshaber der 6. Armee, Generalfeldmarschall Walter v. Reichenau. Aber auch er war nicht in der Lage, die Stellungen zu halten. Am 1. Dezember 1941 telefonierte er mit dem Führerhauptquartier: »Der Russe bricht in die überbeanspruchte deutsche Front ein. Wenn eine Katastrophe vermieden werden soll, muß die Front verkürzt, das heißt zurückverlegt werden... Es geht nicht anders, mein Führer!« Hitler, der sich in diesen Tagen ausschließlich mit der Schlacht um Moskau beschäftigte, willigte schließlich ein. Rostow wurde aufgegeben, und die Deutschen zogen sich hinter den Mius zurück.

Dies war der erste schwere Rückschlag für die deutsche Wehrmacht im Ostfeldzug. Allerdings hatte er noch keine katastrophalen Folgen; denn die Mius-Front konnte gehalten werden. Somit blieb auch der größte Teil des Donezgebietes, um das in den vorangegangenen Wochen neben Deutschen auch

Rumänen, Italiener, Slowaken, Ungarn und Kroaten gekämpft hatten, weiterhin von der deutschen Wehrmacht besetzt.

Der Sonderfall Finnland

Während die deutschen Truppen und ihre Verbündeten im Südabschnitt der Ostfront unbehindert vorrückten und bereits nach Monaten große Gebiete besetzen konnten, war die Lage in Karelien problematischer.

Dem im äußersten Norden, im Raum Petsamo, stationierten deutschen Gebirgskorps des Generals Dietl, das nach einem schnellen Vormarsch das etwa 100 Kilometer östlich gelegene Murmansk (mit Hafen und Bahnhof) erobern sollte, gelang der Durchbruch nicht. Die ungewöhnlichen geographischen und klimatischen Verhältnisse sowie der erbitterte Widerstand der Roten Armee brachten Dietls Vormarsch bereits nach etwa 24 Kilometern zum Erliegen. Auch dem benachbarten 36. Armeekorps (zwei deutsche und eine finnische Division) erging es nicht besser. Die am 1. Juli begonnene Offensive gegen Kandalakscha (eine Stadt am nordwestlichsten Zipfel des Weißen Meeres) schlug fehl. Das unwegsame und dicht bewaldete Gelände ließ weder den Einsatz der Luftwaffe noch der Panzer (die ohnehin kaum vorhanden waren) zu. Am erfolgreichsten operierten die Truppen des finnischen 3. Armeekorps unter General Siilasvou: Sie rückten in den ersten Augustwochen im Mittelabschnitt der karelischen Front um etwa 60 Kilometer vor. Ihr Angriffsziel, das sowjetische Städtchen Louhi, erreichten sie jedoch nicht.

Die ersten Unstimmigkeiten zwischen der deutschen und der finnischen militärischen Führung gab es bereits im Juli. General von Falkenhorst verlangte von den Finnen immer wieder die Bewältigung von Aufgaben, die für die deutschen Truppen – angesichts der Besonderheiten des Kriegsschauplatzes – zu schwierig war. Der finnische Soldat war sowohl mit den Verhältnissen allgemein als auch mit der in Karelien speziell erforderlichen Taktik bestens vertraut. Wenn auch seine Bewaffnung nicht so modern war wie diejenige der Deutschen, so hatte er in anderen Bereichen eindeutige Vorteile. Unübersichtlichkeit und Unwegsamkeit des Geländes stellten die deutschen Soldaten, die vielfach in Städten aufgewachsen waren, vor fast unlösbare Probleme. Der Vormarsch war an die wenigen schlechten Fahrwege gebunden, auf denen nur leichte Karren und Schlitten verkehren konnten. Hinzu kamen die langen Tage und die kurzen Nächte (in denen die Soldaten kaum Schlaf fanden), das unwirtschaftliche Land mit seinen Seen und Sümpfen, die Scharen von Mücken und – nicht zuletzt – die endlosen Wälder, die sich auf die Psyche der Deutschen negativ auswirkten[43].

Der deutsch-finnischen Offensive des Jahres 1941 schadete es, daß es deutscherseits kein klares strategisches Ziel gab. Auch die Aufteilung des Kriegsschauplatzes in einen OKW- und einen OKH-Bereich hemmte die Operationen. Im Raum von Leningrad legte das Oberkommando des Heeres (OKH) auf die Vereinigung mit den Finnen am Swir oder weiter südlich zwischen Swir und Wolchow besonderen Wert. Währenddessen hatte der dem Oberkommando der Wehrmacht (OKW) unterstellte deutsche Oberbefehlshaber in Nordfinnland, General v. Falkenhorst, sein Augenmerk auf die Murmansk-Bahn gerichtet, die für die Übersee-Transporte der Sowjetunion strategisch äußerst wichtig war.

An dieser Offensive sollten sich um so mehr finnische Truppen beteiligen, je schwieriger die Situation wurde. So gestalteten sich die deutsch-finnischen Militär-Beziehungen von Anfang an ganz anders als etwa die deutsch-rumänischen an der Ostfront. Mit Recht bemerkt der britische Oberst und Kriegshistoriker Albert Seaton in seinem Buch über den deutsch-sowjetischen Krieg, daß die Eigenart der militärischen Koalition im Norden der Ostfront schon dadurch offenbar wurde, daß, während »an anderen Frontabschnitten deutsche Truppen dazu verwendet wurden, die Operationen der Verbündeten zu

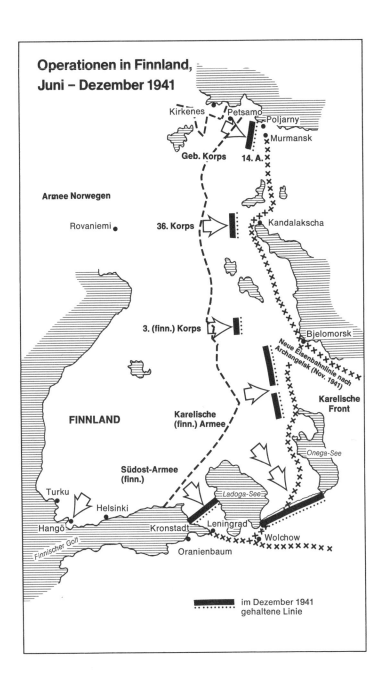

Operationen in Finnland, Juni – Dezember 1941

Kirkenes
Petsamo
Poljarny
Murmansk

Geb. Korps 14. A.

Armee Norwegen

Rovaniemi

36. Korps Kandalakscha

3. (finn.) Korps Bjelomorsk

Neue Eisenbahnlinie nach Archangelsk (Nov. 1941)

Karelische Front

FINNLAND

Karelische (finn.) Armee

Onega-See

Südost-Armee (finn.)

Turku

Helsinki

Ladoga-See

Hangö

Kronstadt Leningrad

Finnischer Golf

Oranienbaum

Wolchow

im Dezember 1941 gehaltene Linie

unterstützen, in Nord- und Mittelfinnland oft finnische Truppen das Rückgrat der Deutschen waren – und so peinlich das auch sein mochte, die Deutschen mußten es auch sehr bald zugeben[44]!«

Wie gestaltete sich die Lage indessen in Südost- und Südfinnland?

Die Richtlinien für die Offensive der finnischen Armee nördlich des Ladogasees legte das Hauptquartier Mannerheims am 28. Juni fest. Mit zwei Armeekorps (dem 6. und 7.) und einer Sondergruppe wurde die »Karelische Armee« gebildet. Sie verfügte über sechs Divisionen mit zahlreichen Spezialeinheiten. Zum Befehlshaber der Armee wurde der bisherige Chef des Generalstabes, General Heinrichs, ernannt. Endziel der Operation waren der Fluß Swir und der Onegasee – das bedeutete die Überschreitung der Grenzen von 1939[45]. Während der Umgruppierung der Finnen traf, von Norwegen kommend, eine deutsche Infanterie-Division im Süden ein, die man in Berlin der finnischen Armee als Verstärkung zugedacht hatte. Mannerheim hielt diese Maßnahme für nicht sehr glücklich: »Daß mir eine fremde Truppe unterstellt wurde, deren Ausrüstung und Ausbildung kaum den Anforderungen eines Krieges in der Wildnis entsprach – sagte mir nicht zu[46]!«

Wesentlich mehr Soldaten besaß die finnische »Südostarmee«, die ebenfalls über zwei Armeekorps, das 2. und 4., verfügte und aus acht Divisionen bestand. Ein Teil der deutschen 163. Infanterie-Division bildete die Reserve.

Die finnischen Operationen eröffnete am 10. Juli die Karelische Armee. Sie verliefen anfänglich sehr erfolgversprechend. Bei trockenem Wetter konnten die Finnen innerhalb einer Woche um mehr als 100 Kilometer vorrücken. Die sowjetische 7. Armee mußte zurückweichen: Die Kämpfe brachten beiden Seiten große Verluste. Mitte August erreichte General Heinrichs die alte finnisch-sowjetische Grenze und überschritt sie sogar an einigen Stellen. Daraufhin stellte die Karelische Armee ihre Offensive ein und ging zur Verteidigung über. Am 31. Juli erteilte Feldmarschall Mannerheim der Südostarmee den

Befehl zum Angriff. Damit begann die zweite Phase der finnischen Offensive. Ziel war die karelische Landenge zwischen Ladogasee und Finnischem Meerbusen in Richtung Leningrad. Nach verlustreichen Kämpfen gelang es den Finnen, innerhalb von vier Wochen das gesamte Gebiet, das vor 1939 zu Finnland gehörte, zurückzuerobern. Am 29. August zogen die Truppen des 4. Armeekorps unter General K. L. Oesch in Wiborg, der bedeutendsten Stadt der karelischen Landenge, ein.

Die Finnen standen zu diesem Zeitpunkt weniger als 50 Kilometer vor den Vorstädten Leningrads. Im Auftrag Hitlers wandte sich Generalfeldmarschall Keitel in einem Brief an Mannerheim und bat ihn, den Vormarsch seiner Truppen auf beiden karelischen Landengen östlich und westlich des Ladogasees fortzusetzen, um Leningrad von Norden her einschließen bzw. die Verbindung mit den deutschen Truppen, die von Süden her zur nördlichen Metropole der Sowjetunion vordrangen, herstellen zu können.

Diese Bitte Hitlers zu erfüllen, war jedoch für die Finnen – sowohl für Mannerheim als auch für die Regierung – nicht nur militärisch relevant. Finnlands politische Situation hatte sich nach dem 22. Juni 1941 wesentlich verändert: Spannungen mit dem neutralen Schweden, Unstimmigkeiten mit den Vereinigten Staaten von Amerika und vor allem ein offener Bruch zwischen Helsinki und London wurden akut. Großbritannien war seit langem nicht nur ein bedeutender Handelspartner Finnlands, sondern darüber hinaus mit diesem Land eng befreundet. Aber nachdem die britische Regierung im Juli 1941 mit Stalin ein Kriegsbündnis geschlossen hatte, verlangten sowohl die sowjetische als auch die deutsche Regierung einen völligen Bruch Helsinkis mit London. Danach verschlechterten sich die Beziehungen zwischen beiden Ländern innerhalb von sechs Wochen rapide. Am 30. Juli 1941 bombardierten sogar Flugzeuge der Royal Air Force den finnischen Eismeerhafen Liinahamari. Trotzdem unternahm der britische Gesandte noch am 1. August den Versuch, den Abbruch der diplomatischen Beziehungen zu vermeiden – vergeblich. Dieser erfolgte am selben Tag – auch wenn (vorläufig) der Krieg nicht erklärt wurde. Die Regierung des Ministerpräsidenten J. W. Rangell wiederholte dabei ihre außenpolitischen Leitlinien: Sie führe gegen die Sowjetunion nur einen Verteidigungskrieg und beabsichtige auch nicht, sich an den übrigen militärischen Auseinandersetzungen in Europa zu beteiligen!

In diesem Sinne äußerte sich im August auch Außenminister Witting gegenüber den Rumänen, als der Gesandte Antonescus in Helsinki versuchte, eine gewisse Gemeinsamkeit zwischen Rumänien und Finnland, »den beiden Flügeln der großen gemeinsamen Front gegen Rußland«, zu konstruieren. Witting gab ihm zu verstehen, daß Finnland auf dem Balkan keine politischen Interessen habe. Das Land stütze sich auf Deutschland – im Krieg gegen die Sowjetunion. Schweden sei ein Bruder, an den man sich, wenn nötig, immer wenden könne. Die übrige Welt interessiere Finnland kaum, da es sich in Zukunft voll auf die wirtschaftliche Entwicklung seiner Ostgebiete konzentrieren müsse[47].

Die Interessen der Anti-Hitler-Koalition gegenüber Finnland vertraten, wenn auch offiziell, die USA, damals noch ein neutraler Staat. Am 18. August 1941 teilte der Unterstaatssekretär der Vereinigten Staaten von Amerika, Sumner Welles, dem Gesandten Finnlands in Washington, Botschafter Hjalmar J. Procopé, mit, daß die Regierung der Sowjetunion bereit sei, den Kriegszustand zwischen den beiden Ländern sofort zu beenden. Ein Friedensvertrag mit territorialen Zugeständnissen an Helsinki könne ausgehandelt werden[48]. – Die finnische Regierung nahm dieses Angebot jedoch nicht an. Die Gründe waren vielfältiger Natur. Sicher spielte auch eine Geheimmeldung aus Washington eine große Rolle, wonach der amerikanische Generalstab die Meinung vertrat, die Rote Armee sei praktisch besiegt, die Ukraine falle spätestens Ende August vollständig in die Hände der Wehrmacht und die Deutschen seien in der Lage, noch vor Einbruch des russischen Winters die Linie Onegasee–Astrachan zu erreichen. Tatsächlich schätzte man dagegen im State Department Stalins Widerstandskraft höher ein und rechnete damit, daß zur Niederwerfung der Sowjetunion Deutschland sicherlich noch einen Winterfeldzug benötige[49]!

Zwei Monate waren vergangen, seit Finnlands Krieg mit der Sowjetunion begann. Seine Armee schlug sich – auch nach deutschen Berichten[50]! – hervorragend, und die Stimmung an der Front war gut. Am 1. September entschloß sich Feldmarschall Mannerheim (nachdem Wiborg zurückerobert worden war), die finnisch-sowjetische Grenze von 1939 auch auf der karelischen Landenge zu überschreiten und hier so weit vorzudringen, daß eine strategisch günstigere, vor allem aber weniger strapaziöse Frontlinie bezogen werden konnte. Dies bedeutete, Hitlers Vorstellungen – Leningrad von Norden her einzuschließen – bis zu einem gewissen Grad entgegenzukommen, wenn auch eine vollständige Besetzung des Ufers des Ladogasees östlich Leningrads nicht geplant war. Da diese Frage in erster Linie politischer Natur war, besprach Mannerheim diese Maßnahme mit Staatspräsident Ryti. Beide waren sich darin einig, daß die finnischen Truppen an der unmittelbaren Belagerung Leningrads nicht teilnehmen sollten[51]! Dies war eine kluge Entscheidung, welche die Russen später zugunsten der Finnen auslegten[52]. Die Deutschen waren natürlich damit nicht einverstanden. Am 4. September suchte General Jodl den finnischen Oberbefehlshaber in Mikkeli auf und versuchte, diesen von der Notwendigkeit einer Teilnahme an der Belagerung Leningrads zu überzeugen. »Ich wich von meiner früheren Haltung nicht ab«, berichtete Mannerheim. »General Jodl, der offenbar mit strengen Direktiven ausgerüstet war, brach schließlich in die Worte aus: ›Aber tun Sie doch *etwas*, um uns entgegenzukommen[53]!‹«

Im September kam es zu einer finnischen Ernüchterung hinsichtlich eines deutschen Blitzsieges in Rußland. Mannerheims Tagesbefehl vom 3. September – »Die Grenze ist erreicht, es wird weitergekämpft!« – bewies jedoch der Bevölkerung, daß der sogenannte Fortsetzungskrieg keine rein finnische Angelegenheit war. Eine gewisse Kriegsmüdigkeit machte sich im Hinterland bemerkbar, und Ernährungsprobleme entstanden, die man nur mit deutschen Lieferungen mildern konnte. Am 12. September schrieb die finnische Zeitung »Nya Argus«: »Finnland ist von neuem in den Wirbel der Großmächte-Politik hineingerissen worden. Mit uns ist ein Spiel getrieben worden: Wir haben auf den Verlauf des Spiels keinen Einfluß ausüben können...« Und das Organ der finnischen Armee, »Vapenbrodern«, betonte: »Für Deutschland ist der Krieg gegen Rußland nur ein Glied in einem größeren Zusammenhang... England ist immer noch der Hauptfeind Deutschlands, und hinter England ist auch schon Amerika mit seiner gewaltigen Aufrüstung sichtbar... Wir in Finnland haben nicht die geringste Veranlassung, unseren Kampf in weltgeschichtlicher Perspektive zu sehen. Für uns ist der Krieg zu Ende, wenn unsere Ostgrenze gesichert und wir zurückgewonnen haben, was uns 1940 geraubt wurde... Dann tauschen wir das Gewehr wieder gegen Pflug und Maurerkelle und beweisen in zäher Arbeit unseren Friedenswillen und unsere Neutralität!«

Insbesondere die Armee spürte die Lasten des Krieges. Das kleine, kaum vier Millionen Einwohner zählende Volk hatte im September bereits mehr als 500000 Menschen zu den Streitkräften eingezogen (Hilfstruppen mitgerechnet), was bedeutete, daß etwa 12,5 Prozent der Bevölkerung aktiv am Krieg beteiligt waren. Die Verluste wuchsen Tag für Tag. Mannerheim sah sich daher veranlaßt, jeden vierten Zug der Infanterie-Kompanien aufzulösen, um so die Ausfälle wettzumachen. Obwohl bereits im September die 19jährigen Wehrfähigen einberufen worden waren, plante der Generalstab die Auflösung einer ganzen Division, um mit den freiwerdenden Kräften die Fronttruppen zu verstärken. Diese Maßnahmen wurden auch Generalfeldmarschall Keitel in einer Denkschrift mitgeteilt[54].

Zur selben Zeit ließ Außenminister Witting den deutschen Botschafter in Helsinki wissen, daß seine Regierung Deutschland bewußt nicht als »Verbündeten«, sondern als »Waffenbruder« bezeichne, da ja kein Kriegsbündnis bestünde und (was noch wichtiger sei) weiterhin an der Theorie des eigenen Verteidigungskrieges festgehalten werde, was wegen der innenpolitischen Situation des Landes nötig sei[55].

Als der deutsche Botschafter um nähere Erläuterungen bat, erhielt er die Antwort: Die Finnen als kleines Volk können doch mit den Deutschen nicht bis Persien marschieren! Sie werden an einer bestimmten Stelle den Vormarsch einstellen, sich dort eingraben und die Armee teilweise demobilisieren, um mit den frei gewordenen Kräften das Wirtschaftsleben des Landes zu konsolidieren! Man sprach in diesem Zusammenhang statt von umgerechnet 19 Divisionen nur noch von 8 mobilen Verbänden, also von etwa 140 000 bis 150 000 Soldaten, welche die Ostgrenzen sichern sollten.

Während Feldmarschall Mannerheim die Grenzen des finnischen militärischen Engagements einigermaßen nüchtern sah, waren nicht wenige Politiker des Landes geneigt, den deutschsowjetischen Krieg bereits als gewonnen zu betrachten. Gebietsansprüche wurden laut, die weit über die ursprünglichen Ziele Finnlands hinausgingen: Man erhob Anspruch auf ganz Ostkarelien und legte die zukünftigen Grenzen »Groß-Finnlands« im Süden am Ladogasee, am Swir und am westlichen Teil des Onegasees fest. Eine großangelegte Volksumsiedlung wurde geplant, in deren Rahmen finnische Bevölkerungsschichten aus anderen Bezirken der Sowjetunion den Wohnsitz wechseln sollten.

Sogar die Regierung ließ sich im Herbst 1941 zu Wunschträumen verleiten. Als Staatspräsident Ryti Ende Oktober in Helsinki den persönlichen Gesandten Ribbentrops, Karl Schnurre, empfing, war er bei der Definition der territorialen Kriegsziele seines Landes nicht kleinlich. Er erhob nicht nur auf ganz Karelien und die Halbinsel Kola Anspruch. Nach seiner Meinung sollte die Newa Grenzfluß werden, wobei Leningrad als Industrie- und Großstadt zu »verschwinden« habe. Die Metropole sollte lediglich als deutscher Handels- und Umschlagplatz dienen. Und da er in Zukunft keine gemeinsame Grenze mit der UdSSR wünschte, empfahl der Staatspräsident den

Deutschen, das Gebiet östlich der neuen finnischen Grenzlinie (also Archangelsk) als »Wald-Kolonialgebiet« direkt von Berlin aus zu verwalten[56].

Zum Zeitpunkt dieser Äußerungen hatte die Regierung Rangell Sondierungen des amerikanischen Staatssekretärs in Sachen Separatfrieden zwischen Moskau und Helsinki bereits abschlägig beschieden. Auch die britische »Warnung« vom 24. September, die Finnland »im Interesse der beiden Völker« nahelegte, zu den alten Grenzen zurückzukehren und den Krieg mit der Sowjetunion zu beenden, wurde offiziell nicht beachtet: Die finnische Armee stand zu dieser Zeit bereits an mehreren Stellen auf altrussischem Gebiet – sogar über der Hauptstadt Ostkareliens am Onegasee, Petrosawodsk, wehte die Nationalflagge Suomis!

Die Siege konnten jedoch die Probleme der Armee nicht lösen. Die Zahl der Toten, die Opfer des »Winterkrieges« von 1939/40 mitgerechnet, belief sich bis Oktober 1941 auf 22 000. Mit anderen Worten: mehr als 0,5 Prozent der Bevölkerung verlor ihr Leben auf den Schlachtfeldern. Auch die Volkswirtschaft reagierte empfindlich auf die fehlenden, dringend benötigten Arbeitskräfte. Der inzwischen zum Generalleutnant beförderte Heinrichs, Oberbefehlshaber der Karelischen Armee, sah besorgt in die Zukunft. Er plädierte dafür, daß in kürzester Zeit mindestens 250 000 Soldaten wieder in das Erwerbsleben zurückkehrten, damit die Volkswirtschaft wieder normal funktionierte.

London, Leningrad und Berlin waren in den nächsten Wochen für die Finnen die Nervenzentren. Die britische Warnung war nicht ohne Wirkung geblieben: Als Leningrad beim ersten Ansturm der Deutschen im Herbst 1941 nicht genommen werden konnte, lehnte Mannerheim das Begehren Hitlers ab, mit finnischen Truppen über den Swir vorzustoßen und die deutsche Wehrmacht bei Tichwin zu unterstützen. Mannerheim berichtet: »Der Einbruch des Winters machte sich bemerkbar, und am 10. Dezember verließen die Deutschen Tichwin. Damit war die lange umstrittene Frage eines Vormarsches in dieser Richtung aus der Welt geschafft[57]!«

Mitte Dezember wurde die Karelische Armee angewiesen, alle Angriffsoperationen einzustellen und sich auf einen dauerhaften Defensivkrieg vorzubereiten. Bereits jedoch Ende November kam es am gesamten karelischen Frontabschnitt zum Stellungskrieg. Auch die Deutschen gruppierten ihre Verbände um, nachdem auf Anweisung Hitlers die weitere Offensive des Gebirgskorps in Richtung Murmansk eingestellt worden war. General v. Falkenhorst plante jedoch mit finnischer Verstärkung einen Angriff im Abschnitt Kandalakscha. Aber Mannerheim war damit nicht einverstanden. Er berief sich auf die Erfahrungen seiner Truppen in einem Winterkrieg im hohen Norden und empfahl als Zeitpunkt für die neue Offensive die erste Märzhälfte 1942, wenn die Schneeverhältnisse entsprechend günstig waren. Indessen nahmen die politischen Ereignisse ihren Lauf. Am 25. November trat Finnland mit anderen europäischen in irgend einer Form von Deutschland abhängigen Staaten dem Antikominternpakt bei. Zwei Wochen später, am 6. Dezember, traf in Helsinki die Kriegserklärung Großbritanniens ein – zwar auf sowjetischen Druck – aber auch wegen der erfolglosen Bemühungen Londons, Finnland zu einer Kriegseinstellung zu bewegen.

Der 6. Dezember ist der Nationalfeiertag Finnlands. Diesen Anlaß benutzte der Reichstag, um in feierlichem Rahmen die von den Sowjets zurückeroberten Territorien wieder ins finnische Staatsgebiet einzugliedern, zumal in diesen Tagen auch über Hangö die Nationalflagge gehißt werden konnte. Die sowjetische Besatzung räumte die Halbinsel freiwillig, als die strategische Lage ein weiteres Ausharren überflüssig machte. Mannerheim war, wie er in seinen Memoiren schreibt, von der Richtigkeit des Staatsaktes nicht überzeugt. »Wenn diese Maßnahme auch die Stimmung für den Augenblick erhöhte, war doch vorauszusehen, daß sie im Ausland Kritik hervorrufen und uns beim Friedensschluß Demütigungen aussetzen würde[58].«

Ende 1941 war das kleine Finnland mit zahlreichen Problemen konfrontiert. Der Krieg im Osten, den Hitler bereits im

September für gewonnen hielt, zog sich hin. Ein Ende war nicht abzusehen. Für einen Dauerkrieg war Finnland jedoch nicht gerüstet. Seine Armee hatte eine große Leistung vollbracht, was auch von den Deutschen anerkannt wurde, aber die Verluste an Menschen und Material waren erheblich. Außerdem kam es zu Ernährungsschwierigkeiten, und in den Städten fehlte es an Heizmaterial, ein Mangel, der nicht durch deutsche Lieferungen behoben werden konnte. Zwar hatte die finnische Regierung ihre territorialen Ziele erreicht und somit die nachteiligen Bestimmungen des Moskauer Friedensvertrages vom Frühjahr 1940, wenn auch einseitig, annulliert, doch eine endgültige Lösung war das nicht. Der deutsche Gesandte v. Blücher schrieb später: »Es konnte kein Zweifel darüber bestehen, daß der Wunsch nach baldiger Beendigung des Krieges... nach nur sechsmonatiger Dauer des Feldzuges in verschiedenen Kreisen des Volkes Einzug hielt[59].«

V. Sieg und Niederlage

Als das Jahr 1941 zu Ende ging, mußte man in Berlin feststellen, daß keine der Voraussagen Hitlers über den mutmaßlichen Verlauf des Ostfeldzuges eingetroffen war. Die Archangelsk-Astrachan-Linie wurde nicht erreicht, Moskau und Leningrad – die größten Metropolen der Sowjetunion – wurden nicht eingenommen, und die Rote Armee wurde keineswegs vernichtend geschlagen. Es schien sogar, als ob die Kraft der sowjetischen Streitmacht zugenommen habe: Ihre Abwehr verstärkte sich, und Ende November/Anfang Dezember 1941 führte die Rote Armee sogar eine Reihe Angriffe durch, die mehr als nur lokalen Charakter hatten.

Im Norden mußten die Deutschen Tichwin aufgeben und sich hinter den Wolchow zurückziehen. Am 5. Dezember ging die Kalinin-Front (Heeresgruppe) unter Generalleutnant J. S. Konjew zum Angriff über und zwang ihren Gegner – das Oberkommando der Heeresgruppe Mitte –, die Offensive ihrer Panzerarmeen gegen Moskau einzustellen. Tags darauf erfolgte ein Großangriff der sowjetischen Westfront. Über hundert Divisionen (darunter frische Truppen aus Sibirien) zerstörten Hitlers Wunschtraum, Moskau bis zum Jahresende einzunehmen. Tula mußte geräumt und die Stadt Kalinin aufgegeben werden. Truppen der sowjetischen Südfront durchbrachen bei Liwny die Hauptkampflinien der 2. deutschen Armee und befreiten die Stadt Solnetschogorsk. Erstmals während des Ostfeldzuges war nun Hitler gezwungen, »an die Soldaten der Ostfront« einen Sonderaufruf zu richten, um sie zu »fanatischem *Widerstand*« aufzufordern!

Erfolgsmeldungen des Ostheeres erreichten Berlin nur von der Krim. Hier gelang es Generaloberst Erich von Mansteins

11. Armee, in der sich auch rumänische Truppen befanden, bis Mitte November die ganze Krim bis auf das Festungsgebiet von Sewastopol zu erobern. Durch eine Offensive versuchte er nun auch dieses letzte Bollwerk der Russen auf der Krim zu nehmen. Doch Regen und Frost, aber auch die Abwehrstärke der Verteidiger Sewastopols, vereitelten dies. Ein paar Tage, nachdem v. Manstein am 17. Dezember mit der Artillerievorbereitung der unmittelbaren Belagerung begonnen hatte, erreichte ihn die Hiobsbotschaft: Für Feind und Freund gleichermaßen überraschend, waren sowjetische Truppen bei Kertsch und Feodosia gelandet, wo deutsche Abwehrkräfte vorerst fehlten. Selbst Kertsch mußte in der Folge aufgegeben und die Belagerung von Sewastopol, wenn auch nur vorübergehend, eingestellt werden (wobei bereits eroberte Gebiete wieder preisgegeben wurden).

Die Verlustziffern der Ostfront sprachen indessen für sich: Die deutsche Wehrmacht verlor vom 22. Juni bis Ende November 1941 insgesamt 162314 Tote. Außerdem gab es 571767 Verwundete und 33334 Vermißte[1]. Die Panzerdivisionen wurden durch Feindeinwirkung, viel mehr jedoch durch Verschleiß stark dezimiert. Die Luftwaffe hatte seit Beginn des Kampfes gegen die Rote Armee 758 Bomber, 568 Jäger und 767 andere Flugzeuge verloren. Beschädigt wurden weitere 1200 Maschinen[2]! Über diese Tage – die erste Krise der deutschen Wehrmacht in der UdSSR – berichtete Generaloberst Halder in seinem Tagebuch wie folgt: »... Die Leute (gemeint ist Hitler und sein OKW) haben keine Ahnung von dem Zustand unserer Truppen und bewegen sich mit ihren Gedanken in luftleerem Raum... Der Oberkommandierende des Heeres (Brauchitsch)... zum Führer bestellt... Aussprache... in welcher der Führer nur mit Vorwürfen und Schmähungen um sich warf und unüberlegte Befehle gab...[3]«

Für die harten Rückschläge im Osten machte Hitler in erster Linie die Generalität verantwortlich. Generalfeldmarschall Brauchitsch mußte seinen Abschied nehmen. Zu seinem Nachfolger als Oberbefehlshaber des Heeres ernannte sich Hitler selbst. (»Das bißchen Operationsführung kann jeder machen. Die Aufgabe des Oberbefehlshabers des Heeres ist, das Heer nationalsozialistisch zu erziehen. Ich kenne keinen General des Heeres, der diese Aufgabe in meinem Sinne erfüllen könnte...«) Eine Reihe von höheren Posten der militärischen Führung wurde umbesetzt. Zwei Heeresgruppen-Oberbefehlshaber mußten aus »Erholungsgründen« zurücktreten, die drei Panzerarmeen der Heeresgruppe Mitte erhielten zur Jahreswende neue Oberbefehlshaber, Armeeoberkommandierende wurden ausgewechselt, Kommandierende Generäle abgelöst oder gar – wie im Falle des Generalleutnants Graf Sponeck, der seine Stellungen am 29. Dezember bei Kertsch wegen der prekären Lage eigenmächtig aufgegeben hatte – vor ein Kriegsgericht gestellt und abgeurteilt.

Bezeichnenderweise hatte die Krise an der Ostfront die Kampfmoral des deutschen Ostheeres nicht beeinträchtigt. Für die Soldaten stand während der schweren Wintermonate 1941/42 unverrückbar fest, daß es sich bei den Rückschlägen lediglich um eine witterungsbedingte Erscheinung handle (man maß Temperaturen bis zu 38 Grad unter Null!), und auch, daß »General Winter Stalin rettete« und daß mit dem Beginn der warmen Jahreszeit die Wehrmacht wieder zur Offensive übergehen werde. Diese Überzeugung – so berichten uns einstimmig ehemalige Generäle der Ostfront – war von großem Wert für die Moral der Truppe. Während in den ersten Wochen des Jahres 1942 der sowjetische Ansturm gegen die wiedergefestigten und teilweise hinter die sogenannten Winterstellungen zurückgenommenen deutschen Linien allmählich zum Stillstand kam, dachte man im Führerhauptquartier schon an die Vorbereitungen des kommenden Sommerfeldzuges, der den »endgültigen Sieg« über Stalin bringen sollte.

Immerhin hatte man im Führerhauptquartier erkannt, daß die eigenen Kräfte nicht mehr für eine Offensive an der *ganzen* Ostfront ausreichen konnten. Das Schwergewicht der Operationen – so entschied Hitler – sollte daher auf den Südabschnitt der Front konzentriert werden. »Das Ziel ist«, so steht es in der

»Weisung Nr. 41« des Führers und Obersten Befehlshabers der Wehrmacht vom 5. April 1942, »die den Sowjets noch verbliebene lebendige Wehrkraft endgültig zu vernichten und ihnen die wichtigsten kriegswirtschaftlichen Kraftquellen soweit als möglich zu entziehen… Unter Festhalten an den ursprünglichen Grundzügen des Ostfeldzuges kommt es darauf an, *bei Verhalten der Heeresmitte, im Norden Leningrad zu Fall zu bringen und die Landverbindung mit den Finnen herzustellen, auf den Südflügel der Heeresfront aber den Durchbruch in den Kaukasusraum zu erzwingen*[4].« Laut Hitler lag das wirtschaftliche Schwergebiet der Sowjetunion im Südabschnitt der Ostfront; hier konzentrierten sich fast die gesamten bisher erschlossenen Kohle- und Erdölvorkommen des Landes, hier war der wesentliche Teil der gegnerischen Schwerindustrie konzentriert. Das Donezbecken mit dem Kohlerevier von Schachty war das erste, der Kaukasus mit den Erdölgebieten von Maikop, Grosny und Baku das zweite Ziel der Offensive, wobei Hitler natürlich auch auf die Einnahme der schmalen Landbrücke zwischen Don und Wolga bei Stalingrad Wert legte.

Die Operation »Blau« und die Verbündeten

Als die deutsche Front im Osten Ende Februar 1942 – trotz der Preisgabe großer Gebiete – wieder gefestigt werden konnte, betrugen die Verluste der Truppen bereits mehr als eine Million Mann. Das waren 31 Prozent des Truppenbestandes vom 22. Juni 1941. Zu den Verlusten zählten mehr als 33 000 Offiziere! Der Frühling brachte jedoch neue Hoffnung auf den Sieg. Der Eintritt der Vereinigten Staaten von Amerika in den Krieg veränderte zwar die Weltlage, die Tatsache aber, daß Japan Kampfgefährte der »Achse« wurde, erschien der deutschen Öffentlichkeit als eine merkliche psychologische Entlastung[5]. Die zunehmenden Verluste der Wehrmacht – die Ostfront erwies sich als eine »Totenmühle« – machten den Ersatz verlorener Kontingente immer schwieriger. Die neu aufgestellten und teilweise aufgefrischten Divisionen schienen für den angestrebten Erfolg des Sommerfeldzuges – Operation »Blau« genannt – nicht auszureichen. Daher sollten die Bundesgenossen – vor allem die Rumänen, Ungarn und Italiener – in die Bresche springen und im Hinblick auf die so weit gesteckten exzentrischen Ziele Hitlers mit größeren Militärkontingenten an dem geplanten Unternehmen teilnehmen. Ihnen war grundsätzlich die Rolle zugedacht, das vom deutschen Heer eroberte Gelände zu halten, wodurch deutsche Truppen für weitere Angriffshandlungen frei werden sollten.

Hatten sich die befreundeten Regierungen 1941, zu Beginn des Ostfeldzuges, im allgemeinen mit Begeisterung oder jedenfalls ohne größere Schwierigkeiten zur Teilnahme an einem »Marsch nach Osten« bereit erklärt, so war nun, da Hitler ihren vermehrten Einsatz forderte, die Situation bereits verändert. Die Illusion von einem Blitzkrieg bzw. Blitzsieg in Osteuropa war ihnen genommen worden, und auch wenn sie das Ausmaß der Krise und der Verluste der deutschen Wehrmacht im Winterfeldzug 1941/42 noch nicht erkennen konnten, war eine deutliche Spaltung zwischen den politischen und militärischen Interessen bemerkbar. Während die Militärs versuchten, sich nach Möglichkeit von einem weiteren Engagement in Rußland zurückzuziehen, unterstützten die Politiker das Begehren der Deutschen.

Die erste Initiative, die »Einladung« zum Feldzug 1942, kam von Hitler. Am 29. Dezember 1941 richtete er an Mussolini, Antonescu und v. Horthy persönliche Briefe, in denen er die allgemeine politische Lage aufzeichnete, Rechenschaft über Erfolge und Mißerfolge – aus seiner Sicht – des Winterfeldzuges ablegte und – ohne Daten oder Orte zu nennen – über seine unmittelbar bevorstehenden Feldzugspläne berichtete. »Die bolschewistische Riesenarmee hat in diesem Jahr so ungeheure Vernichtungsschläge erhalten«, schrieb er dem Duce, »daß sie sich davon niemals mehr, weder personell noch materiell, erholen wird!« Und er fuhr fort: »Die Vorbereitungen zur Fortführung des Vernichtungskrieges im Frühjahr sind im vollen Gange. Ich halte die restlose Vernichtung dieses Gegners, Duce, für eine der entscheidensten Voraussetzungen zum endgültigen erfolgreichen Gewinn dieses Krieges. Ich bin Ihnen sehr dankbar, daß Sie mir von sich aus, Duce, angeboten haben, zwei weitere italienische Korps im Osten einzusetzen.* Es wird sich daraus die Möglichkeit ergeben, eine komplette italienische Armee zu bilden, der ich die eventuell noch erforderlichen deutschen Verbände unterstellen werde. Ich darf Sie, Duce, aber auf etwas schon jetzt hinweisen: daß nämlich der Abtransport dieser Divisionen in einer Zeit erfolgen müßte, die noch vor dem Beginn der Schneeschmelze liegt, da mit ihrem Eintritt für etwa 4 bis 6 Wochen lang jede Bewegung unmöglich wird. Ich halte es aber für notwendig, sofort mit dem Beginn des Abtrocknens wieder zur Offensive überzugehen[6].«

Hitlers Brief an Marschall Antonescu war in einem sehr freundschaftlichen Ton abgefaßt. Er sprach den Adressaten nicht nur als »Eure Exzellenz«, sondern auch als »Kampfgenosse« an. »Ich bin glücklich darüber, in Ihnen einen jener Männer zu wissen, die die Unausbleiblichkeit der Auseinandersetzung mit dem Bolschewismus erkannt haben«, schrieb er und schilderte die Vorgänge der vergangenen Monate an der Ostfront. Dann brachte Hitler auch gegenüber Antonescu sein Anliegen vor: »Da ich entschlossen bin, möglichst viele Verbände im Winter ablösungsweise zurückzunehmen, um sie aufzufrischen und für das Frühjahr wieder angriffsfähig zu machen, wird es immer möglich sein, daß der Russe an einzelnen Stellen einsickert. Ich habe mich zu diesem Zwecke entschlossen, sehr bewegliche Verbände aufzustellen... Es wurde mir soeben mitgeteilt, daß Sie, Marschall Antonescu, sich bereit erklärten, dafür ebenfalls zwei rumänische Ski-Verbände zur Verfügung zu stellen. Ich möchte Ihnen dafür ebenso danken wie für Ihre Ankündigung, daß Sie bereit sind, sich im Frühjahr

---

* Am 22. Dezember 1941 hatte Mussolini den deutschen General im Hauptquartier der italienischen Wehrmacht, v. Rintelen, über seinen Entschluß offiziell in Kenntnis gesetzt, ein Infanteriekorps und ein Alpini-Korps, beide zu je drei Divisionen, in Rußland einzusetzen.

an der neuen Offensive gegen den Bolschewismus wieder mit zahlreichen Divisionen zu beteiligen… Ich möchte Sie, Marschall Antonescu, nur um eines bitten: daß, wenn es irgendwie möglich ist, Ihre Verbände, die ja dann ohnehin den Charakter einer eigenen rumänischen Armee annehmen werden – der ich aber die notwendigen deutschen Ergänzungen zur Verfügung stellen werde –, so frühzeitig an die Front gebracht werden, daß sie dort noch vor der allgemeinen Schneeschmelze eintreffen. Denn ich möchte keine Woche vergehen lassen, um nach Abtrocknen des Bodens sofort mit dem Angriff zu beginnen…[7]«

Das Schreiben, mit dem Hitler den ungarischen Reichsverweser ansprach, war im Ton bedeutend kühler als dasjenige an Marschall Antonescu. Der Skizzierung der Lage und der deutschen Maßnahmen im Osten folgte auch hier wieder die »Einladung«, am kommenden Feldzug mit Honvéd-Verbänden teilzunehmen. Denn: »… es ist letzten Endes doch eine Auseinandersetzung, die über Sein oder Nichtsein von uns allen entscheidet!« Die ungarischen Truppen sollten so früh wie möglich für die Operationen bereitgestellt werden, um sie im Frühjahr sofort einsetzen zu können. »Was wir dabei für die Aufstellung Ihrer Verbände, Durchlaucht, rein materialmäßig tun können, werden wir, soweit es überhaupt in unserem Vermögen liegt, gerne tun«, ließ Hitler den Reichsverweser weiter wissen[8].

Kaum waren die Briefe abgeschickt, begaben sich Reichsaußenminister v. Ribbentrop und Generalfeldmarschall Keitel auf Reisen, um die Modalitäten des vermehrten Einsatzes der verbündeten Truppen mit den jeweiligen zuständigen Stellen in den osteuropäischen Hauptstädten zu besprechen.

Zu dieser Zeit belief sich die Zahl der rumänischen Truppen an der Ostfront auf knapp sechs Divisionen, denen vorwiegend Kampf- aber auch Sicherungsaufgaben auf der Krim übertragen worden waren. Sie erlitten, insbesondere bei den harten Kämpfen Ende Dezember 1941 östlich von Feodosia, schwere Verluste. Vor allem zeigten sich Mängel in bezug auf eine zeitgemäße Ausrüstung der Divisionen. Einerseits fehlte ein entsprechender Ausbildungsgrad, andererseits – was mehr ins Gewicht fiel – der Kampfeswille, da die Motivation der rumänischen Truppen im Grunde genommen nicht ausreichte für den Einsatz auf der Krim. Die nationalen Ziele der Rumänen waren nach wie vor auf Siebenbürgen gerichtet. Statt weit im Osten mit der Roten Armee Krieg zu führen, hätten die Rumänen es vorgezogen, gegen die Ungarn um Nordsiebenbürgen zu kämpfen.

Keitel konnte in Bukarest seine Geschäfte rasch erledigen. Antonescu zeigte volles Verständnis für Hitlers Wünsche. Er war selber der Meinung, das sowjetische Heer müsse spätestens bis Sommer 1942 vernichtet werden. Dafür sei der Einsatz aller Kräfte in Rußland nötig. Rumänien befand sich zwar seit dem 7. Dezember 1941 offiziell mit Großbritannien im Krieg und (seit dem 12. Dezember 1941) ebenfalls mit den Vereinigten Staaten von Amerika, doch betrachtete Antonescu dies eigentlich nur als reine Demonstration gegenüber den Westmächten. »Ich bin der Verbündete des Reiches gegen Rußland. Ich bin neutral zwischen Großbritannien und Deutschland. Ich bin für die Amerikaner, gegen die Japaner!« soll der Marschall angeblich am 12. Dezember 1941 vor Journalisten geäußert haben[9]. Für das offizielle Rumänien blieb weiterhin die Ostfront der Schauplatz seiner vermehrten nationalen Anstrengungen; Antonescu ging nach wie vor davon aus, daß sich durch die Teilnahme der rumänischen Armee am Krieg als Verbündeter Deutschlands letzten Endes die Wiederherstellung der alten Grenzen in Siebenbürgen erreichen ließe.

Während der Bukarester Besprechung zwischen dem Chef des deutschen Oberkommandos und dem rumänischen Staatsführer wurde vereinbart, die neuen rumänischen Verbände, deren Gesamtstärke mit 26 Divisionen angegeben wurde, in drei Etappen an die Front zu schicken. Auf deutscher Seite wurde den Rumänen vertraglich die Ausrüstung der neuen Divisionen auf Kredit zugesagt; außerdem versprach Berlin, die Versorgung der rumänischen Truppen während ihres Einsatzes zu übernehmen[10]. Jedoch wurden nicht nur im Lager der politischen Gegner des Marschalls, sondern auch im Großen Generalstab Stimmen laut, die gegen die Zugeständnisse Antonescus protestierten. Generaloberst Jacobici, der Chef des Generalstabes, trat demonstrativ zurück. Sein Nachfolger, Generaloberst Ilie Steflea, war ein Befürworter von Antonescus Kriegspolitik und unterstützte ihn in seinem Vorhaben vorbehaltlos. Rumäniens Lage war indessen keineswegs gut. Abgesehen von den wirtschaftlichen Schwierigkeiten und den ständigen Reibereien an der rumänisch-ungarischen Grenze in Siebenbürgen, brachte der Winter 1941/42 der königlichen Armee eine Krise, die gerade zu dem Zeitpunkt ausbrach, als Antonescu sich – auf Einladung Hitlers – anschickte, ins Führerhauptquartier zu reisen.

Inzwischen war nämlich folgende Entwicklung eingetreten: Noch während der Winterschlacht 1941/42 war es den Russen gelungen, die deutschen Stellungen im Raum von Charkow (bei Isjum) mit überlegenen Kräften zu durchbrechen. Damals herrschte eine Temperatur von 30 Grad unter Null. Die Deutschen waren nicht imstande, mit eigenen Kräften den Angriff zu stoppen. Reserven waren nirgends vorhanden. Das Oberkommando der Heeresgruppe Süd sah sich gezwungen, Marschall Antonescu kurzfristig zu ersuchen, er möge die in Transnistrien stationierten Besatzungstruppen zum Einsatz schicken. Diese Verbände waren jedoch keineswegs für einen Fronteinsatz ausgerüstet: Panzerabwehrwaffen fehlten, und auch die Feldartillerie wies große Ausrüstungslücken auf. Der Marschall konnte die deutsche Bitte nicht abschlagen; so erhielt die 2. Infanteriedivision den Marschbefehl, nachdem ihr versprochen worden war, sie an der Front, wenn auch nur notdürftig, mit den fehlenden Waffen auszurüsten. Jedoch reichte dazu weder die Zeit aus, noch gab es überhaupt eine Möglichkeit, das Versprechen einzuhalten. Die Division mußte mit ihrer eigenen Ausrüstung in die Abwehrkämpfe südwestlich von Charkow eingreifen.

All diese Maßnahmen erwiesen sich als völlig unzureichend:

nach und nach mußten weitere rumänische Verbände in den Raum südwestlich von Charkow verlegt werden. So die 1., die 4. und 20. Infanteriedivision, und zwar unter ähnlich schlechten Voraussetzungen wie die 2. Division. Alle diese Verbände wurden dann zum 6. Armeekorps unter General Nicolae Dragalina zusammengefaßt. Sie bewährten sich nicht nur bei den Abwehrkämpfen, sondern auch später – im Mai 1942 –, als nunmehr um die Stadt Charkow selbst neue Kämpfe entbrannten und die Deutschen gezwungen waren, dieses Industriezentrum – zeitweilig – aufzugeben.

Antonescus Besuch im Führerhauptquartier »Wolfsschanze« in Ostpreußen am 11. Februar 1942 galt sowohl den weiteren gemeinsamen Kriegsanstrengungen als auch dem vermehrten Waren- und Naturalienaustausch zwischen beiden Staaten. Was Deutschland wollte – und auch bekam – waren Erdöl und Getreide. Rumänien erhielt dafür militärische Ausrüstung, Kriegsgerät und andere industrielle Produkte. Da die rumänischen Lieferungen einen viel größeren Wert hatten als die deutschen Gegenleistungen (sie wurden zum Teil auf langjährige Kredite geliefert), verlangten die Rumänen die Differenz in Gold: die Wirtschaftsfachleute der Reichsregierung wollten dies jedoch nicht akzeptieren. Nur auf Hitlers Einspruch hin kam es dann zu einer Einigung, wobei auch die Rumänen Zugeständnisse machten. Deutschland überwies der Bukarester Nationalbank einen Teil der geforderten Summe in Edelmetall: Im März 1942 gingen mit einem gewöhnlichen Truppentransport auch zwei nicht besonders bewachte (und daher auch nicht auffallende) Waggons via Budapest nach Bukarest. Der Inhalt: Gold!

Bei den militärischen Besprechungen zwischen Hitler und Antonescu tauchten keinerlei Schwierigkeiten auf. Der Marschall teilte völlig die Auffassung seines Gastgebers, daß der militärische Zusammenbruch der Sowjetunion noch im Jahre 1942 erfolgen werde. Er hatte daher keine Bedenken, die 26 rumänischen Divisionen für die neue Offensive aufzubieten, obwohl – wie er betonte – Rumänien seit dem Sommer 1941

seinen guten Willen für die gemeinsame Sache genügend do-
kumentiert hatte. Die Verluste bezifferten sich zu diesem Zeitpunkt auf 5 400 Offiziere, d.h. 25 Prozent des Offizierskorps,
und 130 000 Mann, 23 Prozent jener 700 000 Mann, die anfangs im Krieg im Osten eingesetzt worden waren. Ungeachtet
dieser Verluste, so sagte Antonescu weiter, »stehe er mit der
wieder aufgefüllten und neu ausgerüsteten rumänischen Armee dem Führer jederzeit zur Verfügung, und er sei bereit, bis
zum Kaukasus und auch bis zum Ural zu marschieren[11]!«

Während es also keinerlei Schwierigkeiten in bezug auf Rumäniens Beteiligung an den kommenden Operationen des Ostfeldzuges gab, ergaben sich Probleme mit den Ungarn. Reichsaußenminister Ribbentrop traf am 6. Januar 1942 in Budapest
ein. In den folgenden Tagen kam er sowohl mit dem Reichsverweser v. Horthy als auch mit dem Ministerpräsidenten zusammen. Er war von Siegesbewußtsein durchdrungen, sprach
vom Ostfeldzug, als sei dieser bereits gewonnen, und verlangte
von Ungarn für den »Todesstoß gegen den Bolschewismus«
nicht weniger als die Mobilisierung und den Einsatz der gesamten Honvéd-Armee – das heißt 28 Divisionen!

Auf solche Forderungen waren die Ungarn überhaupt nicht
gefaßt! Ministerpräsident Bárdossy versuchte mit verschiedenen Ausflüchten, die deutschen Ansprüche herunterzuschrau-
ben: »Die Lage auf dem Balkan sei gar nicht gesichert, jederzeit könnte es zu einer britischen Landung kommen. Serben,
Griechen, Kroaten würden in einem Generalaufstand gegen
Deutschland antreten. Ungarn wäre die einzige Bastion im
Südosten, die man nicht von seiner Armee vollständig entblö-
ßen dürfe... Und dann die Rumänen! Die warten nur auf ihre
Stunde, Nordsiebenbürgen mit Gewalt zurückzuholen. Man
wisse, daß starke rumänische Kräfte zu diesem Zweck in Südsiebenbürgen bereitständen... Was würde wohl passieren,
wenn diese eines Tages einen Angriff gegen Ungarn unternäh-
men? Und übrigens: die Honvéd-Armee habe weder eine zeitgemäße Ausrüstung, noch reichten die vorhandenen Mittel für
die geforderte Zahl von Divisionen...[12]!«

Die Ungarn befanden sich zweifellos in einer prekären Lage. Horthy wollte sich einerseits von jeglichem militärischen Engagement an der Ostfront entbinden, andererseits konnte er jedoch Hitlers Forderungen nicht zurückweisen, vor allem, weil der Reichsaußenminister keinen Hehl daraus machte, daß eine etwaige Weigerung die ungarischen Gebietsforderungen – zum Beispiel den noch immer von den Deutschen besetzten Landesteil Banat – ungünstig, und zwar zugunsten Rumäniens beeinflussen könnten. Im übrigen, sagte Ribbentrop ferner, müßten sich die Ungarn von den Rumänen nicht bedroht fühlen: die Reichsregierung halte am Wiener Schiedsspruch fest, und Antonescu habe bereits die Einwilligung gegeben, seine ganze Armee im Frühjahr an der Ostfront einzusetzen.

Erst am letzten Tag der Besprechungen gaben die Ungarn nach. Bárdossy teilte im Namen der Regierung mit, Ungarn könne zwar nicht seine gesamte Armee an der Ostfront einsetzen, doch würden am kommenden Feldzug wesentlich mehr Honvéd-Truppen als im Sommer 1941 teilnehmen. Einzelheiten wurden nicht erörtert, sie sollten unter den Militärs abgesprochen werden. Allerdings konnte Ribbentrop noch erreichen, daß die Regierung ihr prinzipielles Einverständnis erteilte, unter den Volksdeutschen Ungarn 20 000 Freiwillige für die Waffen-SS zur Verfügung zu stellen. Auch die Forderung nach vermehrter Erdöllieferung ins Reich wurde für die Deutschen positiv beantwortet.

Zwei Wochen später traf Generalfeldmarschall Keitel in der ungarischen Hauptstadt ein. Er führte ausgedehnte Gespräche mit Bárdossy und mit Vertretern des ungarischen Generalstabes. »Unsere Lage war äußerst schwierig«, schrieb später der Generalstabschef, Generaloberst Szombathelyi über diese Verhandlungen. »Keitel machte keinen Hehl aus seinem Wissen betreffend der wahren Stärke der Honvéd-Armee. Er war äußerst gut über uns informiert[13]!« Keitel forderte ohne Zögern 15 Infanteriedivisionen, 1 Gebirgs- und 1 Kavalleriebrigade, dazu noch die einzige Panzerdivision der Honvéd und zusätzlich als Sicherungs- bzw. Besatzungskräfte zehn weitere

Divisionen. Ein regelrechtes Feilschen begann. Anstelle der 27 geforderten Verbände boten die Ungarn zunächst zwölf Divisionen an und waren erst bereit, Zugeständnisse zu machen, als der Generalfeldmarschall offen Andeutungen hinsichtlich des zugunsten des Königreiches gemachten Wiener Schiedsspruchs fallenließ bzw. des Rumänen Antonescu Bündniswillen und Opferbereitschaft als gutes Beispiel erwähnte.

Die Ungarn sahen Siebenbürgens Nachkriegsschicksal in Gefahr; so endeten die Verhandlungen, die nach Keitels Aussagen nicht sehr einfach verliefen, mit einem Kompromiß. Die Generäle Bartha und Szombathelyi erklärten sich von der militärischen Seite her bereit, im Frühjahr 1942 eine ungarische Armee mit insgesamt zehn Frontdivisionen nach Rußland zu entsenden. Die Zahl der Besatzungsdivisionen sollte auf fünf erhöht werden. Was die Ausrüstung der Honvéd-Divisionen mit zeitgemäßer Bewaffnung betraf, so wurden zwar von deutscher Seite vage Versprechungen gemacht; vertraglich oder protokollarisch wurde jedoch dieser gewiß wichtige Punkt nicht festgehalten. Der Chef des Oberkommandos der Wehrmacht wies in diesem Zusammenhang im Gegenteil darauf hin, daß »ihm damit nicht gedient wäre, wenn an die Zurverfügungstellung oben erwähnter Verbände irgendwelche Bedingungen, Auflagen oder Einschränkungen geknüpft würden[14]...«

Das Ergebnis dieser Verhandlungen wurde Ende Januar 1942 von Horthy und Bárdossy gutgeheißen. Die Aufstellung der Armee begann bereits Mitte Februar.

Zur selben Zeit warb Reichsmarschall Göring in Rom um Italiens Gunst, d.h. um weitere italienische Truppen für die Ostfront. Die Besprechungen im Palazzo Venezia am 28. Januar 1942 verliefen in freundschaftlicher Atmosphäre und ohne nennenswerte Schwierigkeiten. Mussolini bekräftigte sein Vorhaben, zusätzliche Truppen nach Rußland zu schicken. »Drei Divisionen seien bereits in der Ukraine«, sagte der Duce. »Sechs andere Verbände wurden schon ausgewählt, von denen drei Mitte März und drei weitere, hauptsächlich alpine Divisionen, etwas später abmarschbereit wären, so daß Italien« – und

Mussolinis Stimme entbehrte keineswegs des Stolzes – »im kommenden Frühjahr insgesamt durch neun Divisionen an der Ostfront vertreten sein wird!« Göring sprach mit dem Duce offen über die deutschen Angriffsziele. Die Alpini-Divisionen sollten danach vor allem im Kaukasus eingesetzt werden, worauf Mussolini erwiderte: »Melden Sie Ihrem Frührer ruhig, daß die Divisionen bereitstünden und lediglich auf ihren Abtransport warten[15]!«

Für Mussolini war damit die Frage der italienischen Armee an der Ostfront erledigt. Auch als der Duce am 29. April 1942 nach Salzburg kam, um sich auf Schloß Klessheim mit Hitler zu treffen, wurden zwar viele Angelegenheiten und Probleme erörtert – der Einsatz der Italiener in Rußland aber mit keinem Wort mehr erwähnt.

Im Zuge seiner Osteuropareise traf Generalfeldmarschall Keitel Mitte Februar in der slowakischen Hauptstadt Bratislava ein. Seine ausgedehnten Besprechungen mit Staatspräsident Tiso, Ministerpräsident Tuka und Wehrminister General Čatloš betrafen in erster Linie militärische Fragen. Die Slowaken konnten zwar keine neuen Divisionen für den Osteinsatz bereitstellen, erklärten sich jedoch bereit, ihre beiden Divisionen weiterhin an der Ostfront zu belassen. Allerdings stellten sie Forderungen; der Munitionsnachschub müsse geregelt werden, da die Vorräte der beiden Divisionen nur bis Mitte März reichten, und die Deutschen müßten den Verbänden unbedingt modernere Kriegsgeräte, vor allem Kraftfahrzeuge, zur Verfügung stellen. Keitel gab sich in Bratislava jovial, sagte das Nötige zu, und fügte hinzu, daß er für die Schnelle Division möglicherweise mehr zu tun gedenke als für einen deutschen Verband[16]. Nun wiederholten sich die Szenen von Bukarest und Budapest. Die Slowaken spielten mit offenen Karten: ihre Wünsche, die Truppen an der Ostfront gut zu bewaffnen, wären keineswegs nur im Interesse der dortigen Kriegführung. Wichtig sei, so Ministerpräsident Tuka, daß die slowakischen Truppen, kämen sie einmal aus dem Feld zurück, genügend Kriegsmaterial zurückbrächten, da die Slowaken »Freunde« bzw. »Nachbarn« – so Tiso – hätten, denen nicht zu trauen sei...

Tisos Hinweis betraf Ungarn, zu dem die Slowaken – wie Rumänien – seit Jahren in einem gespannten Verhältnis standen. Nach dem I. Wiener Schiedsspruch aus dem Jahr 1938, der Teile des einstigen Oberungarn mit vornehmlich von Magyaren bewohnten Gebieten dem Mutterland zurückgab, verblieben immer noch etwa 70 000 verstreut lebende Ungarn in der Slowakei, die eine Vereinigung mit Ungarn anstrebten, wohingegen die regierenden Kreise der Slowakei daran arbeiteten, Gebiete, die sie vor drei Jahren im Zuge der Zerstückelung der Tschechoslowakei Ungarn abgeben mußten, zurückzuerhalten.

Keitel beruhigte seine Verhandlungspartner: Jede Verletzung der slowakischen Grenzen sei einer Verletzung der deutschen Grenzen gleichzusetzen, und er fügte hinzu, der Führer werde niemals dulden, daß im Donauraum die Grenzen eigenmächtig hin- und hergeschoben würden!

Die Besprechungen endeten auch hier mit einem Kompromiß. Keitel sicherte den Slowaken die Lieferung von deutschem Kriegsgerät zu, jedoch nur für eine Division. Für den anderen Verband wußte er keine Hilfe, da zur Zeit sogar deutsche Divisionen mit altem tschechischen Kriegsgerät ausgerüstet werden mußten.

Die Finnen wurden indessen *nicht* in die Pläne der bevorstehenden Sommeroffensive eingeweiht. Zwar versuchte Generalfeldmarschall Keitel mit einem persönlichen Schreiben an Mannerheim am 28. Januar 1942, den finnischen Oberbefehlshaber zu einer Offensive im Norden, im Abschnitt Soroka, zu bewegen: aber die Antwort aus Mikkeli war ablehnend. Die Finnen waren mit ihren eigenen Sorgen und Problemen beschäftigt; sie gruppierten ihre Kräfte um. Sie stellten ihre Armee für eine Defensive bereit und ließen Teile ihrer Divisionen demobilisieren. Bis zum Frühjahr 1942 wurden mehr als 180 000 Soldaten »beurlaubt«. Mannerheim zeigte auch kein Interesse dafür, General Dietls Lappland-Armee (die ehemalige Armee Norwegen) unter seinen direkten Befehl zu stellen.

Meldungen über neue Friedenssondierungen mit dem Gegner und auch solche über Kriegsmüdigkeit bei den Truppen und der Bevölkerung (wie zum Beispiel im Leitartikel im »Suomen Sozialdemokraatii« vom 4. Januar 1942) wurden aber von Regierung und Hauptquartier energisch in Abrede gestellt. Im Zusammenhang mit dem eben erwähnten Leitartikel sagte der finnische Außenminister dem deutschen Gesandten, es sei eine Leichtfertigkeit, so zu tun, als ob man einen Krieg auf Tod und Leben jederzeit wie ein Kartenspiel abbrechen könne. Im Winter 1941/42 sah es dennoch so aus, als ob Finnland sich in einer eher abwartenden Haltung befände.

Im Hauptquartier in Mikkeli standen die Militärs zweifelsohne stark unter dem Eindruck des deutschen Rückzuges vor Moskau 1941. General Heinrichs berichtete von seinem kürzlichen Deutschlandbesuch, währenddessen er unter anderem von Hitler empfangen wurde. Dieser bagatellisierte die Verluste der Wehrmacht im Winter 1941, sprach von einer neuen Offensive gegen Leningrad und stellte den baldigen Endsieg in Aussicht. Im Gegensatz dazu, so Heinrichs, habe der Chef des Generalstabes des Heeres überanstrengt und bedrückt gewirkt. Seiner Aussage nach war der Ostfeldzug den deutschen Armeen übermäßig teuer zu stehen gekommen. Die Gründe dafür, so legte Heinrichs die Worte seines deutschen Amtskollegen aus, sah Halder im guten Kampfgeist der Roten Armee, der, verbunden mit der zahlenmäßigen Überlegenheit, zum sowjetischen Erfolg bei Moskau führte.

Feldmarschall Mannerheim teilte die Meinung seines Stabes; die kommende deutsche Offensive an der Ostfront mußte die Wende in Rußland herbeiführen. Ob die Deutschen dann auch den Krieg gegen England und die USA beenden könnten – darüber waren die Ansichten sowohl in Helsinki wie auch in Mikkeli geteilt…

Zur selben Zeit wurden in Berlin bzw. in Zossen die Detailpläne für den Einsatz der verbündeten Truppen im Sommerfeldzug 1942 ausgearbeitet. Hitlers Mißtrauen Rechnung tragend, durften weder die Regierungen noch die Militärs der Bundesgenossen über die Ziele der deutschen Operation informiert werden[17]. Zugleich betonte Hitler die Notwendigkeit, die verbündeten Staaten in der Öffentlichkeit schonend zu behandeln und ihre bisherigen militärischen Leistungen in der Presse rühmend zu erwähnen. Um das Prestige der Verbündeten zu stärken, fällte Hitler am 15. April einen Grundsatzentscheid, der später von manchen deutschen Generälen bzw. Kriegshistorikern als »verhängnisvoll« gewertet wurde[18]: Die Truppen der Verbündeten sollten möglichst im Armeerahmen oder doch zumindest in geschlossenen Korps eingesetzt werden; die Vermischung mit deutschen Truppen bzw. die Unterstellung einzelner Verbände unter deutsches Kommando solle unterbleiben. Da der Führer die Unmöglichkeit, Ungarn und Rumänen an der Ostfront nebeneinander kämpfen zu lassen, erkannt hatte und dieser Erkenntnis auch Rechnung trug, hatte er bereits am 5. April 1942 in der »Weisung Nr. 41« festgelegt, daß »die verbündeten Truppen weitgehend in eigenen Abschnitten so einzusetzen sind, daß ganz im Norden die Ungarn, dann die Italiener und am weitesten südostwärts die Rumänen am Don eingesetzt werden[19]«.

Armeeorganisation und Aufmarsch

Von den Verbündeten, die laut Regierungsabmachungen 1942 neue Truppen für die deutsche Sommeroffensive 1942 bereitzustellen hatten, war das Königreich Ungarn der erste, der eine Armee aufstellte und an die Ostfront entsandte. Die Armee, die die Bezeichnung »2« erhielt, stand unter dem Oberbefehl von Generaloberst Gusztáv Jány, einem 59jährigen General, der noch in der k.u.k. Monarchie die Kriegsakademie absolviert und bereits im Ersten Weltkrieg als Generalstabsoffizier Dienst getan hatte.

Die 2. ungarische Armee bestand aus 9 leichten Infanteriedivisionen und 1 Panzerdivision. Sie umfaßte in ihrer endgültigen

Zusammenstellung insgesamt 54 Infanteriebataillone, 3 motorisierte Schützenbataillone, 3 Radfahrerbataillone, 12 Husarenkompanien, 98 Geschützbatterien zu je vier Geschützen, 1 Panzerdivision, 4 Fliegergruppen sowie diverse Nachschubdienste[20].

Die Armee war anders als zu Friedenszeiten kein geschlossen organisierter Verband. Ihre drei Korps wurden aus verschiedenen Bereichen des Landes mobilisiert, wobei man die Infanteriebataillone aus sechs der insgesamt neun Wehrkreise Ungarns zusammenstellte. Damit beabsichtigte man, die Lasten der Kriegführung möglichst gleich auf die einzelnen Landstriche zu verteilen.

Die Infanteriedivisionen waren als »leichte« Verbände gekennzeichnet. Dies bedeutete, daß sie anstelle der üblichen drei nur aus je zwei Infanterieregimentern bestanden und ihre Personalstärke und damit ihre Feuerkraft im Grunde genommen höchstens einer verstärkten Brigade entsprach.

Die Panzerdivision – der Stolz der königlichen Honvéd-Armee, – besaß 107 Panzer, wovon 83 bereits veraltete mittlere Panzer des Typs »38 (t)«, zwei leichte Panzer des ungarischen Fabrikats »Toldi« und lediglich 22 Panzer des Typs »Mark I.« (mit kurzem Rohr) waren. Letztere wurden im ungarischen Generalstab sehr hoch eingeschätzt; sie waren nämlich die »Entscheidungswaffe« der bisherigen deutschen Blitzfeldzüge. Der Tatsache, daß sie im Jahre 1942 den immer häufiger auftretenden Sowjetpanzern des Typs »T-34« technisch und in der Bewaffnung meist unterlegen waren, trug man in Budapest nicht Rechnung. Zudem wirkte es sich nachteilig aus, daß sich weder im Offizierskorps noch in der Mannschaft der ungarischen Panzerdivision Kadersoldaten befanden; in einer kurzen Ausbildungszeit von knapp acht Wochen brachte man den Einheitsführern die Grundzüge der Panzertaktik bei. Das Zusammenwirken verschiedener Waffengattungen auf dem Schlachtfeld, vor allem der Panzerverbände mit der Infanterie, wurde nicht einmal beim Abschlußmanöver geübt!

Ursprünglich war die Entsendung eines Fliegerverbandes an

die Ostfront überhaupt nicht geplant. Dennoch entschloß man sich im Laufe der Organisation der 2. ungarischen Armee, einen solchen nach Rußland zu verlegen. Er sollte zur Unterstützung der Armee taktische Einsätze fliegen und vor allem Aufklärungstätigkeit ausüben. Zu diesem Zwecke schuf man die 2. Fliegerbrigade, die insgesamt über 90 Flugzeuge, davon 65 Kampfflugzeuge verfügte. Die Verluste dieser Brigade während ihrer Einsätze im Sommer und Herbst 1942 wurden laufend ersetzt – wohl als einzigem Verband der 2. Armee –, so daß sie zu Beginn der großen sowjetischen Winteroffensive 1942/43 über die gleiche Anzahl Flugzeuge verfügte wie bei ihrer Entsendung[21].

Als eine Besonderheit aller mit der deutschen Wehrmacht im Rußlandfeldzug eingesetzten verbündeten Armeen verfügte die 2. ungarische Armee über sogenannte Arbeitsdienstkompanien, die sich aus Juden und politisch »Unzuverlässigen« zusammensetzte. Die antijüdischen Maßnahmen im ungarischen politischen Leben, die eigentlich mit dem Jahr 1938 begannen, wirkten sich auch im militärischen Bereich aus. Am 18. April 1940 beschloß der damalige Generalstabschef der königlichen Honvéd-Armee, Henrik Werth, das »Judenproblem« in seinem Bereich radikal zu lösen. Man müsse, verlangte er vom Verteidigungsministerium, die Juden zum waffenlosen Arbeitseinsatz einziehen, um sie im Falle eines Krieges dort einsetzen zu können, wo man mit den blutigsten Verlusten zu rechnen habe. Ein Jude dürfe jedoch weder Reserve- noch Unteroffizier, geschweige denn Berufsoffizier sein[22].

Einige Monate später wurde General Werths Plan realisiert; die ersten jüdischen Arbeitskompanien wurden aufgestellt. Weitere gesetzliche Bestimmungen dieser Art hatten zur Folge, daß ungarische Staatsbürger jüdischen Glaubens bzw. jüdischer Abstammung (hier galten im allgemeinen die berüchtigten »Nürnberger Gesetze« Hitlers) aus der Armee ausgestoßen, ihres Offiziersranges verlustig erklärt und künftig in Arbeitskompanien zusammengefaßt wurden, darunter nicht wenige hochdekorierte Offiziere des Ersten Weltkrieges. Die »Uniform« der Arbeitsdienstler war ein Zivilkleid, das der »Einberufene« selbst zu besorgen hatte. Von der Armee erhielt er lediglich eine Militärmütze und eine gelbe Armbinde (bei den nichtjüdischen, politisch »Unzuverlässigen«, wie Gewerkschaftlern, Sozialisten usw. war die Farbe der Armbinde weiß), die er stets am linken Oberarm zu tragen hatte. Nach den Organisationsrichtlinien verfügte jede Arbeitskompanie über nichtjüdisches, waffentragendes Rahmenpersonal, das die Bewachung bzw. die Organisierung des Arbeitseinsatzes zur Aufgabe hatte.

Bei der Mobilisierung der 2. Armee wurden zunächst 24 Arbeitskompanien aufgestellt. Später kamen noch weitere 45 Einheiten hinzu, so daß auf dem späteren Operationsgebiet der 2. Armee insgesamt etwa 32 000 bis 35 000 Arbeitsdienstler tätig waren[23].

Diese Einheiten arbeiteten im Straßenbau, beim Bau von Eisenbahnlinien, entluden Transportzüge und wurden auch beim Stellungsbau in der Hauptkampflinie verwendet. Überdies übertrug man ihnen oft die Entminung von Minenfeldern, ohne daß sie dafür ausgebildet gewesen wären.

Bald nachdem die ersten Arbeitskompanien an der Ostfront eingetroffen waren, sickerten Nachrichten über die unmenschlichen Praktiken des Honvéd-Rahmenpersonals dieser Einheiten nach Ungarn durch. Nicht nur einfache Soldaten, in vielen Fällen auch der Kompaniechef – in der Regel ein Reserveoffizier –, ließen sadistischen Neigungen freien Lauf. Die Arbeitsdienstler wurden im großen und ganzen wie Strafgefangene behandelt, durch Hungerrationen schikaniert, geschlagen und nicht selten »auf der Flucht erschossen«. Dies waren keine Einzeltaten, sondern zentral organisierte Maßnahmen gewisser rechtsstehender Kreise des Generalstabes. Die Arbeitsdienstler galten nicht als Soldaten, und ihnen war auch unter anderem das Recht verwehrt, nach sechs Monaten Frontdienst abgelöst zu werden. Urlaub stand ihnen auch nicht zu.

Ihr Schicksal erfuhr erst dann eine Änderung – zumindest

zum Teil –, als der neue ungarische Verteidigungsminister, Generaloberst Vilmos von Nagy sich im Spätsommer 1942 persönlich für das Los dieser Sonderformationen interessierte, sich für sie einsetzte und während seiner Truppeninspektion an der Ostfront unter anderem auch Arbeitskompanien besuchte, um zu demonstrieren, daß er diese Formationen ebenfalls als Vollmitglieder der Honvéd-Armee betrachtete[24].

Was die Versorgung der an die Ostfront verlegten ungarischen Armee betraf, galten die Richtlinien Generalfeldmarschall Keitels, die er bei seinem Januarbesuch 1942 in Budapest ausgehandelt hatte. Danach übernahm Deutschland die Versorgung der 2. Armee unter der Bedingung, daß Ungarn eine entsprechende Menge Lebensmittel an Deutschland liefern werde. Ferner sollte Ungarn soviel Mineralöl an Deutschland liefern, wie die entsprechenden deutschen Stellen im Operationsgebiet an die 2. ungarische Armee ausgaben. Die übrigen notwendigen Versorgungs- und Ersatzgüter sollten teils aus Deutschland, teils aus Ungarn angeliefert werden. In den folgenden Monaten, besonders aber im Winter 1942/43, ergaben sich zahlreiche Probleme, vor allem auf dem Gebiet der Truppenernährung. Ähnliche Schwierigkeiten tauchten im Spätherbst und Winter bei der Bekleidung der Armee auf, die zur Zeit ihrer Endaufstellung etwa 200 000 Mann umfaßte und zwischen dem 11. April und 27. Juni in drei Transportstaffeln aus Ungarn nach Südrußland verlegt worden war, wo sie der deutschen Heeresgruppe Süd und deren Oberbefehlshaber, Generaloberst Freiherr Maximilian von Weichs, unterstellt wurde.

Inzwischen wurde in Italien die Aufstellung und Organisation einer italienischen Armee für die Ostfront voll in Angriff genommen. Ende März 1942 teilte man dem Befehlshaber der C.S.I.R., General Messe, offiziell mit, daß das italienische Expeditionskorps zu einer Armee mit der Bezeichnung »Armata Italiana in Russia«, abgekürzt ARMIR, erweitert werde. Messe setzte seine ganze Überredungskunst ein, um seinen Vorgesetzten im Generalstab begreiflich zu machen, daß sie, wenn sie schon eine ganze Armee nach Rußland schicken wollten, sich wenigstens die Erfahrungen der C.S.I.R. zu eigen machen sollten. Besonderen Wert sollte auf die Ausrüstung der Verbände mit wirksamen Panzerabwehrgeschützen und auf die für die Beweglichkeit in Rußland unentbehrliche Motorisierung der Infanterie gelegt werden.

Am 30. Mai empfing Marschall Cacallero den Kommandanten der C.S.I.R.-Truppen in Rom. Die ARMIR befand sich bereits auf dem Wege nach Osten. Der italienische Generalstabschef vertröstete Messe damit, daß es vorgesehen sei, alle Soldaten, die am 31. Dezember ein Jahr lang in Rußland eingesetzt gewesen seien, noch vor Einbruch des Winters abzulösen. Messe kritisierte den Entschluß der Regierung, eine ganze – ungenügend bewaffnete – Armee an die Ostfront zu verlegen, statt ein verstärktes Armeekorps in Rußland zu halten. Cavallero aber entgegnete: »Die Entscheidungen sind vom Duce auf Grund politischer Erwägungen getroffen worden. Es hat keinen Zweck, darüber zu diskutieren[25]!« Messe konnte sich des Eindrucks nicht erwehren, daß der Generalstabschef selbst nicht glücklich über die Entsendung der ARMIR war.

Am 2. Juni nahm Messe die Gelegenheit wahr, Mussolini zu treffen. Der italienische Regierungschef war voller Lob, was die Leistung der C.S.I.R. und seines Kommandanten betraf. Er bedauerte, daß es ihm nicht möglich war, Messe mit dem Oberbefehl der ARMIR zu betrauen. »Sie haben sich auch Respekt bei den Deutschen verschafft, und sie schätzen Sie. Auch aus diesem Grund war daran gedacht worden, Ihnen das Kommando über die ARMIR anzuvertrauen… Er erklärte mir aber, daß man General Gariboldi verwenden ›mußte‹, der seit längerer Zeit für ein Armeekommando frei war…[26]« Messe machte auch im Palazzo Venezia keinen Hehl aus seinen Ansichten: »Es ist ein schwerer Irrtum, eine ganze Armee an die russische Front zu entsenden. Wenn ich befragt worden wäre, hätte ich davon abgeraten, so wie ich bereits im vergangenen Jahr von der Entsendung eines zweiten Armeekorps abrief!« Mussolini sah den General etwas verblüfft an, blieb eine Zeitlang still und antwortete dann mit einer für ihn ungewöhnlichen Ruhe: »Wir können uns nicht von der Slowakei und anderen kleineren Staaten übertreffen lassen. Ich muß an der Seite des Führers in Rußland stehen, so wie der Führer mir im Krieg gegen Griechenland zur Seite stand und wie er jetzt noch in Afrika an meiner Seite steht. Das Schicksal Italiens ist auf das engste mit dem Deutschlands verknüpft[27]!« Und in der Folge versicherte Mussolini dem General, die Deutschen würden der Armee in Rußland alle nötige Hilfe zukommen lassen. »Es ist auch fast sicher, daß zu unserer Armee eine deutsche Panzerdivision gehören wird!« Sein letztes Argument war: »Lieber Messe, bei den Friedensverhandlungen wiegen die 200 000 Soldaten der Armee wesentlich mehr als die 60 000 des C.S.I.R.[28]!«

In der Sowjetunion eingetroffen, erhielt die ARMIR die Bezeichnung »8. italienische Armee«. Ihr Oberbefehlshaber, der 63 jährige Italo Gariboldi, war der frühere Gouverneur von Libyen und Befehlshaber der italienischen Truppen in Nordafrika. Da seine Zusammenarbeit mit General Rommel bei der Zurückeroberung von Cyrenaika nicht sehr glücklich war, wurde Gariboldi nach Rom zurückbeordert und nun an die Ostfront geschickt. Die 8. italienische Armee, die er nun befehligte, umfaßte folgende Verbände: das bisherige Expeditionskorps (C.S.I.R.) und nunmehrige 35. Armeekorps, das 2. Armeekorps mit den Infanteriedivisionen »Sforzesca«, »Ravenna« und »Cosseria«, das Alpini-Korps mit den Divisionen »Tridentina«, »Julia« und »Cuneense«, die Infanteriedivision »Vicenza« (vorgesehen für den Schutz der rückwärtigen Verbindungen, daher auch ohne Artillerieregiment) sowie Armeetruppen und Armeeversorgungstruppen, Truppenteile der Luftwaffe und eine Marineeinheit, die später am Ladogasee zum Einsatz kam.

Insgesamt verfügte die 8. italienische Armee über 220 000 Mann und 7000 Offiziere. Ausrüstung und Bewaffnung der ARMIR umfaßten 2850 leichte Maschinengewehre, 1800 Maschinengewehre, 860 Mörser, 380 47-mm-Geschütze, 19 47-mm-Geschütze, selbstfahrend, 225 20-mm-Kanonen, 52 76/46-mm-Panzerabwehrgeschütze, 960 Geschütze verschiedenen Kalibers, 55 Panzer Typ »L«, 25 000 Zugtiere (Pferde, Maultiere), 16 700 Kraftfahrzeuge mit vier Rädern, 4 470 Kraftfahrzeuge mit zwei oder drei Rädern sowie 1 130 Zugfahrzeuge[29].

Unstimmigkeiten zwischen Hitler und Mussolini wegen der ARMIR tauchten nur ein einziges Mal auf. Der Duce hätte es gern gesehen, wenn an der Spitze seiner Armee in Rußland der italienische Kronprinz gestanden hätte. Hitler, der fast allergisch auf Fürsten oder Persönlichkeiten des Hochadels mit verantwortungsvollen militärischen Kommandos reagierte, legte sofort sein Veto ein. Er wolle lieber auf Italiens militärischen Beitrag an der Ostfront verzichten, als einen Prinzen aus dem Hause Savoyen als italienischen Oberkommandierenden in Rußland zu sehen[30]! So blieb es bei Gariboldi, der seinen Posten in der Überzeugung annahm, mit seinen Soldaten genausoviel Ruhm an der Ostfront zu ernten, wie dies die italienischen Truppen unter General Pino während des napoleonischen Feldzuges in Rußland taten!

Schon vor Beginn der geplanten großen deutschen Sommeroffensive 1942 waren rumänische Verbände an verschiedenen Brennpunkten der Ostfront in schwere Kämpfe verwickelt. Unter anderem beteiligten sich mehrere rumänische Divisionen zwischen dem 8. und 19. Mai an der Eroberung der Halbinsel Kertsch (Unternehmen »Trappenjagd«), die zur Zerschlagung der sowjetischen Krim-Front (die aus drei Schützenarmeen bestand) führte, und beim Kampf um die Festung Sewastopol im Juli desselben Jahres. An der Eroberung »der stärksten Seefestung der Welt« beteiligte sich unter dem Oberbefehl der 11. deutschen Armee ein rumänisches Armeekorps, dessen Divisionen mit den deutschen Verbänden gemeinsam am letzten Angriff auf den inneren Festungsbereich Sewastopols teilnahmen und sowohl der rumänischen Fahne, als auch ihrem Kommandierenden General, Korpsgeneral Avramescu, Ruhm brachten.

An der Abwehr einer sowjetischen Großoffensive Timoschenkos, die am 10. Mai mit dem Ziel begann, durch einen Angriff aus dem Donez-Brückenkopf (bei Izjum) Charkow zurückzuerobern, nahmen auch rumänische Divisionen unter General Cialic teil. Auf Befehl Hitlers wurde der Einsatz der Rumänen jedesmal in den Verlautbarungen des Oberkommandos der Wehrmacht besonders erwähnt, zweifelsohne als eine anerkennende Geste gegenüber Antonescu[31]. Die Rumänen hatten Lob verdient; allein auf der Krim beliefen sich die Verluste ihrer Truppen auf beinahe 20000 Mann, und bei den Kämpfen um Charkow, im Winter und Frühjahr 1942, zählten ihre Verluste 14000 Soldaten[32].

Neue rumänische Verbände erreichten erst in den Sommermonaten 1942 die Ostfront. Von ihnen wurden dann die beiden rumänischen Feldarmeen, die 3. und die 4. Armee, gebildet, die wie folgt zusammengesetzt waren: Die 3. rumänische Armee unter Armeegeneral (Generaloberst) Petre Dumitrescu (11 Divisionen: 2 Kavallerie-, 1 Panzer- und 8 Infanteriedivisionen); die 4. rumänische Armee unter Korpsgeneral (General der Artillerie) Constantin Constantinescu (Claps) (7 Divisionen, davon 2 Kavallerie- und 5 Infantriedivisionen). Zwei weitere Divisionen auf der Krim und sechs Divisionen – darunter zwei Kavallerieverbände – im Kaukasus demonstrierten die militärische Präsenz des Rumänischen Königreiches an der Ostfront Mitte und zweite Hälfte des Jahres 1942[33].

Alles in allem waren also 26 Divisionen im Einsatz; doch waren diese Verbände in vieler Hinsicht keine vollständigen Divisionen, denn erstens waren sie von vornherein zahlenmäßig nicht auf Sollstärke, da bei den meisten Regimentern ein Bataillon fehlte, und außerdem hielt die Ausstattung mit Waffen, Kraftfahrzeugen, Nachrichten- und sonstigen Geräten, ebenso die Zahl der Versorgungstruppen aller Art einen Vergleich mit ähnlichen deutschen Verbänden nicht stand.

Wohl versuchten die zuständigen deutschen Stellen, den

Mangel an den allernötigsten Waffen zu beheben, jedoch fehlte
es auch diesmal an Möglichkeiten, die Rumänen mit Panzern,
schwerer Artillerie und vor allem wirkungsvollen Panzerabwehrkanonen zu beliefern. Den Verbänden wurde zugesagt,
daß die von Deutschland 1942 zu liefernden Materialien im
Aufmarschraum unmittelbar vor dem Fronteinsatz übergeben
würden[34]. Diese Maßnahme erklärt sich aus dem Mißtrauen,
das die deutsche Führung wegen der rumänisch-ungarischen
Streitigkeiten hegte. Sie befürchtete, Rumänien wolle – ebensowenig wie Ungarn – nicht alles Kriegsmaterial an die Ostfront bringen, dieses vielmehr in der Heimat zurückbehalten,
um damit zu gegebener Zeit dann die »Abrechnung« zwischen
Budapest und Bukarest bestreiten zu können.

Wie stand es zu dieser Zeit mit den kroatischen und slowakischen Militärkontingenten an der Ostfront? Das kroatische
Regiment hatte den Winter 1941/42 im Raum Stalino und später in den Verteidigungsstellungen am Fluß Samara (Fjodo-
rowka – Golobuwka – Besabotoska – Gromawaya Balka) verbracht. Hier übernahm Oberstleutnant Ivan Babić stellvertretend das Kommando. Er sollte für etwa zehn Wochen Oberst
Markulj vertreten, der in Zagreb den Ersatz des Regimentes
regeln wollte. Babić handelte im Auftrag von Marschall Kwa-
ternik, der sich ein eigenes Bild vom Regiment machen wollte
und auch Auskünfte über das kroatisch-deutsche Verhältnis an
der Front wünschte. In Zagreb wurden nämlich Vorkehrungen
getroffen, ein neues Militärkontingent für die Verbündeten zusammenzustellen, und zwar für die Italiener. Aus Prestigegründen wollte Mussolini der ARMIR einen kroatischen Verband
beifügen. Unter dem politischen Druck Roms hatte die kroatische Regierung die Aufstellung eines Bataillons genehmigt
(rund 800 Mann), das in Riva am Lago Maggiore ausgebildet
und Mitte Juni 1942 an die Ostfront gesandt wurde.
Während der harten Abwehrschlacht im Februar 1942 kamen die Kroaten mit einer belgischen Freiwilligeneinheit – in
deutscher Uniform – in Berührung. Dieses Bataillon hatte sich

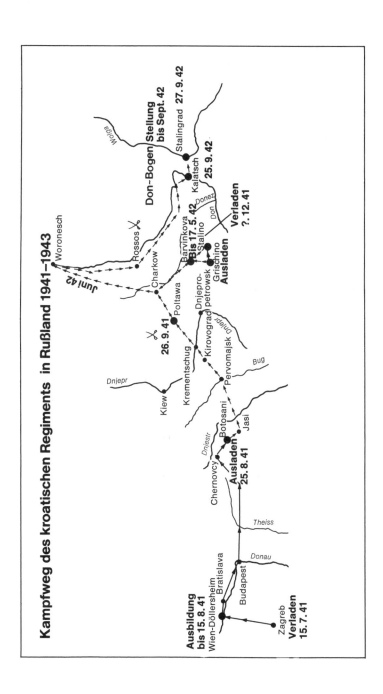

Kampfweg des kroatischen Regiments in Rußland 1941–1943

am Fluß Samara verschanzt und wehrte – mit kroatischer Artillerieunterstützung – jeden feindlichen Angriff ab. Babić: »Eines frühmorgens erschien in meinem Stab Herr Degrelle – er war damals Feldwebel – mit seinem Bataillonskommandeur. Da beide nur französisch sprachen, haben sie mich gebeten, dem Divisionskommandeur folgendes zu melden: In seinem Gespräch mit Hitler, sagte Degrelle, wurde entschieden, daß die Belgier nur symbolisch im Kampf gegen den Kommunismus an der Ostfront teilnehmen, ohne im Kampf eingesetzt zu werden. Jetzt ist dies aber geschehen. Sie stehen mitten in einer Abwehrschlacht und haben bereits schwere Verluste erlitten. Die Angehörigen der Legion sind größtenteils Intellektuelle, die die Creme und Elite der rexistischen politischen Bewegung bilden: falls sie hier fallen, würde die ganze Bewegung gelähmt. Er bittet die Richtigkeit seiner Erklärung zu prüfen und so bald wie möglich die Legion abzulösen und in die Etappe zurückzuverlegen! – Sofort habe ich das dem Divisionskommandeur weitergeleitet. Noch am selben Abend kam ein deutsches Bataillon, die Belgier wurden abgelöst. Ich habe sie nie mehr gesehen...[35]«

In dieser Zeit hatten die kroatischen Flieger von sich reden gemacht. Die aus jungen Freiwilligen gebildete Truppe verfügte über eine Jagd- und eine Bomberstaffel, war in deutschen Fliegerverbänden eingegliedert und hatte ihre Standorte bei Odessa bzw. im Norden bei Petrograd. Obwohl die Kroaten in deutsche Flieger uniformen gekleidet waren, trugen sie an der rechten Brustseite der Feldbluse das geflügelte, rotweiße »U«-Wappen. Auch die Flugzeuge, die sie flogen, waren mit dem kroatischen Staatswappen versehen: 25 schachbrettförmige, rotweiße Felder. Über den Einsatz der kroatischen Flieger – zum Beispiel über Moskau im Winter 1941 – war auch Hitler unterrichtet. Er erwähnte sie rühmend vor seinem eigenen Piloten, General Baur, und stellte sie als Beispiel für die anderen Verbündeten des Reiches hin[36]. Der erste kroatische Ostkämpfer, der am 30. Januar 1942 mit dem Eisernen Kreuz I. Klasse ausgezeichnet wurde, war ein Flieger: Leutnant Mirko Mirośević[37].

Vom Wunsch der kroatischen Regierung, eine eigene Marineformation zu besitzen, war schon auf den vorangehenden Seiten die Rede. Mit dem kroatischen Infanterieregiment ging im Jahre 1941 auch eine Marineeinheit unter der Führung von Fregattenkapitän Andro Vrkljan an die Ostfront. Als die deutsche Wehrmacht das Schwarze bzw. Asowsche Meer erreichte, stellte man aus diesen drei Abteilungen zusammen. Die Kroaten bildeten Aufklärungstrupps und durchkämmten im Oktober 1941 die Uferlandschaften des Asowschen Meeres bzw. – im Raum Nikolajew – des Schwarzen Meeres. Die Abteilung am Asowschen Meer kam zuerst in den Besitz einer eigenen Flottille. Sie brachte insgesamt 47 verwahrloste Fischerkutter auf, zehn bis dreißig Tonnen groß, die von den Sowjets als unbrauchbar und beschädigt zurückgelassen werden mußten. Es waren überwiegend Segelschiffe, aber auch Motorschiffe. Nach nicht einmal vier Wochen war am Asowschen Meer eine kroatische Kriegsmarine entstanden. Bei der Aufstellung der Besatzungen ergaben sich jedoch Probleme. Die Kroaten musterten Einheimische an: ukrainische Freiwillige dienten nun auf ehemaligen russischen Schiffen in halbdeutschen Uniformen unter dem Kommando von kroatischen »Marineoffizieren«.

Die Deutschen übertrugen dieser so entstandenen kroatischen Flottenabteilung im Winter 1941/42 den wichtigen Auftrag der Küstensicherung. Selbstverständlich waren die Boote zu solchen Aufgaben weder technisch noch in der Bewaffnung gerüstet. Sie versuchten dennoch der Aufgabe gerecht zu werden.

Aus diesen Tagen wurde damals folgende Begebenheit überliefert: Ein kroatisches Boot sicherte eines Nachts im Dezember den Hafen von Ossipenko am Asowschen Meer. Im Falle eines gegnerischen Überfalls sollte es den Hafen alarmieren. Der junge kommandierende Offizier zur See bemerkte plötzlich zwei sowjetische Kanonenboote, die mit hoher Fahrt den Hafen anlaufen wollten und dabei seinen kleinen Kutter ignorierten. Da es für einen »normalen Alarm« zu spät war, entschloß er sich, die beiden Kanonenboote mit seiner einzigen

Bordwaffe, einem Maschinengewehr, anzugreifen. Er eröffnete das Feuer, das die sowjetischen Boote mit überlegener Feuerkraft erwiderten. So erreichte der Leutnant, daß der Hafen rechtzeitig alarmiert wurde. Mit dem Erfolg, daß die Sowjets abdrehten.

Die Aufgabe der slowakischen Schnellen Division, das Ufer des Asowschen Meeres zwischen Mariupol und Taganrog zu schützen, war bald beendet. Nachdem die 14. Panzerdivision, die am 19. Oktober 1941 Taganrog eingenommen hatte, abgezogen worden war, und im Dezember auch an diesem Frontabschnitt die sowjetischen Gegenangriffe ihren Anfang nahmen, griff man auf die Slowaken zurück. Die Division wurde achtzig Kilometer nördlich von Taganrog in aller Eile umgruppiert. Sie übernahm auf dem Westufer des Mius auf breiter Front die Verteidigung. Unter ihrem Kommandeur, General Malár, hielten sie diesen Abschnitt monatelang, bis zum Beginn der deutschen Sommeroffensive 1942. Dabei kam es zu einigen – für die Slowakische Republik – schmerzlichen Überraschungen, denn Angehörige der Division desertierten zur Roten Armee. Ende 1941 waren es 24 Soldaten, die unter dem Befehl eines Leutnants ihre Stellungen räumten und die Fahne verließen; einige Monate später, im Frühling, wiederholte sich der Fall. Ein Artillerieoffizier, Pavel Gajdos, trat mit neun Männern seiner Batterie zu den Sowjets über. Auf der anderen Seite der Front erließ er einen Aufruf und forderte seine Kameraden auf, dem Beispiel zu folgen[38]. Die deutschen Dienststellen reagierten prompt, indem sie ihren slowakischen Verbündeten kategorisch das Abhören feindlicher Sender verboten. Selbstverständlich wurde das Verbot auch in der Folgezeit nicht eingehalten, da die Slowaken und Russen miteinander keinerlei große Sprachschwierigkeiten hatten.

Dies war das erste Zeichen von Unzuverlässigkeit verbündeter Truppen an der Ostfront. Die deutsche Heeresführung war viel zuwenig mit dem Gefüge des slowakischen Offizierskorps vertraut, um ihren Problemen Verständnis entgegenzubringen.

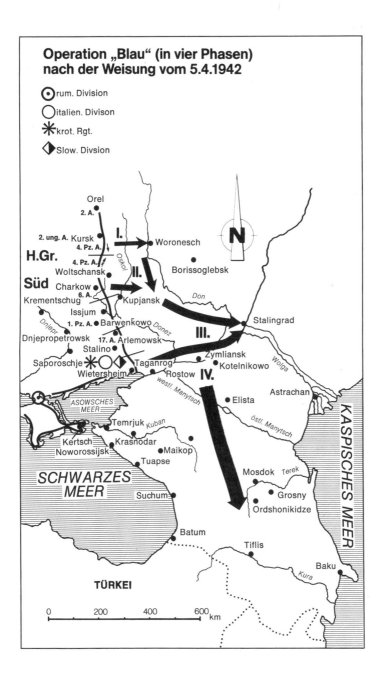

**Operation „Blau" (in vier Phasen)
nach der Weisung vom 5.4.1942**

⊙ rum. Division

◯ italien. Divison

✳ krot. Rgt.

◆ Slow. Divsion

Die junge Armee hatte von Anfang an Schwierigkeiten mit dem fehlenden Kader. Die meisten diensttuenden slowakischen Offiziere waren in der tschechoslowakischen Armee Reserveoffiziere gewesen und gehörten im Zivilberuf zur Dorfintelligenz. Viele von ihnen waren Protestanten – obwohl das slowakische Volk überwiegend katholisch war –, und so waren sie auch dem panslawistischen Gedanken verbunden. In den Russen sahen sie, trotz des bolschewistischen Regimes, den slawischen Bruder, und sie verabscheuten die Praktiken des deutschen Ostministeriums.

Zur Wolga und zum Kaspischen Meer

Am 1. Juni 1942 traf Hitler mit dem Flugzeug aus Ostpreußen kommend überraschend in Poltawa, dem Hauptquartier der Heeresgruppe Süd, ein. In seiner Begleitung befanden sich Generalfeldmarschall Keitel, Generalmajor Heusinger, der Chef der Operationsabteilung des OKH, Generalleutnant Wagner, der Generalquartiermeister des Heeres sowie einige Adjutanten. An den ausgedehnten Gesprächen nahmen alle verantwortlichen Armeeoberbefehlshaber und einige Kommandierende Generäle der Heeresgruppe Süd teil. Die Luftwaffe war durch Generaloberst von Richthofen vertreten. Es ging um die Operation »Blau«. Obwohl an der Sommeroffensive 1942 auch starke Verbände verbündeter Truppen teilnahmen, lud man niemand von deren Befehlshabern zur Stabsbesprechung ein. Die meisten Truppen befanden sich zu jener Zeit bereits in ihren Bereitstellungsräumen oder im Aufmarsch. Die Vorbereitung und Durchführung des ganzen Unternehmens, von dem Hitler die Kriegsentscheidung an der Ostfront noch 1942 erwartete, lag in den Händen von Generalfeldmarschall Fedor von Bock, dem Oberbefehlshaber der Heeresgruppe Süd. Die Gliederung dieser ungewöhnlich starken Streitmacht[39] sah folgendermaßen aus:

die 2. Armee mit Teilen der 4. Panzerarmee und mit der 2. ungarischen Armee aus dem Raum von Kursk, die 4. Panzerarmee aus dem Raum Charkow,

die 6. Armee aus dem Raum südöstlich von Charkow sowie

die 1. Panzerarmee mit der 17. Armee aus dem Raum von Stalino.

Hinter der 17. Armee und der 1. Panzerarmee standen in der zweiten Linie die 8. italienische Armee (von der zu jener Zeit nur ein Armeekorps vorhanden war) und die 3. rumänische Armee, die erst in der zweiten Hälfte des August vollständig im Raum von Rostow aufmarschiert war[40].

Hitler betrachtete die kommenden Ereignisse mit Zuversicht. Auf der Krim machte Mansteins 11. Armee große Fortschritte, und die abgeschlossenen Abwehrkämpfe bei Charkow zeigten ihm, daß die Rumänen, sofern sie motiviert waren, gute Kampfergebnisse erzielten. In Poltawa sprach Hitler erstmals von der Idee, nach dem Erreichen der Wolga bei Stalingrad eine neue Heeresgruppe zu bilden, die aus deutschen und rumänischen Verbänden bestehen sollte. Mit dem Oberbefehl wollte er Marschall Antonescu betrauen, allerdings mit einem Stab von ausgesuchten deutschen Generälen...

Im Juni, also noch vor Beginn der Offensive, kam es zu zwei kleineren Unternehmungen bei Kupjanks und Isjum, die zwar örtliche Erfolge, aber auch Zeitverluste brachten. Zudem wurde der Gegner, soweit er noch nicht über die deutschen Pläne unterrichtet war, deutlich auf die ihn an diesem Frontabschnitt drohende Gefahr hingewiesen.

Viele Zeichen sprechen dafür, daß die Rote Armee über die deutschen Pläne rechtzeitig informiert worden war. Am 19. Juni ereignete sich nämlich ein Zwischenfall, der noch heute, nach über dreißig Jahren, nicht vollständig geklärt ist. Ein deutscher Generalstabsoffizier, Major Reichel von der 23. Panzerdivision, war mit einem »Fieseler Storch« zum Gefechtsstand eines Armeekorps gestartet. Das Flugzeug mußte wegen Motorschaden dicht vor den sowjetischen Linien landen. Der sofort entsandte deutsche Stoßtrupp konnte nur das Auffinden des beschädigten Flugzeuges melden. Der Pilot und der Major waren verschwunden – und mit ihnen zusammen die Befehle und Karten für die erste Operationsphase der bevorstehenden Großoffensive! Hitler bekam einen Wutanfall. Was soll jetzt werden? Die Operationen verschieben, neue Pläne ausarbeiten? Schließlich beschloß man im Führerhauptquartier, das Risiko einzugehen, die Pläne nicht mehr zu ändern. Vielleicht sind die Sowjets doch nicht in den Besitz der wertvollen Dokumente gekommen?!

(Hitler sollte Recht behalten: Das Oberkommando der Roten Armee rechnete, nicht zuletzt auf die Anweisung von Marschall Stalin, mit einem deutschen Angriff keineswegs am Südabschnitt, sondern ausschließlich am *Mittelabschnitt* der deutsch-russischen Front und fürchtete eine südöstliche Umgehung bzw. Einkreisung von Moskau[40a]. Deswegen verstärkte man auch – zu Lasten der anderen Frontabschnitte – die sowjetische Brjansker-Front beträchtlich.)

Am 28. Juni traten – wie vorgesehen – die zur Armeegruppe Weichs zusammengefaßte 2. Armee, die 2. ungarische Armee und die 4. Panzerarmee aus dem Raum Kursk zur Großoffensive an. Die Armeegruppe umfaßte 20 Infanterie-, 4 Panzer- und 3 motorisierte Divisionen. Wenige Tage später ging die 6. Armee vom Raum Charkow aus zum Angriff über. Die sowjetischen Stellungen hielten nicht. Die Panzer- und motorisierten Verbände durchbrachen sie schon im ersten Anlauf. Bis zum 9. Juli wurde die Brjansker- bzw. Südwest-Front der Roten Armee auf 500 Kilometer Breite aufgerissen. In knapp einer Woche durchquerten die Divisionen der Armeegruppe Weichs kämpfend die 200 Kilometer breite Front zwischen Kursk und dem Don, westlich von Woronesch. Deutsche Truppen drangen in die brennende Stadt am Don ein. In harten Straßenkämpfen wurde der Westteil Woroneschs bis zum gleichnamigen Fluß erobert und dieser als Hauptkampflinie festgelegt.

Abgesehen vom Gebiet um Woronesch und dem dortigen kleinen Brückenkopf sollte der Don bis zum Scheitelpunkt des großen Don-Bogens nicht überschritten werden. Vielmehr gruppierte man die deutschen Truppen um und setzte sie in

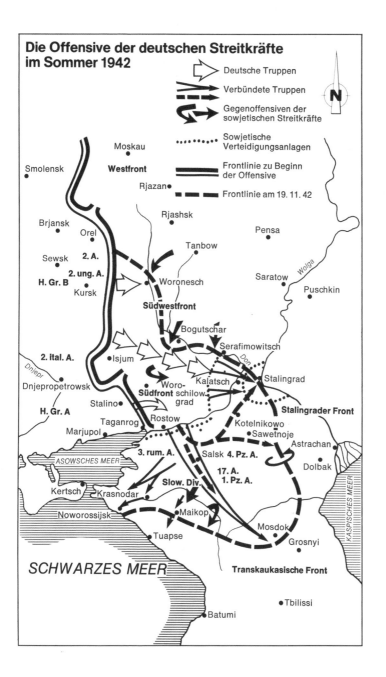

Die Offensive der deutschen Streitkräfte im Sommer 1942

Deutsche Truppen
Verbündete Truppen
Gegenoffensiven der sowjetischen Streitkräfte
Sowjetische Verteidigungsanlagen
Frontlinie zu Beginn der Offensive
Frontlinie am 19. 11. 42

Smolensk

Moskau

Westfront

Rjazan

Rjashsk

Brjansk

Orel

Pensa

Sewsk

2. A.

Tanbow

Wolga

H. Gr. B

2. ung. A.

Kursk

Woronesch

Saratow

Puschkin

Südwestfront

Bogutschar

Serafimowitsch

2. ital. A.

Isjum

Don

Dnjepr

Dnjepropetrowsk

Woro-
schilow-
grad

Kalatsch

Stalingrad

Südfront

Stalino

H. Gr. A

Taganrog

Rostow

Stalingrader Front

Marjupol

Kotelnikowo

Sawetnoje

Astrachan

3. rum. A.

Salsk

4. Pz. A.

Dolbak

ASOWSCHES MEER

17. A.

1. Pz. A.

Kertsch

Krasnodar

Slow. Div.

Noworossijsk

Maikop

Mosdok

KASPISCHES MEER

Tuapse

Grosnyi

SCHWARZES MEER

Transkaukasische Front

Batumi

Tbilissi

Richtung Süden zum Unterlauf der beiden Ströme (Don und Donez) in Marsch. Die Rote Armee leistete zwar überall Widerstand, aber nur soviel, wie unbedingt notwendig war. Ihre Befehlshaber ließen keine Einkreisung ihrer Truppen zu. Stets gelang ihnen rechtzeitig der Rückzug. So blieben auch die Gefangenenzahlen der Armeegruppe Weichs bzw. der 6. Armee niedrig. Sie lagen weit hinter denjenigen des Vorjahres. (Armeegruppe Weichs: 28 000 Gefangene, 1 000 Panzer und 500 Geschütze zerstört oder erbeutet. 6. Armee: 45 000 Gefangene, 200 Panzer und 700 Geschütze zerstört oder erbeutet. Dies alles im Zeitraum vom 28. Juni bis 8. Juli 1942[41].)

Als die Armeegruppe Weichs ihre Offensive begann, befand sich die 2. ungarische Armee noch nicht vollzählig in ihrem Bereitstellungsraum. Ende Juni verfügte ihr Oberbefehlshaber, Generaloberst Jány, lediglich über das 3. Armeekorps, während die anderen Divisionen noch im Anrollen waren. Trotzdem nahm Jány am Vormarsch teil; dem ungarischen Armeekorps wurde ein deutscher Großverband beigegeben, und so stießen die Ungarn aus dem Raum Kursk in südöstlicher Richtung durch Tim, Stary Oskol und Korotojak in Richtung Don vor. Links von ihnen entfaltete die 2. Armee, rechts die 4. Panzerarmee ihren Angriff.

Erst beim Tim stießen die Honvéd auf stärkeren Widerstand. Trotz der Schwierigkeiten, die sich während dieser ersten Feuertaufe ergaben, gelang es, den gegnerischen Widerstand zu brechen und den Ort in Besitz zu nehmen. Am 4. Juli wurde auch Stary Oskol eingenommen. Nun ging der Vormarsch zügig weiter. Die ungarischen Offiziere fühlten sich dabei überfordert. Der russische Raum machte ihnen zu schaffen. Ihnen waren diese Dimensionen, in denen sie und die Truppe sich bewegen mußten, völlig ungewohnt, fremd und unheimlich. Die ersten Honvéds erreichten am 7., das Gros am 9. Juli den Don. Damit war der erste Teil des Kampfauftrages der Ungarn erfüllt. Der zweite Teil, der darauf hinauslief, die deutschen Divisionen am Westufer des Don abzulösen und die Verteidigung auf eine Frontbreite von etwa 200 Kilometer zwischen dem Gebiet südlich von Woronesch (die Stadt und Umgebung gehörten weiterhin zum Verteidigungsbereich der 2. deutschen Armee) und Pawlowsk zu übernehmen, mußte gleich anschließend angegangen werden.

Im Juli trafen nach und nach auch die anderen Verbände der 2. ungarischen Armee am Don ein. Sie kamen meistens nach ausgedehnten Fußmärschen – nicht selten 500–600 Kilometer – von den Ausladestationen tief im Hinterland an. Feindberührung hatten sie kaum, Partisanenüberfälle blieben gänzlich aus. Allerdings hatten die Ungarn hier unmittelbar vor dem Don erstmals Panzer amerikanischer Herkunft (aus dem Pacht- und Leihvertrag) im Besitz der Roten Armee gesichtet. Den ersten erbeuteten US-Panzer schickte man sofort nach Ungarn. Während in den folgenden Tagen und Wochen die 4. Panzerarmee und die 6. Armee laut des Operationsplanes »Blau« nach Süden umgruppiert wurden, hatten die Ungarn auftragsgemäß die Sicherung des Don zu übernehmen. Sie stellten bald fest, daß sich an einigen Stellen – bei geeigneten Flußbiegungen – sowjetische Truppen am Westufer des Don festgesetzt hatten.

Drei Brückenköpfe – Uryw, Korotojak und Schtschutschje, in ihrer Ausdehnung zwischen 30 und 50 Kilometer groß – bildeten in der Folge den Schwerpunkt der ungarischen Anstrengungen am Don 1942. Bereits am 27. Juli versuchten Teile zweier Infanteriedivisionen und Einheiten der 1. Panzerdivision die Russen aus ihren Stellungen bei Uryw zu verdrängen. Sie mußten aber nach bescheidenen Geländegewinnen das Unternehmen abbrechen. Die noch aus Ungarn mitgebrachte Munition ging zu Ende, der Nachschub war noch nicht organisiert.

Die zweite Schlacht um Uryw begann am 10. August. Das Generalkommando des 3. Armeekorps operierte jetzt nur mit Infanterie. Die Honvéds erreichten zwar die morastigen gegnerischen Stellungen, wurden aber zurückgeworfen. Die Verluste einer einzigen Division beliefen sich an diesem Tag auf 1 400 Menschen[42]. Das dritte Unternehmen gegen Uryw bereiteten nun die Deutschen vor. Am 9. September griffen mehrere deutsche und ungarische Verbände an. Eine ganze Woche lang tobte der Kampf: Uryw, der Ort, wurde zwar genommen, den Brückenkopf hielten die Sowjets jedoch weiter. Der dürftige Erfolg mußte mit 1454 Toten und 6375 Verwundeten und Vermißten bezahlt werden! Fünfundfünfzig Offiziere, unter ihnen der Kommandierende General des 24. deutschen Panzerkorps, General der Panzertruppe Willibald von Langermann und Erlenkamp, fielen[43].

Von mehr Erfolg war das Unternehmen gegen Korotojak gekrönt. Auf dem dortigen flachen Gelände vermochten sich die Russen nicht lange zu halten. Am 3. September gelang es den Honvéd, sie über den Fluß zurückzuwerfen. – Gegenüber Schtschutschje wurden nur kleinere Kommandounternehmungen geführt. Wesentlicher Geländegewinn konnte dabei nicht erzielt werden. Die deutschen Offiziere bei der ungarischen Armee hatten die Rote Armee bisweilen sehr unterschätzt. Ihre bisherige »These« »Der Russe hat nichts, der Russe kann nichts; der ist nur ein Schluchtenschleicher, den schlägt man nur auf dem Kopf und er verschwindet!« mußte schleunigst revidiert werden.

Mitte September ging die 2. ungarische Armee auf der ganzen von ihr gehaltenen Don-Linie in die Defensive. Hier und da wurden noch kleinere Stoßtrupp-Unternehmungen – zwecks Stellungskorrekturen – durchgeführt oder gegnerische Aufklärungsangriffe abgewiesen, aber zu grundlegenden Änderungen an diesem Frontabschnitt kam es bis Ende des Jahres 1942 nicht mehr.

Inzwischen machten die Angriffstruppen der deutschen Heeresgruppe Süd von Anfang an gute Fortschritte. Am Tag, an dem eine Panzerdivision bei Woronesch den Don erreichte – am 6. Juli also –, verfügte Hitler, wie vorgesehen, eine Teilung der Heeresgruppe. Man schuf die Heeresgruppe A (Oberbefehlshaber Generalfeldmarschall Wilhelm List) und die Heeresgruppe B (Oberbefehlshaber vorerst Generalfeldmarschall Fedor von Bock, der jedoch bereits am 17. Juli durch Generaloberst Maximilian Freiherr von Weichs ersetzt wurde).

Die Heeresgruppe A, nunmehr aus der 3. rumänischen Armee, der 17. Armee und der 1. Panzerarmee bestehend, hatte den Auftrag, ihre Operationen in Richtung auf den Nordkaukasus zu entfalten, um die Ölfelder von Maikop und Grosny in Besitz zu nehmen.

Der Heeresgruppe B hingegen, die sich seit dem 30. Juli aus der 2. Armee, der 2. ungarischen Armee, der 6. Armee und der 4. Panzerarmee zusammensetzte, fiel die Aufgabe zu, den Operationen im Kaukasus einen ausreichenden Flankenschutz zu gewähren. Sie sollte ferner die Wolga beiderseits von Stalingrad erreichen, die Stadt selbst erobern und den Strom kontrollieren, um den Sowjets diesen wichtigen Verkehrsweg zu sperren[44].

Während die Heeresgruppe B, wie bereits geschildert, im Juli und August den ihr zugewiesenen Auftrag größtenteils erfolgreich durchführte und unter anderem bis zum Stadtrand von Stalingrad vorstieß, spielten sich zwischen Don und Wolga auf sowjetischer Seite Szenen ab, die gespenstisch an den Sommer 1941 erinnerten. »In den Tagen vom 21. bis 27. 8., also vom Beginn des Angriffs über den Don bis zur Abwehr des ersten geschlossenen Großangriffs, verliert der Gegner 14 600 Gefangene und 281 Panzer; 52 feindliche Flugzeuge werden von Infanterie und Heeresflak abgeschossen, 11 Wolgaschiffe versenkt. Wie stark der moralische Eindruck der deutschen Erfolge auf die russichen Truppen ist, kann man nicht nur aus Hunderten von Überläufern erkennen, sondern auch daran, daß am 27. 8. ein sowjetischer Panzer vom Typ »T-34« mit voller Besatzung überläuft, sofort sein Geschütz gegen angreifende feindliche Panzer richtet und einen T-34 abschießt, einen weiteren bewegungsunfähig schießt; wenige Tage später wechseln sogar zwei sowjetische Flugzeuge mit Besatzung die Front...[45]«

Truppen der Roten Armee räumten eigenmächtig ihre Stellungen. Soldaten und Offiziere verließen ihre Einheiten, um sich über die Wolga retten zu können[46]! Auflösungserscheinungen, Desertationen in erschreckendem Ausmaß zeigten sich – Vorkommnisse, die das sowjetische Hauptquartier ernstlich aufhorchen ließen. Wir zitieren Marschall Schukow:»Infolge des erzwungenen Rückzuges unserer Truppen fielen dem Feind die reichen Gebiete des Dons und des Donezbeckens in die Hände. Es drohte die Gefahr, daß der Gegner zur Wolga und zum Nordkaukasus vorstoßen würde, daß wir den Kuban, alle Verbindungen zum Kaukasus und dieses äußerst wichtige Wirtschaftsgebiet verlieren würden, das die Streitkräfte und die Industrie mit Erdöl versorgte. Stalin gab die bekannte Weisung Nr. 227 heraus. Darin wurden durchgreifende Maßnahmen zur Bekämpfung von Panikmachern und Verstöße gegen die Disziplin angeordnet. Jeder Gedanke an einen Rückzug wurde streng verurteilt. Die Forderung:›Keinen Schritt zurück!‹ sollte zum eisernen Gesetz für die kämpfende Truppe werden...[47]«

Mit vermehrter Parteiagitation, aber auch mit äußerst drakonischen Maßnahmen, versuchten die sowjetischen Kommandostellen der sich ausdehnenden Unsicherheit im Südabschnitt der Front Herr zu werden und das Chaos zu bekämpfen. Jeder Kommandant erhielt das Recht, Untergebene, die sich weigerten, Befehle auszuführen, oder die eigenmächtig das Kampffeld verließen, ohne Gerichtsverfahren zu erschießen[48]! »Aushalten bis in den Tod! Keinen Schritt zurück!« war die Parole dieser Tage. In und um Stalingrad bzw. am Nordufer des Don wurden riesige Vorkehrungen getroffen, um zumindest hier den Feind aufhalten zu können. Die Tatsache, daß gerade in diesen Spätsommermonaten 1942 die anglo-amerikanische Waffen- und Ausrüstungshilfe zunehmend wirksam wurde – es zeigte sich nicht nur beim Auftauchen der ersten Pkw »Willys« und »Studebaker«-Lkw an der Front; die Rote Armee erhielt auch amerikanische Konserven und neue Stiefel, Uniformen und Wäsche wurden verbessert[49] –, half der sowjetischen Kriegführung zwangsläufig, die verworrene Lage im Süden, wenn vorerst auch nur abschnittsweise, zu stabilisieren.

Am 9. Juli begann die eigentliche Offensive der Heeresgruppe A aus dem Raum südöstlich von Isjum. Nachdem deutsche Panzerdivisionen das Donezbecken in ihren Besitz gebracht und den unteren Don überschritten hatten, gelang es ihnen, täglich 50 Kilometer oder noch mehr in die Steppe vorzustoßen. Ihnen folgten andere Verbände der Heeresgruppe, sowohl deutsche als auch rumänische und slowakische. Die 3. rumänische Armee, mit der 17. Armee zur »Armeegruppe Ruoff« zusammengefaßt (wodurch sie eigentlich unter deutsche Führung gestellt war), säuberte im Laufe der zweiten Hälfte des August die Gebiete östlich des Asowschen Meeres und übernahm dann die Sicherung dieses Raumes. General Dumitrescus Aufgabe wurde teilweise dadurch erleichtert, daß er unter anderem über drei Kavallerie- und eine Gebirgsjägerdivision verfügte und somit verhältnismäßig mobil war. Aber es gab auch kritische Augenblicke, vor allem im Abschnitt der 3. Gebirgsjägerdivision, die zum ersten Male im Feuer stand, und im Abschnitt der 19. Infanteriedivision, bei der die Zusammenarbeit mit den deutschen Sturmgeschützen nicht einwandfrei ablief. Verspätete Befehle von seiten des Generals Racovitza, dem Kommandierenden General des Kavalleriekorps, trugen unter anderem dazu bei. In der Folge waren schwere Verluste, wobei einige Einheiten über die Hälfte ihres Bestandes einbüßten, zu beklagen.

Am 9. August fiel Krasnodar, der Seehafen Jejsk wurde erobert, und deutsch-rumänische Kräfte setzten – von Kertsch kommend – Anfang September 1942 zur Taman-Halbinsel über, um sich mit den von Norden – vom Kuban her – vorstoßenden Verbänden der »Armeegruppe Ruoff« zu vereinigen.

Der 1. Panzerarmee unterstellt war die 2. rumänische Gebirgsjägerdivision und die slowakische Schnelle Division. Letztere wurde für das Kaukasus-Unternehmen mit neuen Mannschaften versorgt, außerdem wurde ein Teil der besonders benötigten Ausrüstung bzw. Bewaffnung aus Beutebeständen ergänzt. Eine weitgehende Motorisierung der Truppe, wie sie General Čatloš vorgeschwebt hatte, konnte jedoch nicht realisiert werden. Die Slowaken schlossen sich am 20. Juli der deutschen Offensive (Operation »Edelweiß«) an, rückten der deutschen Panzerarmee in strömendem Regen in Richtung Rostow nach und nahmen an dem Generalskoje ausgehenden Sturm auf diese wichtige Stadt teil. Rostow, das »Tor zum Kaukasus«, wurde von deutsch-slowakischen Truppen am 23. Juli genommen. Danach stießen die Truppen weiter, Richtung Nordkaukasus, vor.

In einem den Einsatz aller Energien erfordernden Bewegungskrieg rückte die Schnelle Division nun wieder in Staub und tropischen Hitzewellen auf Krapotkin vor. Die Stadt sollte von einer bewaldeten Höhe aus erobert werden. Der Fluß Kuban wurde überschritten, Maikop mit seinen Ölfeldern kam in Sicht. Am 9. August konnte das Oberkommando der 1. Panzerarmee melden, daß Maikop in deutscher Hand sei. Zwar waren die Angreifer jetzt im Besitz der Ölfelder, also des vordringlichsten Eroberungsziels, doch sie fanden lediglich Ruinen und völlig zerstörte Bohrtürme vor, deren Instandsetzung lange Monate, wenn nicht Jahre in Anspruch nehmen mußte[50].

An der Eroberung von Maikop hatten auch die Slowaken Anteil. General Turanec, der Kommandeur der Division, war mit der Leistung seiner Soldaten zufrieden – obwohl die Ausfälle, besonders in den letzten Tagen, zunahmen. Dies nicht nur durch Feindeinwirkung, sondern vielmehr durch Seuchen und eine Gelbsuchtepidemie, die durch einseitige Verpflegung hervorgerufen worden war. Dazu kam noch, daß mit der enormen Zunahme des Nachschubweges (2800 Kilometer Entfernung zu den Heimatbasen) vielerorts die Versorgung der Truppe zusammenbrach. »Mütterlein mein, ja so ein Leben haben wir hier, daß ich das nicht einmal meinen Feinden gönnen möchte!«, schrieb ein unbekannter slowakischer Soldat seiner Mutter, dessen Brief bei der Zensurstelle der deutschen Feldpost zurückgehalten wurde. »Hier bin ich hungrig wie ein Wolf, ja ein Hund hat es besser in seiner Bude. Hier würde ich alles, was ich zu Hause weggeschmissen habe, essen!« Und nach Cierny

Balog schrieb ein anderer Slowake: »Ich bin hungrig wie ein Löwe, und dabei muß ich arbeiten, als wäre ich ein Sklave. Immer Erde ausgraben, Stellungen bauen. Wir wohnen in Erdlöchern und werden von Läusen gefressen. Mütterchen, Du würdest weinen, wenn Du Deinen Sohn sehen würdest. Wir müssen uns für die Verteidigung bereit machen. So weit von Dir! Komm ich je nach Hause?« Andere Briefe beschrieben den schweren Weg der Division bis zum Maikop, die Kämpfe, die um Tuapse tobten, das nicht erobert werden konnte, das Pferdefleisch aus Kadavern, das den Slowaken als Proviant diente, oder äußerten die Ansicht, man solle die »Hlinka-Gardisten« an die Front schicken, nicht »uns, Bauernburschen, die hier nichts zu suchen haben[51]!«

Nach und nach kam das deutsche Kaukasus-Unternehmen ins Stocken. Die Ausdehnung der Operation über den westlichen Kaukasus lehnte Generalfeldmarschall List in der Folge wegen der Unzulänglichkeit der Kräfte ab. Nur im Zentrum der Heeresgruppe A gelang es noch der 1. Panzerarmee mit einer rumänischen Division Naltschik zu erreichen. Sie stieß darüber hinaus vor und in die weiten Steppen hinein. Die Frontabschnitte der einzelnen Divisionen betrugen bis zu 70 Kilometer. Ein kritischer Punkt war erreicht, und während die deutschen und ihre verbündeten Truppen mit zunehmenden Nachschubschwierigkeiten, besonders beim Treibstoff, kämpften, nahm ab Mitte August der sowjetische Widerstand zu. General der Panzertruppen Walter Nehring schreibt in seiner »Geschichte der deutschen Panzerwaffe«: »Die Truppe war abgekämpft, ihre Ausfälle nicht ersetzt, ihre Front weitgespannt, Reserven nicht vorhanden und das Gelände schwierig. Zwangsläufig kam es daher Anfang September zum Erliegen des Angriffs[52].«

Beinahe gleichzeitig mit dem Festlaufen der Operationen der Heeresgruppe A im Kaukasus drohte auch der Vormarsch der Heeresgruppe B ins Stocken zu geraten. Sie war ohnehin entlang eines beträchtlichen Frontabschnitts von nicht weniger als 800 Kilometer (von der Kalmückensteppe nordwestlich von Astrachan bis zum mittelrussischen Raum von Kursk) eingesetzt. Stalingrad, die Stadt an der Wolga, eines der Ziele der Operationen der Heeresgruppe B, band immer mehr deutsche Truppen. Die Eroberung der Stadt ging langsam vor sich; der sowjetische Widerstand nahm auch an diesem Frontabschnitt tagtäglich zu, die personellen Ausfälle der Belagerer bereiteten dem deutschen Oberkommando Sorgen. Auch andere Hiobsbotschaften beunruhigten die Deutschen: Sowjetische Angriffsformationen mit starken Panzerkräften geführt, versuchten zwischen Wolga und Don Anfang September die Nordfront der 6. Armee zu durchbrechen, um dadurch Stalingrad zu entsetzen. Das hier eingesetzte deutsche Panzerkorps war zeitweilig in Bedrängnis.

Im Führerhauptquartier wurden die Ereignisse im Südabschnitt der Front mit wachsender Unruhe verfolgt. Selbst Hitler äußerte Mitte August die Befürchtung, die Rote Armee könnte den Angriff Stalins aus dem Jahr 1920 wiederholen und aus dem Raum von Serafimowitsch über den Don in Richtung Rostow vorstoßen. Er war jedoch nicht zu einer grundlegenden Änderung der Ziele der Operation »Blau« zu bewegen, sondern entschloß sich vielmehr – trotz des Mangels an Truppen bei den Angriffsarmeen im Süden –, die auf der Krim freigewordene 11. Armee unter Generalfeldmarschall Manstein nach Norden umzugruppieren. Sie sollte bereits am 14. September die Operation »Nordlicht« – die Eroberung Leningrads – beginnen, um damit indirekt den finnischen Verbündeten zu vermehrter Aktivität zu bewegen[53].

Dabei war bei den seit Ende Juni in fortwährenden Kämpfen stehenden beiden südlichen Heeresgruppen der Wehrmacht der Ersatz der Verluste selbst ein Problem geworden. Die Divisionen der Verbündeten trafen erst nach und nach vollzählig aus ihren Heimatländern ein. So hatte zwar Marschall Antonescu zwei Feldarmeen für den Sommer 1942 in Aussicht gestellt und dementsprechend mehr als eine Million Wehrfähige einziehen lassen, der rumänische Truppenaufmarsch ging jedoch nur langsam vor sich. Noch im November 1942 war die 4. rumänische Armee nicht vollzählig an ihrem vorgesehenen

Frontabschnitt eingetroffen. Das war auch der Grund dafür, weswegen Antonescu auf den Vorschlag, Oberbefehlshaber einer noch zu bildenden deutsch-rumänischen Heeresgruppe zu werden, vorerst eine ausweichende Antwort gab. Er war zwar von Hitlers diesbezüglichem Auftrag tief beeindruckt und fühlte sich sehr geehrt, aber er ließ den deutschen Führer wissen, daß er den Oberbefehl über die Heeresgruppe mit dem Namen »Don« erst übernähme, wenn beide rumänische Armeen vollzählig an ihrem vorgesehenen Frontabschnitt eingetroffen seien[54].

Hitler billigte diese Ansicht, denn nach seinen Vorstellungen sollte die neue Heeresgruppe von Astrachan bis Stalingrad erst gebildet werden, wenn die Stadt an der Wolga gefallen war[55].

Die erste Verteidigungsschlacht am Don

Unterdessen sammelte sich im Raum von Charkow und Stalino die 8. italienische Armee. Ihre Geburtsstunde fiel offiziell auf den 1. August 1942 – wohl etwas verspätet, was wiederum mit Mussolinis Größenwahnsinn zusammenhing. Mitte Juli begab sich der Duce nämlich nach Afrika, wo er in Derna, unweit der Front, auf die Siegesmeldung Rommels von der Einnahme Kairos wartete. Der italienische Regierungschef beabsichtigte, auf einem weißen Schimmel in die ägyptische Hauptstadt einzuziehen, um dort »der ganzen Welt« bekanntzugeben, seine siegreichen Truppen stünden nicht nur am Nil, sondern auch in Rußland, im Dongebiet. Aber die Briten versteiften ihren Widerstand und gingen sogar zum Gegenangriff über, wobei das 10. italienische Armeekorps schwere Verluste erlitt. Am 20. Juli verlor Mussolini die Geduld. Er sah ein, daß Kairo bis Ende des Monats nicht eingenommen werden konnte, und flog ungehalten nach Rom zurück. Erst dort erinnerte er sich an seine Verpflichtungen in Rußland...

Die italienische Armee war ursprünglich für den Kaukasus-Einsatz vorgesehen gewesen, schied dann aber aus der Heeresgruppe A aus und wurde der Heeresgruppe B zugeteilt. Sie sollte nun den Don-Abschnitt zwischen Choper-Mündung bis südlich Pawlowsk übernehmen[56]. Die bereits in Richtung Kaukasus in Marsch gesetzten Alpini-Divisionen mußten umgruppiert werden. Da das 2. italienische Armeekorps noch Mitte August nicht vollzählig eingetroffen war, hatte vorerst das ehemalige Expeditionskorps, das nunmehrige 35. Armeekorps, den Auftrag, in Richtung Don vorzustoßen und nördlich von Stalingrad am Don einen Frontabschnitt von 60 Kilometer Breite zu übernehmen. Es sollte die Vorhut der ARMIR sein, da es vorgesehen war, die 8. italienische Armee (drei Armeekorps) am mittleren Don zwischen der 2. ungarischen und der 6. deutschen Armee einzusetzen und mit Verteidigungsaufgaben zu betrauen.

Das 35. Armeekorps unter dem bewährten General Messe verfügte Anfang August über zwei Divisionen, nämlich über ihre Stammdivision »Pasubio« und die aus Albanien neu eingetroffene Infanteriedivision »Sforzesca«. Auch eine Kavalleriegruppe, ein bespanntes Artillerieregiment und eine sogenannte »Schwarzhemdengruppe« – eine Sondertruppe der faschistischen Partei –, der man »politische Kampfmoral« nachsagte, gehörten mit anderen kleineren Einheiten zum Korps.

General Messe erinnerte sich: »Die Ablösung der deutschen Einheiten erfolgte ordnungsgemäß, ohne Zwischenfälle und sogar in wesentlich kürzerer Zeit als vorgesehen war. Der Vormarsch vom Donez zum Don auf einer Strecke von 400 Kilometer durch Steppengebiet, ohne Wasser und andere Hilfsquellen, verdient ausdrückliche Erwähnung: hier wurde eine organisatorische und Leistungsprobe abgelegt, die für die Fähigkeiten der Kommandos und den Opfergang der Truppe sprechen[57]!«

Die Italiener erreichten den Don am 12. August. Bereits am anderen Tag übernahmen sie den ihnen zugewiesenen Frontabschnitt zwischen dem Knie von Merkulow und der Mündung der Choper. Dabei stellte sich heraus, daß die zu besetzende Linie in Wirklichkeit nicht 60, sondern 80 Kilometer ausmachte. Im Hinblick auf den Charakter des Geländes, die Ausdehnung des Frontabschnittes und die Feindlage beabsichtigte Messe auf den Höhenstellungen Verteidigungszentren zu bilden und die eigentliche Frontlinie nur dünn zu besetzen. Dadurch hätte man auch Truppen als Einsatzreserve zurückhalten können, um so mehr, als die beiden italienischen Divisionen des Armeekorps nicht aus je drei, sondern nur aus zwei Regimentern (mit Artillerie) bestanden. Aber der Oberbefehlshaber der Heeresgruppe B lehnte eine solche Lösung ab und verfügte in seinem Rundschreiben »Weisung für die Verteidigung an Wolga und Don«, daß die Verteidigung des Wasserlaufes nicht in elastischer Form, sondern »starr geführt« und »absolut unnachgiebig« zu gestalten sei. Die Hauptkampflinie müsse am Südufer des Don gebildet werden und fortlaufend sein, auch wenn man sie nur mit schwachen Kräften besetzen könne[58].

Messes Stellungnahme: »Die logische Folge war, daß unsere Kräfte sich zersplitterten und absolut ungenügende Tiefenstaffelung aufwiesen[59]!« Der General setzte sich nun dafür ein, daß seinem Korps die dritte Division, die sogenannte Schnelle Division (nunmehr mit dem Namen »Celere«) wieder angegliedert werde. Dieser Verband war bereits am 24. Juli der 6. Armee direkt unterstellt worden. Er machte den Vormarsch unter General Paulus in Richtung Wolga mit, legte innerhalb von wenigen Tagen 400 Kilometer zurück und wurde nordöstlich von Stalingrad als Flankenschutz eingesetzt. Die Division übernahm die Verteidigung der Don-Linie von Serafimowitsch bis Jelanskaja. Kaum 24 Stunden später stand sie bereits mitten in schweren und unerwarteten Abwehrkämpfen!

Am 30. Juli griffen sowjetische Infanteriekräfte die Italiener mit starker Panzerunterstützung an. Dem Gegner gelang es sofort, am Südufer des Don Fuß zu fassen und einen Brückenkopf zu bilden. Zwei Bersaglieri-Bataillone, die sich nichtsahnend in geschlossener Formation dem Don-Ufer näherten, wurden angegriffen und von den T-34-Panzern niedergewalzt. Es war der erste Zusammenstoß der Italiener mit massierten sowjetischen Panzerverbänden. Da es an geeigneten Panzerabwehrwaffen fehlte, versuchten die in der Steppe verstreuten Bersaglieri, wenigstens die gegnerische Infanterie aufzuhalten, die nach russischer Ausbildung zusammengedrängt auf den Panzern saß. Als die sowjetischen Panzer, in die Tiefe der Verteidigung zielend, an den italienischen Truppen vorbeirollten, schloß sich die italienische Front hinter ihnen. Zwei Batterien der schleunigst zur Durchbruchstelle kommandierten Panzerabwehreinheit der italienischen Division trafen noch rechtzeitig ein; mit ihrer Hilfe konnte der Angriff aufgefangen werden. Der Brückenkopf Serafimowitsch bestand zunächst weiter, wurde jedoch bald aufgerieben.

Die nächsten Tage verbrachte die Division »Celere« in ständigen Kämpfen. Sie wollte die alte Lage am Don-Ufer wiederherstellen. Insbesondere bei Bobrowskij-Baskowskij spitzte sich die Lage zu. Immer mehr sowjetische Soldaten konzentrierten sich am Brückenkopf, möglicherweise mit der Absicht, mit starker Panzerunterstützung in Richtung auf Kalatsch vorzustoßen. Die ganze »Celere« wurde nun in die Kämpfe einbezogen. Nach fünf Tagen gelang es den Italienern, den sowjetischen Brückenkopf zu sprengen. Von zwei sowjetischen Panzerbrigaden konnte nur ein geringer Teil das andere Ufer des Don erreichen. Die Italiener machten 1600 Gefangene, 47 zerstörte Panzer blieben auf dem Schlachtfeld zurück. Viele von ihnen waren mit »Molotow-Cocktails«, d.h. mit primitiven Benzinflaschen, vernichtet worden. Aber auch die Bersaglieri hatten empfindliche Ausfälle; über 1000 Mann waren gefallen (unter ihnen Oberst Caretto, der an der Spitze seines Regimentes fiel), oder verwundet[60].

Die Division verblieb bis zum 14. August in ihrer Stellung am Don. Dann wurde sie von deutschen Truppen abgelöst und in der Etappe aufgefrischt. Nun kam General Messe mit dem 35. Armeekorps zum Don. Offiziell übernahm die 8. italienische Armee schon am 13. August mit ihren drei Armeekorps den Verteidigungsabschnitt am mittleren Don zwischen der 6. deutschen und der 2. ungarischen Armee, doch vergingen noch Wochen, bis der Aufmarsch vollständig vollzogen war[61]. Vorerst

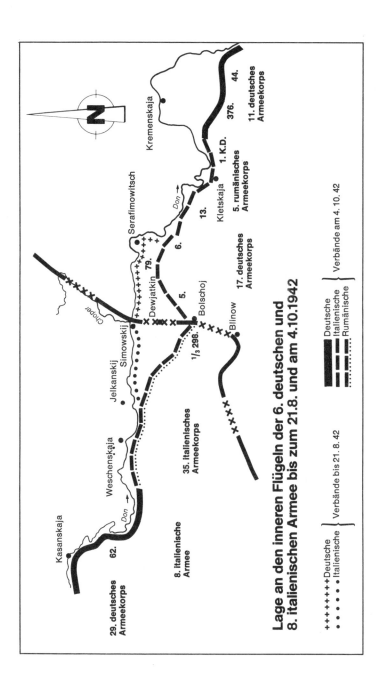

Lage an den inneren Flügeln der 6. deutschen und 8. italienischen Armee bis zum 21.8. und am 4.10.1942

stand Messe vor schwerwiegenden Problemen, denn sie befanden sich keineswegs an einem ruhigen Frontabschnitt. Die Rote Armee gab sich nicht geschlagen. Gerade das Gegenteil war der Fall.

Im frühen Morgengrauen des 20. August begann die sowjetische Artillerie die Stellungen der Division »Sforzesca« zu beschießen. Kurz darauf gingen Infanterie und Panzer zum Angriff über. Divisionen der sowjetischen »Südwestfront« berannten die noch kaum ausgebauten, geschweige denn befestigten italienischen Stellungen. Messe hinterher: »Die erste Verteidigungsschlacht am Don hatte begonnen[62]!« Von der Choper-Mündung Simowskij bis zum Ort Jelkanskij tobten Kämpfe. In den Morgenstunden des 20. August mußte der Divisionskommandeur, General Carlo Pellegrini, mehrere Stellungen preisgeben. Die Sowjets faßten am Südufer des Don Fuß und auch die vom »Schwarzhemdenbataillon« bzw. von der italienischen Kavallerie geführten Gegenangriffe vermochten nicht, die alte Position wiederherzustellen. Kaum vierundzwanzig Stunden später wich die ganze Division »Sforzesca« vom Don-Ufer zurück. Der Roten Armee war es ein zweites Mal gelungen, auf der anderen Seite des Flusses einen Brückenkopf zu bilden.

In den folgenden Tagen spitzte sich die Lage beim 35. Armeekorps zu. Messe erhielt Verstärkung. Mit einigen anderen Einheiten wurde ihm die angeschlagene Division »Celere« zugeführt. Auch ein deutsches Infanterieregiment kam zu Hilfe, und Generaloberst Gariboldi entsandte von der Armeereserve die neu eingetroffene Kroatische Legion zu ihrem ersten Einsatz. Mit diesen Kräften trat das italienische Armeekorps zum Gegenangriff an. Das Ziel, die Wiedereroberung der alten Stellungen, konnte jedoch nicht erreicht werden. Zwar gelang es den Elite-Bataillonen der Bersaglieri, im Sturmangriff unbedeutenden Geländegewinn zu erzielen, doch zwangen die Verluste, ein weiteres Vorgehen abzubrechen. Nun setzte General Messe die Kavallerie ein. In der Nähe des Ortes Isbuschenskij wurde das Regiment »Savoia« umgruppiert. Am Morgen des

24. August meldete man dem Kommandeur, Oberst Bettoni, daß eine starke sowjetische Gruppierung, man schätzte sie auf drei Bataillone mit Artillerie, gegen die eigenen Truppen Front machte. Der Reiteroberst ließ seine Truppe wie bei einer Feldübung aufmarschieren, und zwar überstürzt. Was danach geschah, schildert ein Augenzeuge so:

»Wie bei einer Exerzierplatzübung verläßt die Reiterschwadron ihre quadratische Aufstellung, entfernt sich im Schritt, geht dann zum Trab über und fällt schließlich, nach breiter Entfaltung, mit durchbrechender Wucht in die Flanke der feindlichen Linie. Die Russen werden von Panik ergriffen und suchen den Säbelhieben zu entgehen, indem sie sich in ihre Grabenlöcher flüchteten. Die ganze Frontlinie wird unter einem Orkan von Schüssen und Explosionen abgeritten. Nachdem die Reiterattacke vorüber ist, nehmen die überrumpelten Russen wieder das Feuer gegen uns auf. Doch die Schwadron führt ein schnelles Manöver durch, kehrt zurück und passiert ein zweites Mal die feindliche Linie – jetzt in entgegengesetzter Richtung: sie vollendet ihr Werk durch einen Handgranatenregen...[63]«

Nun wurden auch die restlichen Reiterschwadronen – teils abgesessen – in die Schlacht geführt. Im Stil der Reiterattacken des 19. Jahrhunderts hatten die Italiener so zwar einen fragwürdigen Sieg, aber nur regional bedeutsam, errungen.

Am 25. August traten die Sowjets auf einem breiten Frontabschnitt erneut zum Angriff an. Der Ort Tschebotarewskij an der Nahtstelle zwischen dem 17. deutschen und dem 35. italienischen Armeekorps wurde von den Russen genommen. In seinen Memoiren beklagt sich Messe, daß man ihm von den benachbarten deutschen Truppen keinerlei Unterstützung zukommen ließ[64]. Ob dies der wahren Sachlage entspricht oder ob die Anschuldigungen lediglich von politischen Motiven diktiert wurden, soll dahingestellt bleiben, denn Messes Memoiren (er wurde später »Marschall von Italien«) erschienen unmittelbar nach dem Krieg, zu einer Zeit also, zu der die Herabwürdigung des ehemaligen Verbündeten an der Tagesordnung war.

Allerdings leugnet Messe nicht, daß durch den Fall von Tschebotarewskij beim Armeekorps eine »äußerst ernste Lage« entstand. Die Reserven waren erschöpft, die Truppe, nach unun-
terbrochenen Kämpfen während beinahe einer Woche, wich
vor dem Gegner weiter zurück. Die Aufgabe der Zuzkantal-
Linie kam in Gefahr. Der sowjetische Brückenkopf am Südufer
des Don wurde Tag für Tag stärker.

General Malaguti, der Chef des Stabes der 8. italienischen
Armee, war äußerst besorgt. Der deutsche Verbindungsoffizier
beim 35. italienischen Armeekorps, Major Fellmer, unterrichtete pflichtgemäß das Oberkommando der Heeresgruppe B
von der mißlichen Lage der Verbündeten. Unverzüglich wurden Gegenmaßnahmen eingeleitet. General Messe ging die
Mitteilung zu, unter keinen Umständen dürfe mehr Gelände
preisgegeben werden. Ferner ließ Generaloberst Freiherr von
Weichs am 26. August den Oberbefehlshaber der 8. italienischen Armee, Gariboldi, wissen, er unterstelle – um ein feindli-
ches Vordrängen in Richtung Perelasowski–Bokowskaja zu
verhindern und ein weiteres Ausweichen der Division »Sforzesca« zum Stehen zu bringen – die beiden italienischen Divisionen mit sofortiger Wirkung dem Generalkommando des 17.
deutschen Armeekorps.

Messe war aufs äußerste gereizt: »Ich hatte während des ein-
jährigen Aufenthaltes an der Ostfront mehrfach Gelegenheit
gehabt, den brutalen Interventionen deutscher Kommandostellen gegenüber rumänischen und ungarischen Verbänden
beizuwohnen: im Januar 1942 war bei Isjum, mitten im Gefecht, der Kommandant einer rumänischen Division durch einen deutschen General ersetzt worden. Aber ich hätte es doch
kaum für möglich gehalten, daß die Deutschen dasselbe er-
staunliche, grobschlächtige und rücksichtslose System gegenüber Truppenteilen eines italienischen Armeekorps anwenden
würden[65].«

In seinem schriftlichen Protest gegen dieses – wie er es ausdrückte – »ungerechtfertigte und unzweckmäßige Eingreifen
der deutschen Kommandostellen« in die Angelegenheiten sei-

ner Truppe bot General Messe an, sich persönlich beim Oberkommando der 8. italienischen Armee zu melden, um dort den
Sachverhalt zu klären. Gariboldi antwortete ablehnend; er
habe bei den Deutschen sofort die erforderlichen Proteste erhoben, schrieb er, und fuhr fort:»... jetzt kommt es darauf an
zu siegen[66]!«

Den ersten Sieg errang General Messe, der sich in seiner
Ehre angegriffen glaubte, gegenüber den eigenen Bundesgenossen[67]. Auf die Intervention des »Deutschen Generals bei
der 8. italienischen Armee«, General der Infanterie Kurt von
Tippelskirch, zog der Oberkommandierende der Heeresgruppe B am 27. August den für den Italiener diffamierenden
Befehl zurück. Der Frontabschnitt wurde wieder Messe unterstellt. Dieser nützte am nächsten Tag die Gelegenheit, mit frischen Reserven den weiteren sowjetischen Vorstoß aufzufangen. Am 1. September gingen die Italiener zum Gegenangriff
über. Von deutscher Seite sicherte man ihnen Panzer- und Infanterieunterstützung zu. Messe setzte nun seine »schweren
Waffen« ein, nämlich eine Abteilung Zwergpanzer vom Typ
»L« mit einem Gewicht von 5 Tonnen und eine Flammenwer-
ferabteilung. Um das Don-Ufer, das sich in etwa 15 Kilometer
Entfernung befand, zurückzuerobern, reichten diese Kräfte indes nicht aus. Dies sah auch General Messe: »Es handelte sich
jetzt nur um ein örtliches Unternehmen zur Festigung der inneren Flügel der beiden großen Verbände (»Sforzesca« und »Pasubio«), die von Anfang an voneinander getrennt waren und
nun, nach den militärischen Ereignissen des August, jeden Zusammenhang verloren hatten[68].«

Der italienische Angriff brach bereits am 1. September zusammen. Messe gab die Schuld in erster Linie dem Generalkommando des an der benachbarten Nahtstelle befindlichen
17. deutschen Armeekorps, welches nach italienischer Ansicht
in einer entscheidenden Stunde der Schlacht die zugesagte Unterstützung verweigerte. (Angeblich hatten die Panzer keinen
Treibstoff und die deutsche Infanterie blieb vor ihrem — vereinbarten — Angriffsziel liegen. Wie Messe meinte: »Viel zu weit

entfernt, um den Feind von dieser Richtung her das Gewicht einer auch noch potentiellen Bedrohung fühlen zu lassen[69].«) Dieses Verhalten weckte in Messe den Verdacht, man beabsichtigte auf deutscher Seite aus dem Opfer italienischer Soldaten Vorteile für die deutschen Truppen zu ziehen (und dies noch mit einer »unverschämten Skrupellosigkeit[70]«). Der italienische General verkannte die Sachlage; nicht bewußte Kränkung nationaler Ehre, sondern die Besorgnis um die Eindämmung, um eine mögliche Vernichtung des beim italienischen Armeekorps entstandenen sowjetischen Brückenkopfes – der für die in diesen Tagen aus dem Hinterland nach Stalingrad strebenden 6. deutschen Armee gefährlich sein konnte – war Grund für die deutsche Entscheidung[71].

Der italienische Angriff mußte also noch am Tag, an dem er begonnen hatte, abgebrochen werden. Messe sprach von einem geordneten Rückzug in die Ausgangsposition. Sowjetische Untersuchungen behaupten, die Italiener seien »in chaotischem Zustand« zurückgegangen[72]. Die Sowjets erbeuteten auf dem verlassenen Schlachtfeld 79 schwere und 39 leichte MG, 13 Geschütze, 45 Minenwerfer usw. sowie »eine größere Anzahl von Stabsdokumenten[73]«. Die Menschenverluste waren erheblich; allein bei der Division »Sforzesca« über 2 000. Die erste Verteidigungsschlacht der Italiener am Don kostete das Armeekorps insgesamt 6 000 Gefallene, Verwundete und Vermißte[74].

Nach den Geschehnissen vom 1. September trat im Frontabschnitt des 35. Armeekorps allmählich Ruhe ein. Die Sowjets begnügten sich mit ihrem Brückenkopf, den sie jetzt mit allen Mitteln ausbauten, die Italiener waren mit der Verstärkung ihrer neuen Hauptkampflinie voll beschäftigt. Um Messe zu beschwichtigen, kam General von Tippelskirch am 2. September zum italienischen Generalkommando. Um der gemeinsamen Sache willen bot er sich an, beim Oberkommando der Heeresgruppe B eine angemessene und ausdrückliche Wiedergutmachung für die »Sforzesca« zu erwirken. Messe, der die von den Deutschen zugefügte Schmach von Ende August nicht vergessen hatte, begrüßte diesen Schritt.

Ende September wurden 40 »Eiserne Kreuze« an bewährte Soldaten der arg in Mitleidenschaft gezogenen Division »Sforzesca« verliehen. Messe bestand darauf, daß die Verleihung mit einer Feier im Stabsquartier der Division in Gorbatowo zu verbinden sei. General v. Tippelskirch kam persönlich zur Feier und hielt eine Ansprache in Italienisch. Er hob dabei die Tapferkeit und Standhaftigkeit des 35. Armeekorps hervor[75]. (Der deutsche General war in dieser Zeit bereits mit den italienischen Wünschen in bezug auf die Auszeichnungsmodalitäten bekannt. Noch bei den Kämpfen im vorhergehenden Jahr im Abschnitt von Dnjepropetrowsk geschah es, daß verbündete Soldaten für deutsche Tapferkeitsmedaillen vorgeschlagen wurden. Der damalige deutsche Verbindungsoffizier beim Expeditionskorps hatte Mühe, das vorgesetzte deutsche Generalkommando und später das Oberkommando der Panzergruppe Kleist davon zu überzeugen, daß es nach italienischer Sitte undenkbar sei, einen Soldaten auszuzeichnen, wenn nicht gleichzeitig oder besser vorher seine unmittelbaren Vorgesetzten ausgezeichnet worden seien. Als das »Eiserne Kreuz II. Klasse« für General Messe zugestellt wurde, wurde es mit der normalen Feldpost während der Schlammperiode von einem »Fieseler Storch« beim Verbindungskommando abgeworfen. Der Verbindungsoffizier erhielt den Befehl, das EK II zu übergeben. Die Italiener protestierten. Sie hatten kein Verständnis dafür, daß weder ein Schreiben vom OKW noch der Generäle v. Kleist oder Zeitzler beilag bzw. daß keiner dieser Herren selbst die Verleihung vornehmen würde. Man maß dieser Verleihung eine außergewöhnliche Bedeutung bei. Erst nachdem der Verbindungsoffizier mehrfach beim Armeekorps vorgesprochen und erklärt hatte, daß einerseits die Schlammperiode, andererseits der Gesundheitszustand Generals v. Kleist diesen hinderten, konnte die Übergabe stattfinden. Ähnliches wiederholte sich bei der Verleihung des »Eisernen Kreuzes I. Klasse« an Messe. Es bedurfte zweier Flüge des Verbindungsoffiziers zur Panzerarmee, bis die Ritterkreuzverleihung im gewünschten Rahmen stattfinden konnte[76]!)

General von Tippelskirch war, was die Italiener betraf, gut informiert. Als er Ende August 1942 seinen Posten als »Deutscher General bei der 8. italienischen Armee« antrat, wurde er, wie er berichtet, »mit italienischer Liebenswürdigkeit, aber auch mit unverkennbarem Mißtrauen gegenüber den deutschen Absichten, die der Abkommandierung eines Offiziers in so hohem Range als Verbindungsoffizier unterliegen mochten, empfangen. Bei meiner Meldung in Millerowo brachte ich daher dem italienischen General, um sein verständliches Mißtrauen zu zerstreuen, sogleich zum Ausdruck, daß ich neben der bisherigen Tätigkeit als Verbindungsorgan auch beauftragt sei, der italienischen Armee mit meinen Erfahrungen in der Kampfführung im Osten, besonders im Winter, zu dienen[77].«

Während der bisherige rechte Nachbar der 8. italienischen Armee, die 6. deutsche Armee, zusammen mit der 4. Panzerarmee im September 1942 vor der Wolga stand und um Stalingrad kämpfte, nahm die ARMIR planmäßig am Don ihre Abwehrstellungen ein. Sie stand in folgender Gliederung: rechts das 35. italienische Armeekorps unter General Messe, in der Mitte ein deutsches Armeekorps unter General der Infanterie Hans v. Obstfelder mit einer deutschen und einer italienischen Division und links das 2. italienische Armeekorps unter General Zingarelli, dessen linker Flügel Anschluß an die 2. ungarische Armee hatte. Teile einer deutschen Division waren noch von den Don-Kämpfen her beim 35. Armeekorps eingeschoben[78]. Das Alpini-Korps war im Aufmarsch. Seine Divisionen (»Tridentina«, »Julia«, »Cuneense«) trafen Ende September mit Mulis und ihrer speziellen Bergausrüstung im flachen Don-Gebiet ein, wo sie, am linken Flügel eingesetzt, einen Abschnitt der 2. ungarischen Armee übernahmen.

Nach und nach nahm die Abwehrgliederung der 8. italienischen Armee Form an. Auch General v. Tippelskirchs Kommandostelle richtete sich ein; zu jedem Armeekorps wurde ein deutscher Stabsoffizier mit Gehilfe als Verbindungsoffizier abkommandiert. Bei jedem italienischen Divisionsstab fand man einen deutschen Hauptmann oder Oberleutnant. Teile eines deutschen Nachrichtenregiments, die Tippelskirchs Verbindungsstab beim Armeeoberkommando direkt unterstellt waren, hatten ein separates Nachrichtennetz bis hin zu den Armeekorps eingerichtet, so daß die deutschen Verbindungsorgane taktische Vorgänge auf eigenen Leitungen und per Funk an den Verbindungsstab melden konnten. Obwohl darüber nicht gesprochen wurde, war es sowohl den Italienern als auch allen anderen Verbündeten, bei denen ähnliche deutsche Verbindungsstäbe existierten, klar, daß diese Organe nicht nur als Unterstützung der verbündeten Armeeoberkommandos beigegeben wurden, sondern auch eine Kontroll- und Überwachungsfunktion ausübten[79].

Besatzer und Besatzungspolitik der Verbündeten in der Sowjetunion

Niccolo Machiavelli hatte bereits dargestellt, daß zwischen Staat, Gesellschaft und Armee eine enge Wechselbeziehung besteht, die letzten Endes auch das Bewußtsein der im Felde stehenden Truppen prägt. Im Herbst 1942 befanden sich – die finnischen Streitkräfte und die Freiwilligen-Verbände nicht eingerechnet – 648 000 Mann nichtdeutsche Truppen als Hitlers Verbündete in der Sowjetunion[80]. Sie waren nicht nur durch ihre nationale Eigenart voneinander verschieden, sondern waren auch durch die Regierungsformen ihrer Länder geprägt, die von der konstitutionellen Monarchie bis zur offenen Diktatur reichten.

In den königlichen Armeen, wie der italienischen, der rumänischen und der ungarischen, hatten die Offiziere Privilegien, die meist noch aus dem 19. Jahrhundert stammten. Offiziersdiener, nach Dienstgraden scharf abgestufte Sonderverpflegung und strenge Trennung nach Mannschaftsgraden waren in sozialer Hinsicht nur die eine Seite. Daß der gemeine Soldat Prügel als Disziplinarstrafe erleiden (zum Beispiel bei den Rumänen) oder körperliche und seelische Quälereien wie das »Fesseln« oder »Ausbinden« (in der ungarischen Armee) hinnehmen mußte[81], traf bei vielen deutschen Offizieren auf Verwunderung. Anders wiederum in der slowakischen Armee, in der die demokratischen Traditionen der Masaryk-Republik vorherrschend geblieben waren. Offiziere und Mannschaften lebten eher in einer kameradschaftlichen Gemeinschaft.

Eine intensive politische Einflußnahme auf die Soldaten im Hinblick auf einen Sieg über die Rote Armee war entweder mangelhaft organisiert oder wurde vernachlässigt. Zwar wurden zentrale Parolen ausgegeben, viel von den »gottlosen Bolschewikis« geschrieben und gesprochen, von der »Unterdrükkung des sowjetischen Volkes durch Stalins rote Kommissare« oder von der »kommunistischen Gefahr für Europa«, doch waren diese Parolen zu plump und zu durchsichtig. Einen nachhaltigen Erfolg erzielten sie bei den Soldaten kaum. Einen Sinn des Rußlandfeldzugs im nationalen Interesse sahen also die Verbündeten nicht.

Daß italienische Truppen am Don letztlich nur Mussolinis Größenwahn stützten, konnte nicht verbreitet werden. Die Honvéd betrachteten ihren Rußland-Aufenthalt mit Mißbehagen. »Im Ersten Weltkrieg verbrachte ich dreißig Monate, im Zweiten Weltkrieg sieben Monate an der Front«, schrieb später darüber ein ungarischer Reservehauptmann. »So habe ich die Ansicht, daß eine Frontarmee ein kollektives Selbstbewußtsein besitzt. 1942 sagte dieses Bewußtsein, daß die 2. ungarische Armee im Dienste Hitlers in der Heimat bereits ›abgeschrieben‹ war!« Und in der Folge berichtet der Offizier ausführlich über die Stimmung in seiner Kompanie. Aus einem Brief eines seiner Soldaten, den er zu zensieren verpflichtet war, ging hervor, daß der Betreffende die 2. Armee mit einem heidnischen Opfer verglich. »Man verbrennt einen Sack Mehl am Altar des Götzen, um dadurch die ganze Ernte vor dem Neid des Angebeteten retten zu können ... Unsere Armee wurde bereits geopfert, damit die Herren des Landes ihre Position zu Hause weiter halten können[82]!«

Auf deutscher Seite sah man zwar diese Probleme, zog daraus jedoch nicht die nötigen Folgerungen. Generalmajor Hermann v. Witzleben, seit 30. September 1942 »Deutscher General bei der 2. ungarischen Armee«, gab nach Jahren zu: »... Truppe und Führung sahen keinen Sinn in ihrem Einsatz. Der oftmals von deutscher Seite angebrachte Hinweis auf die frühere Waffenkameradschaft verfing überhaupt nicht, weil bei den Ungarn nicht erkannt wurde, daß der Zweite Weltkrieg nicht etwa eine Fortsetzung des Ersten Weltkriegs war[83]!«

Die rumänische Einstellung zum Ostfeldzug war davon nicht sehr verschieden. General Ion Gheorge berichtet, daß im Sommer 1942 im Lande und in der Armee selbst eine neue Losung auftauchte: zwar wurde der Krieg bejaht, doch nicht der im Osten, sondern ein Krieg im Westen, gegen Ungarn. »Von den Sowjets wollte man nichts mehr, da man ihnen Bessarabien bereits abgejagt habe; von den Ungarn wollte man Siebenbürgen[84]!« Und es kam sogar vor – wieder nach Gheorge –, daß aus einigen Truppentransporten, die aus Rumänisch-Südsiebenbürgen nach Osten abgingen, im Bahnhof Predeal in offenem Protest Gewehrschüsse gegen das Landhaus Marschall Antonescus abgegeben wurden.

Selbst die Deutschen waren verwundert, wenn sie bei Frontinspektionen von rumänischen Soldaten auf die Frage, ob sie wüßten, wofür sie kämpften, die Antwort erhielten: »Jawohl, Herr General! Für Siebenbürgen[85]!« Dennoch waren die Deutschen mit ihren rumänischen Verbündeten im großen und ganzen zufrieden. Frontoffiziere, die mit rumänischen Divisionen zu tun hatten, bezeichneten den rumänischen Soldaten als bedürfnislos, zäh, willig, gutmütig und tapfer, sofern er spürte, geführt zu werden[86]. Die wesentlich geringere Kampfkraft der rumänischen Truppen im Vergleich zu den deutschen erklärte sich aus der mangelhaften und veralteten Bewaffnung, aus dem Fehlen von Panzern und vor allem von Panzerabwehrwaffen!

Kroaten und Slowaken schufen im Verhältnis zu den anderen Verbündeten keine größeren Probleme – zumindest nicht bis Ende 1942. Nur einmal klagte General Čatloš, der slowakische

Wehrminister, in Kiew vor einigen höheren ungarischen Offizieren über deutsche Methoden, seine Soldaten zu sehr auszunutzen, doch war dies tatsächlich eher eine Ausnahme. In der Regel sahen Hitlers Verbündete die Ungarn mit scheelen Augen an. Nicht nur die Rumänen – wegen Nordsiebenbürgen –, auch die Slowaken hatten ihren alten Groll gegen die Magyaren nicht vergessen. Sie warnten die Deutschen in der Folge oft vor den »Überheblichkeiten des ungarischen Größenwahn-Chauvinismus«, die sich in ungarischen Hegemoniebestrebungen im Donauraum dokumentiere!

In dieser Hinsicht fanden die Slowaken auch bei den Kroaten Unterstützung. Im Januar 1942 ereignete sich im Süden Ungarns in Ujvidék (heute Novi-Sad) und Umgebung ein Blutbad, das einem Kriegsverbrechen gleichkam. Um die serbische Partisanenbewegung auf diesem zwischen 1918 und 1941 jugoslawischen Gebiet zu unterbinden bzw. die eigene Macht zu demonstrieren, veranstalteten im Komitat Bácska ungarische Ordnungskräfte gemeinsam mit der Armee eine Razzia, in deren Verlauf mehr als zweitausend Zivilisten – vornehmlich Serben und Juden, aber auch Ungarn – auf abscheulichste Weise ermordet wurden. Als Reichsverweser v. Horthy in Budapest – verspätet – von diesen Exzessen Kenntnis erhielt, ließ er die Aktion sofort einstellen und ordnete eine kriegsgerichtliche Untersuchung des Vorfalls an. Anfangs versuchten die Verantwortlichen die Sache zu vertuschen; einige derer, die sich sehr exponiert hatten, wurden an die Ostfront versetzt (wie zum Beispiel Generalmajor József Grassy, der Kommandeur der 13. Infanteriedivision wurde), oder man schickte sie vorzeitig in den Ruhestand. Die öffentliche Meinung konnte jedoch weder in Ungarn noch im benachbarten Kroatien beschwichtigt werden. Dies galt besonders für die kroatischen Freiwilligen, die im Frühjahr als Ersatz zum Infanterieregiment 369 an die Ostfront kamen. »Sie waren auf die Ungarn gar nicht gut zu sprechen und ließen ihrem Haß freien Lauf bei der Truppe«, erinnerte sich im Sommer 1942 ein ehemaliger kroatischer Offizier des Regiments[87].

Waren die Deutschen bei den Verbündeten gewissermaßen noch geachtet, wenn auch nicht populär, war das Verhältnis der Verbündeten zueinander, wie wir sahen, grundlegend problematisch. *Kein gemeinsamer Geist, keine gemeinsame Politik verband sie bei ihrem Einsatz in Rußland.* Hitler und die nationalsozialistische Politik legten darauf auch keinen Wert. Wenn es auch keine Beweise dafür gibt, besteht dennoch die Vermutung, daß man in Berlin über eine solche Entwicklung nicht unglücklich war, da man möglicherweise nach dem Prinzip »divide et impera« handeln wollte.

Nicht nur als Fronttruppen, auch als Besatzer waren die Verbündeten 1942 in Rußland gegenwärtig. Von der Annexion rein russischen Gebietes durch das Königreich Rumänien – die Provinz Transnistrien mit dem Hauptort Odessa – wurde bereits berichtet. Solange die Fronten im Vormarsch waren und die Rumänen hoffen konnten, den Krieg zu gewinnen, gedachten die Besatzer, Odessa in ein heiteres, farbiges Klein-Bukarest zu verwandeln. Dem Schreckensregime der neuen Herren in Odessa im Oktober/November 1941, das viel Blutvergießen und Repressalien brachte, folgte um die Jahreswende eine eher liberale Politik. Nicht nur das Privathandwerk und die Kleinindustrie wurden erlaubt und gefördert, und somit die Geschäftsinteressen der einheimischen Bevölkerung erweckt, auch auf kulturellem Gebiet verfolgten die Besatzer eine andere Politik als ihre deutschen Verbündeten im übrigen Teil des eroberten Rußlands. Unter der Anleitung des Gouverneurs von Transnistrien, Professor Gheorghe Alexeanu, der im prächtigen Woronzow-Palast an der Seepromenade Odessas residierte, versuchte man die Einwohner der neuen Provinz davon zu überzeugen, sie seien nicht länger Sowjetbürger, sondern auf Dauer Bürger von Großrumänien.

Hitlers barbarisches Besatzungsregime war also in Transnistrien unbekannt. Die Schulen und Universitäten wurden von den Rumänen nicht geschlossen; man förderte sogar den Unterricht und legte Wert darauf, die »Rumänisierung« in Transnistrien mit allen Mitteln voranzutreiben. So waren die Bürger von Odessa in der Regel rumänische Staatsbürger, und wer von ihnen den Nachweis erbrachte, in seinen Adern fließe »Moldanisches Blut«, genoß besondere Privilegien.

Auf dem Land verteilten die Besatzer Boden unter die ehemaligen Kolchosbauern, wobei man ihnen freistellte, ob sie das Land in einer sogenannten Kooperative oder als Einzelbauern bewirtschaften wollten. In Transnistrien gab es für die Einheimischen weder Zwangsumsiedlung noch Arbeitsdienst. Kriegsgefangene Rotarmisten, die nachweisen konnten, daß sie aus dieser neuen rumänischen Provinz stammten, wurden von den Deutschen freigelassen und nach Hause geschickt. Doch zum Militärdienst wurde wegen Zweifeln an der Zuverlässigkeit niemand eingezogen.

Während im Jahre 1942 Odessa und Umgebung einen wirtschaftlichen Aufschwung erlebte, wie man ihn nur aus den Anfangszeiten der sowjetischen NEP-Politik kannte, formierte sich im Untergrund eine kommunistische Partisanenbewegung. In den berühmt gewordenen Katakomben von Odessa wurden noch in der Endphase der Verteidigung der Stadt große Vorräte an Waffen und Verpflegung hinterlegt; Organisatoren sollten dort die Basis für spätere Partisanenkämpfe schaffen. Während der ganzen Besatzungszeit führte diese kommunistische Untergrundbewegung einen erbarmungslosen Kampf gegen die Rumänen und ihre Helfershelfer. Die Partisanen erwartete bei ihrer Gefangennahme keine Gnade, und sie auch bei ihren Gegnern kein Pardon[88].

Obwohl über Odessa die rumänische Flagge wehte, war eine deutsche Besatzung in der Stadt präsent. Der Hafen und der Flugplatz der Stadt standen unter einem Befehlshaber der deutschen Wehrmacht. Auch die Eisenbahn wurde teilweise von den Deutschen kontrolliert. Gestapo und die rumänische politische Polizei, die Siguranca, arbeiteten eng zusammen. Auf deutschen Druck hin ging 1941/42 die rumänische Armee gegen die jüdische Bevölkerung Transnistriens vor. Während im Mutterland, im Königreich Rumänien, die Regierung Antonescu die Judenfrage hinhaltend behandelte (es gab weder Gettos noch Deportationen), kam es in den neuen Ostgebieten zu Pogromen. In den ersten sechs Monaten der rumänischen Besatzungszeit konzentrierte man die Juden in menschenunwürdigen Gettos, wo sie ausgeraubt, erniedrigt, ausgehungert und schließlich ermordet wurden. Allein in Transnistrien brachte man auf abscheulichste Weise über 150 000 Menschen – darunter Frauen und Kinder – um[89]. Rumänische Armee-Einheiten und Gendarmerieabteilungen in den besetzten Gebieten wetteiferten bei dieser Menschenjagd, bis auf Befehl aus Bukarest Mitte des Jahres 1942 die Exekutionen eingestellt wurden. Man plante gemäß den Richtlinien der Berliner Wannseekonferenz die »Endlösung« in größerem Rahmen und »nach deutschen Vorstellungen«. Die Ereignisse an der Ostfront in der zweiten Hälfte 1942 veränderten dann jedoch die rumänische Politik auch in dieser Hinsicht[90].

Ungarn beanspruchte keine Gebiete im Osten. Für die Sicherung der bereits eroberten Territorien mußte es dennoch sogenannte Sicherungsdivisionen geben, die in unterschiedlicher Mannschaftsstärke und in verschiedenen Bereichen zum Einsatz gelangten. Sie waren so organisiert, daß sie nur zur Aufrechterhaltung der Ordnung und Sicherheit im rückwärtigen Heeresgebiet eingesetzt werden konnten. Sie bestanden zuerst aus zwei, später aus drei Infanterieregimentern ohne schwere Waffen. Ihre Artillerieausrüstung war mangelhaft und in vielen Fällen sogar veraltet. Alle Einheiten wurden nur bis zu 50 bis 70 Prozent ihres vorgeschriebenen »Soll«-Zustandes mobilisiert. So zählte bei ihrem Abmarsch eine Sicherungsdivision etwa 5 000 bis 6 000 Mann[91]. In der zweiten Hälfte 1941, im Juli und August, befanden sich erst zwei Honvéd-Verbände als Sicherungskräfte in Rußland. Ihr Dienst in der Gegend von Stanislaw und Kolomea war auffallend friedlich, da das Gebiet früher als Galizien zur Donaumonarchie gehört hatte. »Das Verhalten der Bevölkerung war ausgesprochen freundschaftlich, und sie unterstützte die militärischen Organe in ihrem Ordnungsdienst[92].« Als die deutsche Sicherheitspolizei gemeinsam mit dem Sicherheitsdienst begann, Juden und »verdächtige Polen« in Sammellagern zu konzentrieren und Massenexekutionen ihren Anfang nahmen, protestierten die Ungarn in Wort und Tat dagegen. »Es scheint so, als ob die Honvéd-Armee die Juden und die Polen unterstütze«, stellte am 15. Juli 1941 in einem Operationsbericht das Kommando der zuständigen deutschen Sicherheitspolizei in Galizien mit Verwunderung fest und meldete weiter: »Die Milizaktion (der ukrainischen einheimischen Polizei) sei von der ungarischen Armee gestoppt worden.« In einem anderen Bericht, datiert vom 29. August 1941, mit der Nummer 67, der unmittelbar nach den großen »Säuberungen« des Gettos in Kamenez-Podolsk verfaßt wurde, lesen wir, daß »außer den von Honvéd-Truppen kontrollierten Gebieten nunmehr von Chotin bis Jamol die ganze Gegend ›judenfrei‹ sei[93]!«

Es dauerte nicht lange und die ungarischen Sicherungskräfte wurden auf deutsches Ersuchen hin weiter nach Osten verlegt, bis Ende des Jahres insgesamt vier Divisionen. Sie wurden unter Generalmajor Károly Olgyay zu einer Korpsgruppe zusammengefaßt. Nun leisteten sie etwa 400 Kilometer von der Heimat entfernt, in der Nähe der Städte Winniza, Berditschew und Proskurow, auf rein ukrainischem Gebiet Besatzungsdienst.

Anfangs waren die Beziehungen der Honvéd zur ukrainischen Bevölkerung zufriedenstellend. Die Ukrainer strebten nach staatlicher Unabhängigkeit und hofften in den Ungarn Verbündete oder wenigstens stillschweigende Helfershelfer gegen die Deutschen zu finden. Die Ungarn hatten jedoch aus Budapest strikte Befehle, sich trotz aller Bedenken gegen das Besatzungsregime Hitlers aus allen politischen Verwicklungen in der Ukraine herauszuhalten. Das damalige königlich-ungarische Offizierskorps bestand keineswegs aus Philosemiten, die Tätigkeit der deutschen »Einsatzgruppen« jedoch, die wahllos Kinder, Frauen, Männer und Greise töteten, nur weil sie Juden waren, erhitzte die Gemüter sowohl der Offiziere als auch der

Mannschaften. Davon zeugen wiederholte Meldungen einzelner Dienststellen der deutschen Sicherheitspolizei[94].

Im Frühjahr 1942 waren fünf Sicherheitsdivisionen der Honvéd in der Ukraine stationiert. Sie rückten mit der Ausdehnung der Front in Richtung Osten vor. Westlich des Dnjepr blieben nur zwei Verbände (die 121. und 124. Division im Bereich Berditschew und Proskurow); drei Divisionen wurden westlich von Kiew entlang wichtiger, sternförmig auseinanderlaufender Bahnstrecken aufgestellt (die 105. Division im Raum Tschernigow; die 102. Division im Raum Neschiw und die 108. Division im Raum Priluki). Ihr Generalkommando wurde nach Kiew verlegt, und so erhielt die ukrainische Hauptstadt neben der deutschen Besatzung auch eine ungarische mit eigener Stadtkommandantur.

Die Bestrebungen der sowjetischen Kriegführung, in den vorübergehend aufgegebenen Gebieten einen Partisanenkampf zu entfalten, traf nicht nur die Deutschen, sondern auch die Ungarn. Bereits im November 1941 kam es auf der Bahnstrecke Gomel–Tschernigow zu mehreren Anschlägen. Züge wurden in die Luft gesprengt und bewaffnete Überfälle auf Nachschubeinheiten oder Wachtposten verübt. Die Sicherungsdivisionen hatten hier die Aufgabe, gegen die Partisanen »mit allen Mitteln« vorzugehen. Nach und nach entwickelte sich daraus ein regelrechter Kleinkrieg. Insbesondere in der dichtbewaldeten Gegend des Desna-Flusses – im Volksmund »Brjansker Wald« genannt – entflammten schwere Kämpfe, die mit Unterbrechungen monatelang dauerten und sowohl für die Russen als auch für die Ungarn verlustreich waren.

Im Februar 1942 begann die Partisanentätigkeit im Raum Iwanowka. Im März starteten die Ungarn Gegenaktionen. Das gut befestigte Waldlager von Chinelj wurde gestürmt. Die Angreifer fanden hier nicht nur große Mengen an Waffen und Munition, auch ein Partisanenfeldlazarett fiel in ihre Hände[95].

Als es aber im Februar 1942 am Südabschnitt der Front zu einer unerwarteten Krise im Raum um Charkow kam, riefen die Deutschen, um den gefährlichen Einbruch der Roten Armee abzustoppen, neben Rumänien, Italienern und Kroaten auch nach ungarischen Truppen. Gegen die Proteste des Honvéd-Generalkommandos wurde die für den Fronteinsatz in puncto Ausrüstung völlig ungeeignete 108. Sicherungsdivision in Eile nach Charkow beordert und – nach der Verstärkung ihrer Artillerie mit deutschen Geschützen – an der vordersten Front eingesetzt. Erst als im Mai 1942 neue deutsche Verbände die Lage bei Charkow bereinigt hatten, konnte die ungarische Division ihren Frontdienst quittieren und zu ihrer ursprünglichen Aufgabe zurückkehren. Sie nahm ihren Besatzungsdienst am Südrand des Brjansker Waldes bei Seredina-Buda wieder auf.

In den Standorten der Honvéd-Einheiten kam es äußerst selten zu Reibungen zwischen Ungarn und Einheimischen. Während das Offizierkorps versuchte, Distanz zu wahren, gestalteten sich die Beziehungen der einfachen Soldaten zu den Ukrainern freundlich. Unter dem ungarischen Besatzungsregime wurden die Kirchen geöffnet, verstaatlichter Boden wurde verteilt und dafür gesorgt, daß es zu keiner Hungersnot kommen konnte. Obwohl die deutschen politischen Bestimmungen, wonach Schulen geschlossen und der Unterricht eingestellt werden mußte, auch in den von Ungarn besetzten Gebieten ihre Gültigkeit hatten, ließen es die Ortskommandanturen oft zu, daß dieser Befehl ignoriert wurde. Ausschreitungen gegen Einheimische – wie Exekutionen oder Geiselerschießungen – gab es nirgendwo, und auch die kriegsüblichen Requirierungen hielten sich im Rahmen.

Im Sommer 1942 flammten jedoch im ausgedehnten Brjansker Wald erneut Kämpfe auf. Das sowjetische staatliche Verteidigungskomitee (die Kriegsregierung Stalins) hatte der Partisanenbewegung in den besetzten Gebieten eine wichtige Rolle zugedacht. Am 30. Mai 1942 wurde in Moskau innerhalb des Hauptquartiers der Roten Armee ein Partisanenoberkommando geschaffen, das die Aufgabe hatte, die Partisanengruppe zentral zu lenken. Innerhalb eines Jahres wuchs die Partisanenbewegung zahlen- und organisationsmäßig. Nach sowjetischen Angaben verfügten die Partisanen 1943 allein in der Ukraine über 83 selbständige Gruppen mit 43 400 Kämpfern[96]. Eine ihrer wichtigsten Kampf- und Nachschubbasen bildete von Anfang an der Brjansker Wald, in seiner Ausdehnung größer als ein Komitat.

Die Kämpfe in dieser »Partisanenrepublik« mit Sümpfen und Wäldern waren für die Besatzer wenig erfolgreich. Schlußendlich begnügten sich die Ungarn damit, den Südrand des Waldgebietes abzuriegeln, um dem Gegner die Möglichkeit zu nehmen, gegen die deutsche Rollbahn in Richtung Kursk vorgehen zu können. Die Sicherungsdivisionen wurden so in die Defensive gedrängt!

Auch die Finnen richteten ein Besatzungsregime weit im Norden, in Ostkarelien, ein. Das Gebiet litt schwer unter dem Krieg. Die von der finnischen Armee 1941 verfolgten sowjetrussischen Truppen vernichteten alles, was nicht transportabel war. Stalins Befehl, »verbrannte Erde« zurückzulassen, wurde auch hier befolgt. Gleichzeitig versuchte man, große Teile der Bevölkerung zu evakuieren, was jedoch nur teilweise gelang. Viele Angehörige des karelischen Volksstammes, die den Bolschewismus ablehnten, suchten in den Wäldern Zuflucht vor den Russen. Ein Viertel der ursprünglichen Bewohner von Ostkarelien, etwa 90 000, zog eine finnische Herrschaft derjenigen der Sowjets vor.

Die finnischen Besatzer sahen sich durch das völlige Fehlen von Ordnung im Wirtschaftsleben und lokaler Verwaltung vor schwierige Aufgaben gestellt. Die Verwaltung lag anfänglich in den Händen des Militärs. In der ersten Hälfte des Jahres 1942 übernahmen dann zivile Organe die Verwaltung von Ostkarelien. Ihnen waren die nationalsozialistischen Methoden fremd; deshalb gab es weder eine Diskriminierung der slawischen noch der karelischen Bevölkerung in den besetzten Gebieten. Bald wurde der Erfolg sichtbar, das Wirtschaftsleben wurde angekurbelt, man begann mit dem Wiederaufbau, und trotz aller Bemühungen Moskaus entstand hinter den finnischen Linien keine Partisanenbewegung, obwohl sich das Hauptquartier in Mikkeli in diesem Punkt, wie Mannerheim sich ausdrückte, vorerst keinen Illusionen hingab. Erschütternd gestaltete sich das Schicksal der kriegsgefangenen Rotarmisten vorerst in Finnland. Die Sowjetpropaganda hatte ihre Soldaten mit Gerüchten darüber »versorgt«, daß die Finnen die Gefangenen foltern, sie in ihren Saunas (Dampfbadehäusern) lebendig braten würden, weil die »Tschuchná« (der Name der Finnen im russischen Volksmund) bekanntlich ein grausames und erbarmungsloses Volk seien. Aber Mannerheims Armee richtete sich nicht nach der gegnerischen Propaganda, sondern versuchte die Gefangenen streng nach den Bestimmungen des Völkerrechts zu behandeln. Freilich, die mißliche Ernährungslage der eigenen Bevölkerung hatte auch für die Kriegsgefangenen Folgen. Von den etwa 45 000 Gefangenen, die Anfang des »Fortsetzungskrieges« in finnische Gefangenschaft kamen, haben den Sommer 1942 nur 30 000 überlebt. Die anderen waren an Hunger und Folgekrankheiten gestorben.

Als Mannerheim davon Kenntnis erhielt, konnte er keinen anderen Rat geben, als einen dringenden Appell nach Genf zu richten und aus der Schweiz, vom Internationalen Komitee des Roten Kreuzes, Hilfe zu erhoffen. Die Schweizer nahmen sofort Kontakt mit dem finnischen Roten Kreuz auf und schickten als Soforthilfe 5 000 Lebensmittelpakete, die auch den Kriegsgefangenen ausgehändigt wurden. »Die Hilfsaktion konnte leider nicht mehr bedeuten als ein Tropfen auf einen heißen Stein«, schrieb im Oktober 1942 ein Schweizer Chirurg in seinem Bericht an seine Landsleute. Der Zürcher Arzt, der schon 1939/40 mit einer Schweizer Ärztemission in Finnland weilte, hatte 1942 fünf Monate Finnland besucht und Gelegenheit gehabt, sechs verschiedene Lager (Offizierslager, Arbeitslager, Durchgangslager) zu besuchen, ohne daß er von irgendwelcher Seite einen offiziellen Auftrag erhalten hätte. »Ich durfte in den Lagern nach Belieben photographieren und konnte die Bilder (von denen wir zwei veröffentlichten), mit in die Schweiz nehmen.«

Und nun folgen einige Auszüge aus dem Bericht des Schweizer Arztes, die zum Verfolgen der Kriegsgeschehnisse des Zweiten Weltkrieges wichtig sind: »Ich fand die Gefangenen in den besuchten Lagern in bedenklichem Zustand vor. Ein großer Teil der Insassen war in sichtlich herabgesetztem Ernährungszustand. Ich sah die Elendskrankheiten in allen Stadien. Diese eingefallenen Wangen, hohlen Augen, geschwollenen Füße, aufgetriebenen Bäuche, zum Skelett abgemagerten menschlichen Körper trugen die unverkennbaren Anzeichen des schleichenden Hungers. Die Elendesten unter den Gefangenen waren so schwach, daß sie sich kaum auf den Beinen halten konnten. Viele lagen schon seit Tagen und Wochen auf harten Pritschen in den Baracken und Krankenzimmern und litten an blutigen Durchfällen. Ein finnischer Offizier vom Kommando eines Arbeitslagers sagte mir, daß die Tagesleistung von sieben ›gesunden‹ Russen im Lager kaum so groß sei, wie die eines einzigen finnischen Arbeiters. ›Sie sind nicht schlechten Willens, aber sie sind einfach zu schwach. Wenn ich ihnen einmal Kartoffeln austeilen kann, steigt die Leistung am folgenden Tag auf das Doppelte und Vierfache!‹«

Der Schweizer konnte sich frei in den Lagern bewegen und sich sowohl mit den Finnen als auch mit den Russen verständigen. Er räumte den Finnen viel Verständnis für die Lage ein und betonte immer wieder, daß die gegebene Situation keineswegs auf etwaiges böswilliges Verhalten zurückzuführen sei.

»Die allgemeinen hygienischen Verhältnisse sind in den Lagern nicht schlecht. Die Lager liegen in Wäldern mit gesundem Klima. Man hat für die Gefangenen heizbare Baracken aufgestellt, die die gleiche Konstruktion zeigen wie diejenigen der finnischen Armee. Die Gefangenen bekommen wöchentlich einmal ihr Dampfbad ... Die größte Gefahr für die Gefangenen bildete ihre zunehmende Unterernährung. Ich habe gute Gründe anzunehmen, daß der größte Teil wenig mehr als 1 000 Kalorien – der amerikanische Soldat erhält 10 000 – pro Tag bekommt, in Form von getrockneten Erbsen, Roggen, Grieß und Brot. Selten bekommen sie dazu ein kleines Stück Wurst oder Käse und ganz ausnahmsweise zwei Stück Zucker. Fettstoffe und Eiweiß fehlen ihnen fast vollständig. Vitamine werden gelegentlich in Form von Hefe und Tannennadeln zugegeben. Den Zustand der Kleidung mögen Sie nach den beigelegten Fotos beurteilen. Die zerfetzte Uniform ist alles, was sie haben. Auf den Winter hin werden nicht für alle Schuhe zur Verfügung stehen und die vorhandenen sind zum Teil in bedenklichem Zustand.

Ich konnte in der Gefangenenzentrale der Heimatfront Einsicht in die Mortalitätsstatistik bekommen. Die Sterblichkeitskurve gibt ein lebendiges Bild von der Lage der Kriegsgefangenen: sie erklomm im Januar/Februar 1942 eine katastrophale Höhe mit 30 % Mortalität pro Woche, die wochenlang anhielt. Die Sterblichkeit ist dann bis zum Juli ständig zurückgegangen, dank der besseren Lebensbedingungen im Sommer. Aber immer noch starben Woche für Woche Hunderte von jungen Menschen elend an Hunger und seinen Folgen. Es ist mit Sicherheit anzunehmen, daß seit dem Einsetzen der kalten Witterung die Sterblichkeit wieder zugenommen hat!«

In der Folge betont der Arzt, daß es falsch wäre, Finnland für die Katastrophe verantwortlich zu machen. »Die Ernährungslage seiner eigenen Bevölkerung ist auch schwierig!«

Außer einem ausführlichen Bericht an das Rote Kreuz in Genf hatte der Arzt – Dr. Guido Piderman – eine schriftliche Petition an seine Mitbürger in der Schweiz verfaßt, in der er »im Namen der hungernden, frierenden, von einem elenden Tod bedrohten Menschen« um Hilfe bat. Er habe, so betonte er in dieser, Grund zu befürchten, daß, bis die Aktionen des Internationalen Roten Kreuzes anlaufen und in Finnland spürbar wären, diese zu spät kommen würden. Durch seine Intervention hatte das amerikanische Rote Kreuz auch eine Hilfe zugesagt. »Aber es handelt sich jetzt darum, die Zeit bis zum Eintreffen derselben zu überbrücken.« Der Schweizer gründete in Zürich ein Hilfskomitee, das in kürzester Zeit aus Privatmitteln über 500 000 Franken zusammenbringen konnte. Für diese Summe wurde dann Ware gekauft, die man im Winter 1942/43 durch die weitgehende Bereitschaft der finnischen Behörden an die sowjetischen Kriegsgefangenen verteilen konnte[96a]. 1943 verbesserte sich zunehmend das Los der sowjetischen Kriegsgefangenen in Finnland. Die in Paris erscheinende russische Emigrationszeitung »Russkaja Mysl'« berichtete 1974 rückschauend aus der Feder eines ehemaligen Kriegsgefangenen, daß es »für die Kranken völlig normale Krankenhauspflege gab, durchaus genügend zu essen«, und was die Finnen betraf, hatten sie »ein zuvorkommendes Verhalten«.

Interessant gestaltete sich das Verhalten der italienischen Truppen zu den Einheimischen in Rußland. Offiziell blieben die Kompetenzen des Expeditionskorps bis zum Juli 1942 äußerst begrenzt, da das Korps einer deutschen Armee unterstellt worden war und alle Befehle von ihr erhielt. Dennoch benahm sich General Messes Armeekorps im Vergleich zu den anderen Verbündeten Hitlers im Ostfeldzug äußerst zurückhaltend. Für die Italiener war Rußland kein »Erbfeind«; vom Kommunismus waren sie nie unmittelbar bedroht gewesen, und ihrer ganzen Einstellung nach waren für sie Hitlers Pläne in Rußland grausam, fremd und verabscheuungswürdig.

Als der erste Winter die italienischen Truppen im Osten überraschte und sie im Gebiet von Stalino eine längere Ruhepause einlegen mußten, kamen Kontakte zu den Einheimischen zustande. Dazu Messe: »Das Mißtrauen, mit dem man uns anfänglich begegnete, machte langsam Achtung und Sympathie Platz. Nie verspürte das Expeditionskorps in seinem Rücken irgend etwas von Partisanentätigkeit, während ringsum, an den anderen Frontabschnitten, ein wilder Kleinkrieg tobte. Wir hatten wirklich den Eindruck, in einem befreundeten Land zu operieren[97]!«

Dabei gab es in den Städten des Donez-Gebietes nicht wenig Not und Leiden. Die Getreidevorräte waren von den Deutschen requiriert worden, auch Lebensmittelkarten waren fast ohne Wert. Wer von den Einheimischen den Winter 1941/42 überleben wollte, blieb auf Tauschhandel bei den Bauern an-

gewiesen. Messe: »So wurde man denn Zeuge einer nicht ab-
reißenden Prozession dieser armen Menschen, die aus der Stadt
in die Dörfer zogen, die Schlitten beladen mit den verschiedensten Gegenständen, von wertvollen Ikonen bis zur Matratze
oder Küchengerät, und die dann nach vielen Kilometern des
Marschierens und des Bettelns von Haus zu Haus mit ihrer ma-
geren Ausbeute an Mehl nach Hause zurückkehrten … Unsere
Autofahrer erfüllten immer die Bitte dieser Unglücklichen, die
ihre Hoffnung auf die italienischen Militärkraftwagen setzten,
und erleichterten so ihren Leidensweg[98].«

Das italienische Generalkommando sah sich in der Folge
dann gezwungen, ein Amt für Zivilangelegenheiten einzurich-
ten, das für die Erledigung der laufenden Probleme der Bevölkerung zu sorgen hatte. Auf General Messes ausdrückliche
Anweisung gingen die Italiener mit der Requirierung von Un-
terkünften für die Soldaten sorgsam vor. In der Regel nahm
man nur öffentliche Gebäude, Schulen, Ämter usw. in Anspruch, die zwangsweise und sofortige Räumung von Wohnun-
gen nach deutscher Methode war nicht üblich. Man achtete sehr
streng auf die Zucht der italienischen Soldaten. Dazu Messe:
»Ich hatte mir fest vorgenommen, auf diesem Gebiet absolut
unnachsichtig zu bleiben: es wurden daher auch geringere Vergehen bestraft, die normalerweise im Kriege zu allen Zeiten
und in allen Heeren großzügig übergangen werden. Unter den
ausgesprochenen Urteilen kann man verschiedene zur Bestrafung von Gänse- und Geflügeldiebstahl finden. Auch hier
wurde nichts unterlassen, um die sowjetische Bevölkerung –
wenigstens von italienischer Seite – sowenig wie möglich von
den Leiden und Entbehrungen des Krieges spüren zu lassen[99]!«

Der italienische General überlieferte die Begebenheit, daß
ein »unwürdiger Angehöriger des Armeekorps«, »ein gemei-
ner Verbrecher«, 1942 ein russisches Mädchen aus Rikowo
brutal umgebracht hatte. Er wurde vor ein Kriegsgericht gestellt, das Urteil sollte auf Tod durch Erschießen lauten. Aber
die Mutter des Opfers setzte sich für den Mörder ein. »Möge
der liebe Gott ihm gnädig sein!« sagte sie und wandte sich zu

dem Richter: »Vor Euch steht eine weinende Mutter – laßt nun nicht noch eine andere Mutter in Italien weinen[100]!«

Als das Expeditionskorps das Donezbecken verließ und den Marsch zum Don antrat, wurden die Italiener feierlich verabschiedet. Eine Vertretung von Rikowo zum Beispiel überbrachte dem Kommandanten der Division »Torino« eine auf Pergament niedergeschriebene Widmung. Dazu Messe: »Die Bevölkerung war sichtbar betrübt über unsern Abmarsch ... Viele wollten mit uns kommen aus Furcht vor den Deutschen, die nach uns in das Gebiet einzogen[101].« Und auch auf dem Weg zum Don im Sommer 1942 wurden die Italiener herzlich von den Einheimischen begrüßt. »Oft brachten uns die Honoratioren der Dörfer, in denen wir Ruhepause machten, die traditionellen Begrüßungsgaben: Brot, Salz, Fleisch und Honig[102].«

Interessanterweise behandeln die offiziellen sowjetischen Stellen das Verhältnis der Italiener zu den Einheimischen relativ lässig. In dem schon erwähnten Moskauer Buch über »Mussolinis Ostfeldzug« beschäftigt sich zwar ein ganzes Kapitel mit der italienischen Besatzungspolitik in Rußland, aber außer der Erwähnung der Hungersnot und der Ausplünderung der Bevölkerung durch die *Deutschen* werden nur unbestimmte und vage Anschuldigungen gegen die Italiener erhoben[103].

Abschließend noch einmal Zitate von General Messes Rußlanderfahrungen, der in seinen Erinnerungen eine Rangliste aufstellte, eine Art »Skala der Niedertracht«. Sie kam aufgrund interner italienischer Meinungsbildung zustande und sollte die Wertschätzung der Russen – im negativen Sinn! – für die Okkupanten wiedergeben. Die Reihenfolge war: 1. Weißrussen, 2. Deutsche, 3. Rumänen, 4. Finnen, 5. Ungarn, 6. Italiener.

Hierzu Messe: »Da auch wir zu den Eindringlingen gehörten, konnten wir natürlich nicht unberücksichtigt bleiben, aber die Tatsache, daß wir den letzten Platz auf der ›Skala der Niedertracht‹ einnehmen, ist tröstlich und zeigt deutlich, daß die Italiener sich unter allen anderen durch ihre menschliche Haltung ausgezeichnet haben[104]!«

VI. Dies irae oder Die Zeit des Zorns

Noch kamen die deutschen Truppen an der Ostfront vor-
wärts, noch waren die Zeitungen im von Hitler beherrschten
Europa voll von Erfolgsmeldungen. Doch eine Wende des
Krieges auf dem Kontinent zeichnete sich weder im Osten noch
im Westen ab. Der Sommer 1942 schien daher der geeignete
Zeitpunkt zu sein, Staatsbesuche an der Ostfront und im rückwärtigen Heeresgebiet zu machen. Staatsmänner und politische
Persönlichkeiten der Achsenmächte besuchten nacheinander
ihre in Rußland stehenden Truppen, um sich an Ort und Stelle
über die Lage informieren zu können.

Die Besuche aus der Heimat

Nicht alle kamen im Siegestaumel und voller Begeisterung.
Eine Inspektion des rumänischen Königs bei seinen außerhalb
des Landes weilenden Truppen wäre längst fällig gewesen.
Beide Antonescus, der Marschall und der stellvertretende Ministerpräsident, drängten den jungen Monarchen schon lange
zu diesem Besuch. König Mihai wich jedoch aus. Er betrachtete
den Feldzug seiner Truppen in Rußland als eine »deutsche Angelegenheit«. Selbst einen Besuch Transnistriens wollte er
vermeiden, und er beriet sich im Juni 1942 mit seiner Mutter,
ob man Antonescu ablösen und ob eine andere Persönlichkeit
als »Staatsführer« das Land aus dem deutschen Bündnis lösen
könne[1]. Als dann am 1. Juli 1942 Sewastopol fiel und der
»Marschall von Rumänien« den König erneut zu einem Trup-
penbesuch auf der Krim drängte, gab der Monarch nach. Von
Baneasa aus flog er am 30. Juli mit einer deutschen »Ju-52«

nach Melitopol, von wo aus er seine Reise nach der Krim fortsetzte.

Nach einem kurzen Aufenthalt in Simferopol und Sewastopol, wo auch die Schlachtfelder besichtigt wurden, traf der König in Jalta ein. Manstein, der Oberbefehlshaber der 11. Armee, befand sich zu dieser Zeit in Rumänien. An seiner Stelle empfing jedoch General Hansen den Monarchen. Im ehemaligen Zarenschloß in Liwadia gab es ein Festessen. Auf die anwesenden Deutschen machten die Besucher einen ungünstigen Eindruck. Einige bemängelten, daß Mihai Antonescu (der Marschall selbst war aus Gesundheitsgründen in Rumänien geblieben) bei seiner Tischrede sich anstelle der deutschen der französischen Sprache bediente[2]. Der König konnte sich weder bei seinen Truppen noch bei den Deutschen aufwärmen. Sogar seinen Landsleuten fiel seine Zurückhaltung auf[3].

Kaum waren die Feierlichkeiten auf der Krim und ein letzter Besuch bei einem Gebirgsjägerregiment abgeschlossen, drängte der Monarch zur Abreise. Von Jalta aus flog er ohne Zwischenaufenthalt nach Bukarest. Königin-Mutter Helene erwartete ihn mit anderer Prominenz am Flughafen Baneasa. »Mihai traf pünktlich ein«, notierte sie später in ihrem Tagebuch. »Er war glücklich, weil anstelle des Piloten, er die Maschine nach Hause geflogen hatte[4]!«

Benito Mussolini zog im Sommer 1942 erneut einen Besuch in Rußland in Betracht, verwarf aber die Idee wieder. Nichtsdestoweniger war er darum besorgt, daß sich seine Truppe am Don nicht vergessen fühlten. Kaum richtete sich General Gariboldi in Millerowo ein, reiste schon die Tochter des Duce, Edda Mussolini, die Gattin von Graf Ciano, in die Sowjetunion. Sie wurde bei ihren Landsleuten mit allen Ehren aufgenommen und konnte ihrem Vater über die »ausgezeichnete Kampfmoral« der Italiener fern der Heimat berichten.

Anfang Oktober 1942 kam Aldo Vidussoni, Generalsekretär der Faschistischen Partei, nach Rußland. Nach ausgedehnten Inspektionen bei der 8. italienischen Armee wurde der Parteifunktionär sogar von Hitler in Winniza empfangen. Vidussoni war voller Lob über die italienischen Truppen. »Sie seien glücklich«, sagte er, »daß ihnen Gelegenheit gegeben wurde, ihre Mission im Kampf gegen den Bolschewismus zu erfüllen[5]!« Er sei, so führte er mit viel Pathos aus, mit dem Gesehenen vollends zufrieden; die ARMIR befände sich im besten Zustand, und er sei überzeugt, sie werde in jeder Hinsicht ihre Pflicht erfüllen!

Noch 1942 zeigte das italienische Königshaus Interesse an einem Rußlandeinsatz italienischer Truppen. Im Mai unternahm der Herzog von Aosta, dem Mussolini ursprünglich die 8. italienische Armee anvertrauen wollte, eine ausgedehnte Besichtigungsreise auf der Krim, wo er hauptsächlich italienische Marineeinheiten besuchte. Parallel mit der Entsendung der italienischen Armee nach Rußland wurden auch Marineeinheiten von La Spezia nach dem Schwarzen Meer verlegt. Dabei handelte es sich um die 10. Flotille der MAS (ein Verband italienischer Schnellboote), die man teils auf dem Schienen-, teils auf dem Wasserweg (von Wien aus auf der Donau) im April 1942 in die Sowjetunion brachte. Mussolinis Idee war, seine Militärmacht auch auf den maritimen Kriegsschauplätzen im Osten zu demonstrieren. So beschränkten sich die italienischen Schnellbooteinsätze nicht auf das Schwarze Meer. Auch im Norden der Ostfront, auf dem Ladoga-See, operierte eine kleine, selbständige MAS-Einheit. Sie sperrte mit deutschen Booten den Wasserweg nach Leningrad und half damit – wenigstens im Sommer und Herbst 1942 –, die Blockade der seit Monaten belagerten Stadt aufrechtzuerhalten[6].

Im Sommer 1942 nahmen auch Slowaken die Gelegenheit wahr, ihre in Rußland eingesetzten Truppen im Felde zu besichtigen. General Čatloš inspizierte die Schnelle Division bei Charkow. Staatspräsident Monsignore Tiso hatte schon früher im Südabschnitt der Ostfront »seine braven Soldaten« am Asowschen Meer besucht. Tiso, der auch als Staatspräsident sein Priestergewand nie ablegte und sich in der Soutane eines katholischen Geistlichen unter die Soldaten mischte, wurde von seinem Ministerpräsidenten Vojteck Tuka begleitet. Tuka trug die schwarze Parteiuniform der Hlinka-Garde; er war ein Asket, der überall, wo dazu die Möglichkeit geboten wurde, flammende Reden über die »gottlosen Bolschewiki« hielt.

Aus Kroatien kam Ante Pavelić, der »Poglavnik«. Er traf auf Hitlers Einladung hin mit Gefolge am 23. September 1942 im Führerhauptquartier »Werwolf« in Winniza ein. Bei dem Treffen ging es weniger um den Einsatz des kroatischen Militärkontingentes an der Ostfront, sondern vielmehr um die Um- und Mißstände in Kroatien selbst. In Winniza konnte Pavelić Hitler erstmals sprechen. Dieser wollte ihm eigentlich Vorwürfe wegen der unzureichenden Ausnützung der kroatischen Wehrkraft machen. Der Partisanenkrieg auf dem Balkan war in vollem Gange, und obwohl Kroatien in dieser Zeit bereits 148 500 Mann unter den Waffen hatte, konnte der Staat dennoch sein Hoheitsgebiet nicht aus eigener Kraft halten. Ante Pavelić verstand es aber in Winniza sehr geschickt, die Schuld für die in Kroatien herrschenden Mißstände auf die italienische Besatzungsmacht zu schieben. Hitler billigte diese Ausflüchte, die sicher nicht ohne realen Hintergrund waren. Des Führers Groll gegen Italien – nicht zuletzt wegen des ständigen militärischen Versagens seines Achsenpartners – wuchs ohnehin. »Würden die Italiener mit den Aufständischen nicht allein fertig, so müßten die Schwierigkeiten durch die Mitwirkung der kroatischen Wehrmacht gelöst werden«, sagte Hitler zu Pavelić. »Deutschland kämpfe im Osten nicht nur für seine eigenen Interessen, sondern stellvertretend für ganz Europa und wolle daher möglichst viele Verbände anderer europäischer Nationen an der Ostfront einsetzen. Angesichts der Schwierigkeiten Kroatiens ziehe er – der Führer – es jedoch vor, den Kroaten ihre für die Ostfront vorgesehenen Einheiten zur Niederschlagung der Aufstandsbewegung im eigenen Lande zur Verfügung zu stellen. Lediglich ein kroatisches Bataillon (richtig: Regiment), das vor einigen Tagen bei der 100. Jägerdivision vor Stalingrad mit eingesetzt worden sei, müsse zunächst an Ort und Stelle bleiben[7].«

Die zweistündige Unterredung zwischen Hitler und Pavelić

endete undramatisch. Der »Poglavnik« willigte in den deutschen Wunsch ein, die im Entstehen befindliche kroatische Armee dem Oberkommando der Wehrmacht zu unterstellen; er gab sich zufrieden, daß die soeben aufgestellte erste kroatische Legionsdivision in die deutsche Wehrmacht eingereiht werde, und versprach Hitler, alle nötigen Maßnahmen zu treffen, um das »Bandenwesen« in Kroatien auszumerzen.

Tags darauf flog Pavelić nach Golubinskaja am Don. Im Hauptquartier der 6. Armee wurde der hohe Gast vom General der Panzertruppen Friedrich Paulus, empfangen. Der General sprach sehr anerkennend über die Kampfmoral und den Einsatzwillen des ihm – im Rahmen der 100. Jägerdivision – unterstellten kroatischen Infanterieregimentes. »Von allen Verbündeten sind die Kroaten die besten Soldaten«, rühmte Paulus des »Poglavniks« Landsleute. Er machte auch keinen Hehl aus seiner Meinung über den Wert der anderen »Hilfsvölker«. »Slowaken und Rumänen können auch noch kämpfen. An letzter Stelle stehen jedoch die Magyaren und die Italiener[8]!« – Obwohl diese Rangliste nicht ohne diplomatische Schlauheit aufgestellt worden war – bekanntlich gab es Probleme zwischen Kroaten sowie Italienern und Ungarn –, hatte Paulus allen Grund, die Leistungen der kroatischen Soldaten zu rühmen.

Das »verstärkte kroatische Infanterieregiment 369« stand seit Mitte Mai 1942 erneut im Brennpunkt der Kämpfe. Kaum war die Kesselschlacht bei Charkow beendet, wurden die Kroaten umgruppiert und wieder an vorderster Front eingesetzt. Der 1. Panzerarmee unterstellt, zog das Regiment nach Nordosten, in Richtung Woronesch. Am 13. Juli gelang es Leutnant Mukvić mit seiner Kompanie, bei Stari-Oskol einen ganzen sowjetischen Divisionsstab samt Kommandeur in einem Husarenstreich gefangenzunehmen. Kaum erreichte die Truppe den Don, mußte Oberst Markulj, der das Regiment seit dem 11. Mai 1942 erneut befehligt hatte, wegen Krankheit abgelöst werden. Seine Stelle nahm ein Infanterieoberst, Viktor Pavečić, ein, ein ehemaliger k.u.k. Offizier, der in der Zeit zwischen den Kriegen in der jugoslawischen Armee gedient hatte. Kaum waren die Kroaten in das brennende Woronesch eingezogen, kam der Befehl, kehrtzumachen und nach Süden vorzustoßen. Dem westlichen Don-Ufer entlang ging der Marsch bis zum Kalatsch. Beim Don-Übergang gab es schwere Kämpfe. Im Ort Proletkultura mußte das Regiment einen eigenen kleinen Friedhof für die Gefallenen, unter ihnen auch ein Bataillons-kommandeur, anlegen.

Anfangs August wurde die 100. Jägerdivision mit den Kroaten zusammen umgruppiert. Bereits seit zehn Tagen waren sie der 6. Armee unterstellt. Ihr Kampfauftrag führte sie jetzt in die östlichste Ecke des großen Don-Bogens. Sie sollten dieses Gebiet vom Gegner säubern und die Verteidigung entlang des Don-Ufers organisieren. Die Sowjets griffen jedoch ständig an. Besonders schwere Verluste erlitt das Regiment durch den Einsatz der »Stalin-Orgel«, die den Russen, so schien es, in großer Anzahl zur Verfügung stand. »Der Tod erntete unter uns ... beinahe jeder Soldat konnte sich im voraus ausrechnen, wann er an die Reihe kam!« erinnerte sich ein ehemaliger kroatischer Offizier an diesen äußerst verlustreichen Einsatz[9].

Nach den schweren Kämpfen wurde die Truppe Anfang September abgelöst. Im Führerhauptquartier faßte man am 5. September den Entschluß, die 100. Jägerdivision in Richtung Stalingrad in Marsch zu setzen und ihre bisherige Aufgabe im Raum von Sirotinskaja einer anderen deutschen Division der dritten Mobilisationswelle zu übertragen[10]. Für die Kroaten kam eine dringend benötigte Kampfpause. Oberst Pavećić dachte bereits daran, aus den Resten der Einheiten wenigstens ein einziges kampffähiges Bataillon zu bilden. Wegen der hohen Verluste des Regiments wurde sogar die Hoffnung gehegt, man würde es zur Auffrischung nach Frankreich verlegen. Dann aber traf aus der Heimat Ersatz ein; es waren etwa 800 Mann, unter ihnen einige Dutzend Offiziere und Unteroffizie-re, die meisten von ihnen allerdings völlig kampfunerfahren. Viel Zeit für eine Eingliederung der Neuen im Regiment stand nicht zur Verfügung. Am 17. September erhielt Oberst Pavećić den neuen Kampfauftrag: Marsch auf Stalingrad ...

Während das Gros des Regiments den Don überquerte und sich bereits auf dem Wege zur Wolgastadt befand, empfing Ante Pavelić im Hauptquartier der 6. Armee eine Abordnung seiner Kroaten. Auszeichnungen wurden verteilt, Beförderungen vorgenommen, wobei der »Poglavnik« die Bemerkung fallenließ, man gedenke vorläufig nicht, ein zweites kroatisches Regiment an die Ostfront zu verlegen. Von einer Ablösung oder Zurückverlegung des seit beinahe einem Jahr im Fronteinsatz befindlichen Regiments sprach niemand. Pavelić und sein Gefolge, General Perčević und Oberst Preberg, verabschiedeten sich von ihren Landsleuten und Gastgebern ein wenig hastig. Bevor sie die Heimreise antraten, machten sie jedoch einen Abstecher von einigen Tagen nach Mariupol am Asowschen Meer. Sie inspizierten dort die kroatischen Flieger und danach die Mariner. Es wurde beschlossen, so bald wie möglich eine kroatische U-Boot-Jagdflottille zu schaffen, zu der Deutschland Boote liefern bzw. Freiwillige in diversen Lehrgängen ausbilden wollte[11].

Zur selben Zeit stand das kroatische Infanterieregiment wieder an der Front. Am 26. September in Stalingrad-Mitte eingerückt, mußte es sofort einen Kampfabschnitt übernehmen. Westlich der später zur Berühmtheit gelangten Fabrik »Roter Oktober« stürmten die Infanteristen die Bahnlinie und versuchten, diese überquerend, das Wolga-Ufer zu erreichen. So erfüllte sich die Hoffnung vieler Kroaten nicht, erst in Stalingrad einzuziehen, wenn die Stadt schon in deutschen Händen war. Der Traum von einem ruhigen Garnisonleben mit »einem bißchen Flußsicherung« verrann …[12]

Ungarn betrachtete die Verwicklung der Honvéds in die Kämpfe in der Sowjetunion weiterhin mit Unbehagen. Wenn schon Krieg, dann nur gegen Rumänien, war die Meinung der Mehrzahl der Bevölkerung. Im Sommer und Herbst 1942 kam es an der Grenze in Siebenbürgen erneut zu einigen Gefechten zwischen Rumänen und Ungarn, die doch an der Ostfront »Verbündete« und »Kameraden« waren (so zum Beispiel im

Oktober 1942 im Raum von Bánfihunyad, bei Marosvásárhely und Kolozsvár). Die heftigen Proteste und diplomatischen Demarchen der ungarischen Regierung zeitigten in Berlin keinen Erfolg, da die Deutschen den Feindseligkeiten zwischen Ungarn und Rumänen nur untergeordnete Bedeutung beimaßen. Auch bei dem anderen Achsenpartner, Italien, fand das offizielle Ungarn kein Gehör, obwohl Rom zu den Signatarmächten des II. Wiener Schiedsspruches gehörte. So geschah es zum Beispiel, daß, als der ungarische Gesandte, Baron Frigyes Villani, im Palazzo Chigi, dem römischen Außenministerium, wieder in Haßreden gegen Bukarest ausbrach und danach Graf Ciano die Frage stellte, was wohl die italienische Regierung zu tun gedenke, wenn die Honvéd nun »in nächster Zeit« gegen Rumänien marschiere, der Außenminister gelassen antwortete: »Mein lieber Herr Gesandter, ich glaube, wir werden gezwungen sein, die Nachricht in den Zeitungen zu veröffentlichen[13]!«

Seit dem 9. März 1942 hatte das Königreich Ungarn eine neue Regierung. Ministerpräsident wurde Miklós v. Kállay, ein enger Vertrauter des Reichverwesers. Sein Erscheinen auf der politischen Bühne war zunächst keine Sensation. Offiziell vertrat v. Kállay weiterhin die Politik seiner Vorgänger. Den Krieg im Osten bezeichnete er als nationale Sache und versicherte sowohl Berlin als auch Rom Ungarns unbeirrbare Treue zur Achse[14]. Insgeheim aber verfolgte Kállay eine andere, der bisherigen entgegengesetzte Politik, die v. Horthy, mit dessen Einverständnis dies geschah, in seinen Erinnerungen wie folgt skizziert: »Kállays Politik als Ministerpräsident war darauf gerichtet, Ungarns Handlungsfreiheit zurückzugewinnen und, wenn möglich, zum Status der Nonbelligeranza zurückzuführen[15].«

Ungarns Reichsverweser und Oberster Kriegsherr der Honvéd-Armee, Miklós v. Horthy, hatte im Dezember 1941 seinen 73. Geburtstag begangen. Um bei einer etwaigen Verhinderung in der Ausübung seiner Amtsgeschäfte als Staatsoberhaupt – zum Beispiel im Krankheitsfall – Ungarn mitten im

Der ungarische Ministerpräsident Laśzló Bárdossy gibt am 27. Juni 1941 im
Parlament die Kriegserklärung an die Sowjetunion bekannt

Ungarische Panzertruppen in Galizien (1941)

Reichsverweser Miklós von Horthy bei Hitler im Führerhauptquartier am 11. September 1941

Ungarische Honvéd in ihren Stellungen am Don im Sommer 1942

Generaloberst Jány, Oberbefehlshaber der 2. ungarischen Armee, besucht im Spätsommer 1942 am Don den Oberbefehlshaber der 8. italienischen Armee, Generaloberst Garibaldi

Mussolinis Besuch an der Ostfront im Jahre 1941

Hitler und Mussolini an der Ostfront

Der deutsche General von Kleist mit dem Kommandeur des italienischen Expeditionskorps, Giovanni Messe

Das italienische Expeditionskorps auf dem Vormarsch

Das an der Donez-Front eingesetzte Bersaglieri-Regiment ist an seinem Ehrentag zur Besichtigung angetreten

Nach hartnäckigen Kämpfen dringen finnische Panzertruppen bis zum Onegasee vor. Petrozavodzk, die Hauptstadt Kareliens, wird erobert

Anläßlich Mannerheims 75. Geburtstag besucht Hitler ihn am 4. Juni 1942 im finnischen Hauptquartier (im Hintergrund Keitel)

Die Generale Heinrichs und Walden mit Staatspräsident Ryti bei einer Besprechung im finnischen Hauptquartier

An der finnischen Front sind Motorfahrzeuge oft ungeeignet. In diesem Fall
rollen Pferdekarren über eine Pionierbrücke zur vordersten Stellung

Mihai Antonescu, der stellvertretende Ministerpräsident, wird am 26. September von Hitler an der Ostfront empfangen

Offizier und Grenzjäger der finnischen »Lotta« (Hilfsdienstkorps)

Generaloberst Ritter von Schobert und Antonescu während einer Lagebesprechung im Juli 1941

Rumänische Gebirgsjäger während der harten Kämpfe vor der Krimfestung Sewastopol

Rumänische Panzer vor Kischinew (Sommer 1941)

Ein rumänischer Soldat knüpft Beziehungen zur bessarabischen Zivilbevölkerung an

Ministerpräsident Dr. Voijtech Tuka im Gespräch mit der ukrainischen Bevölkerung

Ein slowakischer Major gibt Instruktionen an den neuen Bürgermeister

Angehörige dreier Nationen (Slowake, Deutscher, Italiener) am Asowschen Meer

General Čatloš zeichnet in Ilince verdiente Soldaten aus

Oberst Markulj – der erste Kommandeur des kroatischen Regiments an der Ostfront

Der erste Gesandte des Großdeutschen Reiches, Obergruppenführer Kasche,
wird von Poglavnik empfangen

Am 26. September 1942 empfängt Hitler den Staatsführer des unabhängigen Kroatien, Dr. Pavelić, der an der Ostfront kämpfende kroatische Truppen besichtigt

Kroaten beim Vormarsch auf Stalingrad. Dem Gefallenen wird die Erkennungsmarke abgenommen

Krieg nicht in eine innenpolitische Krise zu stürzen, entschloß sich der greise Staatsmann, seinen ältesten Sohn zum Reichsverweser-Stellvertreter wählen zu lassen. Hier sollen nicht die Phasen der Nominierung István von Horthys, eines 38jährigen Ingenieurs und Präsidenten der Staatsbahnen, dargestellt werden[16]. Festzuhalten sind nur die wichtigsten Fakten. István von Horthy war beruflich erfolgreich, ein weitgereister Mann und leidenschaftlicher Flieger. Mit Partei- und Tagespolitik gab er sich kaum ab, stand jedoch dem deutschen Nationalsozialismus von Anfang an ablehnend gegenüber. An einem Sieg der westlichen Demokratien zweifelte er nie, was auch in Berlin kein Geheimnis war.

Am 19. Februar 1942 wählte das ungarische Parlament István von Horthy offiziell zum Reichsverweser-Stellvertreter. Zahlreiche Glückwünsche trafen aus den befreundeten Ländern ein, vor allem aus Italien. Das offizielle Deutschland hüllte sich in Schweigen. Berlins Botschafter in Ungarn, Dietrich von Jagow, telegraphierte am Wahltag an Ribbentrop: »Es besteht kein Zweifel, daß er (István v. Horthy) ausgesprochen englandfreundlich ist und daß er den Nationalsozialismus innerlich ablehnt ...[17]« Goebbels notierte in seinem Tagebuch: »Der älteste Sohn Horthys ist ein ausgesprochener Judendiener, anglophil bis auf die Knochen ... kurz und gut, ein Mann, mit dem wir, wenn er Ungarns Reichsverweser wäre, einige Schwierigkeiten auszumachen hätten ...[18]«

Der junge Horthy nahm sein neues Amt ernst. Es gelang ihm, nach Erfüllung der offiziellen Verpflichtungen, bei seinem Vater durchzusetzen, als Fliegeroberleutnant zur 2. ungarischen Armee nach Rußland eingezogen zu werden. Diesen Schritt begründete er gegenüber seiner Frau so: »In der veränderten Lage, wo ich in meiner Position Mitsprache bei einem eventuellen Friedensschluß oder Waffenstillstandsabkommen bzw. einer Kapitulation habe, könnte man mir leicht den Vorwurf machen, ich weiß nicht, was ich täte: Ich war ja nie an der Front und kenne die Welt der Soldaten nicht[19]!« Ein weiterer Grund war der Wunsch, sich ein eigenes Bild von der Lage in der So-

wjetunion und vor allem von der Honvéd-Armee zu machen.
Oberleutnant Horthy erreichte am 14. Juni 1942 das Operationsgebiet der 2. ungarischen Armee und wurde dort dem
1. selbständigen Jagdgeschwader zugeteilt. Er nahm regen Anteil an den Kämpfen der Honvéd am Don. In der Schlacht um
Uryw wurde seine Maschine zur Artillerieaufklärung eingesetzt[20]. Einmal begleitete Oberleutnant Horthy mit seiner
Jagdmaschine ungarische Bomber, die 80 Kilometer tief ins
Feindesland eindrangen und strategisch wichtige Ziele bombardierten. Anfang August, als sich der Oberleutnant mit seinen Begleitern auf einem Routineflug über die ungarische Stellungen im Raum von Korotojak befand, trafen die ungarischen
Jäger auf 8 sowjetische Kampfbomber, die von etwa 9 Jägern
begleitet wurden. Die gegnerische Staffel flog in Richtung Norden. Oberleutnant Horthy griff die Sowjets an, und es gelang
ihm auch, einen Bomber zu treffen. Der Absturz des gegnerischen Flugzeuges konnte aber nicht eindeutig bewiesen werden, weil die Ungarn der sowjetischen Übermacht weichen
mußten. Allerdings – und das sollte ausschließlich erwähnt
werden – versuchte man, den Reichsverweser-Stellvertreter
von gefährlichen Einsätzen zurückzuhalten, um sein Leben
nicht leichtfertig aufs Spiel zu setzen. Daß er auch in sowjetische Gefangenschaft geraten konnte – was schwerwiegende politische Folgen gehabt hätte –, daran haben die Verantwortlichen bezeichnenderweise überhaupt nicht gedacht. Auf väter-
lichen Wunsch sollte Oberleutnant v. Horthy jedoch Ende August 1942 wieder nach Budapest zurückkehren. Am 20. August startete er frühmorgens mit einem leichten Jäger italienischen Fabrikates zu seinem 25. Einsatz, stürzte jedoch ab und
fand den Tod. Die Umstände des Unglücks sind bis heute nicht
vollständig geklärt; Sabotage ist nicht auszuschließen ...[21]
   Die politische Entwicklung in Ungarn ließ jedoch wenig
Raum für das tragische Schicksal des ältesten Sohnes Horthys.
Ministerpräsident Kállay entschloß sich im September, einen
Postenwechsel im Verteidigungsministerium vorzunehmen.
Mit dem Reichsverweser gemeinsam verwirklichte er den Plan,

Generaloberst Bartha abzulösen und an seine Stelle einen liberal denkenden und demokratisch eingestellten Mann, Generaloberst i. R. Vilmos von Nagy, zum neuen Verteidigungsminister zu ernennen. Damit wurde auch an der Spitze der Honvéd-Armee eine Wachablösung durchgeführt. Anstelle der prodeutsch und kriegsparteiisch eingestellten Generäle Bartha und Werth (Minister und Generalstabschef) kam nun das »Gespann« Nagy und Szombathelyi an die Spitze – beide sowohl mit Horthy als auch mit Kállay auf einer gemeinsamen politischen Grundlage stehende Persönlichkeiten.

Am 24. September 1942 leistete Generaloberst von Nagy den Eid auf die Regierung. Drei Wochen später begab er sich an die Ostfront, um die Honvéd-Armee zu besuchen. Bei dieser Gelegenheit machte der neue Verteidigungsminister auch in Winniza, im Führerhauptquartier, seinen Antrittsbesuch. Vorher wurde er von Kállay instruiert. Der Ministerpräsident machte dabei keinen Hehl aus seinem Wissen, daß die Honvéd am Don »nicht auf der Höhe ihres Könnens« ständen und sprach von den Mängeln bei der militärischen Führung. Er erwähnte auch ausdrücklich die seit März 1942 dauernden Spannungen in den ungarisch-deutschen Beziehungen und brachte wiederholt die siebenbürgische Frage zur Sprache. »Wir müssen Deutschland klarmachen, daß die Gebietsansprüche Rumäniens ausschließlich im Osten zu befriedigen seien. Ungarns Lebensraum ist das Karpatenbecken, die alten tausendjährigen Gebiete ...« und »... wir müssen in der rumänischen Frage völlig freie Hand haben. Ungarn betrachtet den gegenwärtigen Krieg im Osten mit Unbehagen. Unsere wahren Feinde sind und bleiben die Rumänen. Wir haben auf dem Balkan noch einen privaten Krieg auszufechten, da Antonescu ständig gegen uns hetzt ...[22]«

Am 18. Oktober traf General Nagy mit seinem Gefolge in Winniza ein. Hitler empfing die Ungarn herzlich. Über die beinahe dreistündige Unterhaltung berichtet Nagy ausführlich in seinen Erinnerungen. Hitler sprach einführend von den Gründen – als ob er sich rechtfertigen wollte –, die zu seinem Entschluß für eine Invasion der Sowjetunion geführt hatten, negierte aber Absichten, ganz Rußland zu besetzen. (»Ich werde die flüchtende Rote Armee höchstens bis zur Grenze von Asien verfolgen«.) Er sprach anerkennend vom Widerstandswillen der Russen (»Man muß sie einzeln totschlagen, sie ergeben sich nicht!«). Auch über die Honvéd verlor der Deutsche einige anerkennende Worte. »Der Panzerschreck hatte schon die deutschen Infanteristen zum Rückzug gezwungen. Auch die Ungarn mußten diese Krise bewältigen: Aber jetzt sind sie darüber weg und stehen ihren Mann!« In der Folge versprach Hitler, der 2. ungarischen Armee deutsche Panzerabwehrgeschütze zuzuführen, ihren Verteidigungsabschnitt am Don baldmöglichst zu kürzen und deutsche Armeereserven bereitzustellen. Er beabsichtigte, führte er weiter aus, 30 bis 40 Divisionen von der Westfront nach Rußland zu verlegen, um Stalin den Todesstoß geben zu können. »Ich will Astrachan, Groznij und Baku in unseren Besitz nehmen. Im Süden muß ich Tibilisi (Tiflis) haben. So unterbinde ich den russischen Nachschub aus Iran. Es ist aber möglich, daß ich diese Ziele erst 1943 erreichen werde[23]!« (Indessen stellten die ungarischen militärischen Leistungen an der Ostfront Hitler keineswegs zufrieden. Als General Baur, der persönliche Pilot Hitlers, im Herbst 1942 aus einem Budapester Urlaub nach Winniza zurückkehrte und beiläufig die Wünsche der Ungarn nach mehr deutschen Flugzeugen seinem Obersten Kriegsherrn gegenüber erwähnte, bekam er die ärgerliche Antwort: »Das könnte den Herren Ungarn so passen! Sie würden in den Jagdeinsitzern nicht gegen den Feind, sondern spazierenfliegen. Das Benzin ist knapp, und ich brauche Flugzeugführer, die angreifen, und nicht solche, die spazierenfliegen. Was die Ungarn bis jetzt auf fliegerischem Gebiet geleistet haben, ist mehr als dürftig. Wenn ich schon Flugzeuge vergebe, dann eher an die Kroaten, die bewiesen haben, daß sie angreifen. Mit den Ungarn haben wir bis jetzt nur Fiaskos erlebt. An der Front halten sie nicht stand. Jetzt haben wir sie auch im Hinterland bei Partisanenkämpfen eingesetzt. Aber auch da haben sie sich als Nullen erwiesen...[24]«)

General Nagy verbrachte lediglich einen Tag im Führer-hauptquartier, dann setzten er und seine Begleiter über Ber-ditschew und Kiew die Reise fort. Von der ukrainischen Haupt-stadt aus flog man die hohen Besucher mit dem Umweg über Charkow nach Alexajewka, wo General Nagy vom Oberbe-fehlshaber der 2. ungarischen Armee, Generaloberst Jány, schon erwartet wurde.

Die Stille vor dem Sturm

Da Nagy als Frontoffizier des Ersten Weltkrieges aus eigenen Anschauungen und Erfahrungen das Leben bei der Truppe kannte, hielt er sich in Alexajewka, im Hauptquartier von Jány, nur so lange wie nötig auf. Danach begab er sich zu den Solda-ten am Don. Er inspizierte nicht nur die Stäbe und Stellungen der Honvéds, sondern er suchte auch eine Arbeitsdienstler-kompanie auf und unterhielt sich demonstrativ mit den dienst-verpflichteten Juden. Die Probleme, mit denen Nagy konfron-tiert wurde, waren schwerwiegend und sehr ernst.

Die ungarische Armee hatte im Oktober 1942 am Don einen Abschnitt von 150 km Ausdehnung Luftlinie verteidigt, in Wirklichkeit jedoch von 189 Kilometer Breite, wenn man die vielen Biegungen des Don in Betracht zog. Dafür standen der Armee neun *leichte* (aus zwei Infanterieregimentern bestehen-de) Divisionen zur Verfügung, wozu man noch die Panzerdivi-sion als Armeereserve zählen konnte. Zwar wurde die ungari-sche Front am 27. August durch ein deutsches Armeekorps, bestehend aus zwei Divisionen und einem Generalkommando, verstärkt (man nannte sie im Führerhauptquartier »Korsett-stangen«), ihre Kräfte reichten gleichwohl nicht zu einer eini-germaßen sicheren Verteidigung des besagten Frontabschnit-tes, da jede leichte Division 21 km, jedes Regiment 10,5 km, jedes Infanteriebataillon 3,5 km zu verteidigen gehabt hätte. Außerdem war die Armee ungenügend bewaffnet. Fast alle schweren Infanteriewaffen waren in der Hauptkampflinie eingesetzt. Diese erstreckte sich seit dem Herbst 1942, als ein Abschnitt vom italienischen Alpini-Korps übernommen wurde, von Nowi Oskol bis Kastornoje.

Als besonders schwach wurde die Panzerabwehr der Armee angesehen. Dazu Nagy: »Ich kann es gar nicht genügend betonen, wie viele Klagen ich hinsichtlich der Bewaffnung der Armee zu hören bekam. Mit Recht sagten mir meine Offiziere, daß die Pak-Lage völlig unbefriedigend und die Artillerie zahlenmäßig unterdotiert sei; auch mangelte es an ausreichenden, großkalibrigen Minenwerfern[25]!« General Jány kannte diese Probleme; in den vergangenen Wochen hatte er sich mehrmals um Hilfe an das Oberkommando der Heeresgruppe B gewandt. Er wies dabei darauf hin, daß die schon vorhandene kleine und unzureichende Panzerabwehr bei der Bekämpfung der gegnerischen T-34-Panzer beinahe wirkungslos sei. Was er aber nicht meldete, war die Tatsache, daß die Ungarn mangels Munition kaum Übung im Scharfschießen hatten. Generalmajor Hermann von Witzleben, der – wie wir schon erwähnten – seit dem 30. September 1942 als »Deutscher General beim ungarischen AOK 2« wirkte, bat daher das OKH um die schleunigste Entsendung von Panzerabwehrspezialisten, um das Panzerabwehrsystem zu überprüfen und, wenn nötig, zu ändern. Weder die Spezialisten noch die der Armee in Aussicht gestellten 250 Pak trafen in der Folgezeit ein[26]. (Erst Ende Dezember schickt man einen deutschen Oberst zu den Honvéds, auf dessen alarmierenden Bericht hin der Armee 180 moderne 8,8 cm Pak zugesagt wurden – aber auch dieses Mal blieb es beim Versprechen ...)

Hierüber Nagy: »Die Erfahrungen, die ich bei der 2. Armee gemacht hatte, waren für mich alles andere als beruhigend[27]!« Obwohl er auch andere Fragen, wie zum Beispiel die unzureichende Versorgung und die mangelhafte Motorisierung der Truppe zur Kenntnis nehmen mußte, sah der Minister weiterhin in der überdimensionalen Ausdehnung des ungarischen Frontabschnittes und im Fehlen der Pak die Hauptprobleme der ungarischen Armee. »Nur die Tatsachen, daß die Deutschen zu jener Zeit (im Oktober) im Südabschnitt der Ostfront noch immer offensiv waren und auch der nüchternste Beobachter der Lage mit dem bevorstehenden Fall von Stalingrad rechnen durfte, konnten mich beruhigen. Warum sollte eigentlich die eindeutig in der Defensive stehende Rote Armee plötzlich einen Angriff und dann erst noch gerade gegen den ungarischen Frontabschnitt beginnen ...?[28]«

Vom Don nach Budapest zurückgekehrt, hatte General Nagy sowohl den Reichsverweser als auch den Ministerrat vom Geschehenen unterrichtet. Er beruhigte sie, daß es vorläufig nicht so aussehe, als ob die 2. ungarische Armee einem sowjetischen Angriff ausgesetzt sein könne. Einige Wochen später änderte sich die militärische Lage schlagartig. Generaloberst Gusztáv Hennyey, Generalinspekteur der Infanterietruppen, kehrte kurz vor Weihnachten von einem ausgedehnten Frontbesuch am Don in die ungarische Hauptstadt zurück. Er brachte alarmierende Nachrichten mit. Er wies sowohl vor seinem Minister als auch vor dem Generalstabschef darauf hin, man müsse sofort Schritte beim OKH unternehmen, um hinter der Front der Ungarn starke Reserven bereitzustellen, da sonst bei einem sowjetischen Angriff der Durchbruch der Russen am Don nicht zu verhindern sei[29].

Der Ernst der Lage war auch dem Oberkommando der Heeresgruppe B bewußt. Schon am 29. September 1942 äußerte sich der General der Infanterie, Georg von Sodenstern, Chef des Stabes der Heeresgruppe B, General v. Witzleben gegenüber wie folgt über die Ungarn: »Die ungarische Armee ist im großen und ganzen unzuverlässig. Ihre ohnehin vorhandene Abneigung, am Don für die deutschen Belange einzustehen, wird noch dadurch genährt, daß sie materiell einer ernstlichen Auseinandersetzung mit den Russen kaum gewachsen ist. Die Stellungen am Don sind viel zu dünn besetzt, und der Don ist im Winter zudem kein Hindernis für die Russen. Die vorhandenen Reserven sind unzulänglich, und vor allem die Führung einer ernstlichen Auseinandersetzung mit den Russen nicht gewachsen[29a]!« Das Oberkommando der Heeresgruppe B beabsichtigte daher, den deutschen Verbindungsstab bei den Honvéd in allerkürzester Zeit zu einem richtigen Führungsstab auszubauen, um im entscheidenden Moment (also bei einem sowjetischen Großangriff) das ungarische Armeeoberkommando mehr oder weniger von der Leitung auszuschalten und selbst die Führung zu übernehmen[30].

General v. Witzleben legte gegen diesen Plan Protest ein, aber das Oberkommando der Heeresgruppe B blieb hart. Die Gefahr, die die Verwirklichung eines solchen Plans nach sich ziehen würde, war dort auch bekannt. Die Idee stammte jedoch vom OKH (möglicherweise von Hitler selbst). General v. Witzleben war äußerst betroffen: »Die Durchführung einer derartigen Absicht mußte meines Erachtens schon daran scheitern, daß beim Generalkommando relativ junge Offiziere Dienst taten, die über keinen eigenen Befehlsapparat verfügten und somit gar nicht in der Lage waren, Einfluß auf zu erwartende operative oder taktische Maßnahmen zu nehmen ...[31]«

Obendrein waren die Beziehungen zwischen Ungarn und Deutschen, was den Verbindungsstab betraf, seit dem Herbst 1942 ziemlich gespannt. Die ungarischen Stabsoffiziere betrachteten die Deutschen als »Aufpasser« und bezeichneten sie – freilich hinter ihrem Rücken – als »Politruks«. Reibereien verursachte auch die mangelhafte Verpflegung. Die deutschen Lieferungen an die Honvéd-Verbände galten als »völlig ungenügend« und »unzureichend«. (Dabei erhielten die Ungarn dieselbe Verpflegung wie die deutschen Frontsoldaten. Nur: was für deutsche Magen schmeckte und genügte, war für den Honvéd qualitativ und quantitativ ungenügend. Was sollte der ungarische Soldat zum Beispiel mit deutscher Marmelade anfangen – wenn er an Speck gewöhnt war?!) Dazu Witzleben: »Es wurde mir unzweideutig zum Ausdruck gebracht, daß der ungarische Soldat bei einem solchen derart miserablen Brot, das die deutschen ortsfesten Feldbäckereien lieferten, und bei einer derart fettlosen Ernährung auch im Hinblick auf den bevorstehenden Winter nicht das leisten werde, was man etwa von ihm erwarte ...[32]«

Lage Ostfront 15.11.1942

0 100 500 km

FINNLAND

WEISSES MEER

Archangelsk
Onega

N

Ladoga-See

Leningrad
Wologda

Finnischer Meerbusen
Reval
Narwa

Kasan

Wolga

Riga **Nord**
Rshew
Moskau
Gorkij

OSTLAND

Wjasma

Kowno
Smolensk
Orscha

Dankow
Saratow
Wolga

Minsk
Mitte
RUTHENIEN
Orel
Dmitrijewo
2. A.
Woronesch

General
Gouvernement
Polen
Brest-Litowsk
Kursk
2. ung. A.
Don
Stalingrad

Rowno
Kiew
Bjelgorod
8. ital. A.
6. A.

Lemberg
Shitomir
Charkow
Poltawa **B**
Donez
3. rum. A. **4. Pz. A.**
4. rum. A.

Tscherkassy
Kirowograd
Dnjepr
Alzyn-Chutinskij

Tschernowitz
UKRAINE
Kriwoj-Rog
Rostow
Elista

Jassi
Prut
Perekop
Molitopol
ASOWSCHES
MEER
A
Kuban

RUMÄNIEN
Odessa
17. A.
1. Pz. A.

Bukarest
Sewastopol
Noworossijsk
Tuapse

Donau

Anm.: Das rum. AOK 4 übernahm
erst am 21. 11. 42 den Befehl über
seine beiden rum. Korps, bis dahin unterstanden diese dem
Pz. AOK 4. Am 23. 11. 42 wurde
die rum. 4. Armee mit der
4. Pz. Armee als „Armeegruppe
Hoth" unter dem Befehl des
Pz. AOK 4 zusammengefaßt.

Fehlende wirkungsvolle Panzerabwehr, mangelhafte Verpflegungslage, Spannungen zwischen deutschen und ungarischen Stäben, eine ungenügende Besetzung des Verteidigungsabschnittes der Armee, dazu noch das Fehlen ausreichender Reserven und Ausweichstellungen (der Ausbau einer zweiten Verteidigungsstellung wurde erst Ende Oktober 1942 in Angriff genommen und nie endgültig fertiggestellt), eine unglückliche Kriegsgliederung der einzelnen Divisionen, dies alles waren bittere Fakten, die eine einigermaßen wirkungsvolle Abwehr feindlicher Großoffensiven schon von vornherein in Frage stellten. Dazu kam noch das psychologische Moment der Motivation der Ungarn am Don. General v. Witzleben: »Diese Frage wurde im jüngeren Offizierskorps stärker diskutiert als im älteren. Die Ablehnung des Nationalsozialismus war weitverbreitet und tiefgehend; der sich dauernd wiederholende Versuch der Gängelung in allem, selbst in den kleinsten taktischen Maßnahmen, wurde ungarischerseits mit Bitterkeit registriert. Es wurde mir daher schon im Oktober klar, daß die ungarische Armee im Falle eines ernsten russischen Angriffes sich nicht werde halten können, aber auch gar nicht wolle! Es fehlte den Ungarn mehr oder minder am Verständnis und an der Einsicht hinsichtlich der Notwendigkeit dieses Krieges, und aus diesem Grunde auch an einer geistigen Betreuung der Truppe überhaupt. Man wußte nicht, was man ihr sagen sollte, und mit oft recht fadenscheinigem Herumreden kam man bei der Honvéd nicht an[33]!«

Die Lage verschärfte sich noch, als im Laufe der Ereignisse in und um Stalingrad, also in der zweiten Novemberhälfte, das Oberkommando der Heeresgruppe B Truppen benötigte und mit der Verlegung deutscher Verbände aus dem Bereich der 2. ungarischen Armee begann. Als es dann auch bei den Italienern zu einer gefährlichen Situation kam, befahl Generaloberst v. Weichs am 17. Dezember·1942 den Abzug des Generalkommandos 24 mit der 336. Infanterie-Division aus dem ungarischen Frontabschnitt.

Die Empörung General Jánys kannte keine Grenzen. Er rief

sofort den »Deutschen General beim ungarischen AOK 2« zu sich und eröffnete ihm, er sei nicht gewillt, sich diese Behandlung weiter gefallen zu lassen! Im Laufe des Gesprächs verlor Jány jedes diplomatische Geschick und erklärte, er wisse nun, wie es um die Armee stehe: sie sei bereits »rettungslos verkauft«, er überlege als verantwortungsvoller Oberbefehlshaber, ob er nicht die Honvéds aus der Front ziehen und in Richtung Heimat abmarschieren solle ...[34]!

General v. Witzleben setzte alles daran, um wenigstens das Herausziehen des deutschen Generalkommandos verhindern zu können, jedoch umsonst. Auch ein erregtes Telefongespräch Jánys mit Generaloberst v. Weichs brachte keinen Erfolg. Obwohl der Ungar dem deutschen General offen mitteilte, ohne ein Verbleiben des deutschen Stabes bzw. der Division sei das Ausharren seiner Armee nicht zu garantieren, blieb sein Begehren unerfüllt. Generaloberst v. Weichs – der die mißliche Lage anerkannte, aber nichts unternehmen konnte – berief sich auf einen OKH-Befehl.

Als Generaloberst Jány dann beim ungarischen Generalstabschef in Budapest protestierte, dieser den Reichsverweser alarmierte und v. Horthy sich am 24. Dezember 1942 mit einem Brief an Hitler wandte, wurde der ungarischen Armee zugestanden, daß die 168. deutsche Infanteriedivision, die auch umgruppiert werden sollte, nicht abgezogen wurde, außerdem gestand man für die »nahe Zukunft« weitere Verstärkungen des ungarischen Frontabschnitts zu[35]. Daraufhin teilte das ungarische Staatsoberhaupt am 26. Dezember 1942 in einem Telegramm Hitler mit, er habe »Ihrem Wunsche entsprechend und die gemeinsamen Interessen vor Auge haltend« der ungarischen Armee »das unbedingte Ausharren im Falle eines feindlichen Angriffes befohlen[36]!«

Am 1. Januar 1943 sah es so aus, als ob die Ungarn die deutsche Verstärkung erhalten würden. An diesem Tage teilte Freiherr v. Weichs dem ungarischen AOK 2 mit, er habe ihm ein deutsches Generalkommando unter der Führung von Generalmajor Hans Cramer taktisch unterstellt. Das Korps bestünde

aus folgenden Verbänden: 2/3 der 168. Infanteriedivision, die
26. Infanteriedivision, die 1. ungarische Panzerdivision, der
Panzerverband 700 und eine Sturmgeschützabteilung. Das
Korps solle sich jedoch so gliedern, daß es, im Falle eines gegnerischen Einbruchs im ungarischen Verteidigungsabschnitt,
die Lage in jeder Hinsicht wiederherstellen könne. Die Kräfte
dürften daher nicht einzeln eingesetzt werden, sondern müßten
geschlossen geführt werden[37]. Dieser anfänglich mit Freude
und mit Beruhigung aufgenommene Plan erwies sich bald als
Fehlschlag. Daß man Jány seine bisherige einzige Reserve, die
1. Panzerdivision, entzog und sie dem Korps Cramer einglie-
derte, nahm man im ungarischen AOK 2 noch hin, da man glaubte, jetzt *statt einer Division ein ganzes Korps* als Reserve zu haben. Als am 12. Januar 1943 der sowjetische Angriff gegen den
ungarischen Frontabschnitt begann und der Einsatz des Korps
Cramer benötigt wurde, erhielt Generalmajor Kovács vom
Stabschef der Heeresgruppe B jedoch die Antwort, das Korps
sei nicht verfügbar. Über seinen Einsatz könne weder General
Jány noch General v. Weichs verfügen. Hitler habe sich eingeschaltet. Er beobachte die Lage der Heeresgruppe B in Ostpreußen aufmerksam und werde zu gegebener Zeit selbst über
den Einsatz des Korps entscheiden[38]!

Inzwischen hatte die 8. italienische Armee (ARMIR) nach
verschiedenen Änderungen innerhalb des ihr zugewiesenen
Frontabschnitts und nach einer Neugliederung der Truppenteile Anfang November 1942 einen 270 Kilometer breiten
Verteidigungsabschnitt entlang der Windungen des Don von
Weschanskaja bis Kamilschowa übernommen[39]. Die Armee
hatte vier Generalkommandos, drei italienische und ein deutsches. Neun italienische und vier deutsche Divisionen (darunter zwei in der zweiten Linie als Eingreifreserve) warteten auf
ihre Aufgabe, den Don in ihrem Frontabschnitt zu verteidigen.
  Merkwürdigerweise sagte Hitler bereits Mitte September einen
sowjetischen Großangriff gegen die 8. italienische Armee vor-

aus. Er verfügte am 9. September den möglichst starken Ausbau und die Verminung der Don-Front der Heeresgruppe B, da er annahm, die Sowjets würden den Durchstoß »im kommenden Winter« in Richtung Rostow sicherlich bei der 8. italienischen Armee versuchen[40]. Da ihm – wie so oft bei der Operation »Blau« – die Truppen fehlten, schlug Hitler vor, Reserven aus dem Raume von Stalingrad (!) hinter die Don-Front der Verbündeten zu verlegen. Heeresartillerie in größerer Anzahl sollte die Stellungen der verbündeten Armeen verstärken. Später, als Stalingrad immer mehr und mehr Truppen verschlang und sich Hitlers Aufmerksamkeit vollends auf die Wolga richtete, wurde die Möglichkeit eines sowjetischen Angriffes gegen die Verbündeten am Don zwar weiterhin verfolgt, die Konsequenzen daraus aber nicht mehr gezogen. Vielmehr zog man von diesem Frontabschnitt die dort befindlichen deutschen Verbände allmählich ab.

So auch bei den Italienern. Zunächst wurde die 22. Panzerdivision mit etwa 180 Panzern abgezogen, dann folgte die 294. Infanteriedivision, die bisher am linken Flügel der Armee, hinter dem Alpini-Korps, in Reserve gestanden hatte; schließlich mußte die 62. Infanteriedivision ihre Position als Eingreifreserve aufgeben und wurde in die vorderste Front der Italiener verlegt[41].

Diese Truppenverschiebungen und Abkommandierungen deutscher Divisionen aus dem Bereich der ARMIR blieben nicht ohne Folgen auf die Kampfmoral der verbündeten Soldaten. Rom war weit, und Mussolini zeigte plötzlich wenig Interesse für seine Armee in Rußland[42]. General Messe vertrat von Anfang an die These, daß das italienische AOK 8 unter Berücksichtigung der ihm zur Verfügung stehenden Kräfte und Mittel keineswegs einen so ausgedehnten Frontabschnitt akzeptieren müsse. Auch Generaloberst Gariboldi sah ein, daß Messe im Recht war, konnte sich aber nicht zu radikalen Maßnahmen gegen die deutschen Forderungen entschließen. Im Laufe der Auseinandersetzung zwischen Gariboldi und Messe äußerte letzterer, die Armee stehe in der gegebenen Situation bereits auf verlorenem Posten. Am besten wäre es, ihr gleich drei Aufgaben aufzubürden: die Rote Armee abzuwehren, die Deutschen zu schlagen und die faschistische Regierung in Rom in die Hölle zu jagen[43]!

Defätistische Äußerungen kamen dem OKH auch von anderer Seite zu Ohren. »Ein zuverlässiger Gewährsmann im rumänischen Generalstab machte heute die Mitteilung über ein Gespräch, das kürzlich ein höherer rumänischer Offizier an der Don-Front mit einem italienischen Divisionskommandeur führte«, so ein Geheimbericht des deutschen Militärattachés aus Bukarest ans OKH vom 14. November 1942. »Der italienische General sagte dabei: die Faschisten und Parteileute sitzen in der Heimat. Wer nicht Faschist ist, ist an der Front und kämpft[44]!«

Später wurde von derselben Stelle noch die Mitteilung gemacht, die Italiener beabsichtigen nicht, den Winter am Don zu verbringen. Die 8. Armee müsse bald abgelöst werden, da die Soldaten nicht gewillt seien, weiterzukämpfen[45].

Unmut erfaßte auch das Gros des italienischen Offizierskorps. Die Offiziere bezweifelten nicht nur den Sinn des Unternehmens am Don, sondern schürten auch den Haß gegen die Deutschen, die sie letzten Endes hierhergebracht hatten und die sich hier als »Herrenvolk« aufführten. Anfang Januar 1943 zirkulierte in Italien heimlich eine Flugschrift, verfaßt von einem Generalstabsoffizier der 8. Armee, die ankündigte:

»Wir sehen im modernen Europa die militärischen Institutionen des Mittelalters wiedererstehen, als die Kavallerie von den Herren gebildet worden war und die Infanterie gewaltsam aus dem untertänigen Volk rekrutiert wurde. So folgen auf den staubigen und schlammigen Straßen Rußlands die Italiener, Rumänen, Ungarn, Österreicher, Bayern und Slowaken mühsam zu Fuß den Preußen auf ihren blitzschnellen Vormärschen – den Preußen, die auf den Türmen ihrer bewaffneten Fahrzeuge und auf ihren gepanzerten und gegürteten Kraftfahrzeugen fürwahr als die Herren des Krieges erschienen. Und wenn die ermüdeten Ritter kommen, um bequem in der Etappe zu biwakieren, so richtet sich diese Infanterie ein, dort Mußestunden zu halten und die Beute zu beschützen, wobei ihr ein Feind gegenübersteht, der wütend gemacht worden und entschlossen ist, an ihr die Demütigungen und den erlittenen Schaden zu rächen[46]!«

General Giovanni Messe war nicht gewillt, die Verantwortung für den Verteidigungsabschnitt seines 35. Armeekorps zu übernehmen. Er bat in einer Denkschrift – mit Nennung von Gründen – um seine Ablösung. Der Antrag wurde angenommen. Am 1. November 1942 verabschiedete er sich in einem Tagesbefehl von seinen Soldaten und flog vom Befehlsflugplatz Karinskaja nach Italien ab. An seine Stelle trat General Francesco Zingales, derselbe Mann, der 1941 zu Beginn des Rußlandfeldzuges mit der Führung des Armeekorps betraut worden war und dann – krankheitshalber – das Kommando an Messe übergeben mußte.

Mitte November 1942 wurden die Truppen am Don von einer zunehmenden Nervosität erfaßt. Das geht aus verschiedenen Augenzeugenberichten hervor[47]. Gariboldi wies darauf General Rampelli, den Kommandanten der italienischen Fliegereinheit an der Ostfront, an, vermehrt Aufklärungsflüge über dem Dongebiet auszuführen. Diesem Auftrag konnte jedoch nur bedingt entsprochen werden, da die italienischen Fliegerkräfte den Kommandostellen der deutschen Luftwaffe der Heeresgruppe B unterstanden. Das italienische AOK 8 hatte – so war es in Rom geregelt worden – lediglich für die Nahaufklärung und die Transportstaffel Anweisungsbefugnisse, aber auch dies nur bei »normaler« Frontlage.

Am 27. November 1942 – das Stalingrad-Debakel für die 6. Armee war bereits in vollem Gange – traf beim italienischen AOK 8 ein wichtiges Fernschreiben von Generaloberst v. Weichs ein: »Ich befehle erneut und verlange, daß dieser Befehl in allen Befehlsbereichen bis zum letzten Mann unbedingt durchdringt: *Kein Offizier, kein Mann, gleich welcher Waffengattung, ob Fechtender oder Angehöriger der Versorgungstruppe, ist befugt, dem Feinde auszuweichen, ohne bis zum letzten gekämpft zu haben.* Befehl geht an alle Armeeoberkommandos[48]!«

Jedoch erst, als die sowjetischen Truppenbewegungen gegenüber dem italienischen Verteidigungsabschnitt immer bedrohlichere Formen angenommen hatten, wurde beschlossen, in Übereinstimmung mit dem OKH, deutsche Truppen zur Unterstützung der 8. italienischen Armee anzufordern. Generaloberst v. Weichs ließ den Oberbefehlshaber der 8. italienischen Armee am 6. Dezember 1942 über die vorgesehene Maßnahme schriftlich unterrichten, wobei die baldmöglichste Ankunft von zwei Infanterie- und einer Panzerdivision bzw. kleineren Einheiten (von Panzerjägerabteilungen bis Baubataillonen und aus Nachschubsoldaten zusammengestellte Alarmbataillone) in Aussicht gestellt wurde[49].

Generaloberst Gariboldi hatte noch im September das Versprechen des Oberbefehlshabers der Heeresgruppe B entgegennehmen können, nach dem Fall von Stalingrad werde die Ausdehnung des italienischen Frontabschnittes deutlich verkürzt[50]! Nun, Mitte Dezember, hielt die Armee eine Front von mehr als 270 km Breite. Die Reserven innerhalb der Divisionsabschnitte waren gering und abgesehen von der 27. Panzerdivision stand vorläufig kein Großverband der Deutschen als Eingreifreserve hinter den Verteidigern bereit. (Dabei wurde die »Ist«-Stärke der 8. italienischen Armee am 12. Dezember 1942 mit 221 665 Mann und 1653 Offizieren angegeben[51].)

Das italienische AOK 8 versuchte noch am 10. Dezember erfolglos, sein vorgesetztes Oberkommando davon zu überzeugen, es sei zweckmäßiger, die Verteidigung des Westufers des Don aufzugeben und die Truppe auf eine kürzere Hauptkampflinie zurückzuziehen. Dabei mußte es auch im Oberkommando der Heeresgruppe B bekannt sein, daß der Don – seit Ende November zugefroren – selbst für russische Panzer kein ernstliches Hindernis mehr war. Generaloberst Freiherr von Weichs hatte jedoch seine Befehle; er versuchte, durch verschiedene »Anordnungen«, »Empfehlungen« und andere Dokumente die ihm unterstellten Oberbefehlshaber verbündeter Truppen vom Grundkonzept der deutschen Führung hinsichtlich der Verteidigung zu überzeugen, wobei er ihnen schon im vornherein in Aussicht stellte, daß im Falle eines gegnerischen Großangriffes das Oberkommando der Heeresgruppe B rigoros in die Führungsangelegenheiten der ungarischen bzw. italienischen und rumänischen Armeen eingreifen würde[52]!

Zahlenmäßig das stärkste Kontingent verbündeter Truppen stellte für die Heeresgruppe B im November 1942 die rumänische Armee. Sie bestand aus insgesamt 18 Divisionen mit 355 877 Soldaten (nach sowjetischen Nachkriegsangaben[53]) bzw. 267 727 Soldaten (nach rumänischen Quellen[53a]).

Gemäß den Vereinbarungen zwischen Hitler und Antonescu wurde in der zweiten Hälfte August 1942 das rumänische AOK 3 aus dem Verband der Heeresgruppe A (Kaukasus) herausgelöst und an den Don verlegt. Oberbefehlshaber dieser Armee, deren Divisionen zum Teil den ganzen Sommerfeldzug 1942 mitgemacht hatten und sich nur langsam am Don versammelten, blieb weiterhin der 50jährige Petre Dumitrescu. Seinen Einsatzwillen und sein militärisches Können bei der Einnahme des Schwarzmeerhafens Anape am 31. August 1942 ehrten die Deutschen mit der Verleihung des Ritterkreuzes zum Eisernen Kreuz[54]. Bis jedoch die 3. rumänische Armee ihre Umgruppierung vollendet hatte, gingen Wochen vorüber. Die neuen Divisionen, die der 3. rumänischen Armee unterstellt worden waren, kamen direkt aus der Heimat. Sie waren 1941 bei Odessa eingesetzt und wurden nachher zwecks Verstärkung in die Heimat verlegt. Jetzt sollten sie sich wieder in Rußland bewähren. Sie waren zahlenmäßig jedoch nicht auf Divisionsstärke. Die einzelnen Verbände der 3. rumänischen Armee verfügten nur über 6 Infanteriebataillone (je Regiment 2 anstelle der üblichen 3), hatten 1 Aufklärungsbataillon, 2 Artillerieregimenter mit je 6 Batterien, 1 Pionierbataillon, 1 Kavallerieschwadron, Panzerabwehreinheiten (6 mittlere Divisionspanzerabwehrkanonen), Nachrichteneinheiten und die üblichen Versorgungsdienste.

In einer internen Studie, verfaßt im März 1945 in Bukarest, betonte rückschauend Generaloberst Dumitrescu: »Es muß betont werden, daß unsere Divisionen am Don über geringere Infanteriekräfte, aber über eine relativ befriedigende Artillerie verfügten, während sie mit Nachrichtengerät und besonders mit motorisierten Transportmitteln angesichts der erheblichen Entfernungen zwischen Eisenbahnlinie und Front nur ganz ungenügend ausgestattet waren.« Ferner schreibt er: »Die panzerbrechenden Waffen der Infanterieregimenter hatten ein zu kleines und absolut wirkungsloses Kaliber angesichts des neuen sowjetischen Panzers, der uns am Don gegenüberstand. Vom deutschen Oberkommando sollten uns Panzerminen geliefert werden: Sie wurden uns aber erst spät und in zu geringen Mengen zur Verfügung gestellt[54].«

Der Generaloberst spart im weiteren nicht mit Einzelheiten: Die Truppe hatte keine dem harten Klima Rußlands entsprechende Bekleidung. Die zu kurzen und zu leicht gefütterten Mäntel, die nicht wattierten Hosen, die kurzen Unterhosen und die zu kleinen Schnürstiefel, all das trug dazu bei, daß die rumänischen Truppen (neben der nicht ausreichenden Ernährung) auch noch durch die Kälte physisch geschwächt wurden.

Am 16. September verlegte das Armeeoberkommando 3 sein Hauptquartier nach Rostow und dann nach Kamensk, von wo Generaloberst Dumitrescu den Aufmarsch seiner Truppen in Richtung Don besser organisieren konnte. Das neue Hauptquartier in Morosowskaja hatte der Stab der 3. Armee erst am 1. Oktober nach großen Schwierigkeiten beziehen können. Erst am 10. Oktober 1942 übernahm der rumänische Oberbefehlshaber den ihm von dem Oberkommando der Heeresgruppe B zugewiesenen 120 Kilometer langen Verteidigungsabschnitt am Don zwischen der 6. deutschen Armee und der 8. italienischen Armee, der das Gebiet von Kletskaja bis Weschenskaja einschloß[55].

Unterdessen wurden Vorkehrungen getroffen, um der sich noch immer in Aufmarsch oder Bereitstellung befindlichen 4. rumänischen Armee einen Frontabschnitt südlich von der 6. Armee bzw. 4. Panzerarmee in der sogenannten Kalmükkensteppe zu überlassen. Hitler verfolgte hier seinen im Juni

1942 gefaßten Plan, aus rumänischen und deutschen Verbänden eine neue Heeresgruppe zu bilden. Am 28. September 1942 wurde der General der Panzertruppen Friedrich Paulus, über die Entscheidung der obersten deutschen militärischen Führung unterrichtet, wonach in Kürze zwischen die Heeresgruppe A (Kaukasus) und Heeresgruppe B (Don bzw. Wolga) ein rumänisches Heeresgruppenkommando eingeschoben werde. Es werde aus der 4. rumänischen Armee in der Kalmückensteppe, aus der 6. Armee im Raum um Stalingrad und aus der 3. rumänischen Armee am Don (bis Kazanskaja) bestehen[56]. Als Oberbefehlshaber war, wie bereits erwähnt, Ion Antonescu, der »Marschall von Rumänien«, vorgesehen. Sein Stellvertreter sollte General Paulus sein, und zwar nicht nur wegen seines anerkannten militärischen Könnens, sondern vor allem aufgrund der familiären Beziehungen des Generals. (Paulus' Ehefrau, geborene Elena Constance Rosetti Solescu, entstammte einem rumänischen Adelsgeschlecht, dessen Mitglieder im 19. Jahrhundert einflußreiche Stellen in Rumänien bekleidet hatten[57].)

Während des ganzen Monats September beschäftigte man sich mit der Organisation und Aufstellung des »Stabes Don«, der den Kern des neuen Heeresgruppenkommandos bilden sollte. Die Oberquartiermeisterabteilung entstand, die Modalitäten des Verkehrswesens und der Nachrichtenverbindungen wurden im großen und ganzen geklärt, und am 20. September ordnete das OKH die Einrichtung einer Territorialbefehlsstelle für das »Heeresgebiet Don« an. Ende September wurde ein Vorkommando des »Stabes Don« nach Nowotscherkask in Marsch gesetzt. Dieser Ort sollte, nach dem Wunsch Antonescus – der übrigens sein Einverständnis zur Übernahme der Heeresgruppe Don noch nicht gegeben hatte, da er dies auch von innenpolitischen Fakten abhängig machen wollte – als Heeresgruppenhauptquartier dienen. Ende Oktober war diese Befehlsstelle räumlich und technisch bezugsbereit[58].

Die Stimmung unter den rumänischen Soldaten war indessen schlecht. Die unerwartete Verlängerung des Krieges und der daraus folgende Einsatz an einem neuen Frontabschnitt rief Mißbehagen hervor. Auch verbreitete sich das Gerücht, die deutsche Führung wolle den rumänischen Truppen die schwersten Frontabschnitte überlassen. Dabei wurden insbesondere die Verhältnisse an der Kalmückenfront heftig kritisiert: keine Unterkünfte, unbesiedelte Gebiete, kein Wasser, kein Holz für den Bau von Winterquartieren[59]! Die Motivation für den Feldzug ließ weiter nach, trotz des Respekts vor den Deutschen.

Der Oberbefehlshaber der 4. rumänischen Armee, der 51jährige Constantin Constantinescu-Claps, ein nüchterner und korrekter Generaloberst, verfügte über drei Generalkommandos (darunter ein deutsches) und sieben Divisionen (fünf Infanterie- und zwei Kavallerieverbände). Zusammen zählte die Armee 103 469 Mann[60]. Bis die Rumänen jedoch ihren vorgesehenen Verteidigungsabschnitt in der Kalmückensteppe übernehmen konnten, war es bereits Ende Oktober 1942. Sie mußten in einem praktisch unwirtschaftlichen Gebiet 250 Kilometer Stellung beziehen und die für eine Verteidigung dieses Abschnittes nötigen Vorkehrungen treffen. Um eine zumindest dünne Besetzung, besser gesagt, Sicherung des Verteidigungsabschnitts gewährleisten zu können, mußten alle Reserven mobilisiert werden. Auch in diesem Fall betrug die Frontbreite für die wenigen Divisionen 25 bis 40 Kilometer[61]. Dazu kam – wie bei den anderen verbündeten Truppen – das ständig akute Problem, nämlich der Mangel an geeigneten Waffen, insbesondere der Mangel an Panzerabwehr. Lediglich veraltetes Material mit zu schwachen Kalibern (3,7 bzw. 4,7 cm) war in geringen Mengen vorhanden, und dies erwies sich gegen die sowjetischen Panzer T-34 als völlig wirkungslos. Panzer- oder Sturmgeschützeinheiten hatte die 4. rumänische Armee überhaupt nicht. Sie beschränkte sich auf die Beschaffung von Holz und anderem Baumaterial, um noch möglichst vor Wintereinbruch die nötigen Unterstände und Unterkünfte herrichten zu können. Dazu General Gheorge: »Die Berichte der einzelnen Kommandostäbe an der Front zeigten düstere Perspektiven. Die alte Methode, die Mängel durch scharfe Befehle hinwegzufegen, erwies sich als unzureichend. Die Moral der Truppe sank fühlbar[62]!«

Kaum besser war die Situation bei der 3. rumänischen Armee. General Dumitrescu hielt den seiner Armee anvertrauten Frontabschnitt angesichts der eigenen Kräfte (252 418 Mann, nach Dumitrescu 164 258 Mann) von Anfang an für viel zu umfangreich. Er weigerte sich, weitere Frontabschnitte, die bisher von italienischen Truppen gehalten worden waren, zu übernehmen, und verlangte kategorisch deutsche Panzer- und Artillerieunterstützung, um die drei sowjetischen Brückenköpfe am Südufer des Don so rasch wie möglich beseitigen zu können[63]. Er glaubte, daß die Aufgabe seiner Armee erst dann einigermaßen mit Erfolg gelöst werden könne, wenn sich das ganze Don-Ufer in ihrer Hand befände und dadurch als Panzerhindernis die unzureichende Ausrüstung der Armee mit panzerbrechenden Waffen wenigstens einigermaßen wettmachen könnte. Das Oberkommando der Heeresgruppe B jedoch willigte in einen beschränkten rumänischen Angriff nicht ein (es hatte auch keine Möglichkeit, die gewünschte Unterstützung zu gewähren) und verbot den Rumänen Vorstöße mit mehr als einem Bataillon ohne deutsche Einwilligung.

Die Spannung zwischen den Verbündeten wuchs. Am 17. Oktober kam es zu einem offenen Bruch; General Dumitrescu verweigerte kategorisch, mit seinen Divisionen eine weitere italienische Division (die »Celere«) abzulösen, und protestierte dagegen, daß deutsche Verbände, die man als Reserve für die rumänische Front versprochen hatte, noch immer nicht an Ort und Stelle waren. Der Rumänische Große Generalstab, auch Marschall Antonescu, wurden in den Streit eingeschaltet. Die Deutschen versuchten Dumitrescu dadurch zu beschwichtigen, daß sie ihm die Mitteilung machten, die Rote Armee denke zur Zeit überhaupt nicht an eine Offensive. Man könne also ruhig das Risiko eingehen, den rumänischen Verteidigungsabschnitt nur dünn zu besetzen bzw. keine oder nur geringe Reserven hinter der Hauptkampflinie zu lassen[64]!

Generaloberst Dumitrescu in seinen Memoiren: »Unglücklicherweise hat unser Oberkommando, trotz Voraussicht und ei-
gens klar vorgeschriebenen Anweisungen, allzuleicht dem
Druck des OKH nachgegeben, als die 3. Armee sich weigerte,
den entgegenlautenden Befehlen der Deutschen Folge zu leisten, wonach unsere Truppen die Front in einer dünnen Linie
und ohne Reserven beziehen sollten[64a].«

Ende Oktober beugte sich der rumänische Oberbefehlshaber
dem Willen seines Staatschefs. Mit der Übernahme des Frontabschnitts der italienischen Division »Celere« (und teilweise
der »Sforzesca«) betrug die neue Frontbreite der 3. rumänischen Armee 160 Kilometer. Ende Oktober mußte die Armee
noch den Abschnitt Werchne Krewskoj-Merkulowo übernehmen. Nun war Generaloberst Dumitrescu für einen Verteidigungsabschnitt von 180 Kilometer verantwortlich! Es war ihm
klar, daß mit seinen Divisionen höchstens *Sicherungsaufgaben,*
nicht aber die Abwehr eines gegnerischen Angriffes zu gewährleisten seien.

Diese Offensive begann Ende Oktober/Anfang November
bereits ihre Schatten vorauszuwerfen. Mit wachsender Unruhe
verfolgte das rumänische AOK 3 die ungewöhnliche Aktivität
der ihr am anderen Don-Ufer gegenüberstehenden Russen:
der sowjetischen Südwestfront (Heeresgruppe). Am 28. Oktober berichteten zwei aus der Roten Armee desertierte Feldwebel, daß ihre Einheit am 24. Oktober eine Weisung erhalten
habe, wonach um den 10. November herum die eigene
Großoffensive in Richtung Serafimowitsch beginnen würde mit
dem Ziel, die faschistische Front zu durchbrechen und Stalingrad zu befreien. Die Vermehrung der Don-Übergänge zu den
sowjetischen Brückenköpfen, weiterer Überläuferaussagen
zufolge, und permanente örtliche Angriffe des Gegners, die nur
das Ziel haben konnten, die weichen Stellen bei den »Faschisten« festzustellen, waren warnende Zeichen. Zur Abwehr einer gegnerischen Großoffensive war jedoch die 3. rumänische
Armee keineswegs vorbereitet! Die Probleme der Rumänen
auf den Sektoren Ausrüstung, Bewaffnung und Verpflegung

waren dieselben, die bei den Italienern und Ungarn auftraten. Besonders um die Panzerabwehr stand es bei der 3. rumänischen Armee schlecht; die Armee besaß drei motorisierte Pak-Kompanien zu je 12 Geschützen (Kaliber 4,7 cm), die Armeekorps verfügten über keine Pak-Einheiten, die Divisionen und Regimenter dagegen über je eine bespannte Pak-Kompanie und 12 bis 16 Pak (Kaliber: 3,7 und 4,7 cm). Seit Oktober kamen dazu aus deutschen Beständen noch sechs bespannte Panzerabwehrgeschütze vom Kaliber 7,5 pro Division. Die rumänische Armee verfügte über keine panzerbrechenden Granaten und Minen; Brandwaffen gegen Panzer waren nur beschränkt vorhanden[65]! Mit wachsendem Unbehagen sahen die Rumänen außerdem den Abzug deutscher Truppen aus ihrem Frontabschnitt – Richtung Stalingrad oder zur 8. italienischen Armee –, da ihnen als Reserve zugesagte deutsche Verbände ausblieben.

Dazu kamen noch andere Sorgen des rumänischen AOK 3. Dumitrescu: »Meine Armee hat *nie* einen Befehl oder eine *Instruktion* erhalten, worin der zu übernehmende Auftrag deutlich und klar umrissen worden bzw. woraus die operativen Ideen der Heeresgruppe hätten entnommen werden können, d. h. die eventuellen Verteidigungsmanöver oder wenigstens die Tiefenstaffelung von Stellungen oder die dafür besonders wichtigen Zonen. Die operative Führung der Armee ließ sich nur aus den verschiedenen, vom deutschen Oberkommando erhaltenen allgemeinen Direktiven und Instruktionen erarbeiten[65a]!«

Ständige Kleinangriffe der Russen hatten mit der Zeit empfindliche Ausfälle bei der 3. rumänischen Armee verursacht. So bezifferte Generaloberst Dumitrescu die Verluste seiner Armee vom 1. Oktober bis zum Beginn der großen sowjetischen Offensive am 19. November auf insgesamt 336 Offiziere, 2111 Unteroffiziere und 12 607 Soldaten, »wobei wir«, schreibt er, »2500 Tote und 8500 Verwundete zu beklagen hatten[65b]«.

Obwohl die Rumänen fleißig am Stellungsbau arbeiteten,

konnten sie wegen Zeit-, aber auch wegen Baumaterialmangels nur abschnittsweise und auch dann nur behelfsmäßig Unterkünfte fertigstellen. So macht zum Beispiel Generaloberst Dumitrescu für seine Armee folgende Angaben: »Bis zum 18. November konnten folgende Arbeiten beendet werden: Schützengräben mit normalem Profil für schwere und automatische Waffen (von denen nur wenige abgedeckt werden konnten), stellenweise zusammenhängende Schützengräben und im übrigen nur Einmannlöcher, Drahtzäune und Sperren in den gefährdeten Zonen (5–6 km je Division), kleinere Minenfelder (2–3 km je Division) und Unterstände für das gesamte Personal.« Auch die Verpflegung brach fast zusammen. Denn: »Im Lande standen nur geringe Bestände zur Verfügung. Eine Versorgung mit Vorräten vor dem Aufmarsch hatte nicht stattgefunden[66]!«

Mitte November 1942 waren die 18 rumänischen Divisionen am Don und in der Kalmückensteppe in voller Zahl an der deutschen Front vertreten. Die Rumänen taten mehr, als sie versprochen hatten. Dem Drängen des OKH und OKW nachgebend, verwendeten sich auch Divisionen, deren Ausrüstung und Sicherstellung der Versorgung noch nicht vervollständigt werden konnte. Noch vor der letzten Stunde der großen Bewährung gelang es dem Oberkommando der Heeresgruppe B, aus verschiedenen Verbänden ein deutsches Panzerkorps zusammenzustellen und dieses als Reserve hinter der 3. rumänischen Armee bereitzustellen. Laut Tagesmeldung vom 18. November verfügte das 48. Panzerkorps (14., 22. Panzerdivision und die 1. rumänische Panzerdivision) über 107 moderne und 92 veraltete Panzer tschechischen Fabrikats. Zwei Grenadierregimenter der 14. Panzerdivision fehlten jedoch bereits: Sie wurden nach Stalingrad verlegt[67].

Auf deutscher Seite vergaß man alle Zusicherungen, die im Sommer, selbst noch am 23. September 1942 gegenüber den Rumänen, die Verstärkung ihrer Front mit deutschen Divisionen betreffend, abgegeben worden waren[68]. Der Grund war, daß die Kräfte der deutschen Wehrmacht im Herbst 1942 durch den Kampf um und in Stalingrad – der Division um Division verschlang – sehr in Anspruch genommen waren. Die Ziele, die Hitler seinen Generälen steckte, und die Tatsache seiner Konzessionslosigkeit waren so unrealistisch geworden, daß sowohl das OKH als auch die Oberkommandos der Heeresgruppen die Grenzen ihrer Möglichkeiten überschritten sahen und nicht in der Lage waren, nötige Unterstützung für Verbündete zu gewährleisten. Man hoffte auf die Untätigkeit des Gegners, dessen Kräfte allen Voraussagen Hitlers zum Trotz nicht gebrochen waren. Dennoch bewertete man diese Kräfte nach wie vor als viel zu schwach, um irgendwo im Bereich der Heeresgruppe B mit einem oder mehreren Großangriffen – wie sie dann in den folgenden Monaten Wirklichkeit wurden – anzusetzen.

Cannae am Don

Wenn die Nacht am dunkelsten ist,
folgt die Dämmerung.
Russisches Sprichwort

Ende August 1942 sah man in Moskau die militärische Lage der Sowjetunion als äußerst ungünstig an. Sogar Stalin rechnete mit dem baldigen Fall von Stalingrad und mit dem Verlust des Nordkaukasus[69]. In der Folge wurde Marschall Schukow, einer der begabtesten Strategen der Roten Armee, von der Westfront abberufen und umgehend in den Kreml beordert. Am 27. August ernannte man ihn zum Stellvertreter des Obersten Befehlshabers. Gleichzeitig machte man ihn mit den Problemen der Stalingrad-Verteidigung vertraut. Schukow wußte, was ihn erwartete: »Die Schlacht um Stalingrad hatte größte militärpolitische Bedeutung ... Das Oberste Kommando warf alle verfügbaren Truppen in den Raum Stalingrad, mit Ausnahme der neu entstandenen strategischen Reserven, die für den weiteren Kampf bestimmt waren[70].« Sofortmaßnahmen zur Steigerung der Kriegsproduktion wurden getroffen. Alle

Anstrengungen des Staatlichen Verteidigungskomitees konzentrierten sich nun auf das Schlachtfeld rund um Stalingrad mit dem Ziel, dem Gegner Einhalt zu gebieten, um dann selbst eine Offensive zu starten.

Das Oberkommando der Roten Armee leistete in den folgenden Wochen und Monaten Außergewöhnliches. Immer neue Divisionen wurden an die Wolga verlegt. Die Brückenköpfe am Don wurden an vielen Stellen befestigt und mit Truppen bzw. Material verstärkt, während im Generalstab die ersten Pläne für die große Gegenoffensive, »Operation Uranus«, entstanden. Im Oktober und November präzisierte man den Plan. Schukow selbst veranlaßte die letzten Änderungen. Die Koordinierung der Tätigkeiten der inzwischen auf drei Heeresgruppen (»Fronten«) ergänzten Streitmacht legte man in die Hände des sowjetischen Generalstabschefs, Generaloberst A. M. Wasiliewskij.

Der Operationsplan »Uranus« sah vor, den Hauptstoß einerseits von der neu aufgestellten und gegenüber der 3. rumänischen Armee bereitstehenden Südwestfront (von den Brückenköpfen am rechten Donufer aus im Gebiet von Serafimowitsch und Kletskaja), andererseits von der Stalingrader Front (aus den Räumen der Sarpiner Seen südlich Stalingrads) konzentrisch gegen Kalatsch und Sowjetski führen zu lassen. Dieser Kräftegruppierung fiel die Aufgabe zu, die 6. Armee und Teile der 4. Panzerarmee einzukesseln und zu vernichten. Die Don-Front sollte indessen zwei Angriffe vortragen, den ersten aus dem Raum Kletskaja nach Südosten mit dem Ziel, die Verteidigung des Gegners am rechten Donufer aufzurollen, den zweiten aus dem Raum Katschalinskaja am linken Don-Ufer entlang nach Süden mit dem Ziel, die gegnerische Gruppierung, die im kleinen Donbogen operierte, zu isolieren und zu vernichten[71].

Zu Beginn der Gegenoffensive verfügten die drei sowjetischen Heeresgruppen im erweiterten Raum Stalingrad über zehn allgemeine Armeen, eine Panzerarmee, vier Luftflotten: insgesamt 66 Schützendivisionen, 8 Kavalleriedivisionen,

18 Schützenbrigaden, ein mechanisiertes Korps und fünf selbständige Panzerkorps, alles in allem eine Streitmacht von über einer Million Mann, 894 Panzern und Selbstfahrlafetten (Sturmgeschütze), 13 500 Geschütze und Granatwerfer sowie 1414 Kampfflugzeuge[72]. Die Sowjets rechneten dabei – völlig unbegründet! – mit einem zahlenmäßig gleich starken Gegner, dessen Stärke sie auf mehr als eine Million Mann schätzten[73].

Ein nicht unwesentlicher Faktor war die Tatsache, daß die Sowjets wohl wußten, daß sie nicht nur gegen deutsche, sondern auch gegen schlecht ausgerüstete und kampfunlustige Rumänen und Italiener anzutreten hatten. Sie versprachen sich von der Zerschlagung der verbündeten Truppen politisches Kapital, da die Verluste von Antonescus bzw. Mussolinis Armeen in Rußland nach ihrer Meinung »zur Verstärkung der Gegensätze innerhalb des faschistischen Blocks und zur Untergrabung ihrer militärpolitischen Grundlage führen müßte[74].«

Daß eine sowjetische Offensive gegen die 3. bzw. später gegen die 4. rumänische Armee bevorstand, war für die Oberbefehlshaber dieser Armeen bereits Ende Oktober/Anfang November kein Geheimnis mehr. Armeegeneral (Generaloberst) Dumitrescu warnte in dieser Sache das Oberkommando der Heeresgruppe B mehrmals und dringend, jedoch ohne nachhaltigen Erfolg[75].

Nicht etwa, daß im Stab des Heeresgruppenkommandos Unkenntnis über den Ernst der Lage geherrscht hätte – seit dem 26. Oktober vermehrten sich auch bei ihnen die Hinweise auf eine gegnerische Großoffensive –, aber man leugnete dort die Realitäten[76]. Die über 1400 Kilometer lange Front der Heeresgruppe B lud die Rote Armee dabei förmlich zu einem Großangriff ein; denn die weitgefächerten Flanken der bei Stalingrad im Kampf stehenden deutschen Armeen waren ungenügend gesichert, und auch hinter der Front verfügte der Oberbefehlshaber der Heeresgruppe B über keine schlagkräftigen operativen Reserven.

Der Zusammenbruch der rumänischen Fronten

Die sowjetische Operation »Uranus« nahm am Morgen des 19. November mit einem gewaltigen Schlag der Artillerie der Südwest- und der Don-Front ihren Anfang. Bereits am ersten Tag der Großoffensive durchbrach die von Armeegeneral N. F. Watutin befehligte Südwestfront von den Brückenköpfen im Raum Serafimowitsch und Kletskaja aus die Verteidigungsstellungen der 3. rumänischen Armee. Die Sowjets hatten dabei zwei Kräftegruppierungen gebildet: Vor dem 4. rumänischen Armeekorps griffen sie mit 15 bis 16 Verbänden an, das 2. rumänische Armeekorps attackierten sie mit 11 bis 12 Verbänden. In derselben Zeit befanden sich vier sowjetische Divisionen vor dem 5. rumänischen Armeekorps und zwei Divisionen gegenüber dem 1. rumänischen Armeekorps. Dumitrescu: »So kommen wir – was die feindlichen Kräfte betrifft – zu einer Gesamtzahl von 34 Verbänden oder sogar 41 Verbänden (nach späteren Angaben der Deutschen), die die 3. Armee bedrohten. Diesen Kräften konnten wir entgegensetzen: 8 Infanteriedivisionen und 2 Kavalleriedivisionen, d. h. 10 schwache Verbände, zu denen im letzten Augenblick noch drei Panzerdivisionen hinzukamen, wobei es sich bei der einen um eine auf 1/6 zusammengeschrumpfte deutsche Panzerdivision handelte!« Dumitrescu konstatierte in nüchternen Zahlen, daß die überwältigende und entscheidende sowjetische Übermacht im Abschnitt des 4. rumänischen Armeekorps ein Verhältnis von 6:1 und in dem des 2. rumänischen Armeekorps von 9:1 zugunsten der Angreifer schuf!

Gegen die in großer Zahl vorrollenden roten Panzer (Dumitrescu schreibt von 700 schweren Kampfwagen) vermochte die rumänische Pak kaum etwas auszurichten.

Die Rumänen führten von vornherein einen aussichtslosen Kampf. Es gelang ihnen nicht, Gelände festzuhalten. Die 13. Infanteriedivision verlor am ersten Tag des Angriffes 115 Offiziere und 3648 Soldaten. Die 14. Infanteriedivision 98 Offiziere und 2163 Soldaten[77]. Auch die 1. Kavalleriedivi-

sion im Sektor Kletskaja mußte zurückweichen. General Bratescus Verband wurde von den übrigen Teilen der 3. rumänischen Armee getrennt und auf die 6. Armee zurückgeworfen,
mit der sie dann das Schicksal im Kessel von Stalingrad teilte.
General Dumitrescu verlangte nun energisch den Einsatz der
deutschen operativen Reserven.

Diese, das 48. Panzerkorps, verlor jedoch bei mehrmaligen
Umgruppierungen wertvolle Zeit, da das Oberkommando der
Heeresgruppe B bzw. Hitler selbst sich nicht im klaren waren,
aus welcher Richtung der gegnerische Hauptstoß erfolgen werde. Als dann das deutsche Panzerkorps endlich in das Geschehen eingriff, waren seine Kräfte nicht nur zersplittert, sondern
es stellte sich – ein unglücklicher Zufall – genau in die Stoßrichtung der sowjetischen 5. Panzerarmee. Bis zum Abend des ersten Schlachttages zeichnete sich das Desaster der 3. rumänischen Armee ab. Dumitrescu: »Am Morgen des 20. November
war die Front unserer Armee in zwei Teile auseinandergerissen
und der rechte Flügel eingekreist; in den Tagen vom 20. bis
25. November führten unsere Truppen aus der Einkreisung
oder aus der Tiefe einen verzweifelten und ungleichen Kampf
und unternahmen übermenschliche Anstrengungen gegen eine
beachtliche feindliche Übermacht.[77a]« Zu einzelnen Divisionen bzw. zu deren Überresten waren alle Verbindungen abgebrochen. Von den vier rumänischen Armeekorps befanden sich
bis zum Abend des 19. November nur noch zwei in ihren alten
Stellungen. Generaloberst v. Weichs berichtete Hitler von erschreckenden Szenen: »Die rumänischen Soldaten, die in pani-
schem Schrecken aus den unter Angriff stehenden Einheiten
zurückströmten, entledigen sich ihrer Waffen und Stahlhelme,
um leichter fliehen zu können. Auch Offiziere beteiligten sich
an diesem beschämenden Verhalten, und bald schon erwies es
sich als unmöglich, die Flut einzudämmen ...[78]«

Das 1. Armeekorps am linken Flügel der rumänischen Armee hatte noch am 20. November Anschluß zur benachbarten
8. italienischen Armee, während das 5. Armeekorps, zwischen
Kletskaja und Serafimowitsch im Raum Raspopinskaja am

Don, von den Russen regelrecht eingekesselt worden war. Drei rumänische Divisionen unter dem Kommandeur der 6. Infanteriedivision, Generalmajor Mihai Lascar (übrigens der erste ausländische Soldat, dem das deutsche Ritterkreuz mit Eichenlaub verliehen wurde), setzte sich hier zur Wehr. Der deutsche Verbindungsoffizier war voller Lob über die Heldentaten der Rumänen. »Obschon viele von ihnen keine Munition mehr hatten, griffen sie trotzdem mit Bajonetten russische Einheiten mit Hurra-Rufen an und vernichteten sie ... Ein Leutnant der 5. Infanteriedivision schaffte es, einen russischen Panzer mittels einer Axt außer Gefecht zu setzen ...[79]«

Die Lage der Eingeschlossenen war jedoch aussichtslos. Dumitrescu setzte sich deshalb für einen Ausbruch der »Lascar-Gruppe« in Richtung Südwest ein. Das Oberkommando der Heeresgruppe B konnte sich aber zu einem solchen Schritt nicht entschließen, da es trotz der enormen Anfangserfolge der sowjetischen Südwestfront (sie stand am 20. November bereits bei Ostrow, hatte am darauffolgenden Tag den mittleren Don erreicht, diesen in Richtung Osten überschritten und Kalatsch erobert) auf eine günstige Wende hoffte. Dumitrescu gab nicht nach. Er alarmierte seinen Marschall in Bukarest, der dann in der Nacht vom 22. November auf telegraphischem Weg bei Hitler intervenierte. Dieser erteilte am 23. November seine Erlaubnis für den rumänischen Ausbruch aus dem Raspopinskaja-Kessel. –

Allerdings zu spät. Am 22. November hatten die Rumänen vergebens auf deutsche Luftunterstützung gewartet, die wegen nebligen Wetters ausblieb. Die sowjetischen Parlamentäre, die eine Übergabe forderten, wurden von Lascar entrüstet abgewiesen. In der Nacht zum 23. November entschlossen sich die drei rumänischen Divisionskommandeure – trotz des Ausbruchsverbotes – zu versuchen, aus dem Kessel zu entkommen. Ihr Vorhaben gelang jedoch nur teilweise. Ein Großteil der Ausbrecher wurde aufgerieben, die Generale Lascar und Mazarini gerieten in Gefangenschaft. Lediglich General Sion gelang es mit 175 Offizieren, 129 Unteroffizieren und

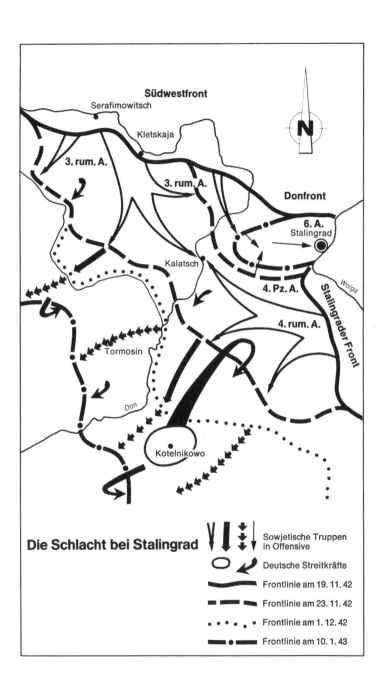

Die Schlacht bei Stalingrad

	Sowjetische Truppen in Offensive
	Deutsche Streitkräfte
⸺⸺	Frontlinie am 19. 11. 42
▬ ▬ ▬	Frontlinie am 23. 11. 42
• • • • •	Frontlinie am 1. 12. 42
▬•▬•▬	Frontlinie am 10. 1. 43

3300 Mannschaften, die 22. Panzerdivision zu erreichen[80]. Sie besaßen aber außer Handwaffen kaum andere Ausrüstungen, da sie – nachdem sie die feindlichen Stellungen passiert hatten – beim Überqueren des Zariza-Tales von einem sowjetischen Panzerangriff überrascht wurden. Beim Überwinden der steilen Ufer und in den sumpfigen Tälern gingen fast alle Kraftfahrzeuge, Kanonen und andere Ausrüstungen verloren. Nach der Vereinigung mit der deutschen Panzerdivision zogen sich die Deutschen und Rumänen (noch immer kämpfend) in Richtung Tschernischewskaja zurück. Hier fiel General Sion mit der Waffe in der Hand[81].

Ein seltsames Schicksal widerfuhr der 1. rumänischen Panzerdivision. Eigentlich hätte sie mit dem 48. deutschen Panzerkorps, dem sie unterstellt war, kämpfen sollen. Die Verbindung war aber von Anfang an gestört. Am 20. November überfielen Rotarmisten den rumänischen Divisionsstab und vernichteten die Funkstelle. Nach langem Zögern entschloß sich General Gheorghe Radu, mit seinen Panzern auf eigene Faust zu operieren. Er strebte mit Wissen des rumänischen AOK 3 an, die eingeschlossene »Kampfgruppe Lascar« zu entsetzen, und gruppierte sich zu einem Angriff um. Das Unternehmen scheiterte jedoch, und der ganze Verband wurde vernichtet[82].

Um die Lage unter Kontrolle zu behalten und die Russen zu blockieren, griffen die Deutschen zu verschiedenen, eigentlich verzweifelten Maßnahmen. Am 20. November wurden drei deutsche Divisionen aus der Stalingrader Front herausgelöst und in Richtung Don verlegt. Die theoretisch noch bestehende 3. rumänische Armee, zu deren Stabschef schleunigst ein deutscher General ernannt worden war, wurde angewiesen, hinter dem Tschir eine improvisierte Verteidigung aufzubauen. Den linken Nachbarabschnitt am Oberlauf des Tschir übernahm die »Gruppe Hollidt«, die aus deutschen Truppen bestand, die ursprünglich den italienischen Frontabschnitt verstärkten[83].

Generaloberst Dumitrescu wandte sich schon am zweiten Tag der Schlacht um Hilfe an seinen Staatschef. Am Abend des 21. November traf die Antwort – entgegengenommen durch

General Stefla und danach sofort General Dumitrescu tele-
phonisch übermittelt – beim rumänischen AOK 3 ein:»Befolgen
Sie den Befehl der Heeresgruppe B, sofern diese für Entsatz
sorgt und Munition beschaffen kann. Alles zu Beschließende
hat in erster Linie im Einklang mit der deutschen Führung zu
geschehen. Alle meine Gedanken gehören meinen tapferen
und guten Rumänen, die für die Sache der Heimat kämpfen!
Marschall Antonescu[83a].«

In derselben Zeit traf beim rumänischen AOK 3 auch Generaloberst v. Weichs' Befehl ein:»Auf Beschluß des Führers haben die 5., 6., 13. und 15. und die Reste der 14. Infanteriedivision ihre derzeitigen Stellungen unter allen Umständen bis zum
Ende zu halten[83b]!«

Die Rumänen konnten jedoch zu diesem Zeitpunkt kaum
mehr eingesetzt werden. Der Schock der letzten Tage, die Vernichtung der einst 11 Divisionen zählenden 3. rumänischen
Armee lähmte Offiziere und Soldaten. Versprengte Gruppen,
ohne Verbindung untereinander, ohne Verpflegung und Munition, trieben teilweise führungslos tagelang zwischen den sowjetischen Angriffstruppen, in der Hoffnung, irgendwo auf eigene Auffanglinien zu stoßen. (Am 23. November erließ Generaloberst v. Weichs den Befehl:»Alle Fluchtbewegungen der
Rumänen sind rücksichtslos zum Stillstand zu bringen, notfalls
mit Waffen ...[84]«.)

Jeder Truppenteil hatte indessen sein eigenes bewegtes
Schicksal. General Stanescu leistete mit seiner 6. Division zunächst heftigen Widerstand, wurde jedoch bald von den Russen
eingeschlossen. Als dann Munition und Verpflegung zu Ende
gingen, streckte er die Waffen. Dagegen gelang es einem Major
Rascanescu, sich mit etwa 1000 Mann bis Morozowskaja
durchzuschlagen. Der Rest seiner Division, die 15., fiel oder
wurde von den Russen gefangengenommen. In einem Fall
schien sogar der Verdacht auf Verrat begründet zu sein: General Stavrescus 14. Division war schon am 19. November nordwestlich von Blinow zerschlagen worden. Der Rest kapitulierte.
Dadurch gelang der sowjetischen 1. Gardearmee ein breiter

und schneller Vorstoß ins strategisch so wichtige Zuzkantal. Da Generaloberst v. Weichs annahm, daß Stavrescu seiner Pflicht als Divisionskommandeur nicht nachgekommen war, ließ er bereits am 22. November gegen ihn in Abwesenheit ein Kriegsgerichtsverfahren eröffnen. Am 27. November wurde der rumänische General seiner Funktion als Kommandeur einer (nicht mehr existierenden) Division enthoben. Zu dieser Zeit befand sich Gheorghe Stavrescu bereits in sowjetischer Gefangenschaft. Nach späteren Aussagen von kriegsgefangenen ungarischen Offizieren wurde er dort, im Kriegsgefangenenlager Suzdal, sehr bevorzugt behandelt. Angeblich prahlte er damit, er habe am 19. November, aus eigener Initiative, Verbindung zur Roten Armee aufgenommen und mit ihnen Übergabe seines Frontabschnittes vereinbart[85].

Am vierten Tag der Schlacht, am Morgen des 22. November, versuchte Generaloberst Dumitrescu ein einigermaßen klares Bild über seine Armee zu erhalten. Anhand der bei ihm sporadisch eintreffenden Meldungen stellte er noch am selben Tag für die Heeresgruppe B und den Rumänischen Großen Generalstab einen schriftlichen Bericht zusammen. Dieser zeichnete die Lage der rumänischen Don-Armee wie folgt nach:

– 1. Armeekorps mit der 7. Division am Don; die 11. und 9. Division haben sich in das Krinscha-Tal zurückgezogen und bilden einen kleinen Brückenkopf bei Bokowskaja;

– Reste des 2. Armeekorps mit einem Kampfwert von höchstens 2 Bataillonen befinden sich am Tschir bei Tschernischewskaja;

– ein im Süden von Perelasowskij, dem Hautquartier des 5. Armeekorps, unternommener schwacher Versuch der Verteidigung, die Lage zu stabilisieren, wurde zurückgeschlagen; weiter südlich keine Kräfte;

– die Gruppe der eingekreisten Divisionen meldet, daß die Lage verzweifelt sei, und meldet sich ab;

– keine Verbindung zur (rumänischen) Panzerdivision, während das Generalkommando des 48. Panzerkorps versucht, mit Hilfe der 22. Panzerdivision Verbindung (zur »Kampfgruppe Lacar«) herzustellen[85a].

An diesem Tag gelang es den Sowjets, ihre Durchbrüche aus-
zuweiten. Im Zentrum erreichte der Durchbruch am Abend des
22. November eine Breite von 50 Kilometern.

Kaum hatte das Oberkommando der Heeresgruppe B das
Desaster der 3. rumänischen Armee im Don-Bogen verkraftet,
schuf der Gegner südlich von Stalingrad eine neue gefährliche
Lage. Am 20. November 1942 ging die von Generaloberst A. I.
Jeremenko befehligte Stalingrader Front aus der Kalmückensteppe heraus zum Angriff über und traf mit voller Wucht die
4. rumänische Armee. Diese unterstand zu dieser Zeit noch
vorübergehend dem Oberkommando der benachbarten
4. deutschen Panzerarmee. Zwei sowjetische Armeen durchbrachen die Front des 6. rumänischen Armeekorps des Generals Dragalina; die 20. Infanteriedivision wurde nach Stalingrad abgedrängt, der Rest des Korps wurde nach Kotelnikowo
zurückgeworfen. Die Rumänen in ihren kaum ausgebauten
Verteidigungsstellungen (die eher Stützpunkte waren) leisteten vielerorts erbitterten Widerstand, konnten aber gegen die
motorisierten und mit T-34-Panzern angreifenden sowjetischen Gruppen auf die Dauer nichts erreichen.

Gewiß gab es auch in der 4. rumänischen Armee Panik (man
erzählte sich von Offizieren, die ihre Mannschaft im Stich ließen, um mit dem erstbesten Fahrzeug ihr Leben zu retten),
doch gab es auch andere Beispiele. So kämpften z. B. die Soldaten des 2. Artillerieregiments der 20. rumänischen Infanteriedivision unter Oberst Casian – nach deutschen Aussagen – »bis
zum letzten Schuß« und wurden erst nach stundenlangem Ausharren in ihren Stellungen vom Gegner überrollt[86].

Auch hier war – einmal mehr – der Mangel an einer schlagkräftigen Eingreifreserve und vor allem das Fehlen von wirksamen Panzerabwehrwaffen der Hauptgrund des Zusammenbruchs. Die deutschen Verbindungsstäbe sahen zwar die
Gefahr, konnten jedoch nicht helfen. Eine einzige deutsche
motorisierte Infanteriedivision versuchte durch einen Gegenangriff im Raume der 20. rumänischen Infanteriedivision nörd-

lich von Karpowka erfolglos, die alte Lage wiederherzustellen. Am 21. November gelang dem Gegner südlich von Karpowka der endgültige Durchbruch. Das planmäßige Zusammenwirken der südlich und westlich von Stalingrad angreifenden sowjetischen Kräfte zur Einschließung der 6. Armee nahm somit Gestalt an. Am 23. November trafen die »Offensivzangen« der Roten Armee bei Kalatsch im Raum Sowjetski zusammen. Zwanzig deutsche und zwei rumänische Divisionen, etwa 250 000 Mann, gerieten dadurch im Raum zwischen Don und Wolga bei Stalingrad in einen Kessel. *Der sowjetische Sieg konnte nicht vollkommener sein!*

In der Folge gab Hitler den berühmten verhängnisvollen Befehl: »Die 6. Armee igelt sich ein und wartet Entsatz von außen ab!« Generalfeldmarschall v. Manstein wurde aus dem Hauptquartier der 11. Armee abberufen und an die Spitze der neugebildeten deutsch-rumänischen Heeresgruppe Don, die aus den Resten der 3. und 4. rumänischen Armee, der 6. Armee und der 4. Panzerarmee bestand, gestellt. Er sollte die ursprüngliche Lage an der gefährdeten Front wiederherstellen. Zur selben Zeit kämpfte sich das 7. rumänische Armeekorps in der Kalmückensteppe in Richtung auf Simonowniki zurück.

Da der Stab der 4. Panzerarmee durch die sowjetischen Angriffsverbände abgeschnitten wurde, mußte General Constantinescu den Befehl über seine angeschlagene 4. Armee übernehmen. Er war entschlossen, einen allgemeinen Rückzug bis Proletarskaja anzutreten. Nur unter großen Schwierigkeiten gelang es Oberst Doerr, dem Chef des deutschen Verbindungsstabs bei der 4. rumänischen Armee, ihn umzustimmen und (für den Entsatz der 6. Armee) dazu zu bewegen, die neue Front in einer möglichst weit vorgeschobenen Stellung zu halten[87].

Generalfeldmarschall v. Manstein traf am 26. November in Rostow ein, wo ihm General Hauffe ein recht »unerfreuliches Bild« vom Zustand der beiden rumänischen Armeen (bzw. deren Reste) gab. Von den ursprünglich vorhandenen 22 Divisionen seien – so General Hauffe – 9 völlig zerschlagen, 9 de-

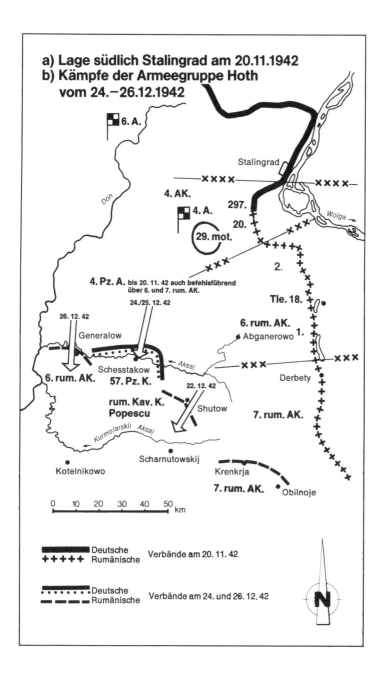

a) Lage südlich Stalingrad am 20.11.1942
b) Kämpfe der Armeegruppe Hoth
   vom 24.–26.12.1942

6. A.

Stalingrad

Don

4. AK.

4. A.   297.

20.

29. mot.

2.

Wolga →

4. Pz. A. bis 20. 11. 42 auch befehlsführend
über 6. und 7. rum. AK.

24./25. 12. 42

Tle. 18.

26. 12. 42

Generalow

6. rum. AK.
Abganerowo   1.

Aksai

6. rum. AK.

Schesstakow

57. Pz. K.   22. 12. 42

Derbety

rum. Kav. K.
Popescu   Shutow

7. rum. AK.

Kurmojarskii Aksai

Scharnutowskij

Kotelnikowo   Krenkrja

7. rum. AK.   Obilnoje

0   10   20   30   40   50
                              km

Deutsche
Rumänische   Verbände am 20. 11. 42
++++

Deutsche
Rumänische   Verbände am 24. und 26. 12. 42

N

sertiert bzw. zur Zeit nicht einsatzfähig und lediglich vier Verbände noch einigermaßen fronttauglich[88]. Die letzte Hoffnung sei, mit der Zeit aus den Resten der anderen Verbände neue Truppenteile zusammenzustellen. Mansteins große Sorge galt sowohl dem Entsatz der 6. Armee, als auch einem raschen Aufbau einer neuen Abwehrfront, die fähig sein sollte, die noch immer im Kaukasus eingesetzte Heeresgruppe A zu decken und somit den Zusammenhang mit dem Südabschnitt der Ostfront zu wahren.

Daß die Sowjets nach der Einkesselung der 6. Armee vorerst eine operative Pause einschalteten, kam den Deutschen sehr zugute. Es gelang dem Oberkommando der (deutschen) Heeresgruppe Don mit Unterstützung der »Gruppe Hollidt« und der »Gruppe Hoth« in der Tat, hinter dem Tschir eine improvisierte Front zu errichten und im Raum Kotelnikowo die Verbindung mit den noch immer zurückweichenden Truppen der 4. rumänischen Armee herzustellen. Die neuen, vorerst sehr dünnen Abwehrstellungen wurden täglich verstärkt, einerseits von den anderen Heeresgruppen der Ostfront, andererseits durch immer neue Divisionen aus Frankreich. Die Anstrengungen der Deutschen richteten sich auf die baldige Entlastungsoffensive Stalingrads. Der Angriff sollte aus zwei Richtungen – mit der 4. Panzerarmee aus dem Gebiet von Kotelnikowo ostwärts des Don und mit der »Armeeabteilung Hollidt« vom mittleren Tschir her aus Kalatsch – vorgetragen werden.

Die für dieses Unternehmen nötigen Kräfte waren Manstein nur auf dem Papier zugeteilt worden. »Es stellte sich heraus, daß von den insgesamt sieben für die ›Armeeabteilung Hollidt‹ vorgesehenen Divisionen zwei bereits in der Front der 3. rumänischen Armee hatten eingesetzt werden müssen, um dieser wenigstens einen gewissen Halt zu geben«, schreibt der Generalfeldmarschall in seinen Erinnerungen. »Ihre Herausnahme hätte zum sofortigen Zusammenbruch der Kampffronten des 1. und 2. rumänischen Armeekorps geführt[89]!« Ähnliches geschah auch bei der 4. rumänischen Armee bzw. in deren neuem Frontabschnitt, der noch Ende November nicht zufriedenstellend befestigt war und deswegen mit deutschen Verbänden gestützt werden mußte. Umsonst waren auch die Anstrengungen des rumänischen Oberbefehlshabers, Dumitrescu, seine Truppen moralisch zu stärken. Durch das Desaster am Don, in das auch deutsche Truppen hineingezogen worden waren, waren auf einmal die legendäre Unbesiegbarkeit der Wehrmacht und die technische und moralische Überlegenheit der Deutschen gegenüber der Roten Armee in Frage gestellt. Daß es den Russen gelungen war, eine ganze deutsche Armee einzukesseln, hatte die Rumänen psychologisch stark beeindruckt[90].

Hitler äußerte sich im Berghof auf dem Obersalzberg am 19. November abfällig über den geringen Kampfwert der Rumänen und gab ihnen die Hauptschuld an der Katastrophe. Er übersah offensichtlich Ausmaß und Folgen der Sowjetoffensive. Reichsminister Albert Speer war Zeuge seines Wutausbruches: »Er ging in der großen Halle des Berghofes auf und ab (und sagte): ›Unsere Generäle machen wieder einmal ihre alten Fehler. Immer überschätzen sie die Kraft der Russen. Nach allen Frontberichten ist das Menschenmaterial des Gegners ungenügend geworden. Sie sind geschwächt, sie haben viel zuviel Blut verloren. Aber solche Berichte will natürlich niemand zur Kenntnis nehmen. Überhaupt! Wie schlecht sind alle russischen Offiziere ausgebildet! Mit ihnen kann überhaupt keine Offensive organisiert werden! Wir wissen, was dazu gehört! Über kurz oder lang wird der Russe einfach stehenbleiben. Leergebrannt. Unterdessen werfen wir einige frische Divisionen hin, die bringen die Lage wieder in Ordnung[91]!«

Erst Tage nach den Ereignissen an Don und Wolga begriff Hitler den Ernst der Lage. Nicht zuletzt durch die energische Intervention Marschall Antonescus (der ihm unter allen seinen Verbündeten am nächsten stand) überprüfte er seine Ansichten über den rumänischen Bundesgenossen. So ordnete er Anfang Dezember 1942 an, man solle sowohl die Nachforschungen über das Versagen von rumänischen Offizieren und Truppenteilen durch deutsche Kommandobehörden einstellen als auch den Vorwürfen gegen den Bundesgenossen ein Ende setzen. »Vielmehr muß alles getan werden, um raschestens den moralischen und organisatorischen Wiederaufbau der rumänischen Verbündeten mit allen Mitteln zu fördern[92]!«

Diese Entscheidung wurde der militärischen Lage gerecht, denn anfangs drohte ein sowjetischer Großangriff gegen die Tschir-Front. Am 4. Dezember begann im Raum Surowikino der gegnerische Angriff, der nur mit Hilfe des 48. deutschen Panzerkorps abgewehrt werden konnte. Dieses Korps mußte nun mit anderen frisch eingetroffenen Verbänden zur vorübergehenden Stützung der rumänischen Front am unteren Tschir eingesetzt werden. Schließlich gelang es den Deutschen, am 10. Dezember den Angriff zurückzuschlagen und die Tschir-Front zu behaupten. Auch die 4. Panzer- bzw. die 4. rumänische Armee, in deren Bereich die Sowjets – nach ihrem mißglückten Vorstoß bei Kotelnikowo – ihre Angriffe einstellen mußten und (scheinbar) in die Defensive gingen, operierte erfolgreich.

Dieser Erfolg war in erster Linie zwei Obersten, einem Deutschen (v. Pannwitz) und einem Rumänen (Korne), zu verdanken. Ihnen war es gelungen, am 22. und 23. November aus verschiedenen Alarmeinheiten und zurückflutenden rumänischen Truppenteilen in kürzester Zeit eine schlagkräftige Kampfgruppe zusammenzustellen. Im Gegenangriff konnten sie den in die breite Lücke zwischen dem 7. und 6. rumänischen Armeekorps eingedrungenen Gegner verunsichern und ihm Verluste zufügen; sie gewannen auch Zeit, um die neue Front der 4. Armee aufzubauen.

Nun nahm v. Manstein die Entsatzoffensive für Stalingrad in Angriff. Am 12. Dezember trat Generaloberst Hoth mit einem einzigen Panzerkorps aus dem Raum Kotelnikowo, das anfangs aus nur zwei Divisionen bestand, in Richtung Nordosten an, mit dem Ziel, die Verbindung zur 6. Armee und zur Wolga herzustellen. Angesichts vor allem der Kräfteverteilung war dieses Unternehmen von Anfang an fragwürdig. Am 21. Dezember konnte der Gegner bei Myschkowa, 48 Kilometer vor Stalingrad, den Abbruch des Entsatzversuches erzwingen. Dadurch wurde das Schicksal der 6. Armee und der mit ihr im Stalingrader Kessel eingeschlossenen rumänischen und kroatischen Truppen besiegelt.

Der Zusammenbruch der italienischen Armee

Das Oberkommando der Heeresgruppe B, dem nach der Neuregelung vom 27. November die 8. italienische, die 2. ungarische und die 2. deutsche Armee unterstellt blieben, verfolgte mit großer Aufmerksamkeit die schweren Kämpfe im Raum von Stalingrad. Mit Widerwillen und nur unter dem Druck der Lage willigte Generaloberst Freiherr v. Weichs ein, daß die meisten deutschen Divisionen von den zu stützenden verbündeten Armeen abgezogen wurden.

Anfang Dezember 1942 wurde die 8. italienische Armee, insbesondere das Generalkommando des 29. Armeekorps, mit einem sowjetischen Angriff über den bereits eingefrorenen Don konfrontiert. Das 29. Armeekorps bestand zunächst aus zwei italienischen und einer deutschen Division; bei Beginn der Schlacht wurde das deutsche Kommando zwar beibehalten, zum Korps gehörten jedoch nach dem Abzug der deutschen Divisionen nunmehr ausschließlich italienische Verbände, die Divisionen »Sforcesca«, »Celere« und »Torino«[93]. Der deutsche Kommandierende Generalmajor v. Obstfelder beantragte daher am 2. Dezember Verstärkung, wenn auch in sehr bescheidenem Ausmaß, und wies darauf hin, daß sein Armeekorps mit 90 Kilometern den breitesten Abschnitt der italienischen Armee zu verteidigen habe. Diese Aufgabe müsse er nun mit 20 (statt mit 27) Bataillonen erfüllen. Sein Artilleriepark sei so schwach, daß auf je zehn Kilometer lediglich 4,4 Batterien zu Verfügung stünden. Im Gegensatz zur früheren Lage verfüge das Armeekorps hinter der Front über keinerlei Eingreifdivisionen, und die Stellungen, die zu halten seien, seien nur teilweise ausgebaut; im Vorfeld der Hauptkampflinie müßten noch Minen und Stacheldraht eingebaut werden[94].

Inzwischen vollzog sich im Gebiet von drei italienischen Armeekorps (29., 35., 2. AK.) in aller Stille der sowjetische Aufmarsch. Zwei Heeresgruppen – die linke Flanke der Woronesch-Front und die rechte Flanke bzw. das Zentrum der Südwestfront – bereiteten sich auf die Offensive vor. Die Absicht des sowjetischen Oberkommandos war, die 8. italienische Armee am Don und die 3. rumänische Armee am Tschir abzudrängen bzw. zu vernichten. Dadurch sollte zwischen äußerem und innerem Einschließungsring der Gruppe vor Stalingrad ein Abstand von 150 bis 200 Kilometer hergestellt werden, der gewährleistete, daß die eingeschlossenen Deutschen in und bei der Stadt völlig vernichtet und jegliche Möglichkeit ihres Entsatzes ausgeschaltet wurde. Der Durchbruch nach Rostow, der ursprünglich im Operationsplan »Saturn« vorgesehen war, wurde, nicht zuletzt wegen des für die Sowjets gefährlichen Vorstoßes der »Armeegruppe Hoth«, aufgegeben[95]. Ihr strategisches Ziel hieß jetzt Durchbruch bis Millerowo und Tazinskaja.

Am frühen Morgen des 11. Dezember 1942 begannen die ersten sowjetischen Bataillone das 35. und das 2. italienische Armeekorps anzugreifen, beide im Zentrum der Don-Verteidigung der 8. Armee. Das Oberkommando der Heeresgruppe B hoffte, daß der Verbündete standhalten könne[96]. Bis zum 15. Dezember konnten die Russen tatsächlich abgeschlagen werden, am 16. Dezember aber wurde die sowjetische Abnützungsschlacht zu einer Durchbruchsschlacht. Mit anderthalbstündiger Artillerievorbereitung durch 5000 Geschütze und Granatwerfer und unter Einbeziehung starker Fliegerkräfte begannen 17 Divisionen mit etwa 600 Panzern den Großangriff[97]. Die Schlacht dehnte sich rasch aus. Nach vierundzwanzig Stunden gelang der 1. Gardearmee aus dem Raum Werechnij Mamon der Durchbruch. Bei Weschenskaja konnten die Russen gegen die Rumänen Erfolge verbuchen. (Es handelte sich hier um das bisher einigermaßen intakte 1. rumänische Armeekorps, das zur »Armeeabteilung Hollidt« gehörte.) Obwohl es gelang, an einigen Stellen durch Einsatz der

Luftwaffe und der 27. Panzerdivision den sowjetischen Einbruch aufzuhalten, machten die Angriffsarmeen der Woronesch-Front am linken Flügel der italienischen Armee gute Fortschritte. Das 2. Armeekorps erlitt empfindliche Verluste, sowjetische Truppen drangen hier bis zum Abend des 18. Dezember zwanzig bis fünfundzwanzig Kilometer vor. Am 19. Dezember waren die Sowjets noch erfolgreicher; eines ihrer Panzerkorps näherte sich Kantemirowka, wo sich das zentrale Versorgungslager der 8. italienischen Armee befand, während andere schnelle Truppen gegen Millerowo vorstießen. Das Oberkommando der 8. italienischen Armee mußte sofort evakuiert werden.

Die Abwehrfront der Italiener begann zu zerbröckeln; eine Krise zeichnete sich ab. Generaloberst Gariboldi ersuchte bereits am 17. Dezember um die Genehmigung eines »geordneten Rückzuges« vom Don. Als neuen Verteidigungsabschnitt schlug er die Bahnlinie Millerowo-Kantemirowka vor. Dadurch sollte es möglich werden, Truppen einzusparen und Reserven zu schaffen. Der Antrag wurde aber abgelehnt, und auch am 18. Dezember verlautete vom Oberkommando der Heeresgruppe B: »Der Führer will den Widerstand bis aufs äußerste⁹⁸!« An diesem Tage traf das Generalkommando des 24. Panzerkorps von der ungarischen Armee her im Raum Kantemirowka ein. Es übernahm sofort die Führung über den Verteidigungsabschnitt des 2. italienischen Armeekorps, dessen Generalkommando mit anderen Aufgaben im rückwärtigen Heeresgebiet betraut wurde.

Am 19. Dezember um 10 Uhr erschien General v. Tippelskirch beim italienischen Oberbefehlshaber im Auftrag von Generaloberst v. Weichs und brachte eine mündliche Genehmigung zur Aufgabe der Verteidigungsabschnitte des 35. und 2. Armeekorps, die sofort vollzogen wurde⁹⁹.

Indessen dehnten sich die Angriffe auch auf das 29. Armeekorps aus. Die Divisionen »Celere« und »Sforcesca« hielten anfänglich ihre Stellungen. Deutsche Infanteristen, Bersaglieri und Freiwillige der Kroatischen Legion zogen sich erst am 19. Dezember auf die Linie von Tischaja zurück.

Am 20. Dezember errangen die sowjetischen Truppen der Südwest-Front einen weiteren bedeutsamen Sieg. Ihre Vorhut erreichte die nordöstlichen Bezirke des Lugansker Gebiets und befand sich wieder auf ukrainischem Territorium.

Die Ereignisse überstürzten sich. Bei Frost von 30 Grad minus und mehr waren die Verbindungen zu den einzelnen Divisionen der italienischen Armee zu dieser Zeit schon vielerorts unterbrochen. Im Armeestab konnte man sich nur schwer ein Bild vom sich anbahnenden Desaster machen. Major Tolloy berichtet: »Am 16. Dezember überrannten die sowjetischen Truppen die Front der italienischen Armee. Am 17. Dezember brach die ganze Front auseinander, und am 18. Dezember schloß sich südlich von Bogutschar der Ring der Kräfte, die vom Westen und Osten operierten ... Viele Stäbe brachen ihre ›Zelte‹ ab und verloren jede Verbindung zu den Truppen. Die von Panzern angegriffenen Truppenteile suchten sich durch die Flucht zu retten und liefen auseinander ... Geschütze und Kraftfahrzeuge wurden im Stich gelassen. Viele Offiziere entfernten ihre Dienstgradabzeichen, die Soldaten warfen ihre Maschinengewehre, Gewehre und andere Ausrüstung fort, jede Verbindung zu ihnen war abgerissen ...[100]«

Von den ursprünglich vier Armeekorps der 8. italienischen Armee blieb bis Weihnachten 1942 lediglich das am rechten Flügel stehende Alpini-Korps intakt. Alle anderen Truppen, d. h. die Reste davon, befanden sich auf dem Rückzug. Einigen Verbänden, wie der 298. deutschen Infanteriedivision, den Divisionen »Torino« und »Sforcesca«, gelang es noch, sich einigermaßen geschlossen vom Don abzusetzen. Die meisten suchten in größeren und kleineren Gruppen einen schwachen Punkt in den Reihen der Gegner, um nach Westen oder Süden auszubrechen.

Das Oberkommando der Heeresgruppe B wollte nicht einsehen, daß mit der 8. Armee nicht mehr zu rechnen sei. Noch am 22. Dezember ließ Generaloberst v. Weichs dem italienischen Oberbefehlshaber durch einen Offizierskurier die Anweisung geben, er solle den Kampf gegen die Rote Armee »an

allen Abschnitten und Stützpunkten *aktiv*« führen; jede Ortschaft müsse gehalten werden, neue deutsche Verbände seien
im Anmarsch, und von der Aktivität der italienischen Kampfführung hänge es nun ab, ob dem Feind die Ausweitung seines
Einbruches verwehrt werden und somit die Voraussetzung für
eine *offensive* Weiterführung der eigenen Operationen geschaffen werden könne[101]! Im weiteren tröstete der Deutsche
den General damit, daß »allem Anschein nach« die durchge-
brochenen Feindgruppen infolge Nachschubschwierigkeiten
bereits in ihrer Bewegungsfreiheit gehemmt seien und ihre
Offensivstrategie bald aufgeben müßten.

Die allmählich eintreffenden neuen deutschen Truppen
konnten jedoch die großen Lücken in der italienischen Front
nicht mehr schließen. Um den 25. Dezember kämpften fast nur
noch deutsche Splittereinheiten, zum Teil von schwachen italienischen Gruppen unterstützt, auf verlorenem Posten, meistens in Stützpunkten eingeschlossen. Im Raum von Alexeje-
wo-Losowskoje gelang es den Russen, den Hauptkräften der
italienischen Armee den Rückzug abzuschneiden. Über
15 000 Soldaten gerieten dadurch in Gefangenschaft[102]. Die
Reste der zerschlagenen Verbände wurden von Panik ergriffen.
Die Soldaten versuchten, »irgendwo« die rettenden eigenen
Stellungen zu erreichen.

Um schwere Waffen kümmerte sich niemand mehr. Sogar die
leichten Maschinengewehre wurden zurückgelassen. Sowohl
an Transportmöglichkeiten als auch an Benzin mangelte es.
Das große Benzindepot der Armee befand sich in Kaschari. Die
Russen hatten den Ort relativ früh erreicht, und italienische
Lkw-Kolonnen, die am 20. und 21. Dezember noch Nachschub holen wollten, gerieten in einen Hinterhalt.

Nach Weihnachten erkannte man auch im Oberkommando
der Heeresgruppe B das Ausmaß der Katastrophe bei der
8. italienischen Armee. In dieser Zeit war der Ort Tazinskaja
bereits von einem sowjetischen Panzerkorps, das vom Don her
in fünf Tagen 240 Kilometer vorgerückt war und dabei die
Etappe der 8. italienischen Armee zerschlagen hatte, einge-

nommen. Der Verlust Tazinskajas traf die Deutschen empfindlich. Damit wurde nicht nur die bedeutende Eisenbahnverbindung Stalingrad–Lichaja unterbrochen, sondern auch ein wichtiger deutscher Feldflughafen unbrauchbar gemacht, von dem aus bisher das Gros des Nachschubes für die 6. Armee nach Stalingrad eingeflogen worden war. Die russischen Panzersoldaten stürmten den Fliegerhorst so unerwartet, daß viele deutsche Flugzeuge nicht mehr starten konnten. Ein Teil des Bodenpersonals fiel im Kampf, der Rest wurde gefangengenommen; nur wenigen gelang die Flucht.

Ende Dezember versuchte Generaloberst Gariboldi, Überblick über die Lage seiner Armee zu gewinnen. Das Alpini-Korps hielt noch am Don aus; das 2. Armeekorps, d. h. seine Reste, sammelte man im Raum von Woroschilowgrad und Rossosch; das 24. deutsche Panzerkorps versuchte mit Resten von italienischen Divisionen und neu eingetroffenen deutschen Truppen, im Hinterland eine Front aufzubauen; das 35. Armeekorps zog sich nach Süden zurück, und das 29. deutsche Armeekorps – mit deutschen, italienischen, kroatischen und rumänischen Truppen – versuchte am oberen Tschir und westlich bzw. südwestlich von Meschkow, mit Hilfe der »Armeeabteilung Hollidt« das weitere Vordringen der Roten Armee zu verzögern.

Der Versuch scheiterte. General Dumitrescu: »In der Zeit vom 25. November bis Mitte Dezember, als die Front am Tschir durchbrochen wurde, konnten auch die größten Anstrengungen, die unseren und den der 3. Armee unterstellten deutschen Truppen auferlegt wurden, kein Aufwand an Energie und auch die größte Entschlossenheit den Mangel an Munition nicht aufwiegen. Der übermenschliche Kraftaufwand, mit dem diese Front verteidigt wurde, brach zwischen dem 16. und 18. Dezember sowohl im äußersten Osten an der Mündung des Tschir in den Don (deutscher Abschnitt unter General Stumpfeld) als auch beim Nordflügel (17. deutsches Armeekorps unter General Hollidt und 2. rumänisches Armeekorps unter General Dascalescu) zusammen. Durch den Zusammenbruch der

8. italienischen Armee im Norden brachen die Russen bis Millerowo durch und schnitten damit dem bis dahin intakten 1. rumänischen Armeekorps und zwei deutschen Divisionen den Rückzug ab! Das war das endgültige Ende der 3. rumänischen Armee[102a]!«
Nach und nach trafen nun deutsche Verstärkungen ein. Sie maßten sich, nach italienischen Berichten, Privilegien an, beschimpften ihre Verbündeten und waren rasch geneigt, den Mißerfolg an der ganzen Don-Linie dem angeblich totalen Versagen der Italiener zuzuschreiben. Das Verhältnis zwischen den Verbündeten geriet in eine Krise.
Während des Rückzuges kam es an vielen Orten zu Zwischenfällen unter den Verbündeten. »Unsere Soldaten«, so heißt es im italienischen Generalstabswerk über die 8. Armee, »wurden mit der Waffe aus den Stuben verjagt, um den Deutschen Platz zu machen. Unsere Kraftfahrer wurden mit der Waffe gezwungen, ihre Fahrzeuge abzugeben. Unsere Soldaten, auch Verwundete, wurden gezwungen, von den Lastwagen herunterzusteigen, um den deutschen Soldaten Platz zu machen. Die Lokomotiven für unsere Verwundetentransporte wurden abgehängt und für deutsche Züge eingesetzt ... Die deutschen Soldaten wurden aus der Luft versorgt, sie hatten zu essen und zu rauchen, als unsere Soldaten schon tagelang keine Verpflegung mehr bekommen hatten. Die auf Lkw und Zügen zurückfahrenden deutschen Soldaten verspotteten und verhöhnten unsere Soldaten, die sich ... zu Fuß dahinschleppten. Versuchte einer der Unseren auf die oft halbleeren Lkw hinaufzuklettern, so wurde er unbarmherzig mit dem Gewehrkolben zurückgestoßen ...[103]« Es kam vor, daß deutsche Offiziere sich weigerten, italienischen Befehlen nachzukommen[104].
Diese letzten zehn Tage des Jahres 1942 brachten für das Gros der 8. italienischen Armee das Ende. Nicht nur der Feind, auch Kälte, Hunger und Erschöpfung dezimierten in hohem Maß die des winterlichen Klimas ungewohnten, sich in der Schneewüste mühsam den Weg in die Sicherheit suchenden italienischen Soldaten. Und je weiter sich die Italiener vom Don

entfernten, desto mehr fiel alles Militärische von ihnen ab. Viele warfen ihre noch aus den Stellungen mitgebrachten Gewehre und Ausrüstungsgegenstände weg, um leichter vorwärtszukommen. Mützen und Jacken der Zivilbevölkerung ersetzten allmählich die zerrissenen, für den russischen Winter viel zu dünnen Uniformen, Filzstiefel die zerfetzten Schuhe. Ende Dezember fiel die Temperatur unter 40 Grad minus, und man marschierte weiter. In vielen Dörfern erwartete die Italiener eine bittere Enttäuschung. Da die Sowjets dank ihrer Luftaufklärung meistens die Rückzugsroute der Italiener ausfindig machen konnten, ließen sie jene Orte, die als Unterkunft für die Nacht geeignet gewesen wären, durch Fliegerangriffe vernichten. Die Taktik der »verbrannten Erde« gemäß dem Stalin-Befehl vom Juli 1941 begann zu wirken. Schreckensbilder des napoleonischen Rückzuges von Moskau 1812 kamen wieder in Erinnerung. Von Zeit zu Zeit stießen Neuankömmlinge zu den Marschkolonnen, aus der Gefangenschaft entflohene Soldaten ohne Mäntel, ohne Waffenrock und oft ohne Schuhe (die ihnen von den Rotarmisten abgenommen worden waren, um so eine Flucht zu verhindern).

Ein Beteiligter schreibt: »Es schneit. Der eisige Wind dringt durch bis auf die Knochen. Der Durst, den wir vergebens mit Schnee zu löschen suchen, dörrt uns die Kehle aus! Die meisten von uns bewegen sich mechanisch, wie betrunken, manchmal wirft sich einer zu Boden und fleht uns an, ihn doch in Frieden sterben zu lassen. Wir brauchen unbedingt ein paar Stunden Ruhe! Aber wo? In der Steppe ist kein Haus, kein Baum, kein Schutz irgendwelcher Art. Endlich kommen wir in eine verschneite Schlucht, die scheint uns von der Vorsehung gesandt. Wenn sie uns auch nichts anderes bietet, so schützt sie uns doch vor dem Wind. Nach dem ›Halt‹ werfen sich die Männer in den Schnee und schlafen, Wachen werden aufgestellt. Der Schneesturm, der über uns hinwegtobt, wird uns vor Überraschungen schützen[105]!«

Trotz allem fanden sich immer wieder Offiziere oder tatkräftige Unteroffiziere, die militärische Zucht wahrten. Kleine

Gruppen wurden gebildet, um die zurückgehenden Kolonnen
vor plötzlichen Flankenangriffen der Russen und vor allem der
Kosaken zu schützen.

Am Jahresende 1942 festigte sich die Lage der Heeresgruppe B allmählich. Die sowjetischen Angriffe wurden seltener, und man erhoffte sich wahre Wunder von den neu herange-
führten deutschen Kräften, die zur »Armeeabteilung Fretter-
Pico« zusammengefaßt wurden. Dieses Korps sollte die fast
150 Kilometer breite Lücke zwischen der Heeresgruppe Don
(Generalfeldmarschall v. Manstein) und der Heeresgruppe B
(Generaloberst v. Weichs) schließen. General der Artillerie
Maximilian Fretter-Pico standen dazu vorerst Teile einer deutschen Gebirgsdivision zu Verfügung, die bereits mit einigen
Tausend teilweise waffenlosen Italienern in und um Millerowo
im Kampf standen. Dazu wurde er unterstützt von einer Panzergruppe in Donskoj, einem deutschen Feldausbildungsregi-
ment in Woroschilowgrad, mehreren Marschbataillonen und
einer Turkmeneneinheit, gebildet aus ehemaligen Rotarmisten. Aus Frankreich sollte zudem baldmöglichst eine – in Ost-
kämpfen völlig unerfahrene – deutsche Division eintreffen.

General Fretter-Pico hatte tatsächlich vorerst keine Ahnung,
wie mit so unzureichenden Kräften die ihm aufgetragene Aufgabe zu lösen sei. (General v. Sodenstern, Chef des Stabes der
Heeresgruppe B, meinte daraufhin mit bitterer Ironie, Fretter-Pico sei doch ein alter Generalstabsoffizier und wisse, wie
man mit solchen Problemen fertig werde: Er stelle sich am besten mitten in Kamensk mit ausgebreiteten Armen auf die
Straße und versuche, den Feind aufzuhalten! Fretter-Pico: »Ich
bringe diese Bemerkung, weil sie mit aller Deutlichkeit den
furchtbaren Ernst der Lage an der Südfront aufzeigt. Trotz bester Absicht hatte die Heeresgruppe keine Möglichkeit mehr zu
helfen[106]!«)

Der General richtete seinen Gefechtsstand in Kamensk am
Donez ein, einem Ort, in dem sich versprengte oder kriegsmüde italienische und rumänische Soldaten sammelten. Hier,
100 Kilometer vom Don entfernt, fühlten sie sich sicherer, ver-

langten Verpflegung und zogen dann »waffenlos oder nur mit
einer Gitarre ›bewehrt‹ und ›singend‹ trotz scharfem Frost nach
Westen. Dabei hatten sie sich anscheinend zur Aufgabe gesetzt,
durch falsche Gerüchte im Hinterland Unruhe zu stiften[107].«

In den nächsten Tagen gelang es dem tatkräftigen Fretter-
Pico, seine »Armeeabteilung« einigermaßen zu organisieren
und sie den Sowjets entgegenzustellen. Dabei griff er auch auf
die italienische Infanteriedivision »Vicenza« zurück, die ohne
Artillerie und Pak eigentlich von vornherein lediglich für Sicherungsaufgaben im Hinterland bestimmt war. Millerowo und der
Kalitwa-Abschnitt waren die neuralgischen Punkte in Fret-
ter-Picos mühsam errichteter Sicherungslinie zwischen den
beiden deutschen Heeresgruppen. Wie erwartet, war die aus
Frankreich eingetroffene deutsche Infanteriedivision vorerst
keine große Hilfe. Am 3. Januar 1943 wurden bei einem sowjetischen Panzerangriff auch diese dem Winterkampf im Osten
nicht gewachsenen Deutschen vom »Panzerschreck« erfaßt. Es
hätte zu einem Feinddurchbruch geführt, wenn nicht der Divisionskommandeur und der Befehlshaber der Armeeabteilung
persönlich die vor dem feindlichen Panzerfeuer fliehenden
Truppen in der vordersten Linie aufgefangen und wieder eingesetzt hätten[108]. So versagten also auch deutsche Divisionen, die
besser und reichhaltiger ausgerüstet waren als die Verbände
der Verbündeten.

Mit der Zeit gelang es General Fretter-Pico, seine 150 Kilometer Frontabschnitt durch die Bildung von Großstützpunkten
und Stoßtrupps von Ende Dezember 1942 bis Ende Januar
1943 zu halten und somit die Verbindung zwischen den beiden
deutschen Heeresgruppen zu wahren. Während damit im
Oberkommando der Heeresgruppe B eine kurze und relative
Ruhe eintrat, begann sich die Lage bei der Heeresgruppe Don
erneut zu verschlechtern.

Das Ende der 4. rumänischen Armee

Das Schicksal der 6. Armee in und um Stalingrad wurde 1942 am Tag vor Weihnachten besiegelt, als Generaloberst Hoth gezwungen war, seine Entsatzoffensive wegen mangelnder Kräfte 48 Kilometer vor dem Ziel aufzugeben und den Rückzug anzutreten. Am 26. Dezember traten die Sowjets ihrerseits zum Gegenangriff an und verstärkten den Druck auf die Reste der 4. rumänischen Armee, die bisher beide Flanken des angreifenden 57. deutschen Panzerkorps gesichert hatte. Die zwei Armeekorps der einstigen 4. rumänischen Armee waren noch am 25. November der »Armeegruppe Hoth« unterstellt worden. Ihre Lage hatte sich seitdem kaum verbessert. Ablösung oder Verstärkung blieben aus. Generaloberst Ilie Steflea, der Chef des Rumänischen Großen Generalstabes, ließ v. Manstein berichten, die Truppe sei abgekämpft, der Kampfwert betrage nur insgesamt acht Bataillone, 15 Schwadronen und 37 Batterien, wirksame Panzerabwehr gebe es nicht. Sollte ein neuer sowjetischer Angriff gegen die Reste der Arme erfolgen, würden die Rumänen zwar versuchen, ihre Stellungen zu halten, aber ein Erfolg könne nicht versprochen werden[108a].

Steflea blieb den Deutschen gegenüber höflich, obwohl seit Anfang Dezember das militärische Verhältnis Berlin–Bukarest stark belastet war und in einigen Fällen in eine offene Krise geriet. Gegenseitige Beschuldigungen waren an der Tagesordnung. Der rumänische Generalstab umging seit Dezember die deutsche Heeresmission und die deutschen Kommandostellen und begann, operative Anweisungen seinen Truppen zu erteilen sowie einzelne Truppenteile aus der Front zu ziehen und zur Auffrischung ins Hinterland zu verlegen. Aus rumänischer Sicht war das verständlich. Es ging um die Erhaltung der eigenen Armee, die keineswegs im erwarteten Debakel um Stalingrad untergehen sollte.

Die Deutschen, zumindest die unteren Kommandostellen, begegneten den Rumänen mit kaum unterdrücktem Mißtrauen. Man lastete ihnen militärisches Versagen an. Antonescu hatte einen schwierigen Stand. Er stand zwischen den Interessen seiner Militärs und der Bündnistreue zur Deutschland und war nicht zuletzt durch innenpolitische Probleme belastet. Er wagte keinen offenen Bruch mit Deutschland, trug aber andererseits die Verantwortung für seine in Rußland stehende Armee. Bereits am 7. Dezember kam es an der Front zum Affront. Während eines gemeinsamen Essens deutscher und rumänischer Generalstäbler bei der vorgeschobenen Staffel des Rumänischen Großen Generalstabes in Rostow brachten die Rumänen zum ersten Mal kein Hoch auf Deutschland aus. General Hauffe bat am 16. Dezember den rumänischen Generalstabschef, sich dafür einzusetzen, »daß sich die dienstliche Zusammenarbeit des kgl. rumänischen Großen Generalstabes und der Deutschen Heeresmission weiterhin im bisherigen kameradschaftlichen Rahmen« vollziehe[109].

Trotz der Bitte um Verstärkung, insbesondere für die Panzerabwehr, erhielt die 4. rumänische Armee von Generalfeldmarschall v. Manstein nur ermunternde Worte von »unbedingtem Kampfwillen«, vom »Mut der Verzweiflung« und vom »Ausharren in den jetzigen Stellungen«; General Constantinescu wurde angewiesen, er solle verfügen, daß rumänische Infanteristen auch bei einem sowjetischen Durchbruch, ohne sich um die Panzer zu kümmern, weiterkämpfen sollten. Was der Generalfeldmarschall der 4. rumänischen Armee als Verstärkung in Aussicht stellte, war das *Versprechen* von einer »beweglichen Eingreifreserve mit einigen Panzern[110]«. (Dagegen ein deutscher Bericht vom 10. Dezember 1942 über die Meinung im Oberkommando der Heeresgruppe Don: »... Die Erfahrungen der letzten Wochen haben gezeigt, daß rumänische Einheiten sogar mit schweren deutschen Panzerabwehrwaffen, 8,8 cm, ausgerüstet vor russischen Panzern zurückschrecken und die deutschen Geschütze unbewacht lassen ...[111]«)

Als dann am 26. Dezember bei Tagesanbruch die sowjetische Offensive bei Generalowskij begann und in kürzester Zeit das 6. rumänische Armeekorps zum Rückzug zwang, dachte General Constantinescu gar nicht daran, sich wegen Unterstützung oder Rückzugsgenehmigung an die Deutschen zu wenden. (Neueste deutsche Veröffentlichungen zu diesem Thema schließen nicht aus, daß die rumänischen Verbände einen Geheimbefehl ihrer Führung hatten, der besagte, daß ohne deutschen Panzerschutz bei gegnerischen Panzerangriffen auszuweichen sei[112]!) Nur der Kommandeur der 2. rumänischen Infanteriedivision versuchte, zehn Kilometer südlich von Generalowskij Widerstand zu organisieren, unterlag aber der sowjetischen Übermacht. Nach der Vernichtung der rumänischen Westflanke brachen die Russen beim rumänischen Kavalleriekorps Popescu durch. Oberst Doerr bemerkte über die Kämpfe, daß das Kavallerieregiment des Obersten Christea versuchte, sich gegen die T-34 zu stellen, und trotz des mutigen Einsatzes des Regimentskommandeurs, der zu Fuß mit Stock und Pistole seine Leute anfeuerte, schließlich den Panzern weichen mußte[113].

Daraufhin erfaßte die sowjetische Offensive das 7. rumänische Armeekorps mit der Folge, daß die Rumänen letztlich ihre Stellungen räumten und sich teils geordnet, teils vom Gegner verfolgt zurückzogen. Oberst Doerr: »Der Kampf der 4. rumänischen Armee war zu Ende. Eine ›Armeegruppe Hoth‹ gab es nicht mehr[114]!«

Die Streitmacht, die vor einigen Wochen noch Stalingrad entsetzen sollte, bestand Ende Dezember 1942 lediglich aus zwei ausgebluteten deutschen Divisionen mit je 10 bis 15 Panzern, aus einer bei Elista isolierten deutschen motorisierten Division sowie aus den Resten der 4. rumänischen Armee, die Generaloberst Hoth, um die rückwärtigen Verbindungen der 4. Panzerarmee nicht zu belasten, so rasch als möglich über die untere Manytsch in die Gegend südlich von Rostow verlegte. Ende Dezember 1942 wurde auch der Armeestab der 4. rumänischen Armee von der Front abgezogen. Da die Trümmer der 3. rumänischen Armee und deren Armeestab selbst am 27. Dezember aus der Front der Heeresgruppe Don in das rückwärtige Heeresgebiet bei Schachty verlegt worden waren, befand sich am Jahresende keine selbständige rumänische Armee mehr an der Ostfront.

So kam es, daß der Großteil der königlichen rumänischen Armee an der Ostfront, 18 Divisionen, innerhalb sechs Wochen vernichtet wurde. Obendrein belastete dieses Debakel auch die deutsch-rumänische Militärkoalition in jeder Beziehung ernstlich! (Es existieren noch heute keine detaillierten rumänischen Angaben über die Verluste der beiden rumänischen Armeen im November und Dezember 1942 bei der Heeresgruppe B bzw. Don. Nach sowjetischen Quellen hatten die Rumänen am Don und im Raum von Stalingrad insgesamt 173 000 Mann an Gefallenen, Verwundeten und Vermißten zu beklagen. Die materiellen Verluste beziffern sie auf 189 205 Gewehre, 2184 MG, 1634 Minenwerfer und 471 Feldkanonen[115].)

Die Zerschlagung der Honvéd-Armee am Don

Am 8. Januar 1943 notierte der Oberbefehlshaber der Heeresgruppe B in sein persönliches Tagebuch unter anderem: »Ein Angriff gegen die ungarische Armee muß nach wie vor erwartet werden. Angriffspunkt immer noch unklar ...« Am folgenden Tag schrieb er: »Immer noch Rätselraten über bevorstehenden Angriff gegen Ungarn. Da Luftaufklärung fast nie möglich, ist man blind und hat keinen Einblick in die Tiefe des Gegners ...« Am 10. Januar hieß es: »Bei ungarischer Armee scheint sich doch ein Angriff aus dem Brückenkopf Uryw vorzubereiten. Die vom Führer angeordnete Bereitstellung des Korps Cramer auf der Naht zwischen Alpini-Korps und ungarischer Armee ist für die Abwehr eines solchen Angriffs ungünstig ...[116]«

Im Oberkommando der 2. ungarischen Armee war man indessen in bezug auf die nahe Zukunft unschlüssig. Seit Anfang Januar fehlten genaue Nachrichten über die Lage bei der benachbarten italienischen Armee. Obwohl die Fliegeraufklärung am 4. Januar 1943 im Brückenkopf Uryw eine Ansammlung von mehreren gegnerischen Divisionen feststellte, wollte man im Stab der 2. ungarischen Armee vorerst nicht an einen bevorstehenden sowjetischen Großangriff glauben. General-major Gyula Kovács, Chef des Stabes, vertrat am 6. Januar die Ansicht, die Russen seien ganz mit ihrer Hauptoffensive gegen Rostow beschäftigt. Wenn die ungarische Armee dennoch in eine Offensive einbezogen würde, könnte dies lediglich längs des Sosna-Abschnittes geschehen und auch dort nur mit schwachen Kräften.»Dies wäre dann mit eigenen Kräften abzuwehren[117]!«

Inmitten der schweren Kämpfe der »Armeegruppe Hoth« um den Entsatz der 6. Armee in Stalingrad, also Mitte Dezember 1942, entschloß sich das sowjetische Oberkommando in Moskau zu der Operation von Ostrogoschsk–Rossosch. Der Angriffsplan sah vor, mit drei Stoßgruppierungen die Verteidigung des Gegners zu durchbrechen, die Offensive konzentrisch auf die Alexejewka, Ostrogoschsk und Karpenkowo zu entwickeln und die deutsch-ungarisch-italienische Gruppierung, die sich am Don zwischen Woronesch und Kantimerowka befand, einzuschließen und zu vernichten[118]. Hierbei war nicht nur die Zerschlagung der Don-Verteidigung der verbündeten Truppen vorgesehen, sondern auch die Eroberung der Teilstrecke Liski–Kantimerowka der großen strategischen Nord-Süd-Bahnlinie Woronesch–Rostow. Des weiteren sollten günstige Ausgangspositionen für eine spätere Operation gegen die 2. deutsche Armee und für den Vorstoß auf Charkow und das Donez-Becken geschaffen werden[119].

Hauptträger der sowjetischen Offensive gegen den ungarischen Frontabschnitt war die 40. Armee unter dem 41jährigen Generalleutnant K. S. Moskalenko. Seine Armee verfügte Anfang Januar 1943 über beträchtliche Kräfte, und zwar Infanterie-, Artillerie- und Panzertruppen. (Im einzelnen 5 Schützendivisionen, eine Schützen-, 3 Panzer- und 2 Jägerbrigaden sowie eine Artillerie- und eine Granatwerferdivision. Die drei Panzerbrigaden besaßen zusammen 133 Panzer[120].) Aus dem Brückenkopf Schtschutschje hatte der linke Nachbar der 40. Armee, das selbständige 18. Schützenkorps, mit vier Divisionen dem 7. ungarischen Armeekorps gegenüber Stellung bezogen. Aus der Reserve des sowjetischen Oberkommandos wurde die 3. Panzerarmee unter Generalmajor P. S. Rybalko herangeführt. Man stellte der Front schließlich auch ein Kavalleriekorps zur Verfügung.

Die Bedeutung der bevorstehenden Operation unterstrich auch das plötzliche Erscheinen des sowjetischen Generalstabschefs, Generaloberst A. M. Wasilewskij, im Hauptquartier der Woronescher Front Ende Dezember 1942. Er wollte die Angriffsvorbereitungen an Ort und Stelle prüfen. Moskalenko: »Wasilewskij, Golikow, der Oberbefehlshaber der Woronescher Front, und ich begaben uns in die vordere Linie des Brückenkopfes Storoschewoje. Wasilewskij beobachtete genau die Verteidigungsanlagen des Gegners, stellte viele Fragen und hörte aufmerksam die Erklärungen an ... Offenkundig wollte Wasilewskij gleichzeitig prüfen, ob wir selbst den Gegner genügend kannten. Sicherlich hatte er sich darüber eine bestimmte Meinung gebildet. Denn nachdem er *alle Verbände* aufgesucht hatte, sagte er: ›Ich sehe, daß Sie den Gegner gut kennen. Sie werden also beim Durchbruch durch seine Verteidigung auf keine besonderen Überraschungen stoßen[120a]!«

Nun beschleunigte man die Vorbereitungen im Stabe der 40. Armee. Neben der Aufklärung der Artillerie-, der Pioniereinheiten und der Fliegerkräfte wurden auch die Nachrichtenmittel vermehrt eingesetzt. Moskalenko: »Die dabei gewonnenen Angaben wurden täglich gesammelt und sorgfältig analysiert, um den Gegner mit geringsten Verlusten und minimalem Aufwand an Kräften und Mitteln zu vernichten[120b]!«

Am 5. Januar 1943 fingen die Funkstellen der ungarischen Armee einen ihnen merkwürdig erscheinenden sowjetischen Funkspruch auf: »Das Konzert wird bald beginnen[121]!«

Und am 12. Januar begann das Konzert!

An diesem Morgen leitete stundenlanger Artilleriebeschuß die Offensive der 40. Armee am Brückenkopf Uryw ein. Der darauffolgende Angriff konnte am ersten Tag noch mit Mühe aufgefangen werden. Aber das im Mittelabschnitt der ungarischen Front stehende 4. Armeekorps wurde schwer in Mitleidenschaft gezogen. Am 13. Januar verstärkte Moskalenko den Druck mit Erfolg. Die Ungarn und mit ihnen ein hier eingesetztes deutsches Regiment mußten weichen. Die Sowjets warfen jetzt neue Kräfte in die Schlacht und erweiterten die Einbruchstelle nach allen Seiten.

Am 14. Januar erfolgte eine zweite Offensive der Roten Armee, und zwar vom Brückenkopf Schtschutschje aus. Hier, am rechten Flügel der Honvéd-Armee, stand das 7. Armeekorps. An jenem Vormittag war die Sicht durch dichten Nebel stark beeinträchtigt, was den Angriff begünstigte. »Als ob sie aus dem Boden gewachsen wäre, tauchte vor uns plötzlich die russische Infanterie auf ... Ihre Panzer bewegten sich im dichten weißen Nebel wie urweltliche Geschöpfe ... Der Durchbruch ließ nicht lange auf sich warten. Die Panzer bahnten sich einen blutigen Weg durch unsere Schützenkette. Da es keine Zugmaschinen gab, mußten unsere Artilleristen, wenn sie noch Zeit dazu fanden, die Geschütze sprengen ...« (So der Bericht eines Überlebenden, des Hauptmanns Béla Korody[122].) Bei Einbruch der Nacht waren nur noch unbedeutende Reste der 12. Infanteriedivision übrig.

Auch bei der Durchbruchstelle Uryw wurde die Lage kritisch; die 7. und die 20. Division des 4. Armeekorps kämpften erbittert gegen eine Übermacht, mußten sich jedoch bald zurückziehen.

Das 3. Armeekorps am linken Flügel der 2. ungarischen Armee lag indessen seit 24 Stunden im konzentrierten Artilleriefeuer der Roten Armee. Direkt vom Don und insbesondere von Süden her, durch die Einbruchstelle bei Uryw, versuchten die Angreifer den Großverband zu zerschlagen. Der Stabschef des 3. Armeekorps, Oberst Jenö Sárkány, berichtete an diesem Nachmittag dem ungarischen AOK 2: »Ja, wir gruppieren um. Das Bild ist aber sehr traurig. Uns fehlen einfach die schweren Waffen. Die Soldaten sind sehr mitgenommen wegen der großen Kälte, sie weinen beinahe ... Nein, einen Gegenangriff auf diesem Terrain können wir nicht machen. Es kann nur davon die Rede sein, die Dörfer in Rundumverteidigung zu halten ...[123]«

Am 15. Januar, drei Tage nach dem sowjetischen Angriff, war Generaloberst Jány mit den Tatsachen konfrontiert, daß seine Armee sich an mehreren Abschnitten im Rückzug befand, daß nur einzelne Stellen am Don noch ausharrten, daß die sowjetische Übermacht, die mangelhafte Ausrüstung der Honvéd-Armee und nicht zuletzt die enorme Kälte von minus 40 Grad Celsius jeden Versuch, die Front irgendwo zum Stehen zu bringen, beeinträchtigten.

Das ungarische AOK 2 verfügte nun zwar über ein Panzerkorps, die Befehlsgewalt darüber hatten aber weder Jány noch v. Weichs. Die Ungarn versuchten bereits am 12. Januar, das Korps Cramer für einen Gegenangriff im Raum Uryw einzusetzen. Das Oberkommando der Heeresgruppe B aber lehnte den Antrag ab. Lediglich die Panzerabteilung 700 durfte am 14. Januar nördlich des Sosna an einem Gegenangriff des 4. Armeekorps teilnehmen, doch vermochte die mit tschechischen Panzern ausgerüstete Abteilung gegen die T-34 nichts Wesentliches zu erreichen. Bis auf vier Panzer wurde der ganze Verband vernichtet. Die Sowjets setzten ihren Angriff weiter fort.

Obwohl die ungarischen Truppen auch in aussichtsloser Lage nach Möglichkeit Widerstand leisteten und auch am dritten und vierten Kampftag keine Auflösungserscheinungen zeigten, entstand bereits am 14. Januar beim Oberkommando der Heeresgruppe B das Bild von »waffenlos und panikartig zurückgehenden Ungarn«. Während die Honvéd-Armee noch auf Verstärkung wartete und nach Kräften bemüht war, den Gegner aufzuhalten, neigte man im Stabe von Weichs dazu (nach dem Debakel der rumänischen und italienischen Armeen), aufgrund überprüfbarer Meldungen auch die ungarische Armee als Kampftruppe abzuschreiben.

Was war passiert?

Seit dem Herbst 1942 war es bei der 2. ungarischen Armee zur Gewohnheit geworden, die aus der Heimat kommende Ab-

Der Durchbruch der Roten Armee bei der
Heeresgruppe B, 14.–17. Januar 1943

lösung ohne Waffen nach Rußland zu schicken. Die Waffen hielt man für »spätere Verwendung« in der Heimat zurück. Die frischen Truppen aus vorwiegend kaum ausgebildeten Wehrfähigen sollten »frontnahe« ihren letzten militärischen »Schliff« erhalten. Nach drei bis vier Wochen Ausbildung wurden die Truppen unbewaffnet zum Einsatz vorgeschickt; Waffen sollten sie in den Stellungen von den in die Heimat zurückbeorderten Honvéds erhalten. Diese Ablösungsprozedur dauerte während des ganzen Spätherbstes an und wurde auch im Januar 1943 fortgesetzt. Erst in den Stellungen wurden Waffen, Geräte und Winterkleidung übergeben. Die Abgelösten zogen sich ohne Waffen und Winterkleidung zurück. Am 12. Januar, als der Großangriff der 40. Armee begann, stand unmittelbar hinter der Front eine über 6000 Mann umfassende unbewaffnete Ablösungsmannschaft. Nach dem Durchbruch der sowjetischen Panzer brach in den Reihen dieser Männer Panik aus; sie rissen beim Rückzug vielerorts auch die regulären Truppen mit. *Das Bild vom raschen Zusammenbruch der ungarischen Armee am Don war entstanden!* (Die Nachkriegsliteratur verhärtete die These von einem raschen Zusammenbruch der ungarischen Armee am Don. General Kurt v. Tippelskirch schrieb in seiner in mehreren Auflagen und Übersetzungen erschienenen »Geschichte des Zweiten Weltkrieges« 1956: »14. Januar ... Die ungarische Armee verlor jeden Halt und flutete zügellos vor dem Ansturm der Russen nach Westen und Süden zurück ...« Und in dem in den siebziger Jahren veröffentlichten repräsentativen italienischen Werk über den Zweiten Weltkrieg, »Ventesimo secolo. Storie del mondo contemporaneo«, heißt es: »Die 2. ungarische Armee, ohne daß sie die Italiener darüber unterrichtet hätte, verließ ihre Stellungen am Don und zog in Richtung Westen ab ... Nur die italienischen Divisionen ›Julia‹, ›Cuneense‹, ›Vicenza‹ und ›Tridentina‹ hielten als bedeutende Stützpunkte ihre Don-Stellungen weiterhin ...[124]«)

Am 14. Januar 1943 erreichten Generaloberst v. Weichs
neue Hiobsbotschaften, diesmal von der italienischen Armee.
Aus dem Raum Kantemirowka forcierte an diesem Tage eine
sowjetische Panzerarmee mit Infanterieunterstützung den Angriff am Don und brach in die Stellungen des 24. deutschen
Panzerkorps ein, das seit Ende Dezember 1942 mit italienischen und deutschen Divisionen am rechten Flügel des bisher
unversehrten Alpini-Korps stand. Das deutsche Generalkommando war noch Mitte Dezember 1942 als Führungsorgan vom
Abschnitt der ungarischen Armee abgezogen und zur Unterstützung der Italiener kommandiert worden. Dadurch gelang es
Gariboldi – nach der Zerschlagung und Dezimierung des 29.,
35. und 2. Armeekorps –, eine halbwegs einheitliche Verteidigungslinie in Nord-Süd-Richtung, d. h. von Kalitwa bis zum
Donezbogen nördlich von Woroschilowgrad, herzustellen. (In
diesen Tagen genehmigte das Oberkommando der Heeresgruppe B den telegraphischen italienischen Antrag, für die Unterbringung der 2. Staffel des Armeestabes des italienischen
AOK 8 das Dorf Tschugujew freizugeben. Als das Oberkommando registrierte, daß es sich um die Unterbringung von 230
Offizieren und 1500 Mann handle, notierte ein deutscher Generalstabsoffizier verärgert auf das Telegramm: »Das ist jetzt
nur ein Stab!! Und wer schießt vorne[125]??«)
Innerhalb von zwei Tagen wurden die Truppen des 24. Panzerkorps zerschlagen. Der Weg nach Rossosch, wo sich das Generalkommando des Alpini-Korps aufhielt, war freigekämpft.
Gariboldi ersuchte die Heeresgruppe um einen Rückzugsbefehl für die Alpini, da sich ein sowjetisches Einkreisungsmanö-
ver deutlich abzeichnete. Er verlangte ferner den sofortigen
Einsatz des Panzerkorps von General Cramer, der – wie bereits
erwähnt – an der Nahtstelle der ungarischen und italienischen
Armee stand und noch immer auf Einsatzbefehl wartete. (Mit
diesem Korps hatten jedoch auch die Ungarn fest gerechnet.
Das Oberkommando der Heeresgruppe B wollte es zunächst
gegen den bei Schtschutschje offensiv gewordenen Gegner,
dann gegen die am Brückenkopf Uryw angreifende 40. Armee

einsetzen. Geplant wurde der Angriff für den 16. Januar, doch war die Offensive zu diesem Zeitpunkt längst überholt.)

Unterdessen versuchte Generaloberst v. Weichs, von Hitler die Erlaubnis zu erhalten, die gesamte 2. ungarische und die Reste der 8. italienischen Armee auf die allgemeine Linie des Aidar-Flusses zurückzunehmen. Hitler wollte aber nichts davon wissen. Man müsse unbedingt Zeit gewinnen, sagte er, um die Ankunft neuer Truppen, die im Anrollen seien, abzuwarten. Weichs Argument, wenn man *jetzt* nicht etwas unternehme, würde die baldige Einkesselung der beiden Armeen erfolgen, stimmte Hitler nicht um. Die Front, so erklärte er seinem General, müsse am Don um jeden Preis gehalten werden![126]

Am 15. Januar näherten sich die Kämpfe Alexejewka, wo sich das Hauptquartier des ungarischen AOK 2 befand. Sowjetische Panzer mit aufgesessener Infanterie der 3. Panzerarmee durchquerten in raschem Tempo die Tschornaja Kalitwa und stießen von Süden her in Richtung der Stadt vor. Auch aus dem Norden kamen besorgniserregende Meldungen. Die zwei Umfassungszangen der Roten Armee, bei Kantemirowka und Uryw angesetzt, sollten voraussichtlich bei Alexejewka den Ring um die Ungarn und Italiener schließen. Generaloberst Jány versuchte an diesem Tage beim Oberkommando der Heeresgruppe B, die Genehmigung zur Rücknahme der gesamten Front vom Don zu erreichen. Von Weichs mußte den Antrag ablehnen. Er entsandte jedoch General v. Witzleben zu den Ungarn, um Jány zu bewegen, sich keinesfalls, wie von Jány beabsichtigt, in Alexejewka einschließen zu lassen, sondern mit seinem Stab nach Westen, nach Nowy Oskol, auszuweichen. Die beiden Generäle führten ein dramatisches Gespräch, das schließlich das Schicksal der 2. ungarischen Armee entschied.

In Anbetracht der Frontlage regte v. Witzleben von sich aus an, Jány solle die gefährdeten Divisionen sofort auf eine günstigere Linie zurückziehen. Auch General Kovács befürwortete diesen Plan. Von Witzleben schlug daraufhin vor, »der Herr Oberbefehlshaber (solle) den Entscheid selbst fällen«, »als souveräner ungarischer General, ohne auf Antwort vom Oberkommando der Heeresgruppe B zu warten[127]!«

General Kovács mischte sich ins Gespräch. »Nein, eine solche eigenmächtige Lösung kann ich nicht billigen! Dafür, daß die Deutschen den gesamten rechten Flügel der Ostfront zurücknehmen müßten, wären wir Ungarn die Sündenböcke. Noch hundert Jahre später würde uns die deutsche Presse dafür anprangern[128]!«

Witzleben staunte. Hatten die Ungarn die ihnen gebotene Chance, im Interesse der Armee eigenmächtig zu handeln, nicht erkannt? Noch einmal betonte er, nachdrücklich und ernst. »Ich kann nur vorschlagen, daß der Herr Generaloberst Jány jetzt selbst handeln soll: Hier geht es um das Schicksal der ungarischen Armee[129]!« Doch Jány hatte nicht den Mut, sich dem Durchhaltebefehl Hitlers zu widersetzen. Auch sein Stabschef Kovács (der am 16. Januar noch Zeit fand, nach Budapest zu depeschieren: »Die Juden in der Heimat sollen sich ja nicht freuen, der Krieg ist noch nicht verloren[130]!«), stellte sich hinter ihn.

Von Witzleben reiste enttäuscht nach Budjony ab.

(Dreißig Jahre später hatte der Autor Gelegenheit, den pensionierten General nach seinen Motiven für den Rettungsversuch der ungarischen Armee zu fragen. Hermann von Witzleben erinnerte sich noch gut an diesen Fall. Er berichtete, daß man sich im Oberkommando der Heeresgruppe B über die Sinnlosigkeit einer Einschließung der Ungarn durch die Russen im klaren gewesen sei. Generaloberst v. Weichs konnte jedoch von sich aus, gegen den Willen Hitlers, keinen Rückzugsbefehl erteilen, weil das für ihn das Kriegsgericht bedeutet hätte. Anders wenn die Ungarn eigenmächtig gehandelt hätten: »Hitler hatte über Jány keine Gerichtsbarkeit. Das bestimmte mein Verhalten dem ungarischen Oberbefehlshaber gegenüber. Nur *ich* schwebte mit meiner Einstellung in Lebensgefahr[131]!«)

An diesem 16. Januar gewann die sowjetische Offensive im Norden weiter Boden und trennte das 3. ungarische Armeekorps mit seinen drei Divisionen vom Großteil der 2. ungarischen Armee, das nun der 2. deutschen Armee (Woronesch) unterstellt wurde und teilweise mit Erfolg versuchte, die

Südflanke der deutschen Truppen vor einem Überrollen durch die Rote Armee zu schützen. Moskalenko konnte mit dem Tempo der Offensive mehr als zufrieden sein. In seinen Memoiren hielt er fest, daß bereits am Abend des 15. Januar die Verteidigung des Gegner in ihrer gesamten taktischen Tiefe durchbrochen wurde. »Am rechten Flügel waren wir 20 Kilometer, am linken 16 und im Zentrum 35 Kilometer vorgedrungen. Nun waren die Voraussetzungen geschaffen, um den Angriff... weiter voranzutreiben und die gegnerische Gruppierung einzuschließen und zu spalten[131a]!«

Was danach kam, war die beginnende Agonie einer Armee. Der Einsatz des Panzerkorps Cramer, verspätet und von den Ereignissen überholt, brachte keine Erleichterung der Lage. Das 3. Armeekorps wurde einem deutschen General der 2. deutschen Armee unterstellt und als »Korpsgruppe Siebert« zusammengefaßt. Es hielt die Don-Stellungen noch mehr als eine Woche. Das 4. Armeekorps zog sich jetzt endgültig vom Fluß zurück, und das 7. Armeekorps, das besonders schwere Verluste erlitten hatte, kämpfte auf der Linie Kamenka-Ostrogoschsk, wobei es bereits durch die von Süden her vorstoßenden sowjetischen Panzer von Einkesselung bedroht war.

Generalmajor János Legeza, Kommandierender General des 7. Armeekorps, bat in dieser Situation um Erlaubnis, die Reste seiner Division weiter zurücknehmen zu dürfen. Jány sprach in diesen Tagen einige Male in dieser Hinsicht mit seinem deutschen Vorgesetzten in Charkow. Die Antwort war jedesmal ablehnend. Von Weichs und Sodenstern beriefen sich auf den OKH-Befehl, wonach alle Verbände der Heeresgruppe B »bis zum letzten Mann« in ihren Stellungen auszuhalten hatten[132]. Der ungarische Oberbefehlshaber fügte sich, wie schon früher, ohne Widerspruch dieser Anordnung.

General Legeza erhielt, als er Jány am Abend des 16. Januar wieder um einen Rückzugsbefehl bat, die Order: »... Es darf kein Schritt zurückgegangen werden. Ist das klar? Notfalls muß rücksichtslos durchgegriffen werden, um zu verhindern, daß auch nur ein einziger Mann seine Stellung verläßt. Man kann dort nur sterben, aber nicht zurückgehen. Danke. Ende. Gott mit Dir[133]!« Ein erneutes Telefongespräch mit seinem Oberbefehlshaber zerstreute Legezas Zweifel: »... Jawohl, bis zum letzten Mann auszuhalten...[134]«

Erst am 17. Januar mochte das Oberkommando der Heeresgruppe B nicht mehr der Vernichtung der ihr unterstellten verbündeten Armeen zusehen. Generaloberst Jány wurde ermächtigt, »nach der Lage zu handeln«, und das Generalkommando des Alpini-Korps durfte nun seine Don-Stellungen aufgeben und sich nach Westen zurückziehen[135]. Die Ungarn waren dabei noch immer skeptisch; es dauerte kostbare Stunden bis Jány die Möglichkeit wahrnahm, seine Armee wenn möglich zu retten[136].

Erst jetzt, am 17. Januar, erhielt das Generalkommando des 7. Armeekorps den Rückzugsbefehl. Viel zu spät, um eine einigermaßen geordnete Rückführung der ihr noch verbliebenen Kräfte organisieren zu können. Ein Offizier dieses Korps schrieb später: »Von einem organisierten Widerstand... konnte keine Rede mehr sein. Sie (die Truppen des 7. Armeekorps) zogen sich ohne Führung nach Westen zurück, plünderten die Ortschaften, ließen die Aufforderung von Offizieren, sich den wenigen noch bewaffneten Marschkolonnen anzuschließen, ohne Beachtung. Sie wurden entweder durch die regulären sowjetischen Truppen gefangengenommen oder durch die aufgebrachte Bevölkerung und Partisanenverbände rücksichtslos vernichtet. Massenweise blieben sie erfroren zurück. Hier boten sich Bilder, die einem alten ungarischen Soldaten unfaßbar waren, die im 1. Weltkrieg unbekannt waren und vielleicht am Ende des russisch-japanischen Krieges bei Mukden sich abgespielt haben dürften. In dem vollständigen Chaos bildete lediglich eine Kampfgruppe des Kommandeurs der 23. Division, Generalmajor Vargyassy, noch einen festen Punkt, freilich ohne nennenswerten Kampfwert[137]!«

Alexejewka war bereits Schauplatz von Kämpfen, und in Ilowskoje, wo sich bisher der Fliegerhorst der ungarischen Luftwaffe befunden hatte, versuchte das Bodenpersonal unter

der Führung von Oberstleutnant Kálmán Csukás den Angriff
einer ganzen sowjetischen Infanteriedivision abzuwehren. Fünf
Tage lang hielten die Flieger ihren Horst mit Infanteriewaffen,
von den Sowjets eingekreist. Nur einen Teil der Flugzeuge
konnte man noch rechtzeitig aus dem Einschließungsring retten. Die leichten Jäger italienischen Fabrikats, deren Motoren
in der großen Kälte nicht starten wollten, mußte man sprengen.
(Das Jagdgeschwader 1/1 mit deutschen Messerschmitt-109
wurde schon vorher abgezogen. Die ungarischen Flieger nahmen in der Folge, deutschem Befehl unterstellt, an dem Luftun-
ternehmen teil, das um die Nachschubsicherung des Stalingrader Kessels ins Leben gerufen wurde.)

Während die ungarischen Flieger bei Ilowskoje ihre Stellungen hielten, war Alexejewka wenigstens von Norden her gesichert. Die Massen der zurückgehenden Honvéd-Armee konzentrierten sich deshalb auf diese Route. Bespannte und motorisierte Kolonnen, Nachschubeinheiten, Verwundete und Ma-
rodeure, Soldaten aller Waffengattungen strebten zurück nach
Westen. Mit ihnen zogen auch jüdische Arbeitsdienstkompani-
en, die in diesem Chaos die Möglichkeit gehabt hätten, auf das
Eintreffen der Russen zu warten. Sie taten es nicht, und wir wissen von Fällen, wo sich Juden noch Waffen beschafften und mit
Gewalt den Weg nach Westen erkämpften. Diese Arbeits-
dienstformationen hatten insofern beim Rückzug ein zusätzlich
schweres Los, als es im Bereich der 2. deutschen Armee mancherorts vorkam, daß sie von deutschen Soldaten und ukrainischen Milizsoldaten überfallen, beraubt und sogar ermordet
wurden. Nachträglich protestierte dann General Jány gegen
diese Behandlung von »Mitgliedern der ungarischen Armee«
durch »fremde Soldaten« und ordnete an, daß die Honvéds
weder eine Entwaffnung noch eine Ausraubung dulden und
wenn nötig gegen all jene, die dies versuchten, mit Waffengewalt vorgehen sollten. »Wer es in einem solchen Fall versäumt,
von seinem Gewehr Gebrauch zu machen, den werde ich selber
erschießen lassen[138]!«

Die Krise erfaßte nun auch das Alpini-Korps. Zunächst konnten die Divisionen des Generals Nasei ohne Feinddruck und reibungslos vom Don abziehen. Doch dann trafen die auf den wenigen schneefreien Straßen vom Osten nach Westen zurückziehenden Kolonnen mit den von Süden nach Norden marschierenden Kolonnen des 24. deutschen Panzerkorps zusammen. Die Folge war ein Chaos: Trosse, Mannschaften, Fahrzeuge aller Art und Schlitten verstopften die Straßen vollständig und erstickten jede Bewegung. Einige Marschkolonnen wichen von der Straße ab und versuchten, ohne schweres Material weiterzukommen. Andere, wie z. B. der Kommandeur der Division »Vicenza«, ließ Geschütze auffahren und »schoß buchstäblich den Weg für seine Truppe frei[139]!«

Der Rückzug der ungarischen Division zweier Armeekorps vollzog sich in diesen von arktischer Kälte geprägten Wintertagen unter denselben Umständen wie der bereits erwähnte der Italiener. Das Verhalten einzelner deutscher Gruppen und unterer Kommandos gegenüber den Honvéds war vergleichbar: Autos wurden requiriert, einzelne zurückziehende Honvéd-Einheiten entwaffnet, Verwundete und Kranke aus den Sanitätsautos, die beschlagnahmt wurden, auf den Schnee gesetzt. Im Bereich des 3. Armeekorps kam es vor, daß deutsche Kommandostellen die ihnen unterstellten Honvéds bereits wie Kriegsgefangene behandelten[140].

Das ungarische AOK 2 hatte vorerst als Sammlungsraum für die Reste der Armee das Oskol-Tal bestimmt. Am 22. Januar schickte General Kovács den ersten zusammenfassenden Situationsbericht nach Budapest. Obwohl es in diesen Tagen der 1. ungarischen Panzerdivision noch gelungen war, bei Alexejewka den Weg durch den sowjetischen Einschließungsring freizuhalten und somit unter Selbstopferung weiten Teilen des 4. Armeekorps das Absetzen nach Westen zu ermöglichen, mußte Kovács melden: »... die Kampfmoral der Armee ist ziemlich angeschlagen. Materialmäßig sind wir fertig. Insgesamt sechs Geschütze wurden gerettet. Alles andere ist wahrscheinlich liegengeblieben... Das Gros der Flak wie auch der anderen Ausrüstungen ist verloren. Zahlreiche Verwundete konnten jedoch gerettet werden, von denen aber viele an Erfrierungen leiden... Die ganze Armee kommt zurück. Im Oskol-Tal haben sich bisher 17 000 Mann versammelt, die noch Gewehre besitzen. Ich kann nicht von Bataillonen sprechen, weil diese nicht mehr existieren. Wir können nur noch von einem großen Misthaufen sprechen... Viele Soldaten sind ohne Waffen. ... Was ich hier erlebt habe, war die größte Enttäuschung meines Lebens. Vor dem (russischen) Angriff war jeder ein Held, es wurden Unternehmungen durchgeführt und dann, nachdem der Einbruch bei Regiment 4 erfolgte, platzte alles wie eine Seifenblase...[114]!«

Am 24. Januar 1943, zehn Tage nach dem Beginn der sowjetischen Großoffensive gegen die Don-Front der Honvéd, wurde die 2. ungarische Armee, d. h. ihre Reste, von der Front abgezogen[142]. Lediglich kleinere und größere Kampfgruppen, die zusammen mit deutschen Einheiten einige Stützpunkte an der vordersten Front hielten, blieben bis etwa zum 15. Februar in Feindberührung. Dazu kam noch das 3. Armeekorps, das seinen Rückzugsbefehl erst am 26. Januar von Generalleutnant Siebert erhielt und bis dahin sowohl seine Stellungen am Don als auch die Südflanke der deutschen Korpsgruppe sicherte. Durch diese tatkräftige Unterstützung der 2. deutschen Armee konnte diese, auch als sie selbst von sowjetischen Truppen berannt wurde, Woronesch planmäßig evakuieren und die dort bereitgestellten Wehrmachtsgüter rechtzeitig abtransportieren. *Es ist dabei festzuhalten, daß von allen Verbündeten Deutschlands sich die ungarischen Truppen als letzte vom Don zurückzogen!*

Die Beziehungen zwischen General Siebert und dem ungarischen Kommandierenden General, Generalmajor Graf Marcell Stomm, waren von Anfang an gespannt. Siebert wollte die mißliche Lage der Ungarn nicht zur Kenntnis nehmen und übertrug ihnen weiterhin Aufgaben, die ihre Kräfte weit überforderten. Dazu gesellte sich das bekannte Vorgehen der Deutschen gegen den Verbündeten; es kam zu Reibereien zwischen Honvéd und

Wehrmachtsangehörigen, die mancherorts sogar zu gegenseitigen Beschießungen führten. »Wir haben drei Feinde: die Kälte, den Hunger – und die Deutschen«, so beschreibt später ein ungarischer Offizier diese Tage[143]. Am 29. Januar erhielt Generalmajor Stomm von seinem deutschen Vorgesetzten den Befehl, mit den Resten seines Korps aus dem Raum Olym in Richtung Nordwesten auszubrechen. Dabei dürfte er jedoch das Tal des Olym-Baches nicht überschreiten, da dieser (einigermaßen sichere) Weg nur der Wehrmacht vorbehalten sei. Das Honvéd-Korps sollte mit anderen Worten also Sieberts Rückzug voll und unter Opfern decken. Angesichts des Zustandes seiner Truppe und des Mangels an Waffen und Munition war Generalmajor Graf Stomm nicht gewillt, diese Aufgabe zu übernehmen.

Am 1. Februar löste daher der Generalmajor beim Dorf Krasnoje Olym in einem Tagesbefehl die Reste des Armeekorps auf und stellte es Soldaten und Offizieren frei, »nach der Lage« zu handeln. Er erhoffte, daß die Honvéds mehr Chancen hätten, in kleinen Gruppen aus dem Einschließungsring auszubrechen. Stomms eigener Ausbruchversuch endete aber mit einem Fiasko. Am 2. Februar, nach einem Biwak im Freien bei minus 40 Grad, zwangen sowjetische Kavalleristen die Gruppe (zwei Generäle, fünf Offiziere und 18 Soldaten) zur Übergabe. Der Generalstabsoberst Jenö Sárkány erschoß sich, Stomm wollte seinem Beispiel folgen, doch schlug ihm einer seiner Offiziere die Pistole aus der Hand[144].

Die Odyssee der Reste des 3. Armeekorps dauerte noch eine Woche. Als die Rote Armee am 7. Februar bereits vor Starij-Oskol stand (110 km westlich von Woronesch), ergaben sich die überlebenden Ungarn. Nur wenigen gelang es, meist unter Führung eines tatkräftigen Offiziers, irgendwo den Einschließungsring zu durchbrechen und die deutschen Auffanglinien zu erreichen[145]. Das 3. Armeekorps verlor nach unvollständigen Angaben über 70 Prozent seines ursprünglichen Bestandes.

Was die gesamte ungarische Armee betraf, so hatte diese in der Winterschlacht 105 085 Mann an Toten, Verwundeten und

Vermißten zu beklagen[146]. Die Verluste der sowjetischen Angriffstruppen bezifferte General Moskalenko auf lediglich
4257 Mann. »Das heißt, die Verluste des Gegners waren 27mal
höher. Die Zahlen sprachen für sich[146a]!« Die Verluste der 2.
ungarischen Armee während ihres gesamten zehnmonatigen
Rußlandeinsatzes gab später ein Geheimbericht des ungarischen Generalstabes mit der erschreckenden Zahl von
147 971 Mann, d. h. 75 % ihres ursprünglichen Bestandes,
an[147]. Von der Ausrüstung der Armee wurden nur unbedeutende Reste gerettet: 110 000 Gewehre, 460 Pak und den gesamten Panzerbestand der 1. ungarischen Panzerdivision, um
nur die wichtigsten Daten zu nennen, blieben auf dem Schlachtfeld zurück[148].

Die Last dieser Niederlage hatte Generaloberst Gusztáv
Jány zu tragen, er wälzte sie jedoch auf seine Truppe ab. In seinem Tagesbefehl vom 24. Januar 1943, der sowohl wegen seiner Form als auch wegen seiner Grundauffassung später ge-
rechte Kritik hervorrief, sagte Jány: »Die 2. Armee hat ihre
Ehre verloren ... Die feindliche Übermacht konnte uns aus unseren Stellungen werfen, auch dann, wenn die Truppe ihre
Pflicht erfüllte. Dies ist an sich keine Schande. Es ist ein Unglück. Aber die kopflose, feige Flucht, die ich mit ansehen mußte, ist eine Schmach. Die verbündete deutsche Wehrmacht und
die Heimat haben allen Grund, uns aufs tiefste zu verabscheu-
en. Es möge jeder zur Kenntnis nehmen, daß ich niemandem,
weder Kranken noch Erfrorenen oder Verwundeten, die Erlaubnis erteile, sich von hier zu entfernen. Auf dem zum Auf-
fangen und zur Reorganisierung der Truppe bestimmten Gebiet hat jeder so lange zu bleiben, bis er entweder genesen oder
zugrunde gegangen ist. Mit härtester Hand, wenn nötig auch
durch Erschießung an Ort und Stelle, muß die Ordnung und eiserne Disziplin wiederhergestellt werden, wobei es keine Ausnahme gibt, ob Offizier oder einfacher Soldat. Wer meinem Befehl nicht gehorcht, ist nicht wert, sein elendes Leben weiterzu-
fristen, und ich werde es nicht dulden, daß jemand unsere
Schande noch vergrößert ... Unser Frontabschnitt wurde durch

deutsche Truppen übernommen, die jede Bewunderung verdienen. Wir verdienen sie nicht und werden mit ihr so lange nicht rechnen können, bis wir nicht wieder eine zum Kampf voll einsatzfähige Truppe werden ...[149]«

Im Spiegel neuerer Fakten dämmerte es Jány allmählich, daß es von seiner Seite ein Unrecht war, die Schuld des jähen Zusammenbruchs der Don-Verteidigung auf die einfachen Honvéd überzuwälzen. In einem zweiten Tagesbefehl vom 4. April 1944 korrigierte er sich und ließ seine vorangegangene Order für ungültig erklären. Aber auch seine Vorstellungen bei den Deutschen, namentlich bei dem inzwischen zum Generalfeldmarschall avancierten v. Weichs und dessen Stabschef, General Sodenstern, bei denen Jány gegen die schlechte Behandlung ungarischer Armeeangehöriger durch deutsche Truppen im Januar 1943 protestierte, konnten seinen Fehlentscheid nicht wiedergutmachen. In den Augen seiner Landsleute hatte der ungarische Oberbefehlshaber jedes Recht auf eine weitere Verwendung als Truppenführer verloren[150]!

Die Reste der 2. ungarischen Armee, etwa 60 000 Mann, wurden in den folgenden Monaten teilweise nach Ungarn zurückgebracht, teilweise als Sicherungsdivisionen in die Ukraine verlegt. Alle kriegsgerichtlichen Verfahren, die Jány im Januar und teilweise Februar noch anordnete, wurden »von höheren Stellen« eingestellt. Lediglich gegen den glücklosen Oberbefehlshaber der 2. Armee beabsichtigte man in Budapest vorzugehen. Als aber Hitler – mit Unwillen – Jány am 31. März 1943 mit dem Ritterkreuz des Eisernen Kreuzes auszeichnete, nahm man in Budapest aus politischen Gründen von einer Untersuchung Abstand. Generaloberst Jány kehrte am 1. Mai 1943 mit dem letzten Truppentransport der 2. Armee aus Rußland zurück. Er wurde zwar feierlich empfangen, aber ein neues Kommando erhielt er nicht.

Die Odyssee des Alpini-Korps

Mitte Januar 1943 wurde im deutschen Hauptquartier der Entschluß gefaßt, die Reste der 8. italienischen Armee von der vordersten Front abzuziehen und in den Raum südlich von Charkow zu verlegen. Sie wurden – vom Alpini-Korps abgesehen – der Heeresgruppe Don unterstellt. Da es an Transportmöglichkeiten mangelte, sollte die Rückführung teils zu Fuß, teils per Bahn erfolgen. Von der einstigen über 220 000 Mann starken italienischen Armee am Don erfaßte man – außer den Alpini – bis zum 20. Januar 1943 nur noch 39 975 Offiziere und Mannschaften[151]. Ab 1. Februar 1943 wurde der Frontabschnitt, der bisher der 8. italienischen Armee zugeteilt gewesen war, offiziell von der deutschen »Armeeabteilung Lanz« übernommen[152]. Die ARMIR, die 8. italienische Armee, existierte damit als Kampftruppe nicht mehr.

Indessen ging der Rückzug des Alpini-Korps weiter. Es hatte mit denselben Schwierigkeiten und Problemen zu kämpfen wie alle anderen verbündeten Truppen, die von der Roten Armee gezwungen wurden, sich vom Don zurückzuziehen. Nach anfänglich gutem Vorankommen stockte der Rückzug plötzlich. Bei Podgornoje gelang es den Alpini nicht, den Einschließungsring des gegnerischen 12. Panzerkorps zu durchbrechen. Mit den Resten des 24. deutschen Panzerkorps zusammen saßen etwa 50 000 Soldaten in einem großen Kessel[153].

Das Korps wurde nun dem praktisch nicht mehr bestehenden deutschen Generalkommando 24 unterstellt. In der Nacht vom 18. auf den 19. Januar begann der Durchbruchsversuch der Eingeschlossenen, die sich in zwei große Kampfgruppen geteilt hatten. Die Sowjets, die bereits mit der Kapitulation der Deutschen und Italiener gerechnet hatten, wurden überrascht. Mit Unterstützung der vier übriggebliebenen deutschen Sturmgeschütze gelang es den Eingeschlossenen, den Weg nach Westen freizukämpfen. Nun versuchten die beiden deutsch-italienischen Formationen die eigene Linie zu erreichen, die damals schon bei Alexejewka lag. Das Kriegsglück wechselte aber rasch. Die »Divisionsgruppe Jahn« geriet am 20. Januar in einen sowjetischen Hinterhalt und wurde beinahe völlig aufgerieben. Ihr Kommandeur, General Jahn, erschoß sich, um nicht in die Hände der Russen zu fallen. Die Reste seiner Truppe schlossen sich der »Gruppe Tridentina« an, die als letzte ihre Stellung am Don räumte. Beim Dorf Skororyb fand ein ungarisches Infanterieregiment Anschluß an die Rückzügler. Später kamen noch weitere 2000 Honvéds dazu, die bereits in russischer Gefangenschaft gewesen und entwaffnet und ohne Begleitung nach Südosten in Marsch gesetzt worden waren. Sie waren dann tagelang in der Schneewüste herumgeirrt und waren jetzt glücklich, auf »eigene« Truppen gestoßen zu sein.

Am Abend des 20. Januar erreichten Vorabteilungen des Alpini-Korps den Fluß Olchowotka. Auf dem gegenüberliegenden Ufer fuhren sowjetische Panzer auf. Unterstützt durch die deutschen Sturmgeschütze griff die Division »Tridentina« an und kämpfte den gegnerischen Widerstand nieder. Sogar Nowo Charkowa auf der anderen Seite des Flusses konnte genommen werden. Aber die Sowjets formierten sich zu einem Gegenangriff, der die etwa zehn Kilometer lange Marschkolonne zum Stillstand brachte. Kurz nach Mitternacht entschloß sich der Kommandierende General des 24. Panzerkorps, Generalleutnant Karl Eibl, den Angriff auf den Flußübergang erneut zu versuchen. Gefolgt von einem Wagen mit der Funkstelle des Generalkommandos, fuhr er mit seiner Zugmaschine an der Marschkolonne entlang und feuerte, auf dem Kühler sitzend, die italienischen Soldaten mit »Avanti«-Rufe an. Plötzlich explodierte am Wagen eine aus einer italienischen Marschgruppe geworfene Handgranate und verletzte den deutschen General so schwer, daß er noch am selben Morgen starb[154]. Als dienstältester General hätte nun der deutsche Verbindungsoffizier zum Alpini-Korps, Generalleutnant Ernst Schlemmer, die Führung übernehmen sollen, der jedoch am Ende seiner Kraft war. So entschloß sich der bisherige Stabschef des Panzerkorps, Generalstabsoberst Otto Heidkämper, die Führung zu übernehmen[155].

Nach Heidkämpers späteren Aussagen spitzte sich in dieser Zeit das Verhältnis zwischen Deutschen und Italienern derart zu, daß er es für ratsam hielt, keinerlei Untersuchungen des Falles Eibl zuzulassen. Er befahl sogar seiner Umgebung, die Angelegenheit (zu der noch andere, offene Sabotageaktionen kamen) zu verheimlichen[156]. Kälte und Schneestürme beeinträchtigten in der Folgezeit den Rückzug außerordentlich. Die Sowjets, die die Kapitulation dieses zehntausend Mann starken Verbandes von deutschen und italienischen bzw. ungarischen Soldaten erwarteten, stellten sich wieder und wieder zum Kampf. Die Division »Tridentina« hatte am 22. Januar bei Scheljakino harte Kämpfe zu bestehen, und es gelang ihr auch, für sich und die Nachfolgenden den Weg nach Ladimirowka zu öffnen. Das war nicht zuletzt das Verdienst des Divisionskommandeurs, General Luigi Reverberi, der, auf einem deutschen Sturmgeschütz sitzend, die Kolonne anführte, während Oberst Heidkämper die Nachhut befehligte.

Am 23. Januar ging der Marsch in Richtung Nikolajewka weiter. Jetzt griffen auch sowjetische Partisanen in die Kämpfe ein, die ihre Aktionen aber vor allem gegen die Deutschen richteten. Die Italiener wurden geschont. So kam es vor, daß italienische Nachzügler, die in einem Bauernhaus etwas zu essen und sich aufwärmen wollten, von Partisanen erwartet wurden, die ihnen aber nichts antaten. Unteroffizier Rigoni-Stern berichtet in seinen Erinnerungen: »... die russischen Soldaten sahen mich hinausgehen und rührten sich nicht von der Stelle. Im Vorraum des Bauernhauses standen Bienenkörbe. Die Frau, die mir die Suppe gegeben hatte, war mit mir gekommen ... Ich bat sie mit Gesten, mir eine Wabe für meine Kameraden zu geben. Die Frau gab mir die Wabe, und ich ging hinaus ... Niemand verfolgte mich[157]«.

Am 26. Januar stockte der Vormarsch. Im Raum Nokitowka zogen die Russen Truppen zusammen, um eine Sperre gegen Westen zu errichten. Wieder fiel der »Tridentina« die Aufgabe zu, dieses Hindernis zu überwinden. Den ganzen Nachmittag wurde gekämpft. Die Italiener brachen zwar durch, mußten den

Erfolg jedoch mit 280 Toten, darunter 40 Offiziere und Unteroffiziere, bezahlen. Auch der Chef des Stabes des Alpini-Korps, General Martinat, befand sich unter den Gefallenen. Inzwischen versuchte das Oberkommando der Heeresgruppe B, mit dem Alpini-Korps Kontakt aufzunehmen. Deutsche Flugzeuge erschienen und warfen mit Fallschirmen Nachschubgüter ab. Am 27. Januar flog der 1. Ordonanzoffizier des Ia (1. Generalstabsoffizier) der Heeresgruppe B, Oberstleutnant Maisch, mit einem »Fieseler Storch« in den Kessel, um eine Botschaft v. Weichs' persönlich zu überbringen. Dabei suchte er die rangältesten Generäle auf: »Schlemmer und Nasci sitzen apathisch in einer alten italienischen Funkstelle. Sie scheinen mit dem Leben abgeschlossen zu haben. Es ist keine Kraft mehr in ihren Gesichtern ... ›Was wollen Sie noch? Es ist zu Ende. Wir haben verspielt ...! Wir kommen aus dieser Misere nicht mehr heraus!‹ – ›Immerhin wollen wir es versuchen‹ (antworte ich), ›Herr General erhalten Befehl, noch heute in allgemeiner Richtung Nordwest auf Nikojewka durchzubrechen, das Generalkommando Cramer erhält jetzt Befehl, diesen Stoß von Nowij Oskol aus mit allen verfügbaren Kräften zu unterstützen!‹ Schlemmer steht auf, schaut mich an, lacht schallend, fast gellend: ›Ihr Narren ...! Aus, Schluß ist es. Wahnwitz ist alles!‹ Ich lege die Hand an die Mütze ...[158]«

Auch am 28. und 29. Januar gelang der deutsch-italienisch-ungarischen Großkampfgruppe nicht der entscheidende Durchbruch. Erst am folgenden Tag, nachdem die Marschroute gezwungenermaßen öfters gewechselt worden war, gelang es im Raum Bolsche Troizkoje, auf die eigene Auffanglinie zu stoßen. Verpflegungs- und Sanitätskolonnen warteten hier schon auf die Ankömmlinge, die dann rasch nach Schebekino verlegt wurden.

Die Reste des Alpini-Korps blieben hier drei Tage. Sie konnten sich nach einem 350-Kilometer-Marsch und 13 Gefechten einigermaßen erholen. Während dieser Ruhepause wurden 7571 Verwundete und Soldaten mit Erfrierungen nach Charkow ausgeflogen. Die Division »Tridentina« zählte zu dieser

Zeit noch 6500 Mann, »Julia« 3300 Soldaten und bei der Division »Cuneense« überlebten lediglich 1600 Mann den Rückzug. Die schlimmsten Verluste beklagte die Division »Vicenza«, von ihr blieben nur 1300 Mann übrig. Neben 880 Mann Korpstruppen und Korpsversorgungstruppen gelang noch etwa 8–9000 Deutschen und 6–7000 Ungarn der Ausbruch aus dem sowjetischen Einschließungsring[159]. In den nächsten Tagen und noch nach einer Woche trafen Nachzügler ein, denen es gelungen war, durch die gegnerischen Linien den Weg nach Westen zu finden. Unter den vielen Tausend Gefangenen des Alpini-Korps, die zur selben Zeit über den Don in Richtung Osten abtransportiert wurden, befanden sich die Generäle Pascolini, Battisti und Ricagno – die Kommandeure der Divisionen »Vicenza«, »Cuneense« und »Julia«.

Das Ende in Stalingrad

Als die Rote Armee am 22. November 1942 um Stalingrad die 6. deutsche Armee und Teile der 4. deutschen Panzerarmee eingeschlossen hatte, befanden sich unter den abgeschnittenen 22 Divisionen auch zwei rumänische Verbände: die 20. Infanteriedivision von der 4. und die 1. Kavalleriedivision von der 3. rumänischen Armee.

Beide Verbände waren von der Novemberoffensive der Roten Armee getroffen und stark dezimiert worden. Insbesondere bei der Kavalleriedivision traten schon Ende November Schwierigkeiten auf. Ihr Kommandeur, General Bratescu, geriet außerhalb des Kessels in Gefangenschaft. Oberst Maltopol vom Artillerieregiment übernahm darauf die Führung der Division, die in dieser Zeit nicht mehr als etwa 5000 Mann zählte. Da die Trosse bzw. Versorgungsbasen der Division außerhalb des Einschließungsrings zurückgelassen worden waren, wurden die Rumänen schon bald vom Hungertod bedroht. Einzeln oder in kleineren Gruppen zogen nun verwahrloste rumänische Kavalleristen im Gebiet Gontschara herum. Hier befanden sich besonders viele deutsche Stäbe und Magazine der rückwärtigen Dienste. Der deutsche Offizier Fritz Wöss:»… die armen Teufel mit ihren hohen Hirtenpelzmützen, die von Hunger getrieben bettelnd herumstrichen und auch mitgehen ließen, was sie erwischen konnten, wurden diebisches Zigeunergesindel genannt und verjagt …[160]«

Ein anderer Zeuge:»Wir unterhielten uns noch, als die Tür aufgeht. Zwei Rumänen treten ein. Völlig zerrissene Mäntel hängen lose über Haut und Knochen. Einer hat einen frischen Kopfverband, der andere nimmt die Lammfellmütze in die Hand, so daß ihm das schwarze Haar in die blasse Stirn fällt. Sie sehen sich im Kreise um, stellen sich auf wie zwei Berliner Hinterhofsänger und stimmen ein schwermütiges Volkslied an. Unsicher und mit letzter Kraft schrien sie es in den kleinen Raum. Sehnsucht und Bitte, Glaube und Hoffnung zittern in den tiefen Tönen, und obwohl wir kein Wort verstehen, hören wir den Schmerz der Ferne heraus, die Liebe zur Heimat, den Traum von Glück … So eigenartig es klingen mag: ich habe Mitleid mit den armen Kerlen, die uns das Ständchen bringen. Wenige Stunden vorher habe ich ihre Kompanie gesehen und mir vor allem Gedanken über den Einsatz gemacht. Jetzt heben mich diese beiden irgendwie aus den Angeln, obwohl ich doch an den verschiedenen Fronten genug Elend gesehen habe … Die Rumänen essen … Die übriggebliebenen Brotstücke der letzten Tage werden ihnen vorgesetzt, ein paar Wurstscheiben und etwas Marmelade[161].«

Wegen der laufenden Beschwerden mußte sich das Armeeoberkommando 6 Mitte Dezember 1942 dazu entschließen, die Betreuung der Rumänen zu übernehmen. Paulus brauchte ohnehin dringend neue Soldaten. Gerade zu dieser Zeit wurde bestimmt, aus zerschlagenen Divisionen und Angehörigen der rückwärtigen Dienste sogenannte Festungsbataillone aufzustellen, um sie dann als Infanterie einzusetzen[162]. Auch die Rumänen der 1. Kavalleriedivision wurden dazu herangezogen. Obwohl der deutschen Führung bekannt war, daß Marschall Antonescu die Aufteilung der rumänischen Einheiten unter deutschen Truppen nur in Mindeststärke von Bataillonen gestattete und auch dann ihrem Einsatz nur unter der Führung der eigenen Offiziere zustimmte, setzte man sich im Stalingrader Kessel stillschweigend über diese Bestimmung hinweg. Es herrschte die Auffassung, daß die Rumänen unter deutscher Führung eher kämpfen würden, wenn sie die gleichen Verpflegungssätze wie die Wehrmachtsangehörigen erhielten[163]. So wurden am 26. Dezember die Reste der rumänischen Kavalleriedivision als selbständiger Verband aufgelöst und auf die Züge und Kompanien verschiedener deutscher Divisionen im Kessel verteilt.

Lediglich Tausende edler Reitpferde, an denen die Rumänen sehr hingen, blieben zurück. Oberst Maltopol gegenüber hatte man das Versprechen abgegeben, diese Tiere – oder wenigstens einige Hundert von ihnen – nicht zu schlachten, sondern sie als Zugpferde weiterzuverwenden, doch hielt man sich nicht an diese Zusage. Der Quartiermeister der 6. Armee, Hauptmann i. G. Toepke, gab Ende Dezember 4000 Pferde zur Schlachtung frei[164]. Ihr Fleisch und ihre Knochen ermöglichten wenigstens vorübergehend, die Verpflegung etwas zu verbessern. Dennoch mußte am 15. Dezember die Brotration auf 100 g herabgesetzt werden. Den Soldaten im Stalingrader Kessel standen also zwei Schnitten Brot am Tage, eine dünne Pferdefleischsuppe und einige Tassen heißen Kräutertees oder Malzkaffees zu.

Die noch etwa 5000 Mann starke 20. Infanteriedivision von General Nicolae Tataranu wurde als Verband bis zuletzt aufrechterhalten. Sie kämpfte am Südteil des Kessels an vorderster Front, dem 4. deutschen Armeekorps unterstellt. Als General Tataranu am 25. Dezember 1942 das Ritterkreuz zum Eisernen Kreuz erhielt, übertrug man jedoch ihm die Befehlsgewalt über alle rumänischen Einheiten im Kessel. Der General blieb kritisch gegen das für ihn unverständliche Ausharren von Paulus in Stalingrad. Die anfänglich gute Zusammenarbeit mit dem Armeeoberkommando 6 verschlechterte sich schnell. Am 18. Januar 1943 verließ Tataranu Stalingrad. Mit einem deutschen Transportflugzeug flog er »zur Berichterstattung« nach

Rostow und weigerte sich dann, in den Kessel zurückzukehren. (Im Militärlazarett in Stalino ließ er sich operieren ...[165]) Die Führung der Division übernahm Oberst Dimitriu, der Ende Januar 1943 von Marschall Antonescu zum Generalmajor befördert wurde.

Das Ende kam rasch. Am 24. Januar 1943 kämpften sich die an der Westfront eingesetzten Truppen aus dem Raum Gorodistsche nach Osten zurück. Im Südteil von Stalingrad harrten die Reste der Einheiten des 4. Armeekorps bzw. des 14. Panzerkorps noch aus; unter ihnen befanden sich die Soldaten der 20. rumänischen Infanteriedivision, etwa 3000 Mann, die »bis zuletzt« die ihnen gestellte Aufgabe erfüllten. Am 31. Januar 1943 kapitulierten die restlichen Truppen im Südkessel von Stalingrad. Ein rumänischer General, einige Dutzend Offiziere und etwa 2- bis 3000 Rumänen traten den Weg in die Gefangenschaft an.

Mit den rumänischen Einheiten ging in der Wolgastadt auch das »verstärkte kroatische Infanterie-Regiment 369« unter.

Die Kroaten befanden sich seit Ende September 1942 in Stalingrad. Sie kämpften in Stalingrad-Mitte bei der Fabrik »Roter Oktober« und sollten danach zusammen mit deutschen Truppen die fast zur Festung ausgebaute Höhe 102, die Mamaev Kurgan, erobern. Dieser Hügel erlaubte einen Überblick über die ganze Stadt einschließlich des Hafens und der großen Industriewerke im Norden (»Roter Oktober«, »Barrikady« und das Traktorenwerk). Von tiefen Balkas durchschnitten, erstreckte sich das Gewirr von Häusern, Straßen und Plätzen über 60 Kilometer, das breite Band der Wolga im Hintergrund. Die Höhe 102 war also ein strategisch wichtiger Punkt und wurde von den Russen besonders zäh verteidigt. Der mehrmals wiederholte Angriff scheiterte, und trotz verlustreicher Versuche der Kroaten war es bis Mitte Oktober lediglich möglich, die Hälfte des Hügels wieder zu besetzen[166]. Ende des Monats und Anfang November hatten die Kroaten starke Ausfälle. Mitte Dezember verfügten sie nur noch über ein kampfstarkes Bataillon. Erstaunlicherweise blieb die Versorgung der Kroaten beinahe bis zum letzten Tag zufriedenstellend. Das Regiment kam noch im September nach Stalingrad, hatte einen eigenen Troß und wurden von kroatischen Fliegern aus der Luft verpflegt. Deutsche Soldaten, welche die Kroaten noch in Stalingrad trafen, berichten einstimmig von der den Umständen entsprechend »sauberen und militärischen Haltung der Kroaten«. Auch das Armeeoberkommando 6 war mit der Leistung der Kroaten zufrieden, und der Generalstabschef, Generalleutnant Arthur Schmidt, berichtete 1971 dem Autor: »... sie haben sich im Rahmen und in Vergleich zu ihren deutschen Kameraden gut geschlagen und bis zuletzt brav ihre Pflicht getan ...«

Anfang Januar 1943 mußten die Kroaten ihre ursprüngliche Stellung bei der Fabrik »Roter Oktober« aufgeben. Als das sowjetische Ultimatum an Generaloberst Paulus am 8. Januar von den Deutschen abschlägig beantwortet worden war, ging die Rote Armee um Stalingrad zu einer Großoffensive über. Auch die Kroaten wurden dabei angegriffen. Sie mußten zeitweise ihre neuen Stellungen hinter dem strategisch wichtigen Bahndamm räumen, doch gelang es ihnen immer wieder, diese innerhalb von 24 Stunden zurückzuerobern, wobei sie schwere Verluste hinnehmen mußten. Zu dieser Zeit fiel auch der deutsche Verbindungsoffizier beim Regimentsstab, Oberleutnant Kuhlwain, im Nahkampf. Das kroatische Bataillon bestand Mitte Januar 1943 nur noch als Kampfgruppe. Auch die Führung wechselte. Oberst Pavičić, der den Abtransport der Verwundeten aus dem Kessel organisierte und deswegen Anfang Januar mit einem Flugzeug Stalingrad verließ, erreichte sein Ziel, Millerowo, nicht mehr. Seine Maschine wurde zwischen Don und Donez abgeschossen oder stürzte ab.

Die kroatische Kampfgruppe wurde nun von Oberstleutnant Marko Mesić übernommen. Bis der Flugplatz Gumrak funktionsfähig war, sorgte man dafür, daß die Verwundeten und Erfrorenen den Kessel auf dem Luftweg verlassen konnten. (Während der dreimonatigen Belagerungszeit Stalingrads konnten etwa 1000 Kroaten ausgeflogen werden.) Als Generalfeldmarschall Paulus am 31. Januar 1943 im Warenhaus »Unimag« am Roten Platz kapitulierte, streckten auch die restlichen Kroaten die Waffen. Mit Oberstleutnant Mesić an der Spitze zogen etwa 8–900 Soldaten des einstigen »verstärkten kroatischen Infanterie-Regiments 369« in sowjetische Gefangenschaft[167].

Mit der deutschen 6. Armee ging – neben Rumänen und Kroaten – auch eine kleine Gruppe italienischer Soldaten unter. Diese kamen als Vorhut einer italienischen Wetter- und Meßstation noch im Spätsommer 1942 nach Stalingrad und wurden dann im November mit ihren Verbündeten eingekesselt. Es handelte sich hier um etwa 30 Soldaten unter Führung eines Leutnants, deren Schicksal später nicht mehr verfolgt werden konnte. Sie wurden weder gefangengenommen noch ausgeflogen. So teilten sie das Los vieler Zehntausender der Eingekesselten, die ihr Leben im Bombenhagel, durch die Witterung oder durch Krankheiten bzw. Hungertod verloren.

Nicht einmal ihre Namen blieben der Nachwelt bekannt…

VII. Die große Ernüchterung

Die Tragödie von Stalingrad beendete auch Hitlers Kaukasusplan. Am 1. Januar 1943 begann der Rückzug der 1. Panzerarmee vom Terek, nachdem es dem neuen Chef des Generalstabes des Heeres, General der Infanterie Kurt Zeitzler, gelungen war, drei Tage vorher Hitler dazu zu bewegen, zusammen mit der Heeresgruppe Don auch die Heeresgruppe A vom Kaukasus zurückzunehmen. In rascher Folge, bedrängt von der auch an dieser Front zum Gegenangriff angetretenen Roten Armee, gaben die stark dezimierten deutschen und rumänischen Truppen ihre bisherigen Stellungen im Hochkaukasus auf. Doch anstatt diese Kräfte so schnell wie möglich auf den einzigen und auch bereits bedrohten Donübergang bei Rostow zurückzuführen, bestand Hitler darauf, sie »schrittweise« auf eine auf halbem Weg liegende Linie zurückzunehmen, um so freie Hand für ihre spätere Verwendung zu behalten. Hitler glaubte immer noch, im Frühling 1943 Maikop wieder erobern und erneut nach Baku vorstoßen zu können.

Durch den Zusammenbruch der Heeresgruppe B wurde die Front auf einer Breite von 350 Kilometern unterbrochen. Um diese Lücke zu schließen, benötigte man dringend die Kräfte der Heeresgruppe A. Doch erst am 27. Januar 1943 gestattete Hitler, das Panzerarmeeoberkommando (Panzer AOK 1) mit vier Divisionen, darunter eine Panzerdivision, der Heeresgruppe Don zuzuführen. Währenddessen wurde das Gros der Heeresgruppe A zum sogenannten Kuban-Brückenkopf »abgedreht«, wo deshalb beinahe 400 000 Mann weitab von den kommenden Ereignissen praktisch ausgeschaltet blieben[1].

Ende Januar 1943 stand die deutsche Wehrmacht etwa 400 Kilometer von der Wolga entfernt. Beinahe alles, was Hit-

lers Truppen in der Sommeroffensive von 1942 erobert hatten,
mußte aufgegeben werden. Die Front in Südrußland verlief am
22. Februar 1943 dem Fluß Mius (am 14. Februar waren Rostow und Woroschilowgrad aufgegeben worden) und dem Donez entlang bis zur Ortschaft Lissitschansk.

Die so entstandene Lage erforderte eine Neuregelung der
Befehlsführung im Südteil der Ostfront. Die Stäbe der Heeres-
gruppe B und der 8. italienischen Armee wurden am 9. Fe-
bruar 1943 von der Front abgezogen und aufgelöst. Obwohl
Freiherr v. Weichs am 1. Februar 1943 wegen Erreichens des
Rangdienstalters zum Generalfeldmarschall ernannt wurde,
gab man ihm an der Ostfront kein neues Kommando. Er wurde
Oberbefehlshaber der Heeresgruppe F auf dem Balkan. An die
Stelle der italienischen Armee trat die bisher vom General der
Panzertruppen Werner Kempf geführte Armeeabteilung, die
später in 8. deutsche Armee umbenannt wurde. Die Heeresgruppe Don erhielt die neue Bezeichnung Heeresgruppe Süd;
ihr wurden alle von Taganrog am Asowschen Meer bis zum
Südflügel der 2. deutschen Armee eingesetzten Verbände unterstellt. Oberbefehlshaber der Heeresgruppe Süd blieb Generalfeldmarschall v. Manstein, während man an die Spitze der
2. deutschen Armee den General der Infanterie Walter Weiss
stellte, doch wurde seine Armee der Heeresgruppe Mitte angeschlossen.

In diesem Rahmen spielte sich nun in den folgenden Monaten die weitere Entwicklung der Beziehungen Deutschlands zu
seinen Verbündeten ab.

Die Entlassenen ...

In Rom beurteilte man um die Jahreswende 1942/43 die militärische Lage an der Ostfront sehr ernst. Außenminister Ciano
hatte am 18. Dezember 1942 Hitler im Hauptquartier »Wolfsschanze« aufgesucht und mit ihm im Schatten der Katastrophe
der 8. italienischen Armee über die Zukunft der Waffenbru-

derschaft gesprochen, ohne dabei die Ansichten Mussolinis durchsetzen zu können. Der Duce sah die Ereignisse im Osten sehr nüchtern. Bereits am 6. November 1942 hatte er dem deutschen General beim Oberkommando der italienischen Wehrmacht, General v. Rintelen, gesagt: »Ihnen persönlich möchte ich meine Auffassung mitteilen, daß wir möglichst bald zu einem Sonderfrieden mit Rußland kommen ... müssen[2]!« Auch im Dezember 1942 hatte sich Mussolini eingehend mit der Frage eines Sonderfriedens im Osten befaßt und war bereit gewesen, den Russen einen »zweiten Brest-Litowsk-Frieden« zuzugestehen (mit territorialen Zugeständnissen in Mittelasien). Nach der allgemeinen militärischen Niederlage im Januar 1943 (Stalingrad, der Verlust von Tripolis, Rommels Rückzug auf die Mareth-Linie in Afrika) kam er zum Entschluß, wichtige Staatsämter neu zu besetzen. So mußte der italienische Generalstabschef Cavallero gehen, einige Wochen später auch Graf Ciano.

Am 25. Januar 1943 trafen von der Ostfront neue Hiobsbotschaften in Rom ein: »Die 8. Armee in Rußland«, meldete der Verbindungsmann des italienischen Außenministeriums beim Oberkommando, »ist bei den jüngsten Kämpfen praktisch aufgerieben worden. Grob gesagt kann man damit rechnen, daß 50 Prozent der Truppen zu retten sind, aber Material und Vorräte sind zum größten Teil verloren. Von deutscher Seite ist unserem Kommando vorgeschlagen worden, die restlichen Elemente zur Neuaufstellung den langen Weg – 800 Kilometer zu Fuß – zurückzuschicken, während die noch kampffähigen Einheiten unter deutschem Kommando an der Front bleiben sollen. Die Frage wird mit den Deutschen erörtert werden[3].«

Mussolini gab sich aber mit einem Abzug der italienischen Truppen aus der Ostfront nicht ohne weiteres zufrieden. Trotz des Widerwillens des Königs vertrat er die Meinung, daß wenigstens ein Armeekorps weiterhin in Rußland bleiben solle[4]. In einem Brief an Hitler vom 8. März 1943, in dem die Ostfrontfrage nur beiläufig erwähnt wurde, schrieb Mussolini: »Es ist entschieden worden, daß unser 2. Armeekorps in Rußland bleiben soll. Wichtig ist jedoch, klarzumachen, daß unsere Teilnahme aktiv sein muß und unsere Truppen auf einem Ehrenplatz, nämlich an der Front, eingesetzt werden müssen. Andere Aufgaben, wie etwa Sicherung des Hinterlandes, sind mit unserem militärischen Prestige nicht vereinbar[5]!« Außerdem forderte er, daß die italienischen Truppen von den Deutschen mit modernen Waffen ausgerüstet werden sollten, damit sich eine zweite Katastrophe wie am Don nicht wiederhole.

Hitler hatte jedoch kein Interesse an weiteren italienischen Militärkontigenten im Osten. Während einer Lagebesprechung zwischen dem 12. und 15. März 1943 in der »Wolfsschanze« meinte er: »Es hat gar keinen Sinn. Wir geben die Waffen hinein, das ist doch nur wieder der gleiche Selbstbetrug … Wenn wir unsere 21 Divisionen herrichten wollen, brauchen wir sowieso unsere Waffen … Wir können doch nicht wieder 70 000 Mann (Italiener) ausrüsten … Ich werde auch dem Duce sagen: Es ist viel besser, er nimmt diese Verbände alle, um sie irgendwo ganz in Ordnung zu bringen … Im Kampf nach außen haben sie keinen Wert. Ich lasse mich nicht ein einziges Mal wieder täuschen …[6]« (Dr. Goebbels in seinem Tagebuch vom 9. März 1943: »Für die Ostfront eignen sie sich nicht, für Nordafrika eignen sie sich nicht, für den U-Boot-Krieg eignen sie sich nicht, sie eignen sich nicht einmal für die Heimatflak. Der Führer fragt mit Recht, warum sie denn überhaupt Krieg führen?«) Auch auf Alpini-Divisionen, die als Elitetruppen der italienischen Armee galten, wollte der Oberste Kriegsherr Deutschlands verzichten. (Er stimmte Jodls Bemerkung zu, man solle sie nach Tunis schicken, dort würden gute Gebirgstruppen benötigt.)

Die Auszeichnung von Generaloberst Gariboldi mit dem Ritterkreuz zum Eisernen Kreuz lehnte Hitler vorerst kategorisch ab. Gariboldi, der in Rom in Ehren empfangen und mit der Reorganisation seiner Armee auf heimatlichem Boden betraut worden war, erhielt die Auszeichnung erst im April 1943 – dank der wiederholten Intervention Ribbentrops, der dies aus Prestigegründen befürwortete.

Die Reste der 8. italienischen Armee wurden vorerst im Raum von Dnjepropetrowsk gesammelt, das die Soldaten zu Fuß erreichen mußten, dann wurden sie per Bahn über Kiew – Gomel – Minsk – Brest-Litowsk – Warschau – Wien nach Norditalien verlegt. Die letzten Truppentransporte trafen im Mai 1943 in der Heimat ein. Die Stimmung der Soldaten und Offiziere war alles andere als gut. Sie fühlten sich von den Deutschen verraten und betrogen. Überall schimpften sie offen auf ihre Bundesgenossen, so daß sich die Regierung vielerorts genötigt sah, die Heimkehrer politisch zu isolieren. Bald erfuhren auch die Deutschen davon. Der Chef der Sicherheitspolizei und des Sicherheitsdienstes, SS-Obergruppenführer Ernst Kaltenbrunner, richtete am 5. April 1943 einen Brief an das Auswärtige Amt, in dem er entrüstet und ausführlich über das Verhalten der Veteranen der 8. Armee berichtete.

Hier einige Auszüge: »Als am 4. März 1943 ein großer Truppentransport italienischer Soldaten von der Ostfront durch den Bahnhof Trient fuhr und sich eine große Menge von Italienern mit den Soldaten in ein Gespräch einließ, erzählten diese, daß beim Rückzug am Don zuerst die rumänischen und dann die deutschen Truppen geflohen seien, während man die Italiener allein zurückgelassen habe. Erst zum Schluß seien auch die Italiener geflohen … Diesem Gerücht folgte mehrfach ein noch stärkeres, daß die italienischen Soldaten, nachdem sie allein gelassen waren, sich ebenfalls zurückziehen wollten und hierbei versucht hätten, sich an die Transportfahrzeuge motorisierter deutscher Truppen anzuhängen. Sie seien dabei von den Deutschen heruntergeschlagen, heruntergeschossen worden oder man hätte ihnen die Hände mit Bajonetten abgeschlagen. Diese meist in Zügen, auf Bahnhöfen, Straßen und Plätzen verbreiteten Gerüchte zeitigten vielfach bei Italienern sehr gehässige Äußerungen gegen die Deutschen. Man nannte sie Gauner, Mörder und gab dem Wunsche Ausdruck, daß der Krieg von neuem beginnen möge, damit Italien an der Seite der Alliierten gegen die deutschen Barbaren kämpfen könne, welche die Kultur Europas schänden und zerstören …[7]« Der SS-

Obergruppenführer verlangte energische Schritte durch die deutsche Botschaft in Rom, da solche Erscheinungen dem deutsch-italienischen Bündnis sehr schaden könnten.

Und in der Tat: Als am 25. Juli 1943 Mussolinis Regime gestürzt wurde und es am 8. September zum offenen Bruch zwischen Italien und Deutschland kam, schlossen sich viele ehemalige Soldaten der ARMIR entweder den Partisanen oder dem »Italienischen Befreiungskorps« (Corpo Italiano di Liberazione) an[8]. Unter vielen ehemaligen Offizieren der 8. Armee sei hier nur der Name Giovanne Messe erwähnt. Dieser General, der Kommandierender General des ehemaligen Expeditionskorps, wurde nach seiner Rückkehr Oberbefehlshaber der 1. italienischen Armee in Tunesien. Im Mai 1943 kapitulierte seine Streitmacht vor den Alliierten. Messes Gefangenschaft dauerte nicht lange; im November desselben Jahres wurde er freigelassen, und Ministerpräsident Pietro Badoglio ernannte ihn im Range eines »Marschalls von Italien« zum Generalstabschef der königlichen Armee.[9]

Als die Reste der 6. deutschen Armee in Stalingrad kapitulierten, wurde in Deutschland Staatstrauer angeordnet. Eine Woche lang gedachte man der vernichteten Armee an der Wolga. Im Königreich Ungarn, das ebenfalls eine ganze Armee am Don verlor, geschah nichts Ähnliches. Ja, die Öffentlichkeit nahm die Nachricht sogar mit gewisser Erleichterung auf und hoffte, daß Ungarn nach diesem Opfer von weiteren Verpflichtungen an der Ostfront entbunden sei. Am 23. Februar 1943 gab Generaloberst Nagy im Ministerrat die Verluste der Armee mit rund 70 000 Mann an, machte kein Hehl aus der Nachlässigkeit und Überheblichkeit der Deutschen in bezug auf die Einschätzung der Roten Armee und stellte im Einklang mit den anderen Ministern fest, die ungarische militärische Führung sei nicht mehr gewillt, neue Truppen und Waffen an die Ostfront zu schicken[10]!

Im Ministerrat wurde auch das Verhalten einzelner deutscher Einheiten gegenüber ihren ungarischen Bundesgenossen offen besprochen. Beispiele wurden erwähnt, wie brutal einzelne Deutsche zu den Honvéd gewesen seien, daß man sie erniedrigte, beschimpfte und ungarische Verwundete von deutschen LKWs abgestoßen habe[11]. Die Regierung Kállay nahm dies alles zum Anlaß, um keine neuen Truppen mehr an die Ostfront verlegen zu müssen.

Berlin forcierte diese Frage vorerst nicht. Obwohl die deutsche militärische Führung es für richtig hielt, am 26. Februar 1943 durch sein AOK 2 ein »Merkblatt« über das Verhältnis zur königlichen ungarischen Armee herauszugeben, in dem man den »raschen Zusammenbruch« der Honvéd-Armee am Don mit verschiedenen Argumenten zu erklären versuchte, war man sich im OKH über die Untauglichkeit ungarischer Truppen an der Ostfront im klaren[12]. Hitler sagte sogar zu Generaloberst Szombathelyi bei dessen Besuch Anfang Februar 1943 im Führerhauptquartier, daß es besser gewesen wäre, wenn man die 2. ungarische Armee überhaupt nicht eingesetzt hätte. Sie habe offensichtlich mehr geschadet als genützt[13]. Auch Horthy gegenüber äußerte Hitler eine ähnliche Meinung, als ihn der Reichsverweser auf Einladung des Reichskanzlers im Schloß Klessheim bei Salzburg am 16. April 1943 besuchte. »Die ungarische Armee hat versagt, die Mannschaft lief ihren vielfach tapferen Offizieren weg, die Moral der Verbände ist sehr schlecht gewesen[14]!« Horthy versuchte seine Leute in Schutz zu nehmen: »Eine Armee, die 146 000 Tote und 32 000 Verwundete gehabt hat, hat sich jedenfalls nicht schandbar benommen. Zwei ungarische Regimenter haben zudem den Rückzug von deutschen Truppen gedeckt. Dazu kamen noch 36 000 Mann Totalverluste der jüdischen Arbeitsbataillone. Außerdem hat die ungarische Armee alle ihre Waffen verloren[15]!«

Da Hitler nicht gewillt war, Ungarns Armee neu zu bewaffnen, und an ihrem Einsatz an der Ostfront nicht sonderlich interessiert war, wurde diese Frage vorläufig nicht mehr erörtert. Man begnügte sich mit der Verstärkung der ungarischen Besatzungstruppen in Rußland, deren Zahl im Jahre 1943 auf neun leichte Infanteriedivisionen (etwa 121 000 Mann) anwuchs[16]. Diese Verbände hatten weiterhin kein schweres Kriegsgerät und waren im allgemeinen mit unzureichenden Waffen ausgerüstet[17].

Am 16. Mai 1943 übernahm Generaloberst Géza Lakatos den Befehl über die ungarischen Besatzungstruppen in Rußland. Seine zwei Armeekorps gliederten sich in eine östliche und in eine westliche Besatzungsstreitkraft. Ihr Einsatzgebiet aber wechselte schnell, da die Rote Armee im Sommer 1943 im Mittelabschnitt der Ostfront an vielen Orten zum Großangriff überging und immer neue Gebiete befreien konnte. Sorge der Ungarn war in erster Linie, Versuchen der deutschen Kriegsführung entgegenzutreten, bei besonders schwierigen Frontlagen auf die ungarischen Besatzungsdivisionen als »Schnellreserve« zurückzugreifen[18]. General Lakatos ersuchte deswegen seinen deutschen Vorgesetzten mehrfach, die ungarischen Verbände von den gefährdeten Gebieten zeitig nach Westen zurückzuführen. In der Regel versahen die Honvéd im Sommer und Herbst 1943 ihren Besatzungsdienst etwa 100 bis 150 Kilometer von der Hauptkampflinie entfernt.

Der Einsatz dieser Division konzentrierte sich auf die Sicherung von Bahnstrecken und anderen wichtigen Nachschubwegen. Ihre Aufgabe war keinesfalls leicht, da die vom Moskauer Partisanenoberkommando gelenkten und gut organisierten Partisanengruppen, die in der Mehrzahl die Unterstützung der einheimischen Bevölkerung genossen, den Besatzern große Schwierigkeiten machten. Man verzeichnete zum Beispiel allein im August 1943 12 717 Attentate auf die Heeresgruppe Mitte, bei denen 74 Lokomotiven, 214 Eisenbahnwagen vernichtet sowie 80 Lokomotiven und 625 Eisenbahnwagen zum Entgleisen gebracht wurden[19].

Obwohl die Russen weiterhin zugunsten der Honvéds Unterschiede zwischen deutschen und ungarischen Besatzungstruppen machten, mußten die Einheiten der Sicherungsdivisionen in vielen Fällen empfindliche Verluste hinnehmen. Das 7. Armeekorps wurde in der zweiten Hälfte von 1943 in das Gebiet der Pripjet-Sümpfe, das 8. Armeekorps in das Gebiet von Pinsk verlegt.

Ende August 1943 gelang den Russen im Bereich der 2. deutschen Armee im Raum von Sewsk ein entscheidender Durchbruch. Wie schon oft, fehlten auch jetzt Reserven. Das Oberkommando der Heeresgruppe Mitte befahl deswegen den sofortigen Einsatz der der Durchbruchstelle am nächsten befindlichen ungarischen Sicherungsdivision. Dieser Verband befand sich in jener Zeit auf dem Rückmarsch. Die Ungarn lehnten das deutsche Begehren ab. Als aber Generalfeldmarschall v. Kluge über Berlin in Budapest intervenierte, fügte sich der ungarische Generalstab. Am 4. September ordnete er den Fronteinsatz der 1. ungarischen Sicherungsdivision an – unter der Voraussetzung, daß sie *vor* ihrem Eingreifen Artillerie bzw. Pak in genügender Zahl erhalte. Auch dann dürfe die Division lediglich einige Tage im Kampf eingesetzt werden und keineswegs im Brennpunkt der Front[20]! Die Deutschen willigten ein, und die Division bezog darauf ihre Abwehrstellung am Ufer der Djesna. Eine Verstärkung für den Verband konnte jedoch nicht mehr bereitgestellt werden; in den kommenden Tagen und Wochen wurde die ungarische Division in die sowjetischen Angriffe einbezogen. Sie erlitt schwere Verluste und wurde in der Folge beinahe völlig aufgerieben[21].

Am 24. September räumten die Deutschen Smolensk; auch Kiew mußte in diesen Tagen aufgegeben werden. Der Rückzug der Heeresgruppe Mitte schien kein Ende zu nehmen.

In der königlichen Burg zu Buda erkannten die Verantwortlichen des Landes seit Stalingrad immer klarer, daß Hitlers Krieg verloren war. Ministerpräsident Kállay setzte deshalb seine Tätigkeit im Sinne seines ursprünglichen Auftrages im Jahre 1943 mit neuen Kräften fort.

Ohne daß man Hitler herauszufordern gedachte, wurden Schritte unternommen, um Ungarns direkte Kriegsbeteiligung auf ein Minimum zu beschränken. Obwohl Berlin versprach, ungarische Divisionen, die man nach Serbien zum Besatzungsdienst schicken wollte, mit modernen deutschen Waffen auszurüsten, wurde dieses Begehren sowohl vom Verteidigungsminister v. Nagy, als auch vom Budapester Ministerrat höflich, aber entschieden zurückgewiesen[22]. Auch das Gesuch der deutschen Luftwaffe, in Ungarn einen eigenen Flugplatz zur Verfügung zu stellen, wurde abschlägig beantwortet. Im April 1943 verbot der ungarische Generalstab seinen Offizieren, die im besetzten Frankreich ihre Fliegerausbildung erhielten, gegen anglo-amerikanische Flugzeuge zu kämpfen. »Diese Flieger dürfen nur gegen die Sowjetunion eingesetzt werden!« erklärte General János Vörös dem deutschen Luftwaffenattaché in Budapest[23]. Im Herbst 1943 versuchten die Ungarn drei Sicherungsdivisionen aus der Ukraine abzuziehen, was aber von den zuständigen deutschen Stellen sofort verhindert wurde.

Alle diese Maßnahmen blieben Hitler nicht verborgen. Er besaß im Herbst 1943 durch seinen Sicherheitsdienst schon genügend Informationen, die bewiesen, daß Ungarn sich um den Abschluß eines Sonderfriedens mit den Gegnern bemühte. Solche Verhandlungen waren tatsächlich im Gange. Kállay baute in erster Linie auf die Westalliierten. Er rechnete fest mit einer anglo-amerikanischen Balkaninvasion. Aber auch zu den Sowjets wurden nach Stalingrad bzw. nach dem Desaster am Don Verbindungen über die Schweiz geknüpft, die schließlich mit Moskaus Ablehnung endeten[24]. Die geheimen Verhandlungen der Kállay-Regierung mit den Westmächten waren dagegen ergiebiger; eine am 9. September 1943 in der Türkei abgeschlossene Übereinkunft besagte, Ungarn würde kapitulieren, wenn britische oder amerikanische Truppen die Grenzen des Königreiches erreichten[25]. Für dieses Zugeständnis verzichtete die westliche Allianz auf eine Bombardierung von ungarischen Gebieten; dadurch blieb das Land bis zum Frühjahr 1944 vom Bombenkrieg verschont.

Noch vor der großen Panzerschlacht von Kursk (Juli 1943) und vor Beginn der anglo-amerikanischen Invasion in Sizilien versuchte Ministerpräsident Kállay, in der rumänischen bürgerlichen Opposition Verbündete gegen Hitler zu gewinnen. Das Treffen des Grafen Miklós Bánffy mit Julius Maniu in Bukarest vom 18. Juni zeitigte jedoch kein Ergebnis. Die Frage der Zugehörigkeit Siebenbürgens nach dem Krieg schloß jede Annäherung der beiden Nachbarländer von vornherein aus.

Im ungarischen Generalstab sah man die Lage indessen differenzierter. Generaloberst Szombathelyi räumte zwar im September 1943 bei einer Sitzung des Obersten Landesverteidigungsrates ein, daß sich die Deutschen »zur Zeit in einer schweren Lage befinden«, aber er warnte auch gleichzeitig seine Kameraden davor, sich »ohne weiteres aus dem deutschen Bündnis zu lösen«. Die deutsche Wehrmacht sei noch ungebrochen, ihre Disziplin beispielhaft, und wenn sie auch jetzt mit Schwierigkeiten zu kämpfen habe, besitze sie noch immer genügend Kraft, um erbarmungslos mit jenen abzurechnen, die sich gegen sie auflehnen. Man müsse Ungarns Wehrkraft für die Verteidigung der Heimat erhalten, und weder spekulieren noch sich in Abenteuer stürzen. »Welche Kriegspartei auch siegt, keiner wird sich unserer Sache annehmen. Wir müssen dann selbst dafür kämpfen[26]!« Die Auffassung über Krieg und Frieden waren also bei der Regierung und beim Militär verschieden, obwohl beide Seiten eindeutig das Wohl des Landes vor Augen hatten.

Der politische Erdrutsch im Lager der Achse erfolgte im September 1943, als Marschall Badoglio das deutsch-italienische Bündnis kündigte und General Eisenhower den Waffenstillstandsvertrag mit Italien beganntgab. Deutsche Gegenmaßnahmen wurden sofort eingeleitet, und obwohl es in der Folge gelang, Mussolini zu befreien und ihn als Haupt einer faschistischen Republik in Norditalien einzusetzen, war die Achse Berlin–Rom gebrochen. Horthys und Kállays Sympathie gehörte – ungeachtet ihrer persönlichen Gefühle gegenüber dem Duce – dem italienischen König und Badoglio. Was sie erreicht hatten, strebten auch die Ungarn an. Da Hitler die Haltung Ungarns in der Italien-Frage bemerkte, befürchtete er, daß Roms Beispiel bei den übrigen Bundesgenossen Schule machen könne. »Was nun die Verratsmöglichkeiten bei den anderen Satellitenstaaten anbelangt, so möchte Horthy zwar gern abspringen: aber der Führer hat schon die nötige Vorsorge dagegen getroffen!« schrieb Goebbels im Herbst 1943 in seinem Tagebuch[27]. Diese »Vorsorge« erhielt die Bezeichnung

»Unternehmen Margarete«, wurde am 30. September 1943 beim Wehrmachtsführungsstab in Angriff genommen. Sie sah vor, für den Fall eines Ausscheidens Ungarns aus dem Krieg das Land sofort militärisch zu besetzen.

Nach Italiens Frontwechsel, bzw. nachdem sich in Italien zwei Regierungen etabliert hatten und das Land selbst Kriegsschauplatz wurde, nahm der Südostraum für Hitler an Bedeutung zu. Wegen der ständig zunehmenden Partisanentätigkeit auf dem Balkan, die die kroatische Wehrmacht immer mehr beanspruchte, hatte Hitler bereits im Herbst 1942 auf weitere militärische Engagements Pavelićs, des »Poglavnik«, an der Ostfront verzichtet. Dieser bildete sein Kabinett um und setzte alles daran, die militärische Kraft des »Unabhängigen Staates Kroatien« für die Säuberung des weiten Gebietes Kroatiens zu sichern. Am 6. Oktober 1942 enthob Pavelić Marschall Kvaternik seines Amtes und übernahm nach Hitlers Vorbild selbst den Oberbefehl über die gesamte kroatische Wehrmacht. Während der Umorganisierung bzw. Neuaufstellung der kroatischen Verbände gedachte man mit Ehrerbietung des bei Stalingrad untergegangenen kroatischen Regimentes. Durch eine Verfügung vom 13. März 1943 ließ Pavelić eine kroatische Legionsdivision mit der Bezeichnung »369« aufstellen und verlieh ihr in Zagreb feierlich eine Fahne »zum Zeichen der Anerkennung für das tapfere und entschlossene Verhalten in den Kämpfen an der Ostfront und der beispiellosen Verteidigung Stalingrads[28]«. Dem abwesenden Oberstleutnant Mesić, dem letzten Kommandeur des in Stalingrad untergegangenen kroatischen Regiments, wurde gleichzeitig der höchste Tapferkeitsorden des Staates, die »Kruna kralja Zvonimira I. Klasse«, zugesprochen.

1943 war nur der kroatische Kampffliegerverband an der Ostfront, der zusammen mit einem deutschen Jagdgeschwader sowohl im Kaukasus als auch später am Kuban-Brückenkopf bzw. auf der Krim zum Einsatz gelangte. Vom Kriegsausbruch bis zum 23. Juli 1944 operierten die kroatischen Jäger mit ihren

Messerschmitt-263-Maschinen sehr erfolgreich. Ihr berühmtestes Flieger-As war Oberleutnant Galić, der für seine 38 Abschüsse mit dem Deutschen Kreuz in Gold ausgezeichnet wurde. Der kroatische Jägerverband kehrte im Juli 1944 in die Heimat zurück, womit der kroatische Einsatz an der schon vor den Karpaten stehenden Ostfront endgültig beendet war. Zur selben Zeit wurde auch die kroatische Marineabteilung auf dem Schwarzen Meer aufgelöst. Sie sollte an der Adria Kern einer neu zu bildenden kroatischen Marine werden, da mit dem Ausscheiden des königlichen Italiens aus dem deutschen Bündnis auch Mussolinis unpopulärem Protektorat über Kroatien – mit seinen vielen Verboten – ein Ende gesetzt worden war.

Durch die Kapitulation des königlichen Italien nahm die Bedeutung Serbiens für die zuständigen deutschen Stellen zu. Hitler ließ den ehemaligen jugoslawischen Generalobersten Milan Nedić, der seit 1941 Ministerpräsident des von deutschen Gnaden bestehenden Rumpf-Serbien war, Ende September 1943 ins Führerhauptquartier kommen. Der deutsche Reichskanzler wollte von Nedić wissen, ob von ihm eine Befriedung des serbischen Raumes zu erwarten sei. Laut deutschen Quellen gewann Hitler einen positiven Eindruck von seinem Besucher. »Nedić bewies volles Verständnis für den deutschen Standpunkt und erklärte, daß er fest entschlossen sei, sowohl Tito als auch Mihailović bis zum äußersten zu bekämpfen[29].« In einigen Fragen konnte Nedić von Hitler Zugeständnisse erkämpfen, aber eine Unabhängigkeitserklärung Serbiens und die Ergänzung seines Gebietes mit bisher von Italien verwalteten Territorien lehnte der Gastgeber rundweg ab. Die Gründe dafür lagen auf der Hand. Gewiß spielte dabei auch Nedićs Haltung zur Beteiligung eines serbischen Militärkontingents an der Ostfront eine Rolle. Es geschah nähmlich – und darüber berichten serbische Quellen –, daß Hitler inmitten des Gesprächs Nedić aufforderte, auch Serbien solle sich am Kampf Europas (d. h. Hitlers Europa!) gegen den Bolschewismus beteiligen. Er nannte die Zahl von 50 000 Soldaten, die in einer eigenen nationalen Formation gegen die Rote Armee kämpfen könnten. Nedić lehnte das deutsche Begehren ab. Später sagte er dem serbischen Patriarchen Gabriel, er sei sich bewußt, daß seine Regierung nicht vom Volk gewählt, sondern von der Besatzungsmacht eingesetzt worden sei und sich den Anordnungen des deutschen militärischen Befehlshabers für Serbien fügen müsse. So habe er kein Recht, das serbische Volk für die Ostfront zu mobilisieren, da er von vornherein wisse, daß dieses das Begehren zurückweisen werde.»Das Volk würde das nur als meinen Wunsch auffassen, und da ich keinen solchen Wunsch habe, kann ich dies auch nicht durchführen[30]!«

Hitler, der seinerseits mit der Zusage von Nedić gerechnet hatte, wollte die Weigerung des von ihm eingesetzten Ministerpräsidenten nicht akzeptieren, hatte – nach Aussagen Nedićs – einen Wutanfall und war erst nach einer Pause bereit, das Gespräch mit dem Serben fortzusetzen, ohne daß der Ostfront-Einsatz wieder erwähnt wurde. Hitler sah anscheinend doch ein, daß er durch die Bewaffnung und den Einsatz der Serben in Rußland möglicherweise nur die Zahl der sowjetischen Partisanen vergrößern würde.

Waffenbruder – wider Willen

Als die deutsche Heeresgruppe A den von ihr eroberten Teil des Kaukasus aufgab und sich nach Nordwesten zurückzog, befand sich unter ihren Verbänden auch die slowakische Schnelle Division, die vorher bis Maikop vorgerückt war. Durch das rasche Vordringen der Roten Armee auf die Linie Rostow–Taganrog wurden die Slowaken anfangs 1943 zum Asowschen Meer abgedrängt, wo sie zusammen mit anderen Verbänden der deutschen Wehrmacht auf Schiffen, Fähren und großen Lastenseglern nach Kertsch übersetzten.

Die Slowaken konnten den Rückzug ohne große Verluste hinter sich bringen, wiesen doch Ausrüstung und Bewaffnung große Lücken auf. Fast der gesamte Wagen- und Geschützpark mußte im Kaukasus zurückgelassen werden. In Kertsch wurden die Slowaken zur Infanteriedivision mit der offiziellen Bezeichnung »1. slowakische Infanteriedivision« umorganisiert[31]. Der Verband unter der Führung von General Stefan Jurech, umfaßte damals, nach einer internen deutschen Tagesmeldung am 27. Februar 1943, 209 Offiziere und 4651 Unteroffiziere bzw. Soldaten. Die Bewaffnung bestand lediglich aus 1566 Gewehren, 572 Pistolen, 105 Maschinengewehren und zwei Maschinenpistolen[32].

Ende März 1943 wurde die Division auf die Krim verlegt; sie sollte vom Kertsch bis Perekop die Küstensicherung übernehmen und eventuelle Luftlandeunternehmungen des Gegners vereiteln. Dieser Verteidigungsabschnitt hatte eine Breite von 250 Kilometer und eine Tiefe von 100 Kilometer. Der Divisionskommandeur verlangte daher die sofortige Ergänzung seiner Truppe sowohl mit Soldaten als auch mit Waffen und Lastkraftwagen, was jedoch nur in beschränktem Maße erreicht werden konnte.

Die Stimmung der Slowaken in den Einheiten war indessen nicht die beste. Sie hatten nicht übersehen, daß Sie während des Rückzuges von Fliegerangriffen verschont worden waren. Statt dessen hatten sowjetische Flugzeuge Flugblätter in slowakischer Sprache abgeworfen, die die »Tiso-Soldaten« aufforderten, die Waffen wegzuwerfen und nach Hause zu gehen. Was suchen sie eigentlich in Russland? Desertionen kamen in der Tat wieder vor. Anfangs Januar 1943 verließ zum Beispiel der 22jährige Bauernsohn Martin Dzur seine Einheit und wechselte mit einigen Kameraden zur Roten Armee über. (Seit 1968 bekleidet er als Armeegeneral den Posten des Verteidigungsministers der Tschechoslowakischen Sozialistischen Republik[33].) Gerüchten über einen baldigen Abzug der Division wurde bei der Truppe so große Beachtung geschenkt, daß sich General Jurech am 23. Februar 1943 genötigt sah, in einem Brief den Wehrminister General Čatloš persönlich anzufragen, was man in Bratislava mit dem Verband vorhabe: »Die verbreiteten Gerüchte haben eine auffallende Lockerung der Disziplin zur Folge … Ich bitte um Benachrichtigung, ob diese Gerüchte, daß die Division in die Heimat zurückberufen werde, auf Wahrheit beruhen. Im bejahenden Fall werde ich bei den deutschen vorgesetzten Dienststellen auf Zurückziehung der slowakischen Truppen bestehen. Im verneinenden Fall benötige ich einen Beweis, daß diese umlaufenden Gerüchte der Wahrheit nicht entsprechen …[34]«

Aus Bratislava wurde der slowakische General beschieden, die Division bleibe weiterhin an der Ostfront. Der slowakische Staatspräsident Monsignore Tiso bereitete sich gerade in diesen Tagen auf ein Treffen mit Hitler vor, das am 22. April 1943 in Klessheim stattfand. Der deutsche Reichskanzler schätzte den slowakischen Staatsmann.»Das ist ein Priester, den ich akzeptiere: hart, kampfbereit, Sohn aus dem Volk, der seine Slowaken genau kennt!« Ihm sei es sehr sympathisch, sagte er seinem Heeresadjutanten, daß ein Priester an der Spitze dieses frommen Bauernvolks stehe[35].

In Klessheim beklagte sich Tiso über die Ungarn. Hitler mußte seinem Gast feierlich versprechen, daß die Slowaken von einem territorialen Revisionismus Budapests (hinsichtlich des slowakischen Staatsgebietes) nichts zu fürchten hätten, denn, wie er betonte, das Stephansreich mit seinen tausendjährigen Grenzen werde nie wieder auferstehen! Deutschland werde auch nicht dulden, daß Ungarn etwa militärisch gegen die Slowakei vorgehe, da eine ungarische Armee nicht mehr existiere. Das deutsche Volk sei kein undankbares Volk, es werde das gemeinsam vergossene Blut nie vergessen[36]! Obwohl darüber nicht gesprochen wurde, war es selbstverständlich, daß die beiden slowakischen Divisionen – ein Kampfverband und ein Sicherungsverband – weiterhin an der Ostfront blieben.

Der 1. slowakischen Infanteriedivision wurde indessen auf der Krim einige Monate Ruhe gegönnt. Man gruppierte sie um und beschäftigte die Truppe mit verschiedenen Geländeübungen am Tatarenwall. Auch wurden einige Einsätze gegen Partisanen geführt. Mit Besorgnis verfolgte man indessen das weitere Westwärtsdringen der Roten Armee außerhalb der Krim, das in der zweiten Hälfte des Jahres 1943 immer gefährlichere Ausmaße annahm und allmählich die Halbinsel selbst bedrohte. Im August 1943 gelang den Deutschen noch, die Überquerung des Asowschen Meeres durch die Sowjetrussen zu verhindern. Am 10. September wurde jedoch Noworossisk aufgegeben und die beschleunigte Räumung des Kuban-Brükkenkopfes eingeleitet. Die Ereignisse überstürzten sich. Armeegeneral Tolbuchins 4. Ukrainische Front machte am Westufer des Asowschen Meeres große Fortschritte. Ende Oktober erreichten die Russen bei Perekop die Landenge zur Krim, wodurch praktisch der Landweg zur Halbinsel abgeschnitten war.

Da Hitler schon am 12. August 1943 den Befehl erteilt hatte, am Dnjepr und an der Desna mit der sofortigen Errichtung eines starken »Ostwalls« (»Panther-Stellung«) zu beginnen, wurde zu diesem Zwecke unter anderem auch die 1. slowakische Infanteriedivision aufgeboten. So erhielt der neue, seit 4. Oktober fungierende Divisionskommandeur, Oberst Karl Peknik, am 31. Oktober 1943 den Befehl, die Krim sofort zu verlassen und sich mit seinem Verband im neuen Versammlungsraum Zarewodar–Nadeschdowka–Snamenka bis zum Mittag des nächsten Tages einzufinden. Die Division wurde dem Befehlshaber »Westtaurien« unterstellt[37]. Am 2. November befreite die Rote Armee Perekop, und das slowakische Infanterieregiment 20, das die Deutschen in letzter Minute zur Verteidigung des Ortes zurückhielten, war gezwungen, sich ins Innere der Krim zurückzuziehen. Der Rest der slowakischen Division erhielt den neuen Befehl, außerhalb des Einschließungsringes um die Krim eine Abwehrstellung auf der Linie Askanija–Nowa und Kachowka zu beziehen. Die vorgesehene Verteidigungslinie wies eine Breite von 30 Kilometern auf und konnte infolge Mangels an Infanterie nur äußerst dünn besetzt werden[38]. Oberst Peknik protestierte dagegen sogar in Bratislava.

Čatloš sah die Gefahr, der die Division ausgesetzt worden

war, und schickte – nach eigenen Angaben – unverzüglich einen Offizier per Kurierflugzeug zu Generalfeldmarschall v. Kleist, um gegen den gefährlichen Einsatz der Division Einspruch zu erheben. Čatloš: »Diesen Offizier hat man im Stabsquartier Kleists eine ganze Nacht warten lassen, und als er endlich dem deutschen Feldmarschall seine Botschaft übergeben konnte, war es zu spät: die Division hat sich bereits im Einsatz befunden[39]!«

Kaum hatten nämlich die Slowaken ihre vorgeschriebene Position bezogen, als die Sowjets mit starken Panzer- und Kavalleriekräften angriffen. Die Slowaken befanden sich im Zentrum der Offensive, da diese sich in Richtung Cherson–Nikolajew entfaltete. Oberstleutnant Hreblay, der Ia (1. Generalstabsoffizier) der Division: »Es hätte nicht viel gefehlt, und der ganze Verband wäre völlig aufgerieben worden[40]!«

Die Schlacht dauerte einen Tag. Während ein Teil der Division erbitterten Widerstand leistete, streckten andere Einheiten die Waffen und gingen zu den Russen über. Einige Quellen sprechen von 2000 Mann, von einem »kompletten Regiment«, das mit sämtlichen Waffen, Offizieren und Mannschaften unter Führung von Oberstleutnant Lichner die Seite wechselte[41]. Der Übergang erfolgte bei Dämmerung und strömendem Regen, indem Kompanie nach Kompanie staffelweise zu den Sowjets überging[42]. Dieser Fahnenwechsel war nicht ad hoc geschehen. Er wurde gut vorbereitet. General Ludvik Svoboda, der spätere Staatspräsident der Tschechoslowakei, 1943 Kommandeur der 1. tschechoslowakischen Brigade in der UdSSR, erzählt in seinen Memoiren, daß sowjetische Stellen mit ihm vereinbarten, Emissäre zum slowakischen Divisionskommandeur zu schicken mit dem Auftrag, ihn aufzufordern, seine Soldaten nicht weiter »für die verbrecherischen Interessen der Verräterclique in Bratislava« bluten zu lassen[43]. Svoboda schrieb einen persönlichen Brief an General Jurech, der von drei Angehörigen der tschechoslowakischen Brigade überbracht werden sollte. Aber die Mission schien zu scheitern: General Jurech war nämlich zu jenem Zeitpunkt nicht mehr Kommandeur der slowakischen Division, und die mittels Fallschirm abgesetzte dreiköpfige Gruppe landete 35 Kilometer entfernt vom slowakischen Verband. Trotzdem gelang es den Unteroffizieren Grün und Lakota, mit einigen Einheiten der slowakischen Division Kontakt aufzunehmen und ihren rangältesten Offizier, Oberstleutnant Lichner, zum Frontwechsel zu überreden. General Svoboda: »Am folgenden Tag drückten slowakische Soldaten den Kosaken von General Kiritschenko und den Panzerbesatzungen von General Jermatschok die Hände. Sie gingen ihnen mit voller Ausrüstung entgegen, so wie es mit ihren Kommandeuren vereinbart war. Es fiel kein einziger Schuß ...[44]«

Der Rest der Division wich aus, und nur der rasche und konzentrierte Einsatz von etwa 60 deutschen Flugzeugen rettete den Verband vor der völligen Vernichtung. Erst nach drei Tagen erreichten die kläglichen Reste der 1. slowakischen Infanteriedivision den Dnjepr und überquerten mit Hilfe von Fähren den Fluß in westlicher Richtung. Laut Oberstleutnant Hreblay hat der slowakische Verband bei Kachowka eindeutig sein Stalingrad erlebt. Fünfzig bis sechzig Prozent der Ausrüstung gingen verloren. Kaum einige Fahrzeuge konnten gerettet werden, und nur unter großen Schwierigkeiten war es möglich, ein halbes Dutzend Geschütze vom Schlachtfeld mitzunehmen. Noch schlimmer waren die Verluste bei der Truppe. Der slowakische Generalstabsoffizier bezifferte sie mit 3500 Mann, wobei er keinen Unterschied zwischen Gefallenen und Vermißten (in diesem Fall Überläufern) macht[45].

Unter Oberst Peknik begann man mit der Reorganisierung des Verbandes. Die Deutschen betrauten ihn mit Sicherungsaufgaben; die Slowaken sollten – hinter der Hauptkampflinie, die sich damals noch am Dnjepr befand – das Ostufer des Bug Liman vom Zusammenfluß von Bug und Dnjepr an bis knapp südlich von Nikolajew bewachen. In den nächsten Wochen traf Verstärkung aus der Heimat ein, aber die Verluste an Ausrüstung und besonders an Offizieren konnten nicht mehr ersetzt werden. Kompanien wurden von Leutnants geführt, Züge oft von Obergefreiten. Die Winterkleidung erreichte die Slowaken

erst Anfang Dezember aus Bratislava. Desertionen zur Roten
Armee oder zu den Partisanen gehörten zur Tagesordnung.
Das Kriegstagebuch der 1. slowakischen Infanteriedivision
verzeichnete zum Beispiel allein am 24. November 1943 *fünfzig* Überläufer, darunter ein Offizier[46]. Um dieselbe Zeit traten
auch etwa 800 Mann der slowakischen Sicherungsdivision in
der Ukraine geschlossen zu den dortigen Partisanen über.
Durch die zunehmenden Desertionen sank die Stärke der Sicherungsdivision auf zwei Drittel ihrer ursprünglichen Stärke[47].

Die zuständigen deutschen Stellen strebten deshalb eine Ablösung der slowakischen Verbände an. Sie wollten nicht wahrhaben, daß die Slowaken deswegen zur Roten Armee überlie-
fen, weil sie von einer tschechoslowakischen Militärformation
der Beneš-Regierung Kenntnis bekommen hatten und einsahen, daß der Krieg für Deutschland verloren und eine Rückkehr in die Heimat nur durch den Anschluß an die sogenannte
Svoboda-Brigade in der UdSSR möglich war.

Mit Einwilligung der slowakischen Regierung wurde nun die
Sicherungsdivision im Herbst 1943 aus dem Raum Minsk abgezogen und nach Italien verlegt. Zwar wurden ihr eine Anzahl
leichter Waffen zur Selbstverteidigung gelassen, aber man ver-
wendete sie in der Folge lediglich als Baubrigade in der
Po-Ebene[48]. In dieser Zeit bemühte sich die slowakische Regierung, beide Divisionen in die Heimat zurückzuführen. Ministerpräsident Tuka selbst gab bei einer Besprechung in Bratislava in Anwesenheit des Deutschen Generals bei dem Oberkommando der Slowakischen Wehrmacht, General Schlieper,
zu, daß die slowakischen Soldaten an der Ostfront »abgekämpft« seien. Ihre Ablösung sei wünschenswert. In der Heimat könne man ihnen eine nützliche Aufgabe geben. Man wolle
den Krieg an der Seite Deutschlands keinesfalls einseitig beenden, aber es liege doch im gemeinsamen Interesse, die slowakische Wehrkraft sinnvoll einzusetzen[49].

Die Antwort war abschlägig, aber all dies veranlaßte das
Oberkommando der Wehrmacht, die Slowaken nicht mehr an

der Front einzusetzen. In der Folgezeit betätigte sich auch die 1. slowakische Infanteriedivision vornehmlich als Bautruppe. Nachdem die Rote Armee im März 1944 in einer großen Frühjahrsoffensive die Dnjepr-Linie durchbrach, wurde die slowakische Division eiligst in den Raum südlich von Tiraspol, westlich des Dnjestr verlegt. Nachdem sie bei Nikolajew und Odessa Verteidigungslinien ausgebaut hatte, wurde sie auch jetzt mit ähnlichen Aufgaben betraut. »Kampftruppe« der Slowakischen Republik war Ende 1943 lediglich eine Fliegerstaffel mit Messerschmitt-Jägern. Außerdem hätte eine Bomberstaffel unter slowakischem Hoheitszeichen gebildet werden sollen, aber noch 1943 fehlte dazu die Ausrüstung. Die als Notlösung aus Italien bestellten »Marcheti Savoya«-Bomber trafen erst wenige Monate vor Kriegsende in der Slowakei ein. Eine andere selbständige slowakische Einheit, eine Fliegerabwehrabteilung, bewaffnet mit 8,8-cm-Geschützen, wurde auf Wunsch der slowakischen Regierung bereits im Herbst 1943 von der Ostfront abgezogen. Sie übernahm die Verteidigung einiger von den anglo-amerikanischen Bombern bereits bedrohten slowakischen Städte wie Bratislava, Trenćin, Provazska Bystrica, wo sie sich auch bewährte.

Das Schicksal der »Eckpfeiler« der Ostfront

Wenn auch Hitler den Abzug der italienischen, ungarischen und schließlich der slowakischen Kampftruppen noch verschmerzte, war er hinsichtlich der beiden »Eckpfeiler« der Ostfront, der Rumänen und Finnen, anderer Meinung. Er war unbedingt daran interessiert, die Wehrkraft dieser beiden Nationen, die bereits 1940 in den ersten Entwurf des Unternehmen »Barbarossa« einbezogen worden waren, weiter auszunutzen.

Die Betroffenen waren aber anderer Meinung. Die schweren Kämpfe und noch schwereren Rückschläge an der Ostfront und die Hiobsbotschaften aus Afrika hatten dem deutschen Prestige bei den Verbündeten seit dem Winter 1942 empfindlich geschadet. Die Kriegsparolen aus Berlin, die seit dem Fall von Stalingrad eher von einer »Abwehr« als von einer »Vernichtung« der »bolschewistischen Gefahr« sprachen, ließen die weitere Situation erahnen. Dies wirkte sich auf die politische Linie der mit Hitler verbundenen osteuropäischen Staaten aus.

In Rumänien entstand schon Anfang 1943 zwischen König Mihai und Marschall Antonescu eine Art Vertrauenskrise[50]. Das Königreich war im Ostfeldzug von allen Verbündeten Deutschlands am härtesten getroffen worden. Die enormen Verluste am Don, in Stalingrad und im Süden der Ostfront hatten im Lande tiefe Depressionen hervorgerufen. Wie in Italien und Ungarn machten auch in Rumänien die von der Front zurückkehrenden Offiziere und Soldaten kein Hehl aus den bitteren Erfahrungen der letzten Monate mit den deutschen Verbündeten. Sie hatten unter ungünstigen Bedingungen kämpfen müssen, waren von den Deutschen schlecht behandelt worden, und die Niederlagen waren ihnen angelastet worden[51]. Auch in höheren Stäben der königlichen rumänischen Armee kriselte es. Sogar im Generalstab selbst! Generaloberst Ilie Steflea, der Chef des Rumänischen Großen Generalstabs, hatte schon vor dem Debakel bei Stalingrad in einer Denkschrift Marschall Antonescu auf die ernste Lage der rumänischen Armee in Rußland aufmerksam gemacht und ihn vor den Folgen an der Front gewarnt. Er vertrat dabei die Meinung – ganz wie sein Vorgänger General Iacob Iacobici –, daß die Rumänen bei der Wolga und beim Don »nichts zu suchen« hätten; ihr Gegner sei Ungarn! In der Folge trachtete General Steflea, zusammen mit seinen nächsten Mitarbeitern (den Generälen S. Mardare und E. Borcescu sowie Oberst C. Nestorescu), danach, möglichst viele Kräfte und Mittel in Rumänien selbst zurückzuhalten. Laut eines kürzlich veröffentlichten Dokumentes aus dem Archiv des Rumänischen Verteidigungsministeriums, gelang es Steflea durch verschiedene Methoden, »insgesamt 220 000 Soldaten vor der Entsendung an die Ostfront« zwischen Dezember 1942 und Frühjahr 1944 »zu retten[51a]«. Der Verlust von *18 Divisionen* rief Verbitterung im Offizierskorps hervor. Weil der Krieg zu einer »deutschen Angelegenheit« geworden war, erinnerte man sich plötzlich an die »traditionellen« westlichen Verbindungen des Landes und überlegte, wie Rumänien aus dem Hitler-Bündnis zu lösen sei.

Ende Januar 1943 versuchte die oberste deutsche Führung, die an der Ostfront noch vorhandenen rumänischen Truppen für eine neue Aufgabe zu gewinnen. Jede Stimmungsmacherei oder Anschuldigung gegen den rumänischen Verbündeten wurde strengstens untersagt. Diesem Entschluß war ein Treffen Antonescus am 10. Januar bei Hitler im Führerhauptquartier »Wolfsschanze« vorangegangen, das in einer sehr gespannten Atmosphäre stattfand. Der Führer, der noch vor kurzer Zeit den rumänischen Marschall in bezug auf Intelligenz, Charakter und Format sogar höher als Mussolini einschätzte, empfing seinen Gast stehend und bot ihm während der Unterredung, die über drei Stunden dauerte, keinen Stuhl an[52]. Es ging um das Verhalten der rumänischen Truppen in der vergangenen Winterschlacht.

Die schweren Vorwürfe Hitlers erwiderte der Marschall mit Würde: Von vier Generälen seien drei im Nahkampf gefallen, Rumänien habe 200 000 Tote und 180 000 Verwundete zu beklagen; das Kriegsmaterial zweier ganzer Armeen sei auf dem Schlachtfeld zurückgeblieben. Man könne den Rumänen keinen Mangel an Bündnistreue vorwerfen[53]! Die Unterredung endete schließlich doch mit einer Verständigung. Hitler versprach, das rumänische Heer neu auszurüsten. Dies sollte in zwei Stufen geschehen: Vorerst werde man die auf der Krim und im Kaukasus noch vorhandenen acht Divisionen mit deutschem Kriegsmaterial versehen und sie dann auf elf Divisionen ergänzen[54]. Ihr Einsatz sollte Anfang 1944 erfolgen. Auch die personellen Fragen wurden behandelt. Hitler billigte die Vorwürfe Antonescus gegen den bisherigen Deutschen General beim Oberkommando der rumänischen Wehrmacht und berief General Hauffe Ende Januar 1943 von diesem Posten ab. Die Nachfolge trat General der Kavallerie Erik Hansen an, der 1940/41 Chef der deutschen Wehrmachtsmission in Rumänien gewesen war und seither gute Beziehungen namentlich zu Marschall Antonescu unterhielt.

Nach dem Debakel der Deutschen an allen Fronten reifte in Antonescu der Gedanke, daß Hitler auf die Dauer nicht genügend Kraft haben werde, um Südosteuropa vor der Überflutung durch die Rote Armee zu bewahren. Während im Frühjahr 1943 im sogenannten Kuban-Brückenkopf unter der 17. deutschen Armee noch sechs rumänische Divisionen kämpften, begann Antonescu mit aller Vorsicht Verbindungen zu den westlichen Alliierten zu knüpfen, um sie davon zu überzeugen, daß es wohl auch im Interesse Londons und Washingtons sei, wenn Rumänien den Kampf an der Ostfront fortsetzte. Bukarest deutete dabei die Bereitschaft zu Friedensverhandlungen an. Da diese heikle Sondierungsmission im Auftrage des »Conducatorul« vom stellvertretenden Ministerpräsidenten Mihai Antonescu geführt wurde und die deutsche Seite davon sehr rasch Kenntnis erhielt, überhäufte Hitler bei einem abermaligen Treffen am 12. April 1943 in Klessheim den rumänischen Marschall mit Vorwürfen und klagte Mihai Antonescu des offenen Verrats an[55]. Dieses Wutausbruchs ungeachtet, blieb der Marschall ruhig. Er stellte sich schützend vor seinen Ministerkollegen und schlug vor, es wäre Zeit, daß die Deutschen den Krieg gegen die Westmächte einstellten, um mit ihrer ganzen Kraft gegen die Sowjetunion vorgehen zu können[56]! Hitler bestand jedoch darauf, der Krieg müsse an allen Fronten weitergeführt werden. Im Osten komme es bald zu einer neuen deutschen Offensive (gemeint war die Ausführung des »Unternehmens Zitadelle« im Raum Kursk, für Sommer 1943 geplant), die Russen seien am Ende ihrer Menschenreserven, die Verluste der Roten Armee erreichten bereits 11 Millionen Mann! Das Treffen der beiden Staatsführer endete mit Antonescus Versicherung, er stehe weiterhin an der Seite Deutschlands und werde einen Separatfrieden Rumäniens nach Kräften verhindern.

Dann aber folgte er Bismarcks Devise, daß keine Nation verpflichtet sei, sich auf dem Altar eines Bündnisses selbst zu opfern. In puncto Sondierung für Verhandlungen mit den Westmächten erhielt sein Namensvetter Antonescu weiterhin freie Hand. Und Mihai Antonescu entwarf einen Plan, den er mit Mussolini zu besprechen beabsichtigte. Danach sollte der Duce im Namen aller »Achsen«-Verbündeten (außer natürlich Deutschland!) den Anglo-Amerikanern einen Waffenstillstand anbieten und den Krieg nur an der Ostfront fortsetzen[57]. Am 1. Juli wurde Mihai Antonescu von Mussolini empfangen. Der Italiener war geneigt, die Idee aufzugreifen, bat jedoch um mindestens zwei Monate Zeit, da er glaubte, eine günstigere militärische Lage würde für die geplanten Friedensverhandlungen eine bessere Ausgangsposition schaffen. Am 25. Juli 1943 wurde aber das Mussolini-Regime gestürzt, und damit ging auch der Antonescu-Plan unter.

Die Hoffnung auf eine Verständigung mit den Westmächten wurde in Bukarest nicht aufgegeben. Im November 1943 öffneten geheime Verhandlungen in Madrid Rumänien einen Weg. »Die vollständige Besetzung Ihres Landes könnte man insofern vermeiden«, sagte USA-Botschafter Carlton Hayes dem mit ihm verhandelnden rumänischen Diplomaten, »wenn Mihai Antonescu für die USA eine formelle Erklärung über die bedingungslose Kapitulation Rumäniens abgeben würde[58]!« Nach Hayes' Plan sollten hohe amerikanische und rumänische Offiziere »irgendwo« am Mittelmeer zusammentreffen, um die praktischen Modalitäten der militärischen Zusammenarbeit für den Fall »X« auszuarbeiten. Der rumänische König billigte den Plan[59]. Mihai Antonescu unterrichtete in diesem Sinne seinen Madrider Mittelsmann und fügte die Botschaft hinzu, er sei bereit, Rumäniens bedingungslose Kapitulation zu deklarieren, wolle aber ein solches Dokument nicht ohne weiteres aus der Hand geben. Er schlug vor, diese Erklärung bei der türkischen Regierung zu hinterlegen mit der Bitte, diese erst dann den Vertretern der amerikanischen Regierung zu überreichen, wenn die anglo-amerikanische Invasion auf dem Balkan in Richtung Rumänien erfolge oder wenn die Türkei auf der Seite der Alliierten in den Krieg eintrete[60]. Bekanntlich wurde der

Plan einer Balkaninvasion durch die Westmächte mit Rücksicht auf Stalin fallengelassen, und die Türkei trat erst dann in den Krieg gegen Deutschland ein, als der größte Teil des Donauraumes schon von der Roten Armee erobert worden war. Mit einer gewissen Genugtuung bemerken zu dieser Frage die sowjetischen Historiker Iszraeljan und Kutakov: »Den rumänischen Führern gelang es schließlich nicht, mit den Westmächten zu einer Verständigung zu kommen. Rumäniens Austritt aus dem Krieg konnte allein und ausschließlich nur durch die Sowjetunion erfolgen. Und die Sowjettruppen näherten sich bereits den Grenzen des Landes[61]!«

Indessen nahm das Schicksal der rumänischen Truppen in der Sowjetunion seinen Lauf. Bis zum Herbst 1943 befanden sich, wie wir erwähnten, acht rumänische Divisionen im Südabschnitt der Ostfront; davon sechs im Kuban-Brückenkopf und zwei auf der Krim. Während das rumänische Gebirgskorps unter General Schwab auf der Krim mit Aufgaben des Küstenschutzes betraut war, standen die anderen sechs Divisionen bis zur Räumung des Kuban-Brückenkopfes an vorderster Front und mußten wieder schwere Verluste hinnehmen (ein großer Teil der Mannschaft von vier Divisionen fiel, und die Ausrüstung von zwei Divisionen ging verloren)[62]. Bis zum November 1943 sei die Zahl der an der Ostfront gefallenen rumänischen Soldaten auf über 250 000 gestiegen, teilte Antonescu Hitler in einem Brief im Spätherbst 1943 mit[63]. An der Schlacht im Kursker Bogen, der letzten Initiative Hitlers an der Ostfront, die ebenfalls scheiterte, nahmen keine rumänischen Truppen teil. Beim sowjetischen Großangriff, der am 23. Oktober 1943 im Raum von Melitopol seinen Anfang nahm und am 1. November die Landenge der Krim bei Perekop erreichte, wurden aber wiederum mehrere rumänische Einheiten aufgerieben. Schließlich blieben auf der Krim unter dem deutschen Armeeoberkommando 17 (Generaloberst Erwin Jaenecke) neben fünf deutschen auch sieben rumänische Divisionen zurück[64]. (Das rumänische Kavalleriekorps mit der 6. und 9. Kavalleriedivision und das Gebirgsjägerkorps mit der 1., 2. und

3. Gebirgsjägerdivision bzw. 10. und 12. Infanteriedivision. Der Bestand dieser rumänischen Armeegruppierung umfaßte am 8. April 1944 lediglich 65 093 Mann.)

An eine freiwillige Aufgabe der Krim und die schnellstmögliche Evakuierung der dort befindlichen deutsch-rumänischen Truppen dachte Hitler nicht, da er glaubte, der Verlust der Krim beeinflusse die Haltung der Türkei gegenüber Deutschland negativ. Außerdem spielte die Möglichkeit eine Rolle, daß die Sowjets von der Krim aus die rumänischen Erdölgebiete bombardieren könnten. Dabei kämpfte die 17. Armee im Winter 1943/44 auf verlorenem Posten, denn nach dem Durchbruch der 4. Ukrainischen Front bei Uman war die Wiederherstellung der Landverbindung zur Krim endgültig unmöglich. »Nun bestand kein Zweifel mehr, daß die deutsche Front auf die rumänische Ostgrenze zurückfallen würde!« notierte sich General Gheorge, der in dieser Zeit Rumäniens Botschafter in Berlin war[65].

Nachdem es der Roten Armee nicht gelungen war, die von deutschen Truppen verteidigte Landenge bei Perekop zu durchbrechen und auch das Aufrollen der Front von Kertsch aus gescheitert war, trat eine verhältnismäßige Ruhe auf der Krim ein. Erst Anfang April 1944 ging die 4. Ukrainische Front erneut in die Offensive. Mit 16 Schützendivisionen und zwei Panzerkorps gelang es Tolbuchin, bei Perekop auf die Krim vorzudringen. Dann folgte der Durchbruch bei Kertsch. Die deutsch-rumänischen Truppen zogen sich kämpfend in Richtung Sewastopol zurück. Angesichts der katastrophalen Lage war Hitler bestrebt, wenigstens diese Stadt als Brückenkopf zu halten. Er ersetzte in allerletzter Minute den bisherigen Oberbefehlshaber der 17. Armee durch General der Infanterie Karl Allmendinger und versprach den Verteidigern von Sewastopol »großzügige Zuführung von Verstärkungen«, doch war das Schicksal der deutsch-rumänischen Truppen auf der Krim bereits entschieden. Nach vier Tagen Sturmangriff nahm die Rote Armee im Mai Sewastopol ein; am 12. Mai gaben die Deutschen den letzten Kilometer Boden am Kap Chersones auf der Krim auf. Antonescus mehrmaliger Rat an Hitler, die auf der Krim noch frei verfügbaren Kräfte für die Verteidigung auf dem Festland einzusetzen, wurde nicht beachtet.

Als dann die Krim endgültig aufgegeben wurde, waren nur noch Reste der Verteidigung auf dem Seeweg zu retten; von den rund 230 000 Mann der 17. Armee erreichten etwa 130 000 Mann das Festland. Außerdem konnten 21 457 Soldaten ausgeflogen werden. Vom 8. April bis zum 13. Mai 1944 waren 57 500 Tote und Verwundete zu beklagen, darunter 25 800 Rumänen. Die ganze Ausrüstung der 12 Divisionen blieb auf der Krim zurück, da die deutsche und rumänische Seekriegsleitung in erster Linie auf die Rettung von Menschenleben Wert legte[66].

Bereits Anfang April 1944 endete indessen die Offensive der Roten Armee in der Ukraine westlich des Dnjepr. Moskau ehrte am 29. März die siegreichen Stoßtruppen der 1. Ukrainischen Front, die Kolomyja befreit hatten. Obwohl die Einnahme dieser kleinen abgelegenen galizischen Stadt kein besonderes Ereignis an sich war, hatte sie doch ein wichtiges strategisches Ergebnis: Mit dem Vorstoß in diesen Raum spalteten die sowjetischen Armeen die deutsche Heeresgruppe Süd in zwei Teile. Während der eine Teil sich in westlicher Richtung zurückzog, fiel der andere nach Süden zurück und wurde damit den Angriffen der 2. Ukrainischen Front ausgesetzt, deren Truppen zu den Zugängen nach Chotin vorstießen. Als wenig später die 40. Armee am rechten Flügel der 2. Ukrainischen Front westlich Botosany die Vorgebirge der Karpaten erreichte, waren Truppenführung und Kampfhandlungen der Deutschen ernsthaft gefährdet, da die Verbindungslinie von Rumänien nach Deutschland über Galizien unterbrochen wurde.

Im Mai 1944 ließen die Kämpfe im Bereich der deutschen Heeresgruppe Südukraine nach. (Die ehemalige Heeresgruppe Süd wurde ab 1. April in Heeresgruppe Nordukraine umbenannt. Die Heeresgruppe A hieß jetzt Heeresgruppe Südukraine und sollte Rumänien schützen.) Die Front festigte sich auf der Linie Dnjestr-Frontbogen um Kischinew – nördlich Jassy – Karpaten. In Bukarest sah man dem Kommenden seit Wochen voll Sorgen entgegen. Bereits am 1. Februar 1944 wurde der bisherige Gouverneur, Professor Alexianu, von seinem Posten in Transnistrien abgelöst. Generalleutnant Gheorge Potopeanu übernahm seine Stelle und setzte den Abtransport von Einrichtungen und Vorräten aus dieser »rumänischen Provinz« fort. Odessa selbst mußte am 10. April aufgegeben werden.

Die 3. rumänische Armee unter Generaloberst Dumitrescu, die bisher Transnistrien gesichert hatte, befand sich nun im Rückzug auf den unteren Dnjestr. Die 4. rumänische Armee, von einem Kavalleriegeneral, von Mihai Racovitza, befehligt, und bekanntlich nach der Katastrophe von Stalingrad aus der Front gezogen, sammelte sich mit neu aufgestellten rumänischen Divisionen im Raum von Jassy. Allerdings hatte sie Anfang April auf einer Frontbreite von 150 Kilometern von Jassy bis zu den Karpaten vorerst lediglich 7 rumänische Divisionen. Sie wurde aber einige Wochen später durch die Intervention des neuen deutschen Oberbefehlshabers der Heeresgruppe Südukraine, Generaloberst Ferdinand Schörner, durch kampfkräftige deutsche Verbände mit schweren Waffen unterstützt[67].

Auch die rumänische Mobilmachung begann sich auf die Front auszuwirken. Nach und nach trafen neue Verbände aus der Heimat ein. So wuchs die Zahl der rumänischen Divisionen an der Verteidigungslinie Jassy–Kischinew bis Sommer 1944 auf 14 Infanterie-, 2 Kavallerie-, 1 Panzer- sowie 4 Gebirgsjägerdivisionen und andere Hilfsformationen an. Die Gesamtstärke der 3. und 4. rumänischen Armee belief sich im August 1944 auf 431 000 Soldaten. Auf rumänischer Seite hatte die Front das 1. Luftkorps aus der Heimat zur Verfügung. Dieses besaß 30 Geschwader mit 249 Flugzeugen. Ein Flakregiment mit 14 Batterien sorgte für die Luftverteidigung, während an der Schwarzmeer-Küste und auf der schiffbaren Donau 4 Zerstörer, 2 Torpedoboote, ein U-Boot und andere Kleinschiffe in die Verteidigung Rumäniens einbezogen wurden.

Während in Berlin der rumänische Gesandte Gheorge mit Ribbentrop darüber debattierte, ob man die Front bis zu den Karpaten zurücknehmen solle, und wer, die Ungarn oder die Rumänen, in einem solchen Fall die Verantwortung für die Verteidigung dieser Gebirgskette übernehmen sollte, geschah hinter den Kulissen der Diplomatie und militärischen Führung Entscheidendes.

Für den Fall eines rumänischen Separatfriedens hatte Hitler bereits Anfang 1944 einen Plan für die Okkupation Rumäniens ausarbeiten lassen. Nachdem er sich aber am 28. Februar in Klessheim von der absoluten Bündnistreue Antonescus hatte überzeugen lassen, ließ er die Angelegenheit fallen. Da in dieser Zeit ohnehin die Vorbereitung der Besetzung Ungarns durch die deutsche Wehrmacht auf vollen Touren lief und die Divisionen hinter der Front stark in Anspruch nahmen, hätten die Kräfte zu einer ähnlichen Aktion in Rumänien auch kaum ausgereicht. Am 23. März 1944, bei einem abermaligen Hitler-Antonescu-Treffen, vertrat der Führer die Meinung, daß Ungarn durch seine »illoyale Haltung« das Recht auf Nordsiebenbürgen verspielt habe. Nachdem Italien jetzt ausgefallen war, hielt es Deutschland nicht für angebracht, weiterhin als Signatar des Wiener Schiedsspruchs zu fungieren. Hitler bat den Marschall lediglich, diese Erklärung zunächst niemanden gegenüber zu erwähnen; »im gegebenen Augenblick« würde er sie öffentlich abgeben. Zunächst aber liege es im gemeinsamen Interesse, die Ungarn nicht zu reizen, denn einen eventuellen Partisanenkrieg um Siebenbürgen solle man angesichts der Frontlage vermeiden[68]. Diese Worte bereiteten Antonescu Genugtuung. Um eine solche Erklärung hatte der Marschall seit 1940 gekämpft und hoffte, nun auch im eigenen politischen Lager seine Rolle und Position mit Hitlers Versprechen zu stärken.

Doch der rumänische Adel, ein großer Teil der Intelligenz und die ganze Opposition, angeführt vom Königshof, waren seit langem entschlossen, »den deutschen Krieg« so rasch wie möglich zu beenden. Auch Antonescu ließ im Frühjahr 1944 erneut Friedensfühler zu den Alliierten ausstrecken. Diesmal überging er die Sowjetunion nicht. Aber die Bedingungen, die er akzeptieren sollte, waren für ihn so hart, daß er nach langem Zögern die Verhandlungen am 15. Mai abbrechen ließ.

Nicht so die rumänischen Oppositionsführer! Zusammen mit dem König bemühten sie sich insgeheim weiter um den Kontakt mit den Vertretern der Anti-Hitler-Koalition im Ausland. Der sowjetische Botschafter in Kairo ließ noch im April dem Prinzen Stirbey die »Minimalbedingungen« seiner Regierung für einen Waffenstillstand mit Rumänien aushändigen. In diesem »Sechspunkte-Programm«, das mit Einverständnis der Westalliierten zusammengestellt worden war, verlangten die Sowjets den Bruch Rumäniens mit Deutschland; den gemeinsamen Kampf gegen die Wehrmacht; die Anerkennung der russisch-rumänischen Grenze vom 22. Juni 1941; die Zahlung von Reparationen; die Entlassung der Kriegsgefangenen und volle Bewegungsfreiheit der Roten Armee auf dem gesamten rumänischen Territorium. Als Gegenleistung wurde den Rumänen Nordsiebenbürgen zugesichert[69]. Maniu versuchte, durch diverse Gegenvorschläge einige Änderungen in diesem Programm zu erreichen; er strebte unter anderem an, daß den deutschen Truppen der Abzug aus Rumänien gestattet werden solle und daß nicht nur sowjetische, sondern auch anglo-amerikanische Truppen an der zeitweiligen Besetzung des Landes zu beteiligen wären. Seine Bemühungen zeitigten aber keinen Erfolg. Während die Verhandlungen mit immer neuen und teilweise überraschenden Komponenten den ganzen Sommer durch dauerten, begann sich auch in Rumänien selbst Widerstand zu bilden.

Die rumänische Kommunistische Partei (RKP), seit Jahren im Untergrund, hatte bereits im August 1943 den Versuch unternommen, eine sogenannte Anti-Hitler-Front im Lande zu organisieren. Da ihre eigenen Kräfte viel zu schwach waren, bemühten sie sich, für ihre Ziele sowohl Vertreter der bürgerlichen Opposition als auch royalistisch, aber antideutsch eingestellte Generäle und Offiziere zu gewinnen. Die eigentliche

Leitung dieser »Volksfront« beanspruchten die Kommunisten (namentlich Emil Bodnaras und Lucretiu Patrascanu) für sich. Ihr Vorgehen war taktisch sehr geschickt, damit bei ihren Verbündeten nicht das Schreckbild eines in Zukunft kommunistischen Rumäniens heraufbeschworen würde. Die Aktivität der Kommunisten sollte mit Hilfe des Königs und seiner Armee im Zuge eines »antifaschistischen Volksaufstandes« das Antonescu-Regime stürzen. In der Nacht vom 13. auf den 14. Juni 1944 trafen sich die Vertreter der RKP mit den Emissären des königlichen Hofes, um die Modalitäten des kommenden Umsturzes zu besprechen. Eine Woche später schlossen sich die beiden großen bürgerlich-demokratischen Parteien mit ihren Führern J. Maniu und I. G. Bratianu der Volksfront an, die nun – aus taktischen Gründen – den Namen »Nationaldemokratischer Block« annahm. Die Kommunisten wollten den Anfang des Aufstandes auf den Beginn der sowjetischen Großoffensive auf den Südabschnitt der Ostfront festsetzen[70]. Bis dahin mußte man die politischen und militärischen Vorbereitungen auf allen Gebieten vorantreiben.

Wenden wir uns wieder Finnland zu.

Zu Neujahr 1942 zeigte sich für die finnische Regierung, daß Deutschland weit davon entfernt war, die Rote Armee vernichtend schlagen und den Krieg in Rußland zu einem baldigen Ende bringen zu können. In Helsinki hoffte man zwar, daß die Deutschen durch eine neue Offensive die Niederlage bei Moskau vom Dezember 1941 wettmachen würden. Die Stimmung der Bevölkerung hatte sich im Frühjahr 1942 infolge der deutschen Lebensmittellieferungen etwas gebessert, und auch die Entlassung von über 180 000 Männern, vor allem der älteren Jahrgänge, aus der Armee, trug dazu bei, daß die allgemeine Lage etwas günstiger beurteilt wurde.

Anfang des Jahres griffen die Sowjets mehrmals an der Maaselkä-Front an, vor allem, um die hier verlaufende Linie der Murmansk-Bahn besser sichern zu können. Im April gingen Truppen der Roten Armee auch an der Swir-Front zu örtlichen

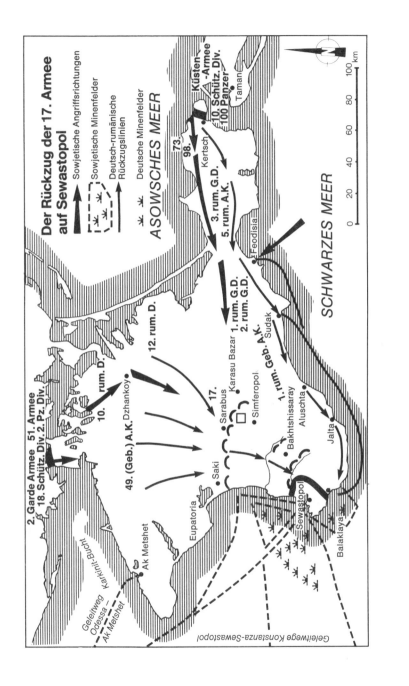

Der Rückzug der 17. Armee auf Sewastopol

Angriffen über, vermochten indessen nur unbedeutende Erfolge zu erzielen. In der Tat gelang es ihnen nirgends, den finnischen Widerstand entscheidend zu brechen.

In der Zwischenzeit drängte Generalfeldmarschall Keitel das finnische Oberkommando, die Offensivtätigkeit seiner Truppen in Richtung Sorokka im Frühjahr 1942 wieder aufzunehmen. Den Deutschen ging es dabei um den Durchbruch zur Murmansk-Bahn, um so die Sowjets von den anglo-amerikanischen Hilfsleistungen abzuschneiden, die auf dem Wasserwege bis zur Hafenstadt Murmansk gelangten und per Eisenbahn ins Innere des Landes gebracht wurden. Mannerheim entschied aber anders. Seine Motive waren politischer Natur und dienten Finnlands weiterer Zukunft. »Ich greife nicht mehr an!« erklärte er dem deutschen Sonderbotschafter Schnurre, der ihn am 15. Februar 1942, nach der Verlängerung des finnisch-deutschen Handelsvertrags, in Mikkeli besuchte[71]. In der Folge verbot der Feldmarschall seinen Truppen alle weiteren Aktionen einschließlich Kommandounternehmungen gegen die Murmansk-Bahn. (Dies und die schon erwähnte Schonung Leningrads von finnischer Seite hielten die Sowjets den Finnen 1944 bei den Waffenstillstandsverhandlungen zugute.)

Am 4. März trat die Neugliederung bzw. Neubezeichnung der finnischen Kriegsschauplätze in Kraft. Das Oberkommando der Karelischen Armee wurde als Kommandostelle zwischen Hauptquartier und Fronten fallengelassen. Drei Fronten wurden geschaffen:
a) die Fronten der Karelischen Landenge unter Generalleutnant Karl L. Oesch,
b) die Swir-Front unter Generalleutnant Harald Öhquist und
c) die Maaselkä-Front unter Generalmajor Taavetti Laatikainen.

Der Oberbefehlshaber der Karelischen Armee, General Heinrichs, übernahm wieder seine alte Stelle als Chef des Generalstabes im Hauptquartier, und General Hanell, der bisher die Geschäfte geführt hatte, betraute man mit der Leitung der Befestigungsarbeiten[72]

Die Politik der finnischen Regierung bemühte sich in der Folge, eine Kriegserklärung der Vereinigten Staaten von Amerika zu vermeiden und sich wenn möglich von allzugroßen deutschen Einflüssen auf militärischem Gebiet zu entlasten. Mannerheim strebte eine strenge Trennung der Verantwortung für die einzelnen Kampfabschnitte an; gemischte deutsch-finnische Kommandos sollte es in der Zukunft nicht mehr geben. So wurde die 163. deutsche Infanteriedivision dem inzwischen aus der Befehlsstelle Finnland des Armeeoberkommandos Norwegen gebildeten Armeeoberkommando Lappland unter Generaloberst Eduard Dietl, das 3. finnische Armeekorps wieder dem finnischen Oberkommando unterstellt[73].

Am 4. Juni 1942 feierte Feldmarschall Mannerheim seinen 75. Geburtstag und wurde von Regierung und Öffentlichkeit geehrt. Hitler ließ es sich nicht nehmen, mit einer besonderen Überraschung zu diesem Anlaß beizutragen. Er, der gegenüber ausländischen Staatsmännern und Persönlichkeiten eher zurückhaltend war, übermittelte Mannerheim seine Glückwünsche persönlich, indem er – mitten in den letzten Vorbereitungen der deutschen Sommeroffensive an der Ostfront – in Finnland erschien, und, wenn auch für kurze Zeit, in Mikkeli mit Mannerheim und anderen finnischen Persönlichkeiten zusammenkam[74]. Hitlers Haltung gegenüber Mannerheim widerfuhr in dieser Zeit bereits eine Änderung. Wenn er auch gegenüber dem Feldmarschall wegen seiner anglophilen Einstellung und angeblichen Bindung an die Freimaurerlogen sehr mißtrauisch war, zollte er ihm doch seit dem Ausbruch des deutsch-sowjetischen Krieges Anerkennung. »Er ist doch ein Mordssoldat, und es ist zu bewundern, wie er seine Sozialisten an der Leine hält«, äußerte er sich über Mannerheim gegenüber seinem Adjutanten und fügte hinzu: »Zu schade, daß dieses tapfere Volk zu klein ist, viel Aderlaß kann es nicht vertragen ...« Er mische sich in die finnische Politik nicht ein, Hauptsache sei nur, daß sie treu zur Waffenbruderschaft hielten[75].

Wenn sich Mannerheim auch über den plötzlichen Hitler-Besuch freute, so war er, was die große Politik betraf, von der

Anwesenheit des Gastes aus Deutschland nicht gerade begeistert. »Meine Befürchtungen, daß der Besuch Anlaß zu weitläufigen Kommentaren geben würde, bewahrheiteten sich[76]!« Besonders in Washington ging ein Rätselraten los, was wohl tatsächlich Hitlers Anwesenheit in Finnland bedeute. Ob sich Helsinki nun doch bereit erklären würde, einen größeren Beitrag zu den Kriegsanstrengungen der Achse beizusteuern! Mannerheim: »Die Kommentare waren grundlos. Während des kurzen Besuches Hitlers ... fanden weder politische noch militärische Erörterungen statt, auch machte der Reichskanzler keinen Versuch, das Gespräch auf dieses Thema zu lenken[77].«

In den folgenden Monaten traten in Finnland einige Ereignisse ein, die die weitere Entwicklung beeinflußten. Hitler wußte, daß Leningrad fallen mußte, um die Finnen für einen weiteren Vorstoß auf sowjetischem Gebiet verpflichten zu können. Nach der Einnahme Sewastopols verlegte er Truppen der 11. deutschen Armee mit ihrem Oberbefehlshaber Generalfeldmarschall v. Manstein nach Norden und setzte den neuen Angriffstermin gegen Leningrad, das Unternehmen »Nordlicht«, auf den 14. September fest. Der amerikanische Nachrichtendienst hatte diese Truppenverschiebungen vermutlich registriert, und da man wußte, daß die Deutschen gerade im Sommer 1942 von Ungarn und Rumänien größere militärische Unterstützung erhielten, rechnete man in Washington mit einer ähnlichen Einsatzbereitschaft Finnlands. Man wollte aber Stalin zusichern können, daß Finnlands Armee keinesfalls an einer Operation gegen Leningrad teilnehmen werde, und verlangte daher auf geheimdiplomatischem Wege von der Regierung in Helsinki eine solche Garantie. Die konnte (und wollte) Ministerpräsident Rangell aber nicht geben, obwohl Regierung und Armee entschlossen waren, in der Frage des neuen deutschen Ansturms gegen Leningrad eine abwartende Haltung einzunehmen[78].

Bald zeigte sich jedoch, daß der Herbst keine neue deutsche Offensive im Norden brachte und daß die folgenden Wochen für die deutsche Führung sowohl im Südabschnitt der Ostfront als auch auf dem afrikanischen Kriegsschauplatz zu einer Wende führen würden. Die große Gegenoffensive der Roten Armee am Don und an der Wolga, die Einschließung der 6. deutschen Armee bei Stalingrad und schließlich die erfolgreiche Offensive der 2. sowjetischen Stoßarmee der Wolchow-Front im Raum von Schlüsselburg – in deren Folge es den Russen bis zum 18. Januar 1943 gelang, eine 8 bis 11 Kilometer breite Landverbindung mit Leningrad freizukämpfen – hinterließen auch in Finnland ihre psychologisch-politischen Wirkungen. Über eine Aussprache mit dem Staatspräsidenten und den wichtigsten Ministern am 3. Februar 1943, einen Tag nach der vollständigen Kapitulation der deutschen Truppen bei Stalingrad, schreibt Mannerheim in seinen Erinnerungen: »Wir ... einigten uns darüber, daß der Krieg einen definitiven Wendepunkt erhalten habe und daß es für Finnland galt, bei der ersten möglichen Gelegenheit einen Weg aus dem Krieg zu finden. Gleichzeitig stellten wir fest, daß die Macht Deutschlands uns vorläufig noch hinderte, diesen Beschluß in die Tat umzusetzen ...[79]«

Der Wandel in der finnischen Haltung blieb der deutschen Führung nicht lange verborgen. Jetzt rächte es sich für Berlin, daß man 1941 leichtfertig auf eine staatsrechtliche Bindung Finnlands an Deutschland verzichtet hatte. Kaum wurde am 15. Februar 1943 Risto Ryti wiederum in seinem Amt als Staatspräsident bestätigt, wurde der Entschluß gefaßt, die Regierung umzubilden. Den Vertretern der Parteien wurde Gelegenheit gegeben, sich zur Lage zu äußern. Da die Bemühungen des sozialdemokratischen Politikers und Reichstagspräsidenten Hakkila zur Regierungsbildung scheiterten, wandte sich der Staatspräsident an Professor Edwin Linkomies, der seit Jahren Vizevorsitzender der konservativen Fraktion im Reichstag war. Der 49jährige Politiker stützte sein am 1. März 1943 gebildetes Kabinett, ebenso wie sein Vorgänger es getan hatte, auf eine Koalition aller Parteien. Er behielt dabei drei tragende Pfeiler aus der früheren Regierung, den Finanzminister Tanner und den Verkehrsminister Salovaara (beide Sozialdemokraten) sowie den Verteidigungsminister Walden, wechselte aber zwei entscheidende Ministerposten: Neuer Außenminister wurde der 57jährige Henrik Ramsay, als Innenminister berief er A. Ehrnrooth. Der Wechsel von Ministerpräsident und Außenminister war der entscheidende Zug in der Kabinettsumbildung. Dies erkannte man auch in Berlin. Noch im März 1943 begab sich daher Ribbentrop nach Helsinki, um dort ausgedehnte Besprechungen mit finnischen Staatsmännern zu führen. Er versuchte vergeblich, eine verbindliche Zusage zu erhalten, daß die Finnen einen eventuellen Separatfrieden mit der UdSSR nicht ohne vorherige Konsultationen mit Deutschland abschließen würden[80]. Man verschwieg ihm zudem, daß die Regierung Linkomies den geheimen Auftrag hatte, einen Waffenstillstand mit der UdSSR zu vereinbaren[81]. In diesen Bemühungen wurde die Regierung sowohl von der stärksten Partei des Landes, den Sozialdemokraten, als auch von der Agrarpartei unterstützt. Wenn auch im folgenden Halbjahr heftig über die unmittelbare Zukunft Finnlands diskutiert wurde (Finnland war eine Demokratie mit freier Presse und freiem Parlament), so verfolgte die Regierung Linkomies weiter ihren Geheimauftrag. Diplomatische Besprechungen mit Amerikanern im neutralen Ausland schlossen sich an die ersten Friedenskontakte mit den Sowjets an.

Im Spätsommer 1943 kam es in Lissabon zu einem finnisch-amerikanischen Geheimabkommen, das besagte, daß im Falle einer Landung von US-Truppen in Nord-Norwegen und bei einem eventuellen Vorstoß auf finnisches Gebiet die finnische Armee sich aus den Kämpfen heraushalten würde. Diese Zusage geschah mit Mannerheims vollem Einverständnis, der kein Hehl daraus machte, daß »die Erörterungen in Lissabon seinerzeit Hoffnungen weckten, daß in der Endphase des Krieges mit einem neuen Gleichgewichtsfaktor (d. h. mit der USA gegen die Expansionsbestrebungen der Sowjetunion zu rechnen wäre[82].«

Wie stand es im Herbst 1943 um die finnische Armee? Die schweren Rückschläge für Deutschland an allen Fronten, der

Sturz Mussolinis und Italiens Ausscheiden aus dem Krieg, besonders aber weiteres Vordringen der Roten Armee nach Westen ließen das finnische Oberkommando zu neuen Verteidigungsmaßnahmen greifen. Da im ganzen Jahr 1943 am finnischen Frontabschnitt ziemlich Ruhe herrschte – die Feindseligkeiten beschränkten sich beinahe ausschließlich auf gewisse Marineoperationen am Baltischen Meer –, konnte Mannerheim den Stellungsbau und die Verstärkung der Armee vorantreiben. Neue Jahrgänge wurden zum Militärdienst einberufen, die Aufstellung von drei gemischten Brigaden wurde in Angriff genommen, und von Deutschland forderte man Geschütze, um die Artillerie des finnischen Heeres zu vereinheitlichen bzw. zu modernisieren[83].

Eine rückschauende deutsche Kritik hatte nach dem Krieg festgestellt, daß im Herbst 1943 an der gesamten Ostfront (vom Schwarzen Meer bis zum Eismeer) hinsichtlich der Kräfteverteilung ein auffälliges Mißverhältnis bestanden hat. Während im eigentlichen Rußland (also zwischen Schwarzem Meer und Finnischem Meerbusen) eine Dauerkrise dadurch entstanden war, daß die beinahe überall bestehende zahlenmäßige Überlegenheit der Roten Armee von deutscher Seite nicht ausgeglichen werden konnte, waren an der finnisch-deutschen Front geradezu umgekehrte Verhältnisse entstanden. Die relative Frontruhe ausnützend, hatte das Oberkommando der Roten Armee ab Frühjahr 1943 immer mehr Truppen von diesem Frontabschnitt abgezogen. Eine Lagebeurteilung des finnischen Hauptquartiers vom 15. September 1943 schätzte die Gesamtstärke der Russen vor der finnisch-deutschen Front nur noch auf 270 000 Mann ein, davon 180 000 vor dem finnischen Frontabschnitt. Da die Stärke der finnischen Streitkräfte in der gleichen Zeit etwa 350 000 Mann betrug, die Gesamtstärke aller deutschen Truppen in Lappland etwa bei 200 000 Mann lag, so bestand demnach im Herbst 1943 eine *doppelte Überlegenheit* auf finnisch-deutscher Seite (550 000 Finnen und Deutsche gegen 270 000 Russen!).

Und General der Infanterie Waldemar Erfurth, der Vertre-

ter des Oberkommandos der Wehrmacht im finnischen Hauptquartier, bemerkte: »Es hat wohl während des ganzen Krieges
mit der Sowjetunion nirgends ein für die deutsche Seite ähnlich
günstiges Verhältnis gegeben. Diese große Überlegenheit war
nicht nur zahlenmäßig, sondern auch qualitativ vorhanden. Die
Finnen und die Deutschen zwischen Finnischem Meerbusen
und Eismeer waren ausgeruht und in bester Form. Der Zustand
der Truppe war physisch und seelisch ausgezeichnet. Die von
der politischen Opposition des finnischen Reichstages erzeugte
Unruhe (?!) wurde von der finnischen Front allgemein abgelehnt. Von der deutschen Armee in Lappland kann man ohne
Übertreibung sagen, daß sie die stärkste und beste Armee war,
über die das (Deutsche) Reich im Herbst 1943 noch verfügte.
Die deutsche Armee war mit Ersatz völlig aufgefüllt, die
Truppe hatte sich in die besonderen Verhältnisse des nordischen Kriegsschauplatzes gut eingewöhnt, an Bewaffnung und
Ausrüstung fehlte ihr nichts. Eine finnisch-deutsche Offensive
unter einheitlichem Oberbefehl hätte damals die besten Aus-
sichten auf einen schnellen und großen Erfolg gehabt. Die
550 000 Finnen und Deutschen würden mit den ihnen gegenüberstehenden Russen gewiß schnell und gründlich fertig geworden sein[83a]!«

Aber Mannerheim und die politisch Verantwortlichen in
Helsinki dachten im Herbst 1943 keinesfalls an eine Offensive.
General Erfurths Kritik war auf militärische Erwägungen auf-
gebaut; sie berücksichtigten die politischen Zusammenhänge
nicht. Letztere waren jedoch für die Republik Finnland wichtiger. In Helsinki war man sich klar darüber, daß eine eventuelle
Erneuerung der finnischen Offensive im Herbst 1943 die sofortige Kriegserklärung der USA an Finnland ausgelöst hätte.

Am 18. November hatte sich Mannerheim entschlossen, auf
der Karelischen Landenge im Rücken seiner Truppen eine Be-
festigungsanlage, die sogenannte WKT-Stellung (Wiborg–Ku-
parsaari–Taipale) und östlich von Sordavala, wiederum als
Auffangstellung, die U-Linie (Uuksu-Linie) zu schaffen. Mannerheim dazu: »Die Rekognoszierungen wurden in schneller

Folge ausgeführt, und schon einige Wochen später konnten die neuen Linien festgesetzt werden, worauf die Befestigungsarbeiten unmittelbar danach begannen[84].«

(Der Erfolg zeigte sich später. Der sowjetische Generaloberst K. A. Merezkow, der 1944 die Operationen in Karelien führte, bemerkte nach dem Krieg, daß er und sein Stab mehr als erstaunt gewesen waren, als sie nach dem Waffenstillstandsvertrag diese Befestigungslinien besichtigen konnten: »Die Dichte der Verteidigung betrug hier über 30 Maschinengewehrnester und Granatwerferstellungen, 70 Schützenlöcher, 10 Bunker und 7 Panzerkuppeln je *Frontkilometer*. Außerdem bestanden durchgehende Schützengräben für die Infanterie mit kuppelartigen Eisenbetonunterständen. In den Hauptrichtungen waren bis zu zehn Gefechtsanlagen aus Eisenbeton errichtet worden. Die Panzerhindernisse beeindruckten durch geschickte Standortverteilung, Geländeanpassung und Qualität. Verglichen mit der Mannerheim-Linie besaß der Verteidigungsstreifen am Swir die gleiche Abwehrkraft. Doch war er mit seiner größeren Dichte an Gefechtsanlagen aus Eisenbeton besser gegen moderne Waffen gewappnet ...[85]«)

Die finnische Regierung maß aber weiterhin einem möglichen Frieden mit der Sowjetunion das größte Gewicht bei. Das Oberkommando stand nämlich zu Beginn des Jahres 1944 unter dem Eindruck des weiteren Rückzugs der Wehrmacht im Osten, insbesondere bei Oranienbaum gegenüber Kronstadt. Die am 14. Januar gegen die deutsche Heeresgruppe Nord geführte Großoffensive der Roten Armee verdrängte die Deutschen erfolgreich aus dem Raum Leningrad. Nun besannen sich auch die finnischen Politiker, die bisher noch an einen deutschen Sieg geglaubt hatten.

Vor diesem politischen Hintergrund begab sich der namhafte Bauernpolitiker und Staatsrat Juho Paasikivi nach Stockholm, um die sowjetischen Waffenstillstandsbedingungen entgegenzunehmen. Am 16. Februar 1944 wurde Paasikivi von der Gesandtin Alexandra Kollantai empfangen und kehrte am 23. Februar nach Helsinki zurück. Die Finnen fanden die Bedingungen zu hart, doch waren sie im Vergleich zu den sowjetischen Forderungen an die anderen osteuropäischen Mitstreiter Hitlers mild[86]:

Moskau wollte für den Frieden im Norden zunächst die alten Grenzen, wie sie nach dem Winterkrieg 1939/40 zugunsten der UdSSR festgelegt worden waren, außerdem einen Korridor zur Eismeerküste, die Abrüstung der finnischen Armee auf Friedensstärke, eine Kriegsentschädigung in der Höhe von 600 Millionen Dollar und die Gewähr, daß die deutsche Wehrmacht innerhalb von 30 Tagen nach Abschluß des Waffenstillstandes aus Finnland vertrieben würde[87].

Die Erfüllung vor allem der beiden letztgenannten Bedingungen schien Helsinki unmöglich. Obgleich Feldmarschall Mannerheim Staatspräsident Ryti versicherte, das Offizierskorps würde unter allen Umständen den Befehlen gehorchen und sich im Notfall gegen die Deutschen stellen, lehnte der Reichstag die sowjetischen Bedingungen ab[88]. Er war nicht gewillt, das Land zum Schauplatz eines mörderischen Krieges zwischen Stalin und Hitlers Truppen werden zu lassen, denn es war klar, daß die Deutschen finnische Gebiete nicht freiwillig räumen, daß sie im Gegenteil versuchen würden, das Land ihrerseits zu besetzen! (Das Königreich Ungarn wurde gerade in diesen Märztagen von der deutschen Wehrmacht besetzt, eine Mahnung für die Finnen, was sie zu erwarten hätten, wenn sie mit dem Deutschen Reich brechen würden!)

Die Sowjets akzeptierten Helsinkis Haltung nicht. Noch 1967 hieß es offiziell: »Jeder Staat des faschistischen Blocks führte um die Wende 1943/44 Friedensbesprechungen mit der Sowjetunion, aber alle strebten nach Friedensbedingungen, die nicht nur die Aufrechterhaltung des kapitalistischen Systems in ihren Ländern weiter stützen würde, sondern auch die Macht der herrschenden Clique ermöglicht hätte[89]!«

Mannerheim gab am 21. März 1944 vorsorglich die Anweisung, die Evakuierung der finnischen Zivilbevölkerung von der Karelischen Landenge vorzubereiten. Gleichzeitig begann man damit, alles entbehrliche Kriegsmaterial und Privateigentum

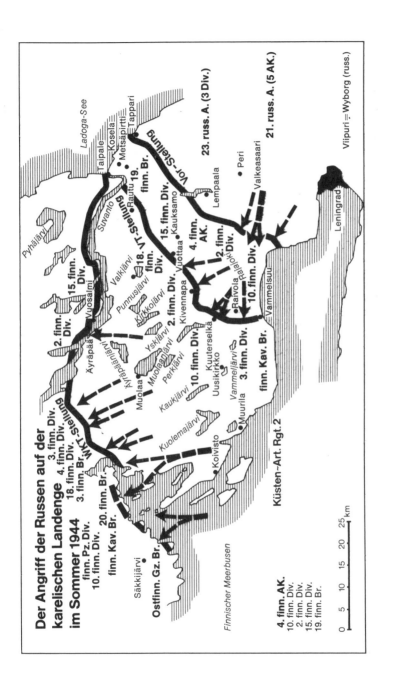

**Der Angriff der Russen auf der
karelischen Landenge
im Sommer 1944**

finn. Pz. Div.
10. finn. Div. Br.
20. finn. Div. Br.
finn. Kav. Br.

3. finn. Div.
4. finn. Div.
18. finn. Div.
3. finn. Br.
WKT-Stellung

Osttfinn. Gz. Br.

Küsten-Art. Rgt. 2

4. finn. AK.
10. finn. Div.
2. finn. Div.
15. finn. Div.
19. finn. Br.

0 5 10 15 20 25 km

Finnischer Meerbusen

Säkkijärvi

Koivisto

Kuolemajärvi

Muolaa

Ayräpää

Äyräpäänjärvi

Kaukjärvi

Perkjärvi

Yskjärvi
Muolaajärvi

Kirkkojärvi

Punnusjärvi

Valkjärvi

Vuosalmi

15. finn.
Div.

2. finn.
Div.

Pyhäjärvi

Ladoga-See

Taipale
Suvanto

Kosela
Metsäpirtti
Tappari

Rautu
**19.
finn. Br.**

VT-Stellung

18. **finn.
Div.**

2. finn. Div.

Kivennapa

Kuuterselkä

Uusikirkko
Vammeljärvi

Muurila

3. finn. Div.

finn. Kav. Br.

10. finn. Div.

Raivola
Rajajoki

10. finn. Div.

2. finn.
Div.

Vuottaa

Kauksamo

4. finn.
AK.

Lempaala

• Peri

Valkeasaari

Vor-Stellung

23. russ. A. (3 Div.)

21. russ. A. (5 AK.)

Vammelsuu

Leningrad

Viipuri = Wyborg (russ.)

aus den von Finnen besetzten Gebieten abzutransportieren. Der Feldmarschall verheimlichte dabei seine Meinung über den Kriegsausgang nicht und ließ auch die höheren Offiziere der Armee in diesem Sinne unterrichten.

Unterdessen kam es auf Initiative der Amerikaner und des schwedischen Königs zu einer neuen Verhandlungsrunde mit den Sowjets. In der Nacht vom 25. zum 26. März reiste Paasikivi in Begleitung von Carl und Georg Enckell heimlich nach Moskau. Aber auch dieser Friedensmission war kein Erfolg beschieden. Die Bedingungen wurden nicht milder. Am 12. April lehnte der finnische Reichstag erneut die sowjetischen Wünsche ab, weil sie, wie betont wurde, die Existenz Finnlands als eines selbständigen Staats gefährden und dem finnischen Volk eine zu schwere Bürde auferlegen würden[90]. Damit waren die Bemühungen Helsinkis, sich aus dem Krieg zurückzuziehen, vorerst gescheitert.

Es war nun zu erwarten, daß die Sowjets mit Waffengewalt antworten würden. Mannerheim bot nach und nach die gesamte finnische Armee zum Abwehrkampf auf; bis zum Sommer 1944 standen 530 000 Finnen unter Waffen[91]. Am 13. Februar 1944 wurde die Wolchow-Front der Roten Armee aufgelöst und ihr Oberbefehlshaber, Generaloberst K. A. Merezkow, ins Hauptquartier beordert. Stalin trug ihm die Übernahme des Oberbefehls über die Karelische Front an. Danach wurde er über seine neue Aufgabe eingehend instruiert. Er berichtet: »Wenn auch die militärische Seite der Aufgabe nicht allzu kompliziert war, so kamen dafür jetzt Probleme der ›hohen Politik‹ auf uns zu ... Der ganze mit den Ereignissen des Jahres 1940 verknüpfte Fragenkomplex stand wieder vor uns, kompliziert dadurch, daß ein Teil derjenigen, die Finnland damals unterstützt hatten, jetzt unsere Verbündeten waren. Darüber hinaus mußte die Sowjetregierung auch an eine Friedensregelung denken. Sie wünschte sich im Nordwesten einen ihr freundschaftlich gesinnten Nachbarn ... Schließlich war zu berücksichtigen, daß hinter Finnland ganz Skandinavien lag. Die skandinavischen Länder richteten aber ihre politische Linie praktisch nach der Außenpolitik der Sowjetunion, vor allem nach ihrer Beziehung zu Finnland. Das von Tanner und Mannerheim regierte Finnland (?) war eindeutig unser militärischer Gegner. Aber es gab noch das finnische Volk, eine illegale finnische Kommunistische Partei und finnische Partisanen (?). Deshalb durfte kein Entschluß auf militärischem Gebiet gefaßt werden, ohne alle diese Faktoren zu berücksichtigen. Das machte ich mir zur Richtschnur in meiner gesamten Tätigkeit als Oberbefehlshaber der Karelischen Front[92].«

Vorerst trat die sowjetische Luftwaffe in Aktion und begann mit der Bombardierung von Helsinki und anderen finnischen Städten. An den Fronten dagegen war es noch ruhig. Die deutsch-finnischen Beziehungen aber verschlechterten sich, denn durch die bewußt provozierende Veröffentlichung der sowjetischen Bedingungen für einen Waffenstillstand mit Finnland in den Moskauer Zeitungen wußte nun Hitler von den finnischen Friedensbemühungen. Die Folgen blieben nicht aus; die deutschen Waffenlieferungen wurden eingestellt und die Lebensmitteltransporte gestrichen. Hitler spielte sogar mit dem Gedanken, im Sommer mit Hilfe von 1000 deutschfreundlichen »entschlossenen« Finnen einen Putsch in Helsinki zu organisieren, um das Land für sich weiter zu sichern[93]. Deutsche Militärs bemühten sich indessen um Mannerheim und Heinrichs. Man versuchte, sie von »unüberlegten Handlungen« (d. h. Friedenssondierungen) abzuhalten. Mannerheim: »Die Stimmung in Finnland war gedrückt. Die Friedensaktion war gescheitert, und die Beziehungen zu Deutschland hatten sich offenbar verschlechtert ... Je mehr Deutschlands Macht geschwächt wurde, desto klarer sah man vor sich ein isoliertes, ganz auf seine eigene Kraft angewiesenes Finnland[94]!«

Am 6. Juni 1944 begann an der Westküste Frankreichs die Invasion der Alliierten. Innerhalb von wenigen Tagen landeten 86 britische, amerikanische und französische Divisionen. Die langerwähnte »Zweite Front« in Europa war Realität geworden, und deutsche Hoffnungen, die Invasionstruppen am Kanal zurückzudrängen, zerschlugen sich in weniger als einer Woche.

– In Helsinki konnten nun auch die Zögernden sich das Ende von Hitlers Krieg ausrechnen.

Der Juni 1944 wurde aber auch für die Finnen verhängnisvoll. Am 10. des Monats traten zwei sowjetische Armeen, die 21. und 23. der Leningrader Front, auf der Karelischen Landenge zur Offensive gegen das 4. finnische Armeekorps an. Drei Divisionen und eine Brigade versuchten vergeblich, den Angriff aufzufangen. Der 10. Juni war, wie Mannerheim betont, der »schwarze Tag« seiner Streitkräfte. Der von drei sowjetischen Gardedivisionen gegen ein einziges finnisches Regiment geführte Angriff war nicht aufzuhalten. Die Front mußte auf der Karelischen Landenge »einige zehn Kilometer« zurückgenommen werden[95]. Dabei ging wertvolles Material verloren, und die Finnen mußten schwere Verluste hinnehmen. Der Kampflärm war so stark, daß in dem weit hinter der Front gelegenen Städtchen Mikkeli die Fensterscheiben zitterten. General Erfurth bemerkt, daß die ferne Kanonade weit im Süden, ihn an das Trommelfeuer des Ersten Weltkrieges in den Schlachten bei Verdun oder an der Somme erinnerte[96]. Der sowjetische Durchbruch am Verteidigungsabschnitt der 10. finnischen Division war so vollkommen, daß Mannerheim gezwungen war, bereits am 11. Juni seine Truppen in die sogenannte VT-Linie zurückzunehmen, und den beiden Korps alle seine Reserven an der Karelischen Landenge zur Verfügung stellte. Am 12. Juni kämpften die Finnen in der VT-Stellung, und Generalleutnant Karl Lennart Oesch, der Befehlshaber an der Karelischen Landenge, erhielt vom Hauptquartier die Anweisung, unter Umständen der Lage entsprechend, zu hinhaltenden Kämpfen überzugehen und kampftaugliche Einheiten auf die (gut ausgebaute) WKT-Stellung (ostwärts von Wyborg–Kupansaari–Taipale) zurückzunehmen[97]. Hinter dieser Stellung lag an der Grenze von 1940 eine andere, jedoch unvollständige Verteidigungslinie, die man allgemein »Moskaulinie« nannte.

Das finnische Oberkommando beurteilte die Lage nüchtern. Um Kräfte zu gewinnen, ordnete Mannerheim die sofortige Räumung der besetzten Gebiete in Karelien an. Diese hatten

seiner Meinung nach drei Jahre lang ihre Aufgabe als »Puffer-
zone« erfüllt. Jetzt lag die Bedeutung der Gebiete darin, daß sie
als 200 Kilometer tiefes, für hinhaltende Kämpfe gut geeigne-
tes Hinterland zur Verfügung standen. Während des Rückzuges aus Karelien ging auch die Offensive der Leningrader Front
auf der Karelischen Landenge weiter: 18 Infanterie- und zwei
Artilleriedivisionen, unterstützt von einigen Panzerbrigaden
sowie von beinahe 1000 Flugzeugen, forcierten den Durchbruch. Am 16. Juni gab Mannerheim den Rückzugsbefehl bis
zu den WKT-Stellungen aus. Der sowjetische Angriff machte in
den folgenden Tagen so große Fortschritte, daß General Goworows Truppen am Abend des 20. Juni Wyborg einnehmen
konnten. Am selben Tag erreichte die auf der Osthälfte der Karelischen Landenge angreifende 23. Armee der Leningrader
Front das Wucksi-Wasserstraßensystem. Die Zeit für den Vorstoß der Roten Armee auf finnisches Gebiet zum Westufer des
Ladoga-Sees in den rückwärtigen Raum der Finnen, die sich in
Karelien zur Wehr setzten, war damit gekommen.

Das sowjetische Hauptquartier und der Generalstab verfolgten aufmerksam die Entwicklung bei Goworows Truppen. Bereits am 18. Juni bemerkte Stalin, daß nun der Zeitpunkt für
die Offensive an der Karelischen Front gekommen sei. Generaloberst Merezkow erhielt die nötigen Anweisungen. Am
21. Juni traten nun die Armeen der Karelischen Front zum Angriff an. Die Wiedereroberung Sowjet-Kareliens nahm damit
ihren Anfang. In den Memoiren General Schtemenkos lesen
wir: »Trotz der unvermeidlichen Niederlage versuchte der
Gegner mit allen Mitteln, seine Stellungen zu halten und unseren Vormarsch zu stoppen. Vor Beginn unserer Operation
hatte er die Truppenteile, die seine Brückenköpfe am Swir ver-
teidigten, hinter den Fluß zurückgenommen, seine Front verkürzt und dadurch das große Wasserhindernis geschützt. *Er
kämpfte hartnäckig um jede Stellung und um den gesamten
Raum von Olonez,* der mit allen Arten von Pionieranlagen ge-
spickt und durch wirkungsvollen Beschuß gesichert war[97a].«
Am 28. Juni nahm die sowjetische 32. Armee Petrosawodsk,

die Hauptstadt Kareliens, ein. Bis Ende des Monats wurde das ganze Gebiet um Aunus vom Onega-See bis zum Ladoga-See von finnischer Seite aufgegeben.

Um der Roten Armee Widerstand leisten zu können, mußten die Finnen bei den Deutschen Hilfe suchen. Innerhalb von zehn Tagen wurde die finnische Armee so arg in Mitleidenschaft gezogen, daß man in Helsinki mit dem Zusammenbruch der Fronten rechnen mußte. Mannerheim bat um deutsche Luftunterstützung und um die Entsendung von deutschen Truppen, die die intakten finnischen Verbände am Mittelabschnitt der Karelischen Front ablösen sollten. Hitler bewilligte die Unterstützung. Mit dem ersten Transport von 9000 Panzerfäusten und 5000 Panzerabwehrgranaten kam aber auch Ribbentrop nach Helsinki. Seine dreitägigen Unterredungen mit Risto Ryti, Mannerheim und anderen führenden Politikern waren hart und blieben nicht erfolglos. Hitler verlangte eine verbindliche Zusage, daß Finnland unter keinen Umständen mit der Sowjetunion einen Sonderfrieden abschließen würde. Nur in diesem Fall war er bereit, mehr Waffen, Truppen und Lebensmittel zu schicken. Nach langen zähen Verhandlungen gelang es Ribbentrop am 26. Juni, die Zusicherung des finnischen Staatspräsidenten persönlich zu erhalten, daß Finnland in der Zukunft nicht mehr um einen Sonderfrieden mit der Sowjetunion verhandelt[98]. Daraufhin gab Hitler die Anweisung, den Finnen eine Infanteriedivision und eine Sturmgeschützbrigade zuzuführen. Kaum war diese Krise aber gelöst, traf die Nachricht vom Abbruch der diplomatischen Beziehungen zwischen den Vereinigten Staaten von Amerika und Finnland in Helsinki ein. In Washington wertete man Ribbentrops Erfolg als völlige Unterwerfung der Finnen unter Hitler. Die Roosevelt-Administration wollte nicht zur Kenntnis nehmen, daß es nach der sowjetischen Großoffensive für das kleine Land nur die Alternative zwischen bedingungsloser Kapitulation vor der Roten Armee oder der Unterzeichnung der Ribbentrop-Forderung gab.

Zwischen dem 10. Juni und dem 15. Juli 1944 verloren die

Finnen fast alle Gebiete, die sie 1941 erobert hatten. Mannerheims Truppen schlugen sich tapfer. Selbst ihre Gegner mußten
zugeben, daß der Widerstand um so härter wurde, je mehr sich
die Kampfhandlungen den alten finnischen Grenzen näherten[99]. An der Karelischen Landenge bildete die WKT-Stellung
die Front. General Oesch machte sich aber über den Wert dieser Verteidigungslinie keine Illusionen. »Hätte die feindliche
Übermacht ihre Angriffe noch wochenlang fortgesetzt, so wäre
auch das Schicksal der WKT-Stellung schließlich besiegelt gewesen«, gab er nach dem Krieg zu[100].

Am 21. Juli erhielt der Kriegsrat der sowjetischen Karelischen Front die Meldung ihrer 32. Armee, sie habe soeben die
Staatsgrenze der UdSSR erreicht[101]! Merezkow und Goworow
ließen nun die weiteren Operationen einstellen; das sowjetische Hauptquartier zog Truppen aus diesen Heeresgruppen ab,
um sie südlich ihrer Front in die bei der deutschen Heeresgruppe Mitte bereits geschlagene Bresche zu werfen. Die Finnen kamen dadurch zu einer Atempause. Die Lage der deutschen Ostfront wurde jedoch durch die Zerschlagung der Heeresgruppe Mitte so kritisch, daß man den Finnen sogar die ihr
zur Verfügung gestellte deutsche Infanteriedivision mit der
Sturmgeschützbrigade am 29. Juli entzog. Dazu Mannerheim:
»Beide Verbände hatten sich gut geschlagen: Besonders gilt
dies von der Brigade, die mit Tapferkeit an der Beseitigung
mancher Krise in der WKT-Stellung teilgenommen hatte[102]!«

Wenn an den finnischen Fronten nunmehr auch eine gewisse
Ruhe eintrat, hatten die Verantwortlichen in Helsinki und
Mikkeli doch keine Illusionen, was den weiteren Verlauf des
Krieges betraf. Finnland zählte im Sommer 1944 mehr als
60 000 Mann an Toten, Verwundeten und Vermißten. Ryti,
Tanner und Mannerheim kamen bald überein, daß Deutschland am Ende seiner Kräfte sei, und daß die einzige Möglichkeit, dem Land den Krieg auf eigenem Boden zu ersparen, der
baldige Friede mit der Sowjetunion sei[103]. Damit der Bund mit
Deutschland gelöst bzw. Hitler den Staatspräsidenten Ryti
nicht des Wortbruchs bezichtigen konnte, entschlossen sich die

Verantwortlichen dazu, daß der bisherige Staatspräsident Risto Ryti am 1. August 1944 seinen Rücktritt erklärte. Der Reichstag erließ ein Sondergesetz, und am 4. August wurde Carl Gustav Freiherr von Mannerheim zum Präsidenten der Finnischen Republik gewählt.

Mannerheim, der auch weiterhin den Oberbefehl über die Armee beibehielt, ernannte eine neue Regierung. Ministerpräsident wurde der frühere Außenminister und Finnlands Moskauer Botschafter Antti Hackzell, Außenminister wurde Carl Enckell, derselbe Mann, der im März 1944 mit Paasikivi in Moskau gewesen war, während General Walden weiter den Posten des Verteidigungsministers bekleidete. Während die neue Regierung nach einer raschen Friedensvereinbarung mit der Sowjetunion trachtete, traf am 17. August Generalfeldmarschall Keitel in Mikkeli ein, um Mannerheim das Eichenlaub zum Ritterkreuz zu überreichen. Wahrer Grund seines Kommens war jedoch die Sondierung der Lage. Mannerheim machte kein Hehl daraus, daß Ryti zur Aufgabe seiner Verpflichtungen gezwungen worden sei. Er als neuer Staatspräsident habe nun freie Hand, um Finnlands Schicksal als Patriot zu gestalten. Die Bindung an die Ribbentrop geleisteten Versprechungen sei nach finnischer Auffassung somit hinfällig[104]!

Daraufhin versuchte Keitel seinen Gesprächspartner umzustimmen. »Ich betone, daß Finnland von unserer Hilfe überzeugt sein könne, denn wir hätten in Finnland Interessen, nicht nur mit Finnland verbundene, sondern vor allem eigene Interessen. Mannerheim hat mir aber keinerlei Versprechungen gegeben ...« Nach seiner Rückkehr nach Deutschland unterrichtete der Chef des Stabes des Oberkommandos der Wehrmacht Hitler unverzüglich über die Haltung Mannerheims. Dieser darauf nachdenklich: »Ich habe dies erwartet. Wenn Soldaten beginnen, Politik zu machen, kommt nichts Gutes dabei heraus. Mannerheim ist ein hervorragender Soldat, aber ein schlechter Politiker[104a]!« Die beiden waren danach einig, daß die Finnen bei der geringsten sich bietenden Möglichkeit die Verhandlungen mit Moskau wieder aufnehmen werden. Sie sollten recht behalten ...

Sofort nach dem Bekanntwerden der Nachricht, daß der rumänische König das Bündnis mit Deutschland aufgekündigt habe (23. August), ersuchte Helsinki die Sowjetunion über Schweden um Bekanntgabe von neuen Friedensbedingungen. Die Antwort traf rasch ein. Die Sowjetregierung, die anscheinend nicht an einem weiteren Krieg im Norden interessiert war, verlangte jetzt keine bedingungslose Kapitulation Finnlands mehr. Die Konditionen waren beinahe dieselben wie im März 1944, außer was die Zahlung der Kriegsreparationen betraf. Diese verringerten die Russen von 600 Millionen US-Dollar auf 300 Millionen US-Dollar und setzten dafür als Frist nicht mehr fünf, sondern sechs Jahre[105]. In einer langen Diskussion über die zukünftige Beziehung der Finnischen Republik zu Deutschland gelang es der finnischen Delegation in Moskau durchzusetzen, daß die Wehrmacht in Finnland nicht zur Kapitulation gezwungen werden sollte, sondern die Möglichkeit erhielt, innerhalb von zwei Wochen das Land freiwillig zu verlassen. Dies war ein eindeutiger Erfolg der Finnen, denn die Sowjets gewährten den anderen mit Hitler im Kriegsbund stehenden osteuropäischen Regierungen bei deren Waffenstillstandsverhandlungen diese Vergünstigung nicht.

Am Abend des 31. August erfuhr der deutsche General Erfurth durch den deutschen Gesandten aus Helsinki, daß seit einigen Tagen Friedensbesprechungen im Gange seien. Am 2. September wurden die sowjetischen Waffenstillstandsbedingungen vom finnischen Reichstag akzeptiert (auch die Abtretung des Gebiets Petschamo mit Nickelminen an die Sowjetunion). Am selben Tag teilte Ministerpräsident Hackzell den Abbruch der diplomatischen Beziehungen zu Deutschland mit und forderte den Abzug der deutschen Truppen. Gleichzeitig unterrichtete Staatspräsident Mannerheim Hitler in einem persönlichen Brief vom Entschluß der Finnen und gab die Gründe dafür an. Er schloß sein Schreiben mit den Sätzen: »Ich möchte besonders darauf hinweisen, daß Deutschland, auch wenn das Schicksal Ihren Waffen den Sieg versagen sollte, dennoch weiterleben wird. Eine ähnliche Versicherung kann niemand für

Finnland abgeben. Wenn dieses Volk von kaum vier Millionen militärisch besiegt ist, kann kein Zweifel darüber herrschen, daß es vertrieben oder ausgerottet wird. Dieser Möglichkeit darf ich mein Volk nicht aussetzen ... Ich halte es für meine Pflicht, mein Volk aus dem Kriege herauszuführen. Ich kann und ich will unsere Waffen, die uns so freigebig geliefert wurden, nie aus eigenem Willen gegen Deutsche wenden. Ich hege die Hoffnung, daß Sie, auch wenn Sie meinen Schritt mißbilligen, ebenso wie ich und wie alle Finnen doch den Wunsch und das Bestreben haben werden, die Abwicklung der bisherigen Verhältnisse ohne jede nur irgendwie zu vermeidende Zuspitzung durchzuführen[106]!«

Am 4. September wurde von finnischer Seite die Feuereinstellung an der ganzen Front befohlen. Die Sowjets hielten sich erst 24 Stunden später an die Waffenruhe, benahmen sich danach aber korrekt[107]. So schien es, als ob Finnlands Bemühungen um die Herstellung eines Friedens doch noch von Erfolg gekrönt seien und ihm weiteres Blutvergießen erspart bliebe.

VIII. Vom Waffengefährten zum Waffengegner

Die militärische Lage Deutschlands hatte sich Anfang August 1944 auf allen Kriegsschauplätzen krisenhaft zugespitzt. Nach der alliierten Invasion in der Normandie (6. Juni) und dem jähen Zusammenbruch der Heeresgruppe Mitte an der Ostfront (ab 22. Juni) zwang ein abermaliger sowjetrussischer Großangriff am 13. Juli die Heeresgruppe Nordukraine, Ostgalizien praktisch aufzugeben und sich bis zur Weichsel zurückzuziehen. Ende Juli erfolgte an der Westfront bei Avranches der alliierte Durchbruch in das Innere Frankreichs; am 1. August erhoben sich die polnischen Patrioten in Warschau, der 2. August brachte den Abbruch der diplomatischen Beziehungen zwischen Ankara und Berlin, und oben im Norden mußten die Deutschen, nach dem Rücktritt von Risto Ryti, mit einem finnischen Sonderfrieden rechnen. Lediglich der Abschnitt in Rumänien, wo die deutsch-rumänische Heeresgruppe Südukraine, die die Front von der Dnjestr-Mündung im großen Bogen um Kischinew herum bis zum Cornesti-Massiv bzw. die Linie Jassy–Karpaten hielt, war bisher nicht in den Strudel der Ereignisse einbezogen worden.

Die Heeresgruppe Südukraine, an deren Spitze seit dem 25. Juli 1944 Generaloberst Hans Frießner stand, stellte in dieser Zeit eine ansehnliche Streitmacht dar: 24 deutsche und 27 rumänische Divisionen bzw. Brigaden mit insgesamt 900 000 Mann, die in zwei Gruppen – im Süden die Armeegruppen Dumitrescu (3. rumänische und 6. deutsche Armee) und im Norden die Armeegruppe Wöhler (8. deutsche und 4. rumänische Armee) – die Verteidigung des Rumänischen Königreiches zur Aufgabe hatte[1].

Die Frontwechsel Rumäniens

Die deutsch-rumänische Kriegsallianz erhielt im Sommer 1944 einige Rückschläge, obwohl auf den ersten Blick davon nicht viel zu bemerken war. Antonescus Besuch im Führerhauptquartier »Wolfsschanze« am 5. August brachte für die Rumänen keine Erleichterung. Hitler konnte die rumänischen Wünsche nicht erfüllen. Auf die Frage des »Conducatorul«, welche strategischen Absichten das deutsche Oberkommando bei der Weiterführung des Kampfes im Südabschnitt der Ostfront verfolge (ein weiteres Zurückgehen ins Innere Rumäniens würde das Ende des Landes bedeuten), wich Hitler aus. Aber auch Antonescu sagte nicht klar aus, ob er bereit wäre, den Kampf »bis zum Ende« weiterzuführen. Er betonte nur, daß trotz der äußerst kritischen Lage die Moral der Rumänen immer noch sehr gut sei: Beherrschend sei die Furcht vor dem Bolschewismus, und Armee und Bevölkerung stünden fest hinter ihm. »Kein einziger Offizier oder Soldat wird jemals von mir abfallen! ... Die rumänische Armee wird auf jeden Fall ihre Pflicht tun[2]!«

Ähnliche Berichte erhielt Hitler aus Bukarest von seinen Diplomaten. Noch am 10. August telegraphierte der deutsche Gesandte v. Killinger nach Berlin: »Lage völlig sicher. König Michael Garant des Bündnisses mit Deutschland[3]!« Und auf die beunruhigte Frage von Generaloberst Frießner, was denn passieren würde, wenn es im Rücken der Heeresgruppe doch zu Unruhen kommen würde, antwortete der Chef der deutschen Luftwaffenmission in Rumänien, Generalleutnant Alfred Gerstenberg, gelassen: »In diesem Fall würde eine deutsche Flakbatterie genügen, um jeden Putsch in Bukarest niederzuschlagen[4]!« Nicht einmal die deutsche Abwehr hatte davon Kenntnis bekommen, daß in bestimmten maßgebenden Stellen in Rumänien seit Wochen und Monaten an einem Separatfrieden bzw. Waffenstillstand mit den Alliierten gearbeitet wurde!

Die äußeren Anzeichen, gewisse Umbenennungen von Kommandoposten innerhalb der rumänischen Armee, hätte

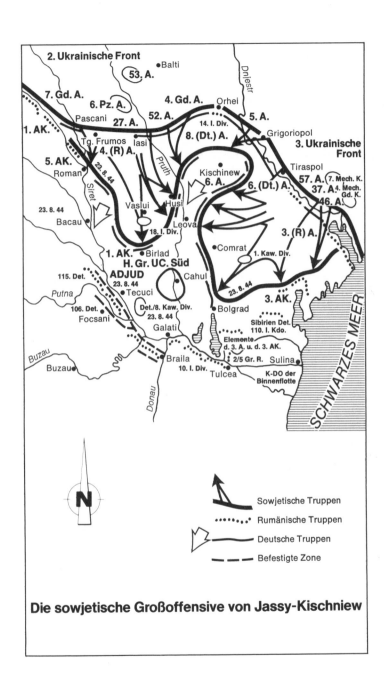

Die sowjetische Großoffensive von Jassy-Kischniew

man jedoch relativ leicht erkennen können. Die Auswirkungen der Mobilmachungsanstrengungen Antonescus waren kaum wahrzunehmen; häufig überging man die deutschen Kommandobehörden, und wichtige Posten in der militärischen Hierarchie (auch bei den Fronttruppen) besetzte man ohne vorherige Absprache mit den Deutschen mit neuen Männern, die gegen Antonescu eingestellt waren und aus ihrer antideutschen Einstellung kein Hehl machten. Frießner betrachtete die Lage mit kaum unterdrücktem Mißtrauen und meldete seine Befürchtungen weiter nach Berlin.

Von dort aus wurde er beruhigt. Hitler selbst glaubte nach wie vor fest an Rumäniens Bündnistreue. Als aber am 20. August 1944 der sowjetrussische Großangriff gegen die deutsch-rumänische Heeresgruppe Südukraine begann, saßen auf den wichtigsten Kommandoposten der rumänischen Armee bereits königstreue Generäle, so im Generalstab (Racovitza) und im Frontoberkommando (Avramescu). Die in zwei Heeresgruppen (2. und 3. Ukrainische Front) gegliederten sowjetrussischen Angreifer verfügten über 90 Schützendivisionen, sechs Panzer- und motorisierte Korps mit 1400 Panzern und Sturmgeschützen sowie über 1700 Flugzeuge. Ihr Kampfbestand betrug insgesamt 929 000 Mann[5]. Von sowjetischer Seite hatte Marschall Timoschenko die Aufgabe, als Vertreter des Moskauer Oberkommandos die Tätigkeit der beiden »Fronten« zu koordinieren. Das erste Angriffsziel der Russen war die 6. deutsche Armee. Sie sollte durch eine Zangenoperation aus dem Raum nordwestlich Jassy und aus dem Brückenkopf südwestlich Tiraspol nach dem Durchbruch bei der 4. und 3. rumänischen Armee im Raum von Kischinew eingeschlossen und vernichtet werden.

Das Oberkommando der Heeresgruppe Südukraine sah die Gefahr und bat beim OKW um Handlungsfreiheit. Sie beabsichtigte, rechtzeitig die im weit nach Osten vorspringenden Bogen stehende 6. Armee zurückzunehmen, aber Frießners Begehren wurde sowohl vor als auch unmittelbar nach der gegnerischen Großoffensive abgelehnt[6].

Innerhalb von drei Tagen gelang es den sowjetrussischen Angreifern, die Heeresgruppe Südukraine an den Rand einer gefährlichen Krise zu bringen. Da Hitler eine Zurücknahme der Front auf eine günstigere Linie noch immer verweigerte, befahl sie Frießner am 21. August eigenmächtig[7]. Am 22. August erschien Marschall Antonescu persönlich beim Oberkommando der Heeresgruppe. Die Unterredung mit ihm schildert Frießner eingehend in seinen Memoiren. Antonescu war sehr betrübt über die Frontlage. »Wenn der Russe die Linie Galatz-Focşani überschreitet, ist Rumänien für alle Zeit verloren!« sagte er beim Abschied[8].

In Bukarest betrachtete man indessen den Krieg als längst verloren. Die Bekanntgabe des rumänischen Waffenstillstandsersuchens an die Alliierten bzw. an die Sowjetunion wurde auf den 26. August festgelegt. Jetzt, da die Front jede Stunde zusammenzubrechen drohte und rumänische Truppen auf Befehl ihrer Kommandeure versuchten, sich aus den Kämpfen herauszuhalten, entschloß sich König Mihai, sofort zu handeln. Die Unterhändler in Kairo erhielten strikten Befehl, den Waffenstillstand mit den Sowjets zu unterzeichnen, und der König bestellte am Nachmittag des 23. August Marschall Antonescu zu sich.

Der 23. August wurde, wie Frießner sich ausdrückt, der »schwarze Tag der deutschen Wehrmacht in Rumänien«[9]. Bis zu dieser Zeit gelang es den Truppen Malinowskijs und Tolbuchins, sechs Korpsstäbe und ganze 20 Divisionen in einem großen Kessel zwischen Dnjestr und Pruth fast vollständig einzuschließen! Der 6. deutschen Armee drohte ein neues Stalingrad. Malinowskij nannte später mit Recht seine Operationen ein »Cannae bei Jassy-Kischinew«[10]. Am 24. August vereinigten sich die Truppen der 2. und 3. Ukrainischen Front im Raum Husi–Leowo. Die 6. Armee war eingekesselt.

Frießners Lage wurde zunehmend hoffnungslos. Es konnte ihm und den zerschlagenen und arg dezimierten Verbänden nicht gelingen, eine neue Verteidigungslinie in Rumänien aufzubauen, die Evakuierung der vielen deutschen militärischen und zivilen Behörden war aussichtslos, und die Pässe der Südkarpaten zu schließen war unmöglich.

In diese Krise fiel die Proklamation des rumänischen Königs vom 23. August 22.00 Uhr im Bukarester Rundfunk. Der Monarch gab seinem Volk bekannt, er habe die Waffenstillstandsbedingungen der Anti-Hitler-Koalition angenommen, der Bund mit Deutschland sei gelöst, die rumänischen Truppen sollten ihren Kampf einstellen. »An der Spitze der Alliierten und mit ihrer Hilfe wird die rumänische Armee die ihr in Wien auferlegten Grenzen überschreiten. Die Diktatur ist zu Ende und damit alle Unterdrückung!« verkündete er[11]. Marschall Antonescu war bereits Gefangener des Königs. Er wurde im Palast während der Audienz durch royalistische Offiziere verhaftet und danach sofort Vertretern der Kommunistischen Partei Rumäniens ausgeliefert. In den nächsten Stunden wurden sein Stellvertreter Mihai Antonescu, Kriegsminister General Constantin Pantazi und Innenminister General Constantin Vasiliu in Gewahrsam genommen. Eine neue Regierung wurde gebildet, an deren Spitze der König Generaloberst Constantin Sanatescu stellte. Die vier Führer der Oppositionsparteien, unter ihnen erstmals ein Kommunist (Lucretiu Patrascanu), wurden Minister ohne Portefeuille[12].

Noch im Laufe der Nacht vom 23. auf den 24. August erließ der rumänische Große Generalstab eine vom neuen Generalstabschef und Oberkommandierenden der Armee, General Gheorghe Mihail, unterzeichnete »Operationsanweisung«, die für alle Verbände der königlichen Armee im Lande neue Kampfaufgaben festlegte.

Diese sahen – nach dem Kriegstagebuch des Großen Generalstabes – folgende Aufgaben vor:

1. Einstellung des Kampfes der rumänischen Armee an der Seite der deutschen Wehrmacht und der Beginn des Kampfes an der Seite der Armeen der Vereinten Nationen (sic!) für die Befreiung Nordsiebenbürgens.

2. Die rumänischen Streitkräfte unterstehen nicht mehr der Autorität der deutschen Kommandostellen.

3. Die allgemeinen Operationsaufgaben:
   sofortige Feuereinstellung gegen die Truppen der Vereinten
   Nationen (in diesem Fall gegen die Rote Armee);
   Befreiung des Landes von den deutschen Truppen;
   Schutz der nördlichen und westlichen Grenzen des Landes
   gegen die deutsch-ungarischen Angriffe und Übergang zur
   Offensive gegen diese Kräfte und für die Befreiung Nord-
   siebenbürgens;
   Wiedergewinnung und Neuaufstellung der rumänischen
   Streitkräfte an der Front in Bessarabien und der Moldau für
   die späteren Operationen gegen die deutsch-ungarischen
   Truppen und
   Organisierung des Oberkommandos für die geplanten Ope-
   rationen[12a].

Am 24. August mußte der deutsche Gesandte im Königs-
palast erscheinen. Mihai teilte ihm mit, daß er zwar als Hohen-
zoller die Entwicklung der Dinge bedauere, daß er aber die
Reichsregierung darum bitten müsse, die deutschen Truppen
unverzüglich aus Rumänien abzuziehen, um der bisherigen
Kampfesverbundenheit der beiden Armeen das Schwerste zu
ersparen[13]. Am selben Tag wurde offiziell der Abbruch der diplomatischen Beziehungen zwischen Bukarest und Berlin verkündet. Der neue Außenminister Grigore Niculescu-Buzesti
bot bei diesem Anlaß den deutschen Truppen freien Abzug an,
sofern »sie sich ihrerseits jeder Feindseligkeit enthielten[14].«

Hitler wollte aber weder einen freien Abzug aus Rumänien
noch auf Rumäniens Kriegs- und Wirtschaftspotential verzichten. In der Nacht vom 23. auf den 24. August erhielt Frießner
den Befehl, den Putsch in Bukarest niederzuschlagen und »den
König mit seiner Kamarilla« festzunehmen[15]. Als der Generaloberst auf die Undurchführbarkeit dieses Befehls hinwies, forderte Hitler ihn auf, einen »vertrauenswürdigen rumänischen
Armeegeneral zu finden«, um ihn mit der Bildung einer zuverlässigen Regierung zu beauftragen. Vergeblich versuchte
Frießner, auch diesen Befehl auszuführen. Keiner der rumänischen Generäle war gewillt, den Treueeid gegenüber seinem
Obersten Kriegsherrn, dem König, zu brechen[16]!

Obwohl Armee und große Teile der Bevölkerung mit Unbehagen dem Einmarsch der Roten Armee entgegensah, hatten sie andererseits nach dem Debakel am Don 1942 vom deutschen Bündnis genug. Der Verlust von Bessarabien und Transnistrien nahmen sie angesichts der Gewißheit, daß Rumänien nun endlich Nordsiebenbürgen zurückerhalten werde, in Kauf. Man hoffte auf anglo-amerikanische Luftlandedivisionen und auf das Kriegsende, denn man war nach drei Jahren Kämpfen begreiflicherweise kriegsmüde!

Hitler befahl – in völliger Verkennung der Lage – am 24. August die Bombardierung Bukarests. Gleichzeitig versuchte General Gerstenberg mit rasch zusammengezogenen Einheiten, die rumänische Hauptstadt in seine Gewalt zu bringen. Die Folgen waren für die Wehrmacht verheerend. Unter dem Befehl von General Teodorescu setzte sich die Hauptstadt energisch zur Wehr. Nicht nur die rumänische Armee, sondern auch aus der Bevölkerung gebildete, in vielen Fällen von KP-Agitatoren geführte sogenannte »Patriotische Garden« lieferten den Deutschen in und um Bukarest Gefechte, bis General Jonescus Truppen, mit deutschen »Tiger«-Panzern ausgerüstet, den Gegner zum Rückzug zwangen. Am 27. August griffen amerikanische Fliegerverbände in die Kämpfe ein und vertrieben die Deutschen aus ihren Militärbasen nördlich von Bukarest. General Gerstenberg fiel in den nächsten Tagen in rumänische Gefangenschaft, der Gesandte v. Killinger nahm sich im Botschaftsgebäude am Tag, an dem die Rote Armee in Bukarest einzog, vor einem Riesenporträt Hitlers das Leben.

In den frühen Nachmittagsstunden des 25. August erklärte die Sanatescu-Regierung aufgrund der deutschen Angriffe dem Deutschen Reich den Krieg. Die rumänische Armee erhielt den Befehl, die deutsche Wehrmacht aus dem Lande zu verdrängen[17]. Die Ereignisse der letzten Augusttage in und um die rumänische Hauptstadt ließen beinahe jeden rumänischen Kommandeur zum Gegner der Deutschen werden. Von nun an wurde auch dort gegen die gestrigen Waffengefährten vorgegangen, wo ihr Rückzug bisher stillschweigend geduldet worden war. Dies und eine weitere Großoffensive der Truppen Malinowskijs und Tolbuchins gaben der deutschen Heeresgruppe Südukraine den Todesstoß. Nach der Säuberung des Kessels beiderseits des Pruth am 29. August durch die Rote Armee meldete das sowjetische Oberkommando, die Wehrmacht habe 106 000 Gefangene und 150 000 Gefallene zu beklagen[18]. Von der 6. deutschen Armee konnten sich in der Tat nur einige Tausend Soldaten, von der 8. deutschen Armee bestenfalls sechs Verbände nach Ungarn retten.

Für Hitler bedeutete Rumäniens Ausscheiden aus dem Krieg einen größeren Verlust als die Katastrophe bei Stalingrad!

Was geschah indessen mit der rumänischen Armee? Die Rote Armee, die nach dem Ausscheiden der rumänischen Truppen aus der Front der Heeresgruppe Südukraine rasch Boden gewann (und ihre Operationen bis Ende August/Anfang September 1944 auf das ganze rumänische Flachland ausdehnen konnte), kam keineswegs als Verbündeter nach Rumänien. Obwohl die königliche Armee gemäß ihren Anweisungen aus Bukarest alle Kampfhandlungen gegen sie eingestellt hatte, nahmen die Russen zwischen dem 23. August und 31. August 1944 mehr als 120 000 rumänische Soldaten gefangen[19]. Vergeblich versuchte der neue Chef des Großen Generalstabes, die Verbände der 3. und 4. rumänischen Armee auf den Abschnitt Donaumündung–Bráila-Sat-Námoloasa-Focşani zurückzuziehen, um dadurch sowjetischen Entwaffnungsversuchen vorzubeugen. Die Sowjets behandelten die rumänischen Soldaten als Kriegsgefangene und alles, was ihnen in die Hände fiel, als Kriegsbeute[20]. Am 29. August forderten Vertreter der Regierung Sanatescu das Oberkommando der Roten Armee auf, die Kampfhandlungen im Raum zwischen der Donau und den Karpaten einzustellen und das Land nicht mehr als Operationsbasis zu betrachten. Marschall Timoschenko wies diese Aufforderung begreiflicherweise zurück; seinen Truppen kam es jetzt darauf an, so rasch wie möglich den Deutschen zu folgen und in Richtung Westen bzw. Norden (durch die Karpaten) vorzudringen. Malinowskijs 2. Ukrainische Front sollte dabei

Rumänien besetzen, während Tolbuchins 3. Ukrainische Front von der Donau aus gegen Bulgarien Stellung bezog.

Inzwischen bemühte sich die Regierung Sanatescu erfolglos, die Westalliierten zur Entsendung von Luftlandetruppen zu bewegen. »Der Plan des Königs und der Regierung, Rumänien von den USA und von Großbritannien besetzen zu lassen, ließ sich nicht verwirklichen«, heißt es im amtlichen sowjetischen Standardwerk über den Zweiten Weltkrieg[21]. Am 31. August rückten sowjetische Truppen in Bukarest ein. Mit ihnen zog auch eine aus ehemaligen rumänischen Kriegsgefangenen gebildete »Freiwilligendivision« ein, die von der Bevölkerung stürmisch gefeiert wurde.

Anfang September befand sich außer Südsiebenbürgen ganz Rumänien in den Händen der Roten Armee. Zwar konnte die Regierung Sanatescu durch eine neue Erklärung Molotows beruhigt werden, daß die Sowjetunion angesichts der neuen Ereignisse in Rumänien weiterhin an ihrem im April gegebenen Wort festhalte und nicht beabsichtige, sich irgendeinen Teil Rumäniens anzueignen oder die herrschende soziale Ordnung in diesem Lande zu ändern, doch begriff sie nicht, warum man mit der Unterzeichnung des Waffenstillstandsvertrages so lange warten müsse. Bereits am 29. August begab sich mit einem Flugzeug die rumänische Waffenstillstandsdelegation nach Moskau. Sie bestand aus Brigadegeneral Dumitriu Damaceanu, dem Bauernpolitiker Ghita Pop, dem kommunistischen Funktionär Lucretiu Patrascanu, sowie aus Prinz Barbu Stirbey und Constantin Visoianu, die gerade aus Kairo zurückgekehrt waren. Der Waffenstillstandsvertrag wurde jedoch erst am 10. September 1944 der Delegation zur Unterzeichnung vorgelegt. Verhandlungen darüber gab es nicht; die Rumänen mußten den bereits formulierten Text annehmen[22]. Von seiten der Alliierten wurde der Vertrag am 12. September (dem Datum des Inkrafttretens) nur vom Vertreter der Sowjetregierung gleichzeitig im Namen der amerikanischen und britischen Regierung unterzeichnet. Mit diesem Vertrag, der auf den Grundsätzen des »Sechs-Punkte-Programms« Molotows vom April

1944 basierte, verpflichtete sich Rumänien zur Zahlung von Reparationen in der Höhe von 300 Millionen Dollar, und zwar innerhalb von sechs Jahren, zur Anerkennung der rumänisch-sowjetischen Grenze vom 22. Juni 1941 und zu einer weiteren Kampfbeteiligung gegen Deutschland und dessen Verbündete. Zu diesem Zwecke sollte Rumänien »mindestens« 12 Infanteriedivisionen bereitstellen.

In der Folge nahmen zwei rumänische Armeen mit zeitweise über 28 Divisionen in einer Gesamtstärke von 540 000 Mann an den weiteren Operationen der Roten Armee im Donauraum teil[23]. Sie stießen nun unter dem Befehl der Roten Arme nach Ungarn vor, kämpften in der Slowakei, in Österreich und Mähren. Die Verluste, die sie vom 23. August 1944 bis zum 9. Mai 1945 hinnehmen mußten, waren hoch: etwa 170 000 Tote, Verwundete und Vermißte[24]. Rumäniens Menschenverluste im Krieg gegen die Sowjetunion waren dagegen lange Zeit ein Geheimnis. (Erst 1974 findet sich dazu eine Quelle, die Fußnote in einer maßgeblichen historischen Zeitschrift[25].) Danach soll die rumänische Armee vom 22. Juni 1941 bis und mit 23. August 1944 71 000 Tote, 243 000 Verwundete und 310 000 Vermißte, insgesamt also 624 000 Mann verloren haben[26]. Sowjetrussische offizielle Stellen beziffern dagegen die rumänische Verluste in der oben erwähnten Zeitspanne auf insgesamt 660 000 Mann, wobei sie, ohne Details zu nennen, von 410 000 Menschen schreiben, die »unwiderruflich« nach dem Krieg nicht heimgekehrt seien[27].

Der Staatsstreich in Sofia

Obwohl die bulgarische Armee nicht gegen die Rote Armee gekämpft hatte und es der bulgarischen zaristischen Regierung auch nach dem plötzlichen Tode von Boris III. am 28. August 1943 gelungen war, sich von einer militärischen Beteiligung auf seiten Deutschlands an der Ostfront fernzuhalten, ja das Land nicht einmal die diplomatischen Beziehungen zur Sowjetunion abgebrochen hatte, marschierte Ende August 1944 eine sowjetrussische Heeresgruppe gegen das kleine Balkanland auf. Vergebens versuchte die neue bulgarische Regierung, den unheilvollen sowjetischen Angriff dadurch zu verhindern, daß sie jegliche Kontakte mit Deutschland abbrach und am 8. September 1944 sogar Berlin offiziell den Krieg erklärte; dem sowjetischen Vorhaben, das eigentlich noch aus dem Jahr 1940 stammte, konnte sie nicht entgehen. In der Nacht vom 8. auf den 9. September erhoben sich in Sofia und einigen anderen bulgarischen Städten Kommunisten und mit ihnen zeitweise verbundene »Zweno«-Leute (eine Art republikanisch gesinnte Offiziersliga), die, kaum auf Widerstand stoßend, binnen 24 Stunden die Macht im Lande an sich rissen. Am anderen Tag marschierte Tolbuchins 3. Ukrainische Front in Bulgarien ein. Die demoralisierte Führung der bulgarischen Armee ließ sich von den politischen Ereignissen überrumpeln[28]. Die Russen wurden als Befreier gefeiert. Tolbuchins Truppen riegelten die Südgrenze Bulgariens sofort ab, um einem eventuellen türkischen Vorstoß zuvorzukommen. Obwohl sich Bulgarien nur mit Großbritannien und den USA im Krieg befand, wurden auf Tolbuchins Anweisung hin britische Offiziere in Sofia (die nach dem Regierungswechsel am 9. September in Bulgarien ankamen) kurzerhand ausgewiesen. Die neue bulgarische Regierung – ein Volksfrontkabinett mit Oberst K. Georgieff, einem Zweno-Offizier, an der Spitze – wurde veranlaßt, den Krieg auf der Seite der Roten Armee gegen Hitler-Deutschland fortzusetzen.

In den folgenden Monaten marschierte nun eine bulgarische Armee in der Stärke von insgesamt 100 000 Mann und vornehmlich mit deutschen Waffen ausgerüstet durch Jugoslawien nach Südungarn und beteiligte sich dort 1945 an den allgemeinen Operationen gegen deutsche und ungarische Truppen[29]. Das Ende des Krieges erlebten die Bulgaren in Österreich. Ihre Verluste während des »Vaterländischen Krieges Bulgariens«, so die offizielle Bezeichnung, beliefen sich auf 31 000 Tote, Verwundete und Vermißte[30].

Horthys Dilemma und der 15. Oktober 1944 in Budapest

Schon lange verfolgte man indessen in Budapest mit besonderer Aufmerksamkeit die Entwicklung auf dem Balkan, insbesondere im Nachbarland Rumänien. Ungarische Abwehrstellen hatten dabei öfters ihre deutschen Kollegen vor einem bevorstehenden rumänischen »Verrat« gewarnt. Man wollte ihnen aber keinen Glauben schenken, tat die Sache als neue Variante magyarischer Verleumdungskampagnen gegen den rumänischen Erbfeind ab, traute andererseits in jenem Sommer 1944 auch den Ungarn nicht mehr.

Seit das Königreich am 19. März 1944 von der deutschen Wehrmacht besetzt worden war, die nicht auf Widerstand stieß, spielten sich im Lande entscheidende Dinge ab. Offiziell kamen Hitlers Truppen als Verbündete, trugen aber den Krieg ins Land. Reichsverweser Horthy wurde gezwungen, eine deutschfreundliche Regierung zu ernennen, deren Hauptaufgabe nun in der Mobilisierung der ungarischen Wehrfähigen bzw. der Industrie für den weiteren Krieg lag. Scharfe Maßnahmen gegen Juden, radikale Einschränkungen im politischen Leben durch diverse polizeiliche Maßnahmen, Massenverhaftungen von Oppositionellen und die anglo-amerikanischen Bombenangriffe gegen Budapest sowie andere große ungarische Städte kennzeichneten die Ära von Ministerpräsident Generaloberst a. D. Döme Sztójay, dem vorherigen und langjährigen ungarischen Gesandten in Berlin.

In bezug auf die ungarische Armee waren die deutschen Okkupanten vorerst noch unschlüssig. Den gefährlichen Plan, die Honvéds als unzuverlässige Truppe zu entwaffnen und sie nur als Baubataillone zu verwenden, gab man rasch auf. Nach einer beschränkten Wachablösung im Generalstab (Szombathelyi mußte gehen; János Vörös, ein den Deutschen genehmer General, trat an seine Stelle) entschied man sich Ende März 1944 anläßlich einer deutsch-ungarischen Militärkonferenz für die Verstärkung der Honvéd-Armee auf 700 000 Mann[31]. Der Rest der Wehrfähigen sollte in der Landwirtschaft und in der wenig leistungsfähigen Rüstungsindustrie beschäftigt werden[32].

Mit freudiger Überraschung nahmen die deutschen Verantwortlichen in Ungarn im März 1944 zur Kenntnis, daß sich im Lande bereits eine ungarische Armee in der Endphase ihrer Aufstellung befand. Es handelte sich hier um die 1. Armee, deren Mobilisierung bereits Ministerpräsident Kállay am 6. Januar 1944 angeordnet hatte und die die Ostkarpaten verteidigen sollte. Kállay bot diese Armee, unter Generaloberst István Náday, im Interesse des Landes auf. Mit der Besetzung des Karpaten-Walls wollte der Ministerpräsident die Rote Armee zwingen, Ungarn im Süden und Norden zu umgehen, ohne das Königreich anzugreifen. Die Honvéd-Truppen hätten sich dabei rein defensiv verhalten, und Kállay glaubte – ziemlich naiv, wie er später auch in der Emigration selbst zugab –, daß sich das Land so mit ein wenig Glück aus dem deutsch-russischen Krieg heraushalten könne, ohne daß es mit Deutschland zu einem Bruch kommen würde[33]. In diesem Sinne ließ er auch London und Washington über seinen Plan unterrichten.

Durch die Besetzung Ungarns im März 1944 änderte sich die militärpolitische Lage des Landes grundlegend. Die Deutschen, die nach den prekären Frontereignissen im Mittelabschnitt der Ostfront dringend neue Truppen brauchten, veranlaßten die sofortige Umgruppierung der 1. ungarischen Armee zur Heeresgruppe Nordukraine. Anfangs April marschierte die Armee vorerst mit fünf Divisionen in dem ihr vorgeschriebenen Operationsraum in Galizien auf. Sie wurde dort im Karpatenvorfeld durch das 7. Armeekorps verstärkt, das ursprünglich Besatzungsaufgaben hatte, aber durch die sich rapid verschlechternde Frontlage bereits seit Wochen an der Front stand und in schwere Kämpfe verwickelt war.

Generaloberst Náday war indessen nicht gewillt, seine Armee außerhalb der Karpaten einzusetzen. Daraufhin wurde er auf deutschen Wunsch abgelöst und durch den bisherigen Befehlshaber der ungarischen Besatzungtruppen, Generaloberst Lakatos, ersetzt. Unter dessen Führung begann eine am

17. April mit einigen Divisionen im Raum Delatyn, Jablonow, Bystryca und Kolomea mit beschränktem Ziel geführte Offensive der Armee, die zwar gewisse Erfolge brachte, Ende April aber zum Erliegen kam. Ihre operative Aufgabe konnte sie jedoch erfüllen, nämlich die Lücke zwischen zwei deutschen Heeresgruppen (»Nordukraine« und »Mitte«) schließen[34].

Während es die Truppen für eine längere Verteidigung vorbereitete, setzte sich das ungarische Oberkommando beim Generalstab für einen beschleunigten Ausbau der Karpatenstellungen ein, um sich, wenn nötig, dorthin zurückziehen zu können. Ende Mai berief Budapest General Lakatos von seinem Posten ab. Károly Beregfy, ein anderer Generaloberst, übernahm nun die Führung der 1. Armee, deren Truppenstärke bis Spätsommer 1944 auf 12 Divisionen anwuchs[35]. Sie war jetzt wie am Don 1942 wieder mit deutschen Truppen bzw. mit einem deutschen Generalkommando »bestückt«, was der Armee (rein militärisch gesehen) sehr gut bekam[36]. Denn die Bewaffnung der Ungarn, insbesondere mit schweren Waffen, war äußerst mangelhaft. (Einzelne Offiziere beklagten sich, daß die Deutschen, was die Waffenlieferung betraf, stets die Rumänen bevorzugten; wobei man mit deren Einsatz gegen Ungarn rechnete.) Dagegen hatten deutsche Truppen gute Panzerabwehr- und andere Artilleriewaffen: und wenn es nötig schien, konnte der ungarische Oberbefehlshaber bei Erdkämpfen auch deutsche Luftunterstützung anfordern.

Während ab Ende Mai im ungarischen Abschnitt an der Ostfront für einige Wochen relative Ruhe eintrat, spielten sich in Budapest wichtige politische Ereignisse ab. Horthy entschloß sich – nach einer mehrwöchigen Lethargie –, das Schicksal des Landes erneut in die Hand zu nehmen, um es aus dem Krieg herauszuführen. Er nahm sich vor, so rasch wie möglich eine neue Regierung zu ernennen, und zwar mit Generaloberst Géza Lakatos, der sein Vertrauen besaß, an der Spitze. Um die Handlungsfreiheit in Ungarn wieder völlig zu erlangen, mußte jedoch das deutsche Besatzungsregime aufgehoben bzw. mußten die deutschen Truppen abgezogen werden[37]. Als Hitler auf

den Brief des Reichsverwesers, in dem er eine diesbezügliche
Bitte äußerte, keine Antwort gab, plante das 76jährige Staatsoberhaupt, mit den Honvéd-Truppen die Deutschen aus dem
Lande zu drängen. Im Juli 1944 richtete Horthy an den Generalstabschef zweimal die Frage, ob dies im Hinblick auf die gegenwärtigen Kräfteverhältnisse mit Erfolg durchführbar sei.
General Vörös' Antwort war negativ. »Ich meldete ... ein solcher Schritt würde das Ende des Landes bedeuten. Die Deutschen besäßen noch immer genügend Kräfte, um gegen unsere
schwachen Ersatzverbände einen neuen Tatarensturm zu entfesseln. Abgesehen davon würde die Ostfront zusammenbre-
chen, die Sowjetarmee ins Landesinnere strömen, vom Süden
die (Tito-)Partisanen kommen, ganz Ungarn wäre also ein einziges Schlachtfeld geworden ...[38]«

Horthy ließ sich jedoch nicht umstimmen. Vorerst verbot er
jegliche weitere Abtransporte von ungarischen Divisionen aus
dem Lande und leitete Schritte ein, um das inzwischen bis Warschau zurückgedrängte ungarische Besatzungskorps (das ehemalige 8., jetzt 2. Reservekorps) nach Ungarn zurückzuführen.
Obwohl die 1. ungarische Armee dem deutschen Oberkommando unterstellt war und seinen Befehlen zu folgen hatte, erhielt General Beregfy früh eine geheime Anweisung Horthys,
in der dieser ihn verpflichtete, bei einem allfälligen Rückzug
der Armee im Karpatenvorfeld mit den Honvéds *nur* in Richtung Karpaten zurückzugehen, trotz jeglicher anderslautender
deutschen Befehle[39].

Der Großangriff der Roten Armee gegen die Heeresgruppe
Nordukraine in Galizien, der am 13. Juli seinen Anfang nahm,
griff nach zehn Tagen auf die Front der 1. ungarischen Armee
über. Die ungünstige Lage der Stellungen, der Großeinsatz sowjetischer Panzer und der strikte Befehl der Deutschen, keinen
Meter Boden aufzugeben, besiegelten das Schicksal der Ungarn rasch. In wenigen Tagen gelang den Sowjets der Durchbruch, und die ungarische Armee wurde in zwei Teile gerissen.
General Beregfy floh bereits am 25. Juli mit seinem Armeeoberkommando nach Tatarow in den Karpaten. Die Deutschen

protestierten und ließen den General sofort ablösen. Bis der neue Oberbefehlshaber aus Budapest eintraf, übernahm General Ferenc von Farkas die Führung der Armee, und es gelang ihm auch, den Großteil der Honvéd-Truppen in die im nördlichen Vorfeld der Karpaten verlaufende »Hunyady-Linie« (eine halbwegs befestigte Verteidigungsstellung) zurückzuführen. Damit bewahrte er (unter anderem) die Karpatenpässe vor einer plötzlichen Überrumpelung durch die sowjetische Armee.

Neuer Oberbefehlshaber der 1. Armee wurde der bisherige Chef der Militärkanzlei des Reichsverwesers, Generaloberst Béla von Miklós, der 1941 das Schnelle Korps in Rußland kommandiert hatte. Miklós gehörte zum Kreis der Vertrauten Horthys, und sein Wirken stand in vollem Einklang mit den heimlichen Bemühungen seines obersten Kriegsherrn. Der General versuchte zwar, das Vertrauen der Deutschen in seine Armee zurückzugewinnen, wehrte sich aber entschieden gegen einen deutschen Oberst als Stabschef. Angesichts der bedrohlichen militärischen Lage befahl Horthy am 5. August die Aufstellung einer »Ersatzreservearmee« und setzte sich erneut dafür ein, diejenigen Sicherungsdivisionen von der Ostfront zurückzunehmen, die im Spätsommer 1944 bereits in Polen gegen die Rote Armee eingesetzt worden waren. (Es handelte sich um das schon erwähnte Reservearmeekorps und um die 1. Kavalleriedivision.) Einen Einsatz der Honvéds gegen die Aufständischen in Warschau lehnten die Ungarn – unter Berufung auf die traditionelle ungarisch-polnische Freundschaft – ab[40]. Um die deutsch-ungarischen Beziehungen nicht noch mehr zu belasten, willigte Hitler ein, daß nun alle ungarischen Kräfte nördlich der Karpaten in den nächsten Wochen in die Heimat zurückgeführt werden konnten.

Der August brachte den Umschwung in Rumänien. Horthy ließ den bisherigen Ministerpräsidenten am 29. August durch Generaloberst Géza Lakatos ersetzen, der die Aufgabe erhielt, Ungarns Souveränität zurückzugewinnen und das Land so rasch wie möglich aus dem Krieg herauszuführen. Die geheimen Verhandlungen in der Schweiz brachten jedoch keine positiven Ergebnisse. Allan Dulles und die Briten verwiesen Horthys Emissäre an die Russen. Eine anglo-amerikanische Blitzbesetzung Transdanubiens, wie es Horthy vorschwebte, lehnten sie ab. Wegen Ungarn wollten beide Länder keinen Zwist mit Stalin riskieren[42].

Inzwischen rüsteten die Rumänen zum langersehnten Waffengang gegen die Magyaren. Die diplomatischen Beziehungen zu Ungarn brach Bukarest am 30. August ab; vorher ließ die Regierung Sanatescu Budapest jedoch wissen: Sollte Ungarn nicht innerhalb von 48 Stunden Nordsiebenbürgen zurückgeben, werde Rumänien ihr den Krieg erklären.

Daraufhin ließ der ungarische Generalstab in Nordsiebenbürgen eine neue, die 2. Armee aufstellen. Sie bestand aus den sich bereits in diesem Raum befindlichen Kräften (9. Armeekorps), aus rasch zusammengewürfelten Ersatz- und Reserveeinheiten und aus von der 1. Armee hierher umgruppierten Kräften. Der Generalstab beabsichtigte, dem rumänischen Angriff zuvorzukommen. Die Deutschen ließen dies jedoch vorerst nicht zu, da Hitler sich immer noch der Hoffnung hingab, die rumänische Szenerie durch eine Gegenregierung unter der Führung eines prodeutschen rumänischen Generals zu seinen Gunsten ändern zu können. Er sah die Gefahr, daß beim Eindringen ungarischer Truppen in Südsiebenbürgen (in Budapest wurden bereits Stimmen laut, die eine Zurückgliederung dieses Landesteils forderten) kein Rumäne mehr etwas für Deutschland tun würde: Selbst die Lakatos-Regierung war Ende August/Anfang September in bezug auf einen Angriff unschlüssig. Vom Generalstab wurde zur Offensive gedrängt, da die Luftaufklärung alarmierende Nachrichten brachte. Sowjetische motorisierte Truppen näherten sich rasch den Südkarpaten. Wenn man den Russen zuvorkommen und die südlichen Karpatenpässe rechtzeitig besetzen könne, sei eine Verteidigung des siebenbürgischen Raumes gewährleistet, argumentierte der Generalstab. Aber aus Bern kam eine Warnung; Horthys Emissäre rieten der Regierung dringend von einem

Angriff gegen Rumänien ab. »Jetzt, da Ungarn sich anschickt, aus dem Krieg auszutreten, wäre eine solche Tat gegen ein Land, das bereits mit Hitler gebrochen und sich den Alliierten angeschlossen hat, mehr als unklug[43]!«

Schließlich unterlagen die politischen Erwägungen den militärischen. Als Hitler einsah, daß seine Lageprognose hinsichtlich der bevorstehenden sowjetischen Offensive falsch war (daß die Russen nicht gegen die Türkei Front machten), und daß sich die Rote Armee gegen Siebenbürgen wandte, gab er den Befehl zum Angriff gegen Rumänien. Die Ungarn – unter dem Kommando der inzwischen neuformierten Heeresgruppe Süd, vormals Südukraine – gingen bereitwillig gegen Rumänien vor. Der von Generaloberst Lajos von Veress geführte Angriff am 5. September aus dem Raum Kolozsvár-Marosvásárhely in Richtung des Flusses Maros war anfangs erfolgreich. Die 1. rumänische Armee wich zurück. Aber ihre Lage war nur vorübergehend kritisch, denn ebenfalls am 5. September erreichten Malinowskijs Truppen die Südkarpaten, überschritten unbehelligt die Pässe und schickten sich an, in die Kämpfe gegen General Veress' 2. ungarische Armee einzugreifen.

Inzwischen setzte das ungarische Oberkommando alles daran, die Wehrkraft des Landes für die Verteidigung der Grenzen zu mobilisieren. Horthy und seine engere Umgebung gaben sich dabei noch immer der Hoffnung hin, daß es ihnen gelingen werde, die Fronten an der Ost- und Südgrenze des Landes so lange aufrechtzuerhalten, bis anglo-amerikanische Truppen Transdanubien erreicht hätten[44]. In den folgenden Wochen wuchs die Honvéd-Armee auf 1 071 751 Mann an[45]. Im Süden Ungarns entstand eine dritte ungarische Armee unter Generaloberst József Heszlényi. Diese Truppen waren äußerst mangelhaft bewaffnet. Beinahe völlig fehlten bei ihnen Schnellfeuerwaffen, die Panzerabwehr war unzeitgemäß und dazu auch zahlenmäßig zu schwach, und im Artilleriepark befanden sich zuwenig Geschütze, die überdies größtenteils aus dem Ersten Weltkrieg stammten.

Angesichts der bedrohlichen Lage entschied sich Horthy am

7. September für ein Ultimatum an die Reichsregierung; entweder schicke das deutsche Oberkommando innerhalb von 24 Stunden mindestens fünf Panzerdivisionen für die Verteidigung Ungarns, oder die ungarische Regierung werde bei den Gegnern um einen Waffenstillstand nachsuchen[46]!

Noch vor Ablauf der Frist, am 8. September, teilte General Hans von Greiffenberg, der Deutsche Bevollmächtigte General in Ungarn, dem ungarischen Ministerpräsidenten mit, vier deutsche Divisionen seien bereits unterwegs zur Front, andere würden folgen. In Wirklichkeit handelte es sich jedoch nur um eine Panzerdivision, während sich drei Infanteriedivisionen in nächster Zeit um die ungarische Hauptstadt versammelten. Hitler wollte einen zweiten »Fall Rumänien« vermeiden.

In den folgenden sechs Wochen, bis Ende September, mußte Generaloberst Frießner fast ganz Siebenbürgen aufgeben. Im Zuge einer begrenzten deutsch-ungarischen Gegenoffensive konnten zwar Timisoara (Temesvár) und Arad besetzt werden (die 3. ungarische Armee beteiligte sich an diesem Angriff), mußten jedoch nach einigen Tagen wieder aufgegeben werden. Anfang Oktober stand Malinowskijs Heeresgruppe am Rande der Großen Ungarischen Tiefebene und schickte sich an, nach einer Operationspause die Offensive in vollem Umfang wiederaufzunehmen. (Die 2. Ukrainische Front verfügte in dieser Zeit über 63 sowjetische und rumänische Divisionen sowie über andere Sonderverbände. Alle Truppen wurden aus der Reserve des sowjetischen Oberkommandos beträchtlich aufgefüllt. Die Front besaß über 750 Panzer und Sturmgeschütze, 10 200 Geschütze und Granatwerfer sowie 1100 Flugzeuge[47].)

Auch die politische Front geriet im September in Bewegung. Am 11. des Monats wurde im ungarischen Ministerrat Horthys Vorschlag, trotz der versprochenen deutschen Militärhilfe angesichts der prekären Lage vom Gegner einen Waffenstillstand zu erbitten, abschlägig beantwortet. Außer dem Reichsverweser stimmten lediglich General Gusztav Hennyey (Außenminister) und General Lajos Csatay (Verteidigungsminister) für diesen Schritt. Alle anderen waren für die Fortsetzung des

Krieges. Mit kaum unterdrückter Entrüstung beschwerte sich nach der Sitzung ein Minister:»Der Herr Reichsverweser will anscheinend für die Zukunft des Bauerntums das ganze Bürgertum opfern[48]!« Die Mehrheit der Minister vertrat eher die Meinung: Lieber tot als rot! Horthy erkannte die Situation. Während der Generalstabschef János Vörös Mitte September im Führerhauptquartier weilte, um bei Hitler weitere Hilfeleistungen zu erreichen, begann Horthy unter Ausschaltung eines Teiles der Regierung, neue Möglichkeiten für eine Friedensregelung zu suchen. Eine erneute Kontaktaufnahme mit den Briten (in Caserta bei Neapel am 24. September) brachte jedoch wieder eine Absage, und Horthy mußte sich mit Widerwillen an die Sowjets wenden.

Horthy: »Um Waffenstillstand bitten zu müssen, ist immer bitter, aber daß die Engländer und die Amerikaner uns an die Russen verweisen und nur an die Russen, verlieh dieser Notwendigkeit den Charakter der echten Tragödie, in der das Schicksal über Wünsche und Wollen des Menschen hinwegschreitet. Als die Rote Armee die tapfer kämpfenden, aber schlecht ausgerüsteten Truppen von General Veress (in Siebenbürgen) mit überlegenen Kräften zurückwarf und aufrieb ... mußte ich bei allem Tragischen, was ich erlebt habe, einen für mich so schweren Schritt tun. Ich wandte mich an Moskau ...[49]«

Nichts Schwereres in der Tat konnte den durch und durch antibolschewistisch eingestellten Horthy treffen, als der Gang zum Kreml. Aber da der Reichsverweser den Krieg bereits als verloren betrachtete und das Land vor der Verwüstung durch zwei fremde Heere schützen und es nicht zum Kriegsschauplatz machen wollte, nahm der 76jährige auch diesen Schritt auf sich; Ende September 1944 schickte er eine Waffenstillstandsdelegation nach Moskau.

Es war ein einsamer Entschluß. Von Ministerpräsident Lakatos, der zwar vom Vorhaben seines Staatsoberhauptes wußte, erhielt Horthy nur beschränkte Unterstützung, denn Lakatos fürchtete einen Bürgerkrieg mehr als Kriegsverwüstungen.

Am 11. Oktober 1944 kam in Moskau ein provisorisches Waffenstillstandsabkommen zwischen dem Königreich Ungarn und den Alliierten (durch die Sowjets vertreten) zustande[50]. Die wesentlichen Punkte bestanden darin, daß das Königreich alle Gebiete, die es nach 1937 erhalten hatte, binnen zehn Tagen evakuieren und sich die in Ungarn an der Front stehenden Honvéd-Truppen der Roten Armee anschließen mußten. Erst in letzter Stunde stimmte Horthy auf Drängen seiner Moskauer Delegation dem sowjetischen Wunsch zu, gleichzeitig mit der Bekanntmachung des Waffenstillstandsabkommens dem Deutschen Reich den Krieg zu erklären und die deutsche Wehrmacht angreifen zu lassen[51]. (Ein entsprechende Befehl wurde den Truppen allerdings nicht erteilt.)

Der Umschwung Ungarns sollte am 15. Oktober durch die Proklamation des Reichsverwesers im ungarischen Rundfunk bekanntgemacht werden. Gleichzeitig hätte man General Mikolós (1. Armee) und General Veress (2. Armee) angewiesen, »dem Befehl vom 1. März 1920 unverzüglich nachzukommen«. (Dies war das Codewort dafür, daß sie die Verbindungen zum Gegner aufnehmen und die Front vor der Roten Armee öffnen sollten. Horthy hatte bis zur letzten Stunde volles Vertrauen in seine Armee bzw. in sein Offizierskorps. Noch am 14. Oktober 1944 sagte er seinem Außenminister, General Gusztáv Hennyey: »Hab' keine Bedenken, die Armee ist fest in meiner Hand[52]!«)

Doch Hitlers Sicherheitsdienst hatte die politische Entwicklung in Ungarn seit langem verfolgt. Mitte Oktober wurde die militärische Lage prekär; die große Panzerschlacht bei Debrecen, die das Schicksal Ostungarns entschied, endete mit einer deutschen Niederlage. Die ungarischen Truppen zogen sich ins Innere des Landes zurück. Daraufhin erklärte das deutsche Oberkommando des Heeres ganz Ungarn zum Operationsgebiet der Heeresgruppe Süd, in dem den von ihr erlassenen Befehlen auch von allen ungarischen Verbänden unbedingt Folge zu leisten sei! Das war das Ende der ungarischen Armeeführung im eigenen Land[53]. Zur selben Zeit – dem 15. Oktober –

überfielen Männer des Sonderkommandos des SD Horthys jüngsten Sohn in Budapest und entführten ihn. Der Reichsverweser wußte davon vorerst nichts. Wie vorgesehen, ging Horthys Radioproklamation an diesem Vormittag durch den Äther. Er gab bekannt, der Krieg sei verloren, er habe bei Ungarns Gegnern um einen Waffenstillstand nachgesucht[54].

Kaum wurde jedoch die Proklamation im Rundfunk ein zweitesmal vorgelesen, schlugen SS, Gestapo und Wehrmachteinheiten zusammen mit ihnen treu ergebenen ungarischen rechtsextremistischen Gruppen und Parteien – vor allem den »Pfeilkreuzlern« unter Major i. G. a. D. Ferenc Szálasi – zu. Die Umschwungsbestrebungen des Reichsverwesers wurden binnen 24 Stunden vereitelt, nicht zuletzt deshalb, weil der mit Nazis durchsetzte ungarische Generalstab alle Befehle Horthys, unter anderem die Übermittlung des Codeworts an die Armeeoberbefehlshaber und Horthys treue Generäle, verhinderte. Das nach Budapest befohlene und zum Schutz der königlichen Burg vorgesehene Bataillon aus dem Hausregiment von Horthys war das erste, das zu den ungarischen Rechtsextremisten überging.

Während am 15. Oktober Budapest im Brennpunkt der Ereignisse stand, schwieg die Front. Die 1. ungarische Armee begann sich gerade in diesen Tagen aus den Karpaten zurückzuziehen, um so einer Einkreisung durch die Rote Armee zu entgehen. Generaloberst Miklós, ihr Oberbefehlshaber, ging zwar am 16. Oktober mit seinem engeren Stab zu den Sowjets über, um mit ihnen das weitere Vorgehen zu koordinieren, doch war Armeegeneral I. J. Petrow, sein Gegner (4. Ukrainische Front), über die Moskauer Verhandlungen der Ungarn äußerst mangelhaft informiert und forderte von den Honvéd-Truppen bedingungslose Kapitulation. Dazu kam es jedoch nicht. Ebenso wie im Falle der 2. ungarischen Armee, wo die Gestapo Generaloberst Veress verhaften konnte, hatten die teilweise in Unwissenheit gelassenen, teilweise irregeführten oder prodeutsch eingestellten Kommandeure die ungarischen Truppen fest in der Hand behalten und Horthys Vorhaben (das den wenigsten bekannt war) bewußt oder unbewußt vereitelt. Zu der allgemeinen Verwirrung an der Front hatte auch Horthys Proklamation beigesteuert, in der nur von Waffenstillstandsverhandlungen die Rede war und aus der der wichtigste Satz (»Von dieser Stunde an steht Ungarn mit Deutschland in Kriegszustand«) von Ministerpräsident Lakatos in der letzten Stunde und ohne Horthys Wissen gestrichen worden war[55].

In den Morgenstunden des 16. Oktobers kapitulierte die königliche Burg vor den Soldaten des SS-Obersturmbannführers Otto Skorzeny, dem Manne, der im Jahre 1943 Mussolini aus dem Gran Sasso befreit hatte. Horthy wurde gezwungen, seine Proklamation zu widerrufen und seine Demission zu unterzeichnen, und zwar zugunsten des Pfeilkreuzler-Führers Ferenc Szálasi. Während der Reichsverweser und seine Familie, in »Ehrenhaft« genommen, das Land bereits am nächsten Tag verließen, ernannte der zum Ministerpräsidenten und Staatsführer avancierte Szálasi ein neues Kabinett. Dieses erklärte sofort die Weiterführung des Krieges an der Seite Hitler-Deutschlands und setzte in den nächsten Wochen seinen Willen in jedem Bereich des öffentlichen Lebens durch[56].

In den folgenden Monaten schrumpfte Szálasis neuer sogenannter »Hungaristischer Staat« infolge der allgemeinen Offensive der Roten Armee immer mehr zusammen. Im Dezember 1944 wurde Budapest von zwei sowjetischen Heeresgruppen eingekesselt. Die Honvéd-Armee, der General Károly Beregfy als Oberbefehlshaber und Verteidigungsminister vorstand, begann auseinanderzufallen. Von den drei Feldarmeen blieben bis Frühjahr 1945 nur zwei übrig, von denen eine nicht mehr in Ungarn, sondern in der Slowakei eingesetzt war. Andere ungarische Verbände wurden deutschen Generalkommandos unterstellt. Die Honvéd-Armee zählte am 2. Februar 1945 lediglich noch 214 463 Mann, von denen etwa 50 000 in waffenlosen Arbeitsbataillonen zusammengefaßt waren[57]. Schließlich wurden die Reste der Honvéd-Armee gemeinsam mit der deutschen Wehrmacht am 4. April 1945 aus dem Lande herausgedrängt. Während in der allerletzten Phase des Krieges

ungarische Truppen noch bei Wien, Breslau und sogar in Kü-
strin an der Oder kämpften, vollzog sich im von der Roten Armee besetzten Ungarn eine wichtige Entwicklung.

Als Generaloberst Béla von Miklós am 16. Oktober 1944 zu
den Russen überwechselte, versuchte er mit Kriegsgefangenen
eine »Befreiungsarmee« aufzustellen, um so im Bunde mit der
Roten Armee Horthys Vorhaben durchzuführen. Der Versuch
scheiterte. Miklós wurde bereits am 7. November nach Moskau
gebracht, wo die Sowjetregierung ihn als rangältesten General
der königlichen Honvéd-Armee bestätigte. Anfang Dezember
kehrte Miklós aus Moskau nach Ost-Ungarn zurück, wo er in
Debrecen, einer Provinzstadt, zum Ministerpräsidenten einer
neuen, auf dem Mehrparteiensystem basierenden »Volksfront-
regierung« ernannt wurde. Diese sogenannte »Provisorische
Nationalregierung« des Königreichs Ungarn akzeptierte nun
dieselben Waffenstillstandsbedingungen, die die Alliierten im
Herbst 1944 durch die Sowjetregierung an Horthy gestellt hatten. Am 30. Dezember 1944 erklärte die Miklós-Regierung
dem Deutschen Reich den Krieg, und im am 20. Januar 1945 in
Moskau beschlossenen Waffenstillstandsvertrag verpflichtete
sich die Regierung, den Krieg gegen die deutsche Wehrmacht
mit »mindestens acht Infanteriedivisionen« auf der Seite der
Roten Armee fortzusetzen.

Dazu kam es nicht mehr. Organisations- und andere Schwierigkeiten verhinderten den Einsatz der ungarischen Truppen
unter sowjetischem Befehl[58]. Nur einzelne Verbände, wie zum
Beispiel das »Ofener Freiwilligen-Regiment«, konnten in den
Kampf gegen die Deutschen eingreifen. Zwei Infanteriedivisionen wurden zwar im Mai 1945 nach Österreich gebracht,
aber das Kriegsende in Europa machte ihren Einsatz überflüssig.

Die Verluste des Königreichs Ungarn an den Fronten des
Zweiten Weltkrieges geben ungarische offizielle Quellen für
das Staatsgebiet von 1937 (also das sogenannte Rumpf-Un-
garn, wie es nach 1920 entstanden war) mit 136 000 Toten
an[59]. Laut sowjetischen Angaben verlor die königliche Hon-

véd-Armee 200 000 Mann[60]. In diesen Zahlen nicht inbegriffen sind die in sowjetischer Gefangenschaft und Deportation umgekommenen Soldaten bzw. Zivilpersonen. Letztere wurden nach der Belagerung von Budapest massenweise auf den Straßen und Plätzen zusammengetrieben und als Kriegsgefangene nach Rußland gebracht. Marschall Malinowskij begründete diesen Schritt mit der langen Belagerungszeit von Budapest, da die Stadt von 180 000 Soldaten gehalten worden sei; davon nahm er bis zum 13. Februar 1945 »mehr als 110 000« gefangen[61]. Da die Stärke der Belagerten jedoch nur bei 70 000 Soldaten lag, von denen nur etwa 35 000 in russische Gefangenschaft gerieten, ließ der Sowjetmarschall sein »Gefangenen-Soll« durch Budapester Zivilisten erfüllen[62].

Ungarns Verluste im Krieg gegen Deutschland beliefen sich auf etwa 900 Mann, davon allein 600 beim Einsatz des »Ofener Freiwilligen-Regimentes«. Die restlichen 300 gehörten zu einer ungarischen Baudivision, die in der Slowakei unter der Roten Armee hinter der Frontlinie mit Pionierarbeiten (Geleise- und Straßenbau) betraut war[63].

Der Aufstand in der Slowakei

Die Sommerwochen 1944 hatte die 1. slowakische Infanteriedivision im Südabschnitt der Ostfront in relativer Ruhe verbracht. Nachdem das auf der Krim zurückgebliebene und bei der Evakuierung Sewastopols auf rumänisches Gebiet zurückgeführte slowakische Infanterieregiment wieder mit der Division vereinigt worden war, zählte der Verband etwa 6–7000 Mann. Das Oberkommando der deutschen Heeresgruppe Südukraine beschäftigte die Division weiterhin mit Pionierarbeiten hinter der Front, vornehmlich in Bessarabien. Anfang August begann der slowakische Verband, unter dem Befehl der 8. Armee, mit den Vorbereitungen für die Rückkehr in die Heimat. In der Zwischenzeit war es nämlich General Čatloš in Berlin gelungen, angesichts der prekären militärischen Lage einen möglichst raschen Rücktransport der slowakischen Einheiten in die Heimat durchzusetzen, um die Ostgrenzen der Slowakei zu verteidigen.

General Ferdinand Čatloš verfolgte mit diesem Vorgehen zwei Ziele. Abgesehen davon, daß er den Einsatz slowakischer Truppen außerhalb der Landesgrenze mißbilligte, hegte er brisante Geheimpläne. Den Krieg der Deutschen betrachtete der slowakische Wehrminister seit geraumer Zeit als verloren, und die Zukunft der slowakischen Eigenstaatlichkeit schien düster. Čatloš setzte insgeheim auf eine Verständigung mit der Sowjetunion und arbeitete, vorerst noch vorsichtig, in dieser Richtung. – Ein anderer Teil des slowakischen Offizierskorps, der sich nicht Hitler verpflichtet fühlte, hegte indessen andere Pläne. Er stand zur alten, 1938/39 aufgelösten Tschechoslowakischen Republik und bot seine Dienste der in London etablierten Beneš-Regierung an, die diese akzeptierte.

Wortführer und Initiator dieser Offiziersgruppe war Oberstleutnant i. G. Jan Golian, der Chef des Stabes im Oberkommando der Slowakischen Armee mit Sitz in Banská Bystrica. Seine Gesinnungsfreunde waren Oberstleutnant Mikuláš Ferjenčik, Oberstleutnant D. Kišš-Kalina, Major J. Marko und andere, zum Beispiel der von der Ostfront her bereits bekannte General Jurech. Golian arbeitete auf einen Aufstand hin, nach dem das Militär die Regierungsgewalt in der (nicht von deutschen Truppen besetzten) Slowakei übernehmen sollte und aus dem dann als modernes Piemont die bürgerlich-demokratische Tschechoslowakei mit Beneš an der Spitze wieder auferstehen sollte.

Die Vorbereitungen zum Aufstand waren jedoch nur möglich, solange Čatloš bereitwillig, wenn auch unwissentlich, die Angelegenheit deckte. Der Wehrminister der Slowakei wußte von den Plänen der militärischen Fronde nichts, denn die Gruppe Golian betrachtete ihn als zu undurchsichtig und in seiner politischen Einstellung schwankend[64]. Čatloš tarnte sich nämlich vorzüglich. Er verstand es, sich ab Spätsommer 1943 von der »deutschen Linie« unauffällig zu distanzieren. Sein

Ziel, die Slowakei und sich selbst vor dem drohenden Untergang zu retten, wollte er in einer Art Alleingang, nur auf die Armee gestützt (die er als seine Hausmacht betrachtete) ausführen. (Čatloš 1964: »Ich bezeichne mich als slowakischen Patriot, und ich handelte auch nur aus Patriotismus[65]!«)

Čatloš' Plan traf sich unbewußt mit demjenigen von Golian. Beide strebten danach, das Anfang des Jahres 1944 in der Heimat aufgestellte 1. slowakische Armeekorps in der Ostslowakei zu konzentrieren und dabei die Garnisonen in der Mittelslowakei zu verstärken. Sie wollten dadurch die Karpatenverteidigung mit den beiden strategisch wichtigen Übergängen (Dukla und Jablonka) in ihre Gewalt bekommen. Dies hätte ihnen ermöglicht, der vorrückenden Roten Armee das Innere des Landes zu öffnen und somit eine rasche Besetzung der Slowakei zu gewährleisten.

Im Sommer 1944 weihte General Čatloš (wenn auch nicht vollständig) drei Offiziere in sein Vorhaben ein: General Malár, den Kommandierenden General des 1. Armeekorps, Oberst Talsky, den Stabschef des Korps, der jedoch zugleich ein Mitverschworener Golians war, und Hauptmann Stanek, einen führenden Nachrichtenoffizier[66]. Sie stimmten den Plänen des Wehrministers zu.

Aber neben Čatloš und Golians Bestrebungen gab es in der Slowakei noch eine dritte Kraft, die, wenn auch mit anderen Zielen, an einem Aufstand gegen das Tiso-Regime arbeitete: die Kommunisten. Sie waren seit dem Zerfall der Tschechoslowakei in die Illegalität gedrängt und erhofften die Befreiung des Landes von der Roten Armee. Ihre Führer nahmen frühzeitig Kontakt zur slowakischen Armee auf. Čatloš und seine Leute lehnten sie ab, da der Wehrminister in ihren Augen »zu sehr mit dem Nazismus und dem slowakischen Faschismus kompromittiert« war und sich auch in privaten Gesprächen »nicht klar vom faschistischen Kurs des slowakischen Staates« distanzierte[67]. Dieser Irrtum war unvermeidlich, da Čatloš bewußt versuchte, seine Pläne über die Köpfe der nationalen KP-Führung hinweg in Moskau durchzusetzen[68].

Berlin erkannte die Zuspitzung der Lage in der Slowakei erst im August 1944[69]. Mobilisierung und Dislokation des 1. Armeekorps in der Ostslowakei entsprachen auch den Wünschen des Oberkommandos der Wehrmacht. Die Front näherte sich rasch den Ostkarpaten, und die Verstärkung dieses natürlichen Hindernisses mußte mit jedem Mittel vorangetrieben werden. Ende Juli 1944 erklärte das OKH die gesamte Ostslowakei zum Operationsgebiet der deutschen Heeresgruppe Nordukraine. Das 1. slowakische Armeekorps sollte umgehend deutsche Verstärkung an Waffen und Truppen erhalten. General Malár wurde dem deutschen Oberkommando der Heeresgruppe Nordukraine unterstellt.

Čatloš sah seine Pläne in Gefahr und entschloß sich zu handeln. Nach sofortiger Rücksprache mit Golian und der illegalen KP-Führung entsandte der General am 4. August ein Flugzeug zum Oberkommando der Roten Armee. Die drei Insassen vertraten die drei politischen Gruppen der Verschwörer. Während Major Lisicki den Russen in Lwow ein Memorandum von Čatloš aushändigte, berichtete Golians Vertrauter, Oberstleutnant Ferjenčik, ausführlich über die militärische Lage in der Slowakei[70]. Von der slowakischen KP bekamen die Russen durch Karol Smidke einen Bericht, in dem er von »breiten antifaschistischen Kräften« in der Slowakei sprach und einen »Volksaufstand« in Aussicht stellte. General S. M. Schtemenko, der 1944 die Operationsabteilung im Generalstab der Roten Armee führte, bemerkte in seinen Erinnerungen:

»Jetzt war uns klar, weshalb die Londoner Politiker (d. h. Beneš) so großen Wert darauf legten, nur die Armee zum Aufstand aufzurufen[71]!«

Nun lag es nicht im Interesse der Sowjets, Beneš und seine Regierung in der Slowakei Fuß fassen zu lassen. Čatloš' und Golians Pläne beurteilten die zuständigen Stellen in Moskau als »irreal« und »naiv«, besonders weil kein Wort über »die Einbeziehung des Volkes« in den Aufstand erwähnt wurde[72]. Die Sowjetregierung verfolgte in der Slowakei eigene, russophile Ziele, die es mit Hilfe der dortigen Kommunistischen Partei und mit den seit Monaten ins Land geschleusten Partisanen zu erreichen beabsichtigte.

Nach sowjetischen Angaben zählten die Partisanen in der Slowakei im Spätsommer 1944 mehr als 10 000 Mann[73]. Davon standen die bedeutendsten Gruppen unter sowjetischer Führung. Diese begannen ziemlich früh mit Aktionen gegen Exponenten des Tiso-Regimes bzw. gegen diverse deutsche Dienststellen. Als ihr Wirken sowohl für Bratislava als auch für Berlin unangenehm wurde, entschloß man sich, deutsche Truppen in die Slowakei zu holen, um mit ihrer Hilfe die Ordnung im Lande wiederherzustellen. In derselben Zeit schlugen die Partisanen erneut zu, und mit Unterstützung von Einheiten der slowakischen Armee nahmen sie Ende August 1944 einige wichtige Orte im Lande ein. Besonders der sowjetische Major P. A. Welitschko trat mit abenteuerlichen Aktionen hervor und berichtete dem Partisanenoberkommando in der Ukraine unglaubwürdige »Fakten«. (So meldete er, er habe mit seiner Gruppe in der Turecer Region *vier* Waffen-SS-Divisionen aufgehalten[74]!) Ein Kenner der Geschichte des slowakischen Aufstandes, Wolfgang Venohr, vertritt die Meinung, der Aufstand in der Slowakei sei frühzeitig und vom sowjetischen Partisanenführer ohne Wissen der einheimischen Verschwörer ausgelöst worden[75].

Der Aufstand begann am 28. August 1944 in Turc Svatny Martin und breitete sich dann rasch in der Ost- und Mittelslowakei aus. Wenn die Erfolge der ersten Tage auch beträchtlich waren (der sofort ins Leben gerufene Slowakische Nationalrat kontrollierte rasch ein Drittel des slowakischen Gebietes), kamen auch die Mängel und Versäumnisse der Führung zutage. Dies zeigte sich vor allem auf militärischem Sektor.

In Bratislava entschied General Čatloš, von den Ereignissen überrascht, sich dennoch auf die Seite von Tiso zu stellen. In einer Radioproklamation an Offiziere, Soldaten und Bürger gab er den Einmarsch der deutschen Wehrmacht in der Slowakei bekannt, bezeichnete die Partisanen als die größten Feinde der Heimat und rief seine Landsleute zum Kampf gegen die Ordnungszerstörer auf. Die slowakische Armee wurde von den Geschehnissen dennoch vollends überrumpelt. Am 29. und 30. August war das 1. Armeekorps führungslos, denn General Malár befand sich in diesen Tagen in Bratislava. So waren Soldaten und Offiziere überrascht, als in Prešov plötzlich deutsche Soldaten aus dem Raum Košice gegen sie vorgingen. Die beiden slowakischen Divisionskommandeure Oberst Markus (2. Division) und Oberst Tatarko (1. Division) hatten weder aus Bratislava noch aus Banská Bystrica (wo sich das Führungszentrum des Aufstandes befand) Befehle und kannten die neue Lage nicht. Oberst Talsky, der Stabschef des Armeekorps, informierte zwar seinen engeren Stab von den Plänen der Aufständischen. Ohne aber Vorkehrungen für den Aufbau einer Front gegen die anrückenden Deutschen zu treffen, verließ er am 30. August seinen Standort und begab sich per Flugzeug zu einer »Lagebesprechung« mit den Russen. Marschall Konjew, der Oberbefehlshaber der 1. Ukrainischen Front, empfing den Slowaken sofort und legte ihm dringend nahe, zu seinen Truppen zurückzukehren[76]. Nach Prešov kam aber der Oberst nicht mehr. Die Deutschen hatten die Stadt bis zum Abend des 31. August vollständig besetzt und verhafteten den aus Bratislava zurückkehrenden General Malár.

Das 1. slowakische Armeekorps, führerlos und den Ereignissen nicht gewachsen, wurde in den nächsten Stunden ohne Widerstand von den Deutschen entwaffnet. Von den 24 000 Soldaten konnten sich nur insgesamt 2000 der Gefangenschaft entziehen und sich zu den Aufständischen in der Mittelslowakei durchschlagen. Dort organisierte sich in der kleinen Bergbaustadt Banská Bystrica der politische und militärische Widerstand.

Die allgemeine Mobilmachung wurde verkündet, das beherrschte Gebiet im Namen des Slowakischen Nationalrates übernommen und in zwei, später sechs Operationsgebiete geteilt. Die Verteidigung dieses »Staates« innerhalb der Slowakischen Republik oblag dem am 5. September zum Brigadegeneral avancierten Jan Golian. Bis Ende August 1944, Anfang

September traten von den 93 000 Soldaten der Tiso-Armee etwa 18 000 einzeln oder in kleineren Gruppen zu den Aufständischen über. Aus ihnen organisierte Golian die bewaffneten Kräfte, die auf Vorschlag der Beneš-Regierung den offiziellen Namen »1. tschechoslowakische Armee in der Slowakei« erhielten. Im September, nachdem sowjetische Waffenlieferungen im Aufstandsgebiet eingetroffen waren, zählte Golians Armee 47 000 Offiziere und Soldaten, die 18 Bataillone und 20 Artillerieabteilungen bildeten. Ihre Bewaffnung aber war ungenügend und bestand aus 10 bis 12 Panzern, drei Panzerzügen, 20 Flugzeugen, 40 000 Gewehren, 1500 leichten und 200 schweren MG sowie 200 Maschinenpistolen. Der Artilleriepark umfaßte 120 Geschütze und 40 Minenwerfer[77]. Unglücklicherweise mißlang in den ersten Tagen des Aufstandes die geplante Besetzung von drei wichtigen Waffenlagern der slowakischen Armee; 70 000 Gewehre, 220 Geschütze und 6000 MG fielen deshalb in die Hände der vorrückenden Deutschen, die, wenn auch zahlenmäßig schwach – sowjetische Quellen schreiben von anfänglich höchstens 20 000 Mann[78] –, so doch entschlossen und unter den gegebenen Umständen erfolgreich operierten.

Wenn der Aufstand nicht von einer großen Zahl slowakischer Soldaten unterstützt worden wäre, wäre er schon innerhalb von drei bis vier Tagen zusammengebrochen. Die reguläre Armee trug die größte Last der Kämpfe und verteidigte während mehr als zwei Monaten bei sich verschlimmernden inneren und äußeren Problemen ihre Stellungen. Die Armee stand über den Parteien, und selbst sowjetische Quellen geben zu, daß es bis Mitte Oktober der Kommunistischen Partei nicht gelang, ihren Einfluß innerhalb der Truppe geltend zu machen[79]. Die Slowaken – Soldaten und Zivilisten – kämpften für eine Tschechoslowakei bürgerlich-demokratischer Prägung, in der die beiden staatsbildenden Teilrepubliken in einer echten Föderation zusammengefaßt werden sollten[80].

In der zweiten Septemberhälfte übernahm SS-Obergruppenführer und General der Polizei Herbert Höfle den Befehl über die deutschen Truppen in der Slowakei. Diese wurden jetzt unter anderem durch 9000 Slowaken der Bratislaver Regierung verstärkt. Zuerst wollten die Deutschen zwar die ganze restliche slowakische Armee entwaffnen, doch entschieden sie nach einer Intervention von Staatspräsident Tiso anders. (Die 1. slowakische Infanteriedivision, jetzt »technische Division« genannt, erhielt zwar den Befehl, die Waffen abzugeben, doch wurde dies auf den Einspruch des deutschen Verbindungsoffiziers vorerst hinausgezögert und dann rückgängig gemacht. Die Division hatte das Desaster in Rumänien Ende August gut überstanden, kam auf ungarisches Gebiet und wurde Ende Oktober 1944 in der Gegend des Balaton-Sees im Stellungsbau eingesetzt. Oberstleutnant Hreblay: »Ich glaube, hier haben sich unsere Soldaten während des ganzen Krieges am besten gefühlt. Alle Berichte, die ich in dieser Zeit von diesem Verband erhielt, sprachen von bestem Einvernehmen zwischen Ungarn und Slowaken. Denn wir hatten doch bis zum Ende des Ersten Weltkrieges eine gemeinsame Heimat, und wir kämpften und bluteten für das gemeinsame Ziel[81]!«)

Der slowakische Aufstand brach Ende Oktober 1944 vollends zusammen. Am 29. Oktober zogen SS-Truppen und Regierungssoldaten in Banská Bystrica ein. Staatspräsident Tiso erschien persönlich und verkündete von hier, dem ehemaligen Zentrum des Aufstandes aus, daß die Ordnung im Staate wiederhergestellt sei. In den Kämpfen fielen etwa 4500 slowakische Soldaten, mehr als 15 000 kamen in Gefangenschaft, wo man sie aber nicht als Guerillas, sondern als Kriegsgefangene behandelte. Über 10 000 Mann versteckten ihre Waffen und versuchten, in den Dörfern unterzutauchen. Und man schätzt die Zahl der Aufständischen (Zivilisten und Soldaten), die auch nach dem Fall des Aufstandszentrums in den Bergen den Widerstand fortsetzten, auf 7000 bis 8000 Mann, unter ihnen die 2. Luftlandebrigade des 1. tschechoslowakischen Armeekorps in der Sowjetunion, General Svobodas Truppe, die Anfang Oktober 1944 auf dem Luftweg in die Slowakei kam, um den Aufständischen beim weiteren Ausharren zu helfen. Die Luftlandebrigade rekrutierte sich vornehmlich aus denjenigen Slowaken, die 1941/42 mit der Schnellen Division des Tiso-Staates nach Rußland gingen und sich später – 1943 – entweder der Roten Armee ergaben oder (wie bei Perekop) aus eigenem Entschluß übertraten.

Nach der Niederschlagung des Aufstandes zogen die deutschen Truppen zwar aus der Slowakei ab, das Gebiet wurde aber bald zum Operationsgebiet der deutschen Heeresgruppe A. Am 20. Januar 1945 besetzte die Rote Armee Prešov. Banská Bystrica wurde am 26. März erreicht, und am 4. April zogen sowjetische Soldaten in Bratislava ein. Die Tiso-Armee hatte zu diesem Zeitpunkt praktisch bereits aufgehört zu existieren.

Der Krieg in Lappland

Der Waffenstillstand Finnlands mit der Sowjetunion trat am 5. September 1944 in Kraft. Schon in den nächsten Tagen begab sich eine finnische Regierungsdelegation, angeführt von Außenminister E. E. Enckell, nach Moskau, um die weiteren Modalitäten zu besprechen. Am 19. September wurde der Waffenstillstandsvertrag auf der Grundlage der Vorbesprechungen unterzeichnet. Die Sowjets hielten Wort: Die Rote Armee bekam die Anweisung, auf finnischem Gebiet nicht vorzurücken, die finnische Armee wurde dem Oberkommando der Sowjets nicht unterstellt, und den Finnen wurde gestattet, von der deutschen Wehrmacht ultimativ das Verlassen des Landes innerhalb von 14 Tagen zu fordern. Erst nach dieser Frist sollten die Finnen zum Kampf gegen ihren ehemaligen Verbündeten verpflichtet sein[82].

Der finnische Umschwung traf Hitler hart, doch kamen die nordeuropäischen Ereignisse für das Oberkommando der deutschen Wehrmacht nicht gänzlich unerwartet. Bereits im Spätherbst 1943 waren im Führerhauptquartier geheime Pläne unter dem Namen »Birke« ausgearbeitet worden, die einen

Rückzug deutscher Kräfte aus Nordfinnland bzw. Nordnorwegen vorsahen[83]. Generaloberst Lothar Rendulic, seit Dietls Unfalltod Oberbefehlshaber der 20. deutschen Gebirgsarmee in Lappland, hörte jedoch im Sommer 1944, als er zur Kommandoübernahme im Führerhauptquartier erschien, von Hitler selbst, Finnland sei für die Deutschen »vielleicht der wichtigste Raum in Europa[84]!« Und zwar aus strategischen und wehrwirtschaftlichen Gründen: Finnland und Norwegen seien die einzigen Gebiete, in denen sich Russen und Anglo-Amerikaner in Europa die Hand reichen könnten, und die Bergwerke bei Kolosjoki in Nordlappland seien nach dem Verlust der russischen Gruben das einzige Nickelvorkommen, das der deutschen Rüstungsindustrie nunmehr noch zur Verfügung stehe.

Trotzdem mußte sich Hitler nach dem 5. September 1944, was Finnland betraf, zu einer Teillösung entschließen.

Die 20. deutsche Gebirgsarmee war zu dieser Zeit eine bedeutende Streitmacht: 220 000 Mann, ausgerüstet mit Nachschubgütern für acht bis zwölf Monate. Nachdem am 3. September dem Oberkommando der Gebirgsarmee das Unternehmen »Birke« befohlen wurde, begannen die deutschen Dienststellen mit den Vorbereitungen für den Abtransport der Truppen im Süden Finnlands und für den Aufbau der Abwehr an der Naht der deutschen und finnischen Front. Nach Hitlers neuen Anweisungen mußte jedoch Rendulic große Teile Lapplands halten. Die Finnen waren zunächst bereit, alles zu tun, um den deutschen Truppen bei deren Abzug behilflich zu sein. Über Hitlers Absichten waren sie nicht unterrichtet. Von deutscher Seite hatte man es auch nicht als nötig erachtet, das finnische Oberkommando in die Modalitäten der Evakuierung einzuweihen. In der Nacht vom 8. auf den 9. September 1944 traten die im Süden und in der Mitte Finnlands stationierten deutschen Divisionen im Rahmen des Unternehmens »Birke« den Rückmarsch an. Vorerst schien alles geordnet abzulaufen. Dann aber kam es von deutscher Seite zu einer folgenreichen Provokation.

In der Nacht vom 14. auf den 15. September – also noch vor

dem Ablauf des Termins für freien Abzug der Deutschen aus Finnland! – begann die deutsche Kriegsmarine von Estland her mit ihrem Unternehmen »Tanne-Ost«, das zum Ziel hatte, die finnische Insel Suursaari (Hogland) zu besetzen, um dadurch den Seeweg nach Deutschland zu schützen. Admiral Ruge bezeichnete es später als eines der überflüssigsten Unternehmen des ganzen Krieges[85]. Hitler hatte aus der rumänischen Aktion nichts gelernt. Das Unternehmen »Tanne-Ost« trug nur zur Verschärfung des deutsch-finnischen Verhältnisses bei. Obwohl die Finnen auf der Insel überrascht wurden, war ihr Widerstand doch so heftig, daß die von Marine und Heeresteilen durchgeführte deutsche Landeoperation nach 24 Stunden abgebrochen werden mußte. In diesen Kämpfen unterstützten sowjetische Luftwaffeneinheiten ihren neuen finnischen Kriegspartner.

Dieser Vorfall hatte letzte Schuldgefühle der finnischen Regierung wegen ihres Vorgehens gegen Deutschland beseitigt; die deutsche Wehrmacht hatte die Kampfhandlungen gegen den gestrigen Waffengefährten eröffnet.

In den folgenden Wochen verlegte das finnische Oberkommando vier Divisionen und zwei Brigaden von der Südfront nach Norden. Rendulic zog indessen seine Armee aus den gefährdeten Zonen zurück, so daß es bis Ende September 1944 in Nordfinnland eigentlich nur zu unbedeutenden Gefechten zwischen den früheren Waffengefährten kam. Dies mißfiel den Sowjets, die sofort »Verrat und Sabotierung« der Waffenstillstandsbedingungen witterten und Mannerheim beschuldigten, er ließe absichtlich zu, daß sich die Deutschen »ungehindert aus dem Raum Kuolajärvi-Rovaniemi zurückzogen[86].« Durch die inzwischen in Helsinki eingerichtete Alliierte Kontrollkommission unter Vorsitz des sowjetischen Politbüromitglieds A. A. Schdanow übten die Russen Druck auf das finnische Oberkommando aus. Die neu zugelassene finnische Kommunistische Partei mit ihren 2000 Mitgliedern[87] demonstrierte sofort für einen »aktiven Krieg gegen Deutschland«. Schließlich griffen die Sowjets selbst in die Kämpfe ein, allerdings nur im Sektor von Petschamo im Norden Finnlands.

Am 1. Oktober 1944 gingen die Finnen ihrerseits zum Angriff über und vertrieben die Truppen der 20. deutschen Gebirgsarmee aus Tornio. Darauf stieß eine finnische Division entlang der schwedischen Grenze nach Norden vor, während ein anderer Verband sich nach Rovaniemi wandte. General Rendulic, der bereits am 4. Oktober den Befehl zur langsamen Räumung ganz Finnlands erhielt, zog sich mit möglichst viel Nachschubgütern nach Norwegen zurück. Die Kämpfe nahmen den ganzen Oktober und einen Teil des Novembers in Anspruch; sie waren vielerorts hart, und die Deutschen – obwohl Rendulic dies bestreitet – benahmen sich auf dem Gebiet ihrer einstigen Verbündeten wie im tiefsten Feindesland. Die Taktik der »verbrannten Erde« löste Verbitterung bei den Finnen aus, besonders als sie das zurückeroberte Rovaniemi, die größte Stadt Lapplands, fast gänzlich zerstört fanden.

Die letzten Kämpfe in Lappland dauerten bis zum 25. April 1945. An diesem Tag kam es im Dreiländereck Finnland – Norwegen – Schweden zu einer Waffenruhe, weil die Deutschen auch die letzten Stellungen im finnischen Hochgebirge räumten und sich nach Norwegen zurückzogen.

Lappland büßte schwer für diesen Krieg: mehr als 60 Prozent seiner Häuser und Straßen wurden verwüstet. Die militärischen Verluste im Kampf gegen die deutsche Wehrmacht betrugen finnischerseits 4000 Soldaten an Toten und Verwundeten[88]. Die Erinnerung daran war noch Jahrzehnte später wach.

Die Menschenverluste der Finnischen Republik in beiden Kriegen (1939/40 und 1941/44) betrugen insgesamt 83 405 Gefallene und Verschollene, darunter 4913 Offiziere. Rechnet man die bei den Bombardierungen umgekommenen Zivilisten dazu, so erhöht sich die Zahl auf 85 555 Menschenleben[89]. Außerdem hatte die Republik noch 201 000 Verwundete zu beklagen, von denen 57 000 dauernd invalid blieben[90]. Im Vergleich zur Gesamtbevölkerung bedeutete dies 6,27 Prozent.

Das *letzte* Kapitel der Geschichte von Hitlers fremden Heeren, die 1941 nach Rußland zogen (oder ziehen mußten), dort geschlagen und zum Rückzug beziehungsweise zum Abzug gezwungen wurden, danach oft die Waffen gegen den einstigen Verbündeten richten mußten, um nun im Bunde mit der Roten Armee nach Westen zu ziehen, bildet gleichzeitig das *erste* Kapitel der Geschichte der ost- und mitteleuropäischen Nachkriegszeit. Sie ist genauso verwirrend und mit Problemen beladen wie der in diesem Buch behandelte Zeitabschnitt und markiert eine politische und militärische Entwicklung, die die osteuropäischen Länder (mit Ausnahme Finnlands und Jugoslawiens) schließlich in die totale politische, wirtschaftliche und militärische Abhängigkeit der Sowjetunion brachte.

IX. Persona dramatis

Was geschah nach dem Krieg mit den Politikern und Militärs in Ost- und Südeuropa, die die Schicksale ihrer Länder in den Jahren 1938–1945 entscheidend beeinflußten? Die Waffenstillstandsverträge der Alliierten mit den einstigen Verbündeten Deutschlands verlangten unter anderem, daß diese in Zusammenarbeit mit den alliierten Mächten, Kriegsverbrechern den Prozeß zu machen hatten. In den ost- und mitteleuropäischen Ländern fiel den Sowjets die führende Rolle in den Alliierten Kontrollkommissionen zu, wobei die Vertreter der Westmächte überall Statisten blieben. Es ist nicht Aufgabe dieses Kapitels, sich mit der juristischen und politischen Problematik dieser Nachkriegsprozesse, die gleichzeitig weitgehende politische Säuberungen waren, auseinanderzusetzen. Wir wollen hier nur Fakten festhalten.

Es gelang dem Leiter der Alliierten Kontrollkommission, A. A. Schdanow nicht, in *Finnland* Kriegsverbrecherprozesse zu organisieren. Zwar wurde Finnlands Kriegspolitik als verbrecherisch abgestempelt und ein Sondergesetz mit rückwirkender Kraft erlassen, aber dieses sah keinen Volksgerichtshof vor. Vielmehr handelte es sich um ein Parlamentssondergericht, das für nur acht Politiker der Kriegszeit ins Leben gerufen wurde. Und so wurden im Februar 1946 der ehemalige Staatspräsident Risto Ryti, die Ministerpräsidenten J. W. Rangell und Edwin Linkomies, Außenminister Henrik Ramsay, die Minister Välnö Tanner, Antti Kukkonen und Tykö Reinikka sowie der Gesandte in Berlin, T. M. Kivimäki, als »Kriegsverantwortliche« zu Gefängnisstrafen von fünf bis zehn Jahren verurteilt. Aber bald öffneten sich ihre Kerker; der ehemalige Gesandte in Berlin, Professor Kivimäki, wurde 1948 aus der Haft entlassen.

Nach einer erneut erfolgreichen Tätigkeit an der Universität in Helsinki starb er im Jahre 1968. Välnö Tanner, im Fortsetzungskrieg Handels- bzw. Finanzminister, wurde ebenfalls 1948 entlassen. Wiederholte sowjetische Einsprüche verhinderten seinen Eintritt in die Regierung. Mit anderen Ämtern und Würden bedacht, hat der große Mann der finnischen Sozialdemokratie noch lange Jahre seine Partei geführt. Bei seinem Tod 1966 erhielt er ein Staatsbegräbnis. Der ehemalige Ministerpräsident Linkomies, zum gleichen Zeitpunkt wie Tanner entlassen, kehrte als Professor an die Universität Helsinki zurück, deren Rektor bzw. Kanzler er in späteren Jahren wurde. Er starb 1963. Risto Ryti, im Zuchthaus schwer erkrankt, wurde 1949 von Staatspräsident Paasekivi begnadigt. Hochgeehrt lebte er bis 1965.

Marschall Mannerheim legte erst im März 1945 das Amt des Staatspräsidenten nieder und zog sich aus allen Staatsgeschäften zurück. Durch Krankheit und Alter gebeugt, lebte er den größten Teil des Jahres in einem Sanatorium am Genfer See und verbrachte nur im Sommer noch wenige Wochen auf seinem Gut Gerknäs bei Helsinki. Nach kurzer schwerer Krankheit starb Gustav Karl von Mannerheim am 27. Januar 1946 in einer Klinik in Lausanne. Auch er erhielt ein Staatsbegräbnis. Seinem Andenken wurde ein Denkmal gewidmet; eine der schönsten Straßen Helsinkis ist nach ihm benannt.

Was Kommandeure und Befehlshaber der finnischen Armee betraf, so wurden zwar nach 1945 gewisse Verfahren eingeleitet, es kam auch zu Verhaftungen einzelner Offiziere oder zu Zwangspensionierungen, aber man ahndete stets individuell. 1948 mußte Helsinki mit der Sowjetunion unter anderem einen Freundschafts- und Beistandspakt abschließen. Dadurch bekam die seit 1945 auf Friedensstärke gebrachte finnische Armee einen neuen Stellenwert.

Die *Slowakei* war bis Ende Mai 1945 von Truppen der Roten Armee und ihren tschechoslowakischen und rumänischen Verbündeten besetzt. Nach Vereinbarungen der Alliierten wurde die Tschechoslowakische Republik in ihren Grenzen von 1937 wiederhergestellt. Damit hörte die Slowakei als selbständiger Staat auf zu existieren. Die Verfolgung der Kriegsverbrecher wurde durch ein neues Gesetz geregelt, das Präsident Beneš im sogenannten Regierungsprogramm von Košice am 4. April 1945 verkündete und das in den nächsten Jahren schärfste Maßnahmen gegen die deutsche und ungarische Minderheit sowie ehemalige Würdenträger des Tiso-Staates vorsah. Monsignore Josef Tiso wurde in Bratislava vor ein »Nationalgericht« gestellt und zum Tode durch den Strang verurteilt. Die Hinrichtung des einstigen slowakischen Staatspräsidenten erfolgte am 18. April 1947. Auch das Leben seines Ministerpräsidenten, Dr. Vojtech Tuka, endete wie das seines Nachfolgers im Herbst 1944, Dr. Stefan Tiso (eines Vetters des Staatspräsidenten, der von den Amerikanern nach Kriegsende an Prag ausgeliefert wurde), mit der Hinrichtung. General Ferdinand Čatloš belastete Tiso in seinem Prozeß schwer und wurde deshalb verhältnismäßig glimpflich behandelt. Das »Nationalgericht« verurteilte ihn zu fünf Jahren Gefängnisstrafe. Čatloš lebte nach Verbüßen der Strafe als Rentner in einer slowakischen Kleinstadt und starb anfangs der siebziger Jahre. Innenminister Alexander (Saňo) Mach wurde 1946 zu dreißig Jahren Gefängnis verurteilt; 1968 wurde er freigelassen und lebt heute irgendwo in der Slowakei. Den Innen- und Außenminister des Slowakischen Staates (1939/40), Dr. Ferdinand Ďurčansky, verurteilte dasselbe Bratislaver Gericht »in absentia« zum Tode. Da er sich nach dem Krieg in Bayern verstecken konnte, entging er der Auslieferung. Ďurčansky starb am 15. März 1974 in München.

General Josef Turanec, der einstige Kommandeur der Schnellen Division an der Ostfront und ab 28. August 1944 Oberbefehlshaber der Slowakischen Armee, wurde am 29. August 1944 auf dem Weg nach Banská Bystrica, wo er den Aufstand niederschlagen wollte, von Soldaten seiner Armee verhaftet und anschließend an die Sowjetunion ausgeliefert. Nach dem Krieg machte man ihm in Bratislava den Prozeß. Er wurde zum Tode verurteilt, dann aber zu lebenslanger Haft begnadigt. Turanec starb am 9. März 1957 im Gefängnis von Leopoldov. General Anton Pulanich, ein anderer »Ostkämpfer«, sympathisierte 1944 mit den slowakischen Aufständischen, ohne jedoch an den Ereignissen teilzunehmen. Die Tiso-Regierung schickte den General daher im Spätherbst 1944 in den Ruhestand. Pulanichs Nachkriegsschicksal ist unbekannt; man weiß nur, daß er 1962 in der Slowakei starb. General Augustin Malár wurde am 31. August 1944 auf dem Militärflughafen Nižný Šebeš bei Prešov von den Deutschen verhaftet und außer Landes gebracht. Er hat das Kriegsende nicht mehr erlebt; alles, was man über ihn weiß, ist, daß er lebend zuletzt Ende April 1945 in der Festung Ehrenbreitstein bei Koblenz gesehen wurde. Oberst Stefan Tatarko wurde ebenfalls im Zuge des slowakischen Aufstandes am 31. August 1944 von den Deutschen verhaftet. Er wurde aber bereits im Oktober freigelassen, da er nachweisen konnte, daß er von den Plänen der Aufständischen nichts gewußt hatte. Bis Kriegsende war er Oberster Befehlshaber des militärischen Arbeitsdienstes der Slowakischen Republik. Über sein Schicksal nach 1945 ist nichts bekannt. General Jan Golian, der unter Turanec eine Zeitlang der 1. Generalstabsoffizier der Schnellen Division in Rußland gewesen war und 1944 die Seele des militärischen Widerstandes der slowakischen Aufstandsarmee wurde, geriet mit seinem tschechoslowakischen Kameraden, General Rudolf Viest, Ende Oktober 1944 in deutsche Gefangenschaft. Obwohl mehrere Versionen über ihr Schicksal existieren, steht nur fest, daß man sie nie wieder lebend sah. Offiziell wurde nach dem Krieg in der ČSSR verbreitet, sie seien im Frühjahr 1945 von der Gestapo hingerichtet worden. General Jurech, der 1943 auf der Krim die slowakische Division geführt hatte, nahm 1944 am Aufstand teil, wurde von den Deutschen gefangengenommen und später hingerichtet.

Was geschah nach dem Krieg in *Ungarn*? Bereits Ende 1944 ließ die Provisorische Nationalversammlung in Debrecen ein Gesetz verabschieden, das die Einrichtung von Volksgerichtshöfen vorsah. Vor solche Volksgerichte wurden dann zwischen

1945 und 1948 Politiker, hohe Ministerialbeamte und Soldaten der einstigen königlichen Honvéd-Armee gestellt, die man als Kriegsverbrecher anklagte. Laut offiziellen Budapester Angaben wurden vom 1. Januar 1945 bis und mit 31. März 1948 89 154 Personen als Kriegsverbrecher vor Gericht gestellt. Davon verurteilte man 18 376 Personen zu längeren oder kürzeren Haftstrafen. Zum Tode wurden in derselben Zeit 312 Personen verurteilt; davon wurden 146 Personen exekutiert (»Népszava«, 11. Juni 1967, und »Magyarország«, 12. Februar 1969).

Die Ministerpräsidenten László Bárdossy und Döme Sztójay wurden zum Tode verurteilt und hingerichtet. Miklós von Kállay, Premier von 1942 bis 1944, befand sich Ende des Krieges in Gestapo-Haft. Gegen ihn wurde im neuen Ungarn kein Verfahren eingeleitet. Er kehrte auch nicht nach Ungarn zurück und starb im Exil in New York am 14. Januar 1967. Dagegen wurden alle Angehörigen des Kabinetts Szálasi vor den Volksgerichtshof zitiert und mit Ausnahme von zwei Personen zum Tode verurteilt und hingerichtet. Dieses Schicksal widerfuhr auch General Károly Beregfy, dem ehemaligen Oberbefehlshaber der 1. Armee und späteren Verteidigungsminister im Kabinett Szálasi.

Gegen die ehemaligen Generäle der Honvéd-Armee wurde scharf vorgegangen. Generaloberst Gustáv Jány, dem glücklosen Oberbefehlshaber der 2. ungarischen Armee am Don, machte man 1947 den Prozeß. *Er wurde als einziger Armeeoberbefehlshaber aller von Hitler nach Rußland geschickten Truppen der Verbündeten in einem öffentlichen Prozeß zum Tode verurteilt und am 26. November 1947 in Budapest füsiliert.* Generalstabschef Henrik Werth verstarb am 28. Mai 1952 in sowjetischer Gefangenschaft. Seinen Nachfolger im Amt, General Ferenc Szombathelyi, hätte man freigesprochen, doch der Verteidiger des Generals forderte beim Gericht die Verurteilung seines Mandanten, um ihm so die Auslieferung an Belgrad ersparen zu können. Der General wurde in Budapest zu zehn Jahren Haft verurteilt, aber bereits 1947 heimlich den Jugoslawien übergeben, die ihn in einem Schauprozeß in Novi Sad (Ujvidék) wegen des Blutbades ungarischer Soldaten vom Januar 1942 mit anderen – wirklich – Verantwortlichen zum Tode verurteilten und hinrichteten. Generaloberst János Vörös, 1944 Generalstabschef der königlichen Honvéd-Armee, wechselte Ende Oktober 1944 zu der Roten Armee über und wurde Verteidigungsminister in der Provisorischen Ungarischen Regierung in Debrecen. Im Herbst 1945 zog er sich ins Privatleben zurück, wurde aber 1948 von den Kommunisten verhaftet und als angeblicher amerikanischer Spion zu lebenslänglicher Haft verurteilt. Erst während des Kádár-Regimes kam er frei. Er lebte in schlechtem Gesundheitszustand in der Provinz und starb am 23. Juli 1968 in Balatonfüred. Dem Székler-General, Lajos von Veress, Oberbefehlshaber der 2. Armee in Siebenbürgen, der am 16. Oktober 1944 von den Deutschen verhaftet worden war, wurde Januar 1945 von den ungarischen Rechtsradikalen zum ersten Mal der Prozeß gemacht. Er wurde zum Tode verurteilt, aber das Kriegsende verhinderte seine Hinrichtung. 1947 stellten ihn die Kommunisten vor ein Gericht und beschuldigten ihn – grundlos – eines Komplotts gegen die »Volksmacht«. Man verurteilte ihn zu lebenslänglicher Haft. Generaloberst a. D. Veress kam aber während des Volksaufstandes 1956 frei, emigrierte nach England und starb am 29. März 1976 als 87jähriger in London. Generaloberst Béla von Miklós, ehemals Kommandierender General des Schnellen Korps in Rußland, im August 1944 Oberbefehlshaber der 1. Armee in den Karpaten, wurde im Dezember 1944 Ministerpräsident der Provisorischen Ungarischen Regierung, die unter der Obhut der Roten Armee in Debrecen gebildet wurde. Nach den Parlamentswahlen vom November 1945 trat Miklós von seinen Ämtern zurück. Mit 58 Jahren starb er am 21. November 1948 unerwartet und unter bis heute nicht ganz aufgeklärten Umständen in Budapest. Generaloberst Vilmos von Nagy, Verteidigungsminister im Kabinett von Kállay, wurde Ende 1944 von den Pfeilkreuzlern Szálasis verhaftet, kam jedoch mit dem Leben davon. Wegen seiner ausgeprägten antinazistischen Einstellung während des Krieges hatte er von den ungarischen Nachkriegsregierungen nichts zu befürchten. Erst die Kommunisten nahmen Rache an ihm. Seine Pension wurde 1950 gestrichen, und er mußte sein Haus verlassen. Nachdem er zeitweise als Holzhacker gearbeitet hatte, wurde er in der Kádár-Ära rehabilitiert. Inzwischen 93 Jahre alt, lebt er heute wieder in seinem Häuschen in der Nähe von Budapest und bezieht eine Generalspension.

Generaloberst Géza Lakatos, Horthys letzter Ministerpräsident, wurde nach dem Scheitern des Waffenstillstandes im Oktober 1944 von der Gestapo verhaftet. Nach dem Krieg kehrte er nach Ungarn zurück, wo er eine Ehrenpension erhielt. Diese wurde nach der Machtübernahme der Kommunisten (1949) jedoch gestrichen, und man verbannte Lakatos mit seiner Frau in ein Pusztadorf, wo er seinen Lebensunterhalt mit dem Kolorieren von Ansichtskarten und Ähnlichem verdiente. Die Ereignisse nach 1956 brachten ihm – wie auch vielen anderen Offizieren der alten Armee – wesentliche Erleichterungen. Die Verbannung wurde aufgehoben, er erhielt eine bescheidene Pension und durfte in den sechziger Jahren sogar seine Töchter in Adelaide (Australien) besuchen. Dort starb Géza Lakatos im Januar 1967.

Zuletzt zum Schicksal des ungarischen Reichsverwesers Miklós von Horthy. Das greise Staatsoberhaupt erlebte das Kriegsende in Bayern. Hitler internierte ihn und seine Familie in einem Schloß unweit von Weilheim. 1945 kam Horthy vorübergehend in US-Gewahrsam, und nach einem kurzen Auftritt als Zeuge im Nürnberger Kriegsverbrecherprozeß durfte der Admiral wieder zu seiner Familie zurückkehren. Ungarn stellte keinen Auslieferungsantrag an die Siegermächte. Stalin selbst gab der KP in Budapest einen Wink; Miklós von Horthy reiste 1949 nach Portugal, wo er sich in Estoril, in der Nähe von Lissabon, niederließ. Er starb mit 89 Jahren am 9. Februar 1957.

Rumäniens junger König, Mihai I., hatte indessen mehr Glück. Er behielt vorerst seinen Thron, wurde nach dem Krieg

von Stalin mit dem sowjetischen Siegesorden »Pobjeda« ausgezeichnet und ging erst Ende 1947 ins westliche Exil, als die
Kommunisten ihn dazu aufforderten. Er lebt heute als Privat-
mann in der Schweiz.

Marschall Antonescus Schicksal wurde dagegen bereits am
23. August 1944 entschieden. Zusammen mit einigen Mitgliedern seines Kabinetts verbrachte der einstige Staatsführer von
Rumänien beinahe zwei Jahre in sowjetischen Gefängnissen.
Erst im April 1946 brachte man ihn nach Bukarest zurück. In
einem großen Prozeß stellte man Antonescu mit 25 anderen
Exponenten seines Regimes (Zivilisten und Militärs) im Mai
1946 vor ein Volksgericht, das in acht Fällen die Todesstrafe
verhängte; unter anderem wurden die beiden Antonescus, die
Generäle Constantin Pantazi (Kriegsminister) und Constantin
Vasiliu (Innenminister) sowie Prof. A. Alexianu, der ehemalige
Gouverneur von Transnistrien, gegen den Einfluß des Königs,
der Begnadigung zu lebenslänglicher Haft wünschte (wogegen
die Russen protestierten), am 1. Juni 1946 im Hof des Militär-
gefängnisses von Jilava von einem freiwilligen Hinrichtungspe-
loton erschossen.

Die Verfolgung von Kriegsverbrechern und Kriegsverantwortlichen in Rumänien begann übrigens sofort, nachdem die
Rote Armee das Land besetzt hatte. Die Sowjets brachten
komplette Listen mit, anhand derer nicht nur ehemals verant-
wortliche rumänische Kommandeure aus Transnistrien verhaftet wurden, sondern auch Zivilisten, die man schwerlich als
Kriegsverbrecher anklagen konnte, wie zum Beispiel Aurel
Mainkan, den Direktor des National-Theaters in Odessa, und
andere. (Eine Liste der zur Rechenschaft zu ziehenden Personen veröffentlichte bereits am 16. Juni 1944 die »Soviet War
News«, das Bulletin der Londoner Sowjetbotschaft.) Diese
Leute wurden außer Landes geschafft. In Rumänien selbst
brach die Massenverhaftungswelle erst Anfang 1945 aus. Am
29. Januar, so berichtete die »Neue Zürcher Zeitung«, wurden
53 Personen, darunter 13 Generäle und 12 Stabsoffiziere, in
Gewahrsam genommen. Im nächsten Monat wurden wiederum

Dutzende ehemaliger Exponenten des Antonescu-Regimes inhaftiert. Die seit dem 6. März 1945 amtierende Groza-Regierung ließ 250 weitere Personen verhaften, nachdem schon im letzten Kriegsmonat, im Mai, 83 Männer, darunter viele Offiziere, auf ihren Prozeß warteten. Nach unvollständigen und inoffiziellen Angaben wurden in den nächsten Jahren etwa 30 000 Rumänen als Kriegsverbrecher angeklagt.

Was geschah indessen mit den Persönlichkeiten der königlichen rumänischen Armee?

Generaloberst Petre Dumitrescu, ehemals Oberbefehlshaber der 3. rumänischen Armee am Don, verfaßte noch 1945 seine Erinnerungen über die Kämpfe in Rußland. Er starb 1948 in seiner Heimat. Generaloberst Constantin Constantinescu-Claps, der in der Kalmückensteppe die 4. rumänische Armee befehligt hatte, wurde Ende der vierziger Jahre verhaftet und zu lebenslänglicher Haft verurteilt. Als Charles de Gaulle im Frühjahr 1968 Rumänien besuchte, intervenierte er zugunsten seines ehemaligen Mitschülers von der Pariser Generalstabsakademie (die der Rumäne vor dem Krieg besucht hatte), und Ceaucescu beeilte sich, den Wunsch seines Gastes zu erfüllen. General Constantinescu kam auf freien Fuß und starb 1970 irgendwo in Rumänien. General der Kavallerie Mihai Racovitza, Korpskommandant im Kaukasus, im Sommer 1944 Oberbefehlshaber der 4. rumänischen Armee und am Umschwung vom 23. August 1944 maßgeblich beteiligt, wurde nach dem Krieg verhaftet. Er beging 1947 im Gefängnis Selbstmord. Generaloberst Constantin Sanatescu, der erste Ministerpräsident König Mihais nach der Verhaftung Antonescus, wurde Ende 1944 vorzeitig pensioniert, später – als der König ins Ausland ging – verhaftet und erst Ende der fünfziger Jahren aus dem Gefängnis entlassen. Er lebte 1969 noch irgendwo in Siebenbürgen. Generaloberst Ilie Steflea, Chef des Großen Generalstabes und einige Zeit Oberbefehlshaber der 4. rumänischen Armee, wurde nicht vor Gericht gestellt. Er starb 1946 in Bukarest.

Was geschah mit den rumänischen Stalingrad-Generälen?

General Nicolae Tataranu, der Stalingrad noch rechtzeitig verlassen hatte, starb 1961 in einem Internierungslager irgendwo in Rumänien. General Bratescus weitere Lebensdaten sind unbekannt. Angeblich starb er in einem sowjetischen Lager. Der Kommandeur der 20. Infanterie-Division, Brigadegeneral Romulus Dumitriu, überlebte die Kriegsgefangenschaft, kehrte heim und blieb auch nach der Abdankung von König Mihai in der Armee. Oberst Maltopol, der am Ende der 6. deutschen Armee im Kessel von Stalingrad die 1. rumänische Kavalleriedivision, d. h. deren Reste, kommandiert hatte, kehrte bereits im Spätsommer 1944 mit der rumänischen Freiwilligendivision »Tudor Vladimirescu« (aus rumänischen Kriegsgefangenen gebildet) in die Heimat zurück. Ihn erwartete eine steile Karriere in der neuen Armee. Denselben Weg schlug auch Oberstleutnant i. G. Nicolae Cambrea ein, der am 19. November 1942 im Don-Bogen in sowjetische Gefangenschaft geraten war. Er kam am 31. August 1944 als Divisionskommandeur des Verbandes »Tudor Vladimirescu« nach Bukarest zurück, wurde vom König zum General befördert (vorher hatte er diesen Rang schon von Stalin erhalten) und ging später als Generaloberst der Rumänischen Volksarmee in den Ruhestand.

Die steilste Karriere unter den königlichen Offizieren machte General Mihail Lascar, derselbe Mann, der bei Raspopinskaja bei der Zerstörung der Stellungen des 5. rumänischen Armeekorps den Sowjets in die Hände gefallen war. In Abwesenheit wurde General Lascar mit einer der höchsten deutschen Tapferkeitsmedaillen, mit dem Eichenlaub zum Ritterkreuz, ausgezeichnet. Im Frühjahr 1945 übernahm nun Lascar als Kommandeur die zweite rumänische Freiwilligendivision »Horia, Closca si Crisan«, die ebenfalls aus Kriegsgefangenen bestand. Nach dem Krieg verblieb der General in der Armee, bekleidete vom 29. November 1946 bis zum 23. Dezember 1947 den Posten eines Verteidigungsministers und nach diesem Datum verschiedene Funktionen in der obersten Leitung der Volksarmee, wie Stellvertretender Minister und Generalinspekteur der Armee. Im Januar 1950 ging Lascar in Pension und lebte danach in Bukarest bis zu seinem Tode am 26. Juli 1959.

Ein merkwürdiges Los widerfuhr General Gheorghe Stavrescu, dem Divisionskommandeur bei der 3. Armee, gegen den Generaloberst v. Weichs am 22. November 1942 ein Kriegsgerichtsverfahren eröffnet hatte, da bei ihm der Verdacht auf Verrat begründet erschien. In dieser Zeit war der rumänische General bereits in sowjetischer Gefangenschaft. Nach seiner Rückkehr in die Heimat stellte man Stavrescu vor ein Gericht. Dieses verurteilte den einstigen Kommandeur der 14. Division wegen »antihumanitärer Verbrechen« – so die offizielle Mitteilung aus Bukarest – zu einer langjährigen Gefängnisstrafe. Er starb in Haft.

Das Schicksal einiger führender Männer in *Jugoslawien* sollte hier noch erwähnt werden. Generaloberst Milan Nedić, Ministerpräsident von Serbien, wurde nach dem Krieg von den Amerikanern an Tito ausgeliefert. Noch vor seinem Prozeß stürzte er sich aus dem dritten Stock seines Gefängnisses in den Tod. Dem kroatischen Staatsführer, »Poglavnik« Ante Pavelić, gelang es mit einigen seiner Getreuen unter falschem Namen über Italien nach Südamerika zu fliehen. 1955 kehrte er nach Europa zurück und starb 1959 in Madrid. Zladko Kvaternik, Marschall und Verteidigungsminister von Kroatien, wurde im Oktober 1942 wegen politischer Unstimmigkeiten mit Pavelić »beurlaubt« und später in den Ruhestand versetzt. Der Exminister begab sich dann nach Österreich, wo er von den US-Besatzungsbehörden 1945 verhaftet und als Kriegsverbrecher an Belgrad ausgeliefert wurde. Der Prozeß gegen ihn fand in Zagreb statt und endete am 9. Juni 1947 mit der Verurteilung des 69jährigen zum Tod durch Erschießen. Das Urteil wurde vollstreckt.

Was geschah mit Oberstleutnant Marko Mesić, dem letzten Kommandeur des kroatischen Regiments an der Ostfront? Mesić ging mit seinen Soldaten im Februar 1943 bei Stalingrad in sowjetische Gefangenschaft. Im Kriegsgefangenenlager ließ er sich mit vielen seiner Männer für die in Entstehung begriffene

»1. königliche jugoslawische Brigade in der Sowjetunion« anwerben, deren Kommandeur er wurde. Die Brigade, mit sowjetischen Waffen ausgerüstet, wurde Ende August 1944 an die Front verlegt und im Herbst desselben Jahres Tito übergeben. In dieser Zeit trugen die Männer bereits den roten Stern an der Militärmütze; die Einheit wurde in »1. selbständige Brigade der Jugoslawischen Volksbefreiungsarmee« umbenannt. Mesićs Truppe wurde erstmals bei Čačak in Ostserbien eingesetzt, operierte aber erfolglos, zum Teil jedoch wegen politischer Intrigen. Mesić wurde zwar bis Kriegsende nicht aus der Armee entlassen, aber ein selbständiger Posten wurde ihm verweigert. Ende der vierziger Jahre stürzte Mesić unter nie geklärten Umständen in Belgrad vor einen einfahrenden Zug. Nur mit Mühe konnte man sein Leben retten; er lebt seither als beidbeinig Amputierter völlig zurückgezogen in Zagreb.

Stärker als bei allen einstigen Verbündeten der Deuschen ist in *Italien* die Erinnerung an Schicksal und Kampfweg der italienischen Truppen in Rußland lebendig. Unzählige Bücher wurden dort zu diesem Thema veröffentlicht, und die Veteranen haben noch heute Kontakte zu ihren ehemaligen Kameraden. In der italienischen Armee wurde nach 1945 die Teilnahme der Offiziere und Soldaten am Ostfeldzug nicht als Diffamierung angesehen, und diejenigen, die während ihres Rußlandeinsatzes an keinem Verbrechen beteiligt waren, mußten auch nach dem Krieg keinerlei Repressionen fürchten. Der Kommandierende General des italienischen Expeditionskorps, Giovanni Messe, wurde im November 1943 zum »Marschall von Italien« ernannt und bekleidete auf der Seite von Marschall Badoglio von September 1943 bis April 1945 den Posten eines Generalstabschefs der königlichen italienischen Armee.

Armeegeneral Italo Gariboldi wurde im Herbst 1943 in Norditalien vor ein faschistisches Sondergericht gestellt. Dieses klagte den einstigen Oberbefehlshaber der 8. Armee in Rußland der Teilnahme an der »Verschwörung« gegen Mussolini an. Am 3. Februar 1944 wurde Gariboldi zum Tode verurteilt. Hingerichtet wurde er jedoch nicht. Die Alliierten befreiten ihn

1945 aus der Haft; er starb 91jährig am 13. Februar 1970 in Rom.

Und die Soldaten des einstigen italienischen Militärkontingents in Rußland? Über ihr Schicksal wurde in Rom eine genaue Liste erstellt. Diese verzeichnete total als Verluste des Expeditionskorps bzw. der 8. Armee 132 875 Offiziere und Soldaten. Davon fielen 74 830 Mann in sowjetische Gefangenschaft. Unter ihnen befanden sich drei Divisionskommandeure.

Als der Krieg zu Ende war und auch die Sowjetunion begann, die in ihrem Gewahrsam befindlichen Kriegsgefangenen zu entlassen, mußte die italienische Öffentlichkeit mit Entrüstung und Schrecken feststellen, daß bis zum heutigen Tag von den vielen Zehntausend Italienern lediglich 10 030 (darunter 3010 Offiziere) zurückkamen. Die restlichen 64 800 Menschen bleiben für immer verschollen, da sich die Sowjetbehörden nach wie vor weigern, genaue Auskunft über ihr Verbleiben zu erteilen. »Die italienische Regierung«, sagte N. S. Chruschtschow im Mai 1959 in einer Rede, »richtet von Zeit zu Zeit Noten an uns mit der Forderung, Auskunft über den Verbleib der italienischen Soldaten zu geben, die gegen uns gekämpft haben, in unser Land eingedrungen und nicht nach Italien zurückgekehrt sind. Weiß sie denn nicht, was Krieg bedeutet? Krieg ist wie Feuer, in das man wohl springen kann, aber aus dem es kaum ein Zurück gibt. Es verbrennt die Menschen. So sind in diesem Krieg auch die italienischen Soldaten verbrannt!« (»Prawda«, 27. Mai 1959). Und in der Folge wurden Messe, Gariboldi und »andere Kriegsverbrecher« dafür verantwortlich gemacht, daß – unter anderem – diese 64 800 Italiener unter enormen Strapazen und den extremen Klimaverhältnissen zugrunde gingen, nicht zuletzt wohl auch an der wohlbekannten Praxis sowjetischer Kriegsgefangenenlager.

Als ob diese einfachen Männer am Krieg, an ihrem Rußlandkommando die Schuld zu tragen hätten! Waren sie doch – wie alle unfreiwilligen Teilnehmer an Hitlers imperialistischem, ungerechtem Krieg im Osten, im Norden, im Süden und im Westen Europas – Werkzeuge in den Händen von Politikern und unterlagen politischen, wirtschaftlichen und geographischen Streitfragen. Auf sie, auf Millionen unbekannter Gefallenen des Zweiten Weltkrieges – gleich welcher Nationalität – trifft die Grabschrift des ungarischen Dichters Dezsö Keresztúry zu:

> »Wo wir ruhen, weiß kein Freund, keine Gattin,
> kein Kind. Die Erde hat spurlos verschluckt unsren
> Leib. Millionen lebendiger Herzen, bewahrt Millionen
> der Toten. Nicht des Frevlers Rechte bezeugt
> unser Opfer. Es fordert das Recht!«

Anmerkungen

I. Kapitel

1 Vgl. Kriegstagebuch der Seekriegsleitung, Teil C VII, 1940, in: Der Prozeß gegen die Hauptkriegsverbrecher vor dem Internationalen Militärgerichtshof (IMT), Nürnberg 1949, Band 34, S. 686 (zit.: IMT).

2 Paul Schmidt: Statist auf diplomatischer Bühne 1923–1945, Bonn 1950, S. 484 ff.

3 Vgl. die Denkschrift »Die Weiterführung des Krieges gegen England«, in: IMT, Band 28, S. 302.

4 Franz Halder: Kriegstagebuch. Tägliche Aufzeichnungen des Chefs des Generalstabes des Heeres 1939–1942, Stuttgart 1963, Band 2, S. 21.

5 Abgedruckt bei Hans-Adolf Jacobsen: 1939–1945. Der Zweite Weltkrieg in Chronik und Dokumenten, Darmstadt 1959, S. 131 ff.

6 Halder, Band 2, S. 31 ff.

7 Helmuth Greiner: Die oberste Wehrmachtsführung, 1939–1943, Wiesbaden 1951, S. 112.

8 Wir folgen hier der Formulierung General Warlimonts bei seiner Aussage im OKW-Prozeß vom 23. Juni 1948. Abgedruckt bei Hans-Günther Seraphim: Die deutsch-russischen Beziehungen 1939–1941, Hamburg 1949, S. 75.

9 Adolf Hitler: Mein Kampf, München 1941, S. 751.

10 Zitiert bei Alfred Bäumler: Alfred Rosenberg und der Mythos des 20. Jahrhunderts, München 1943, S. 15.

11 Hitler, S. 726.

12 »Was für England Indien war, wird für uns der Ostraum sein« – so wiederholte Hitler diese These zu Beginn des Krieges gegen die Sowjetunion. Vgl. Henry Picker: Hitlers Tischgespräche im Führerhauptquartier, Bonn 1951, S. 41.

13 Hitler, S. 757.

14 So zum Beispiel erklärte am 4. September 1933 Hermann Göring vor der Ministerialsitzung hinsichtlich der deutschen Wiederaufrüstung, »dieser Prozeß gehe von dem Grundgedanken aus, daß eine Kraftprobe mit Rußland unvermeidlich sei«. Zitiert bei Peter de Mendelsohn: Design for Aggression, New York 1946, S. 4.

15 Georg von Rauch: Geschichte des bolschewistischen Rußlands, Wiesbaden 1955, S. 384.

16 Dieser Beschluß der KOMINTERN brachte die französischen Kommunisten in eine schwierige Lage: Sie hatten zunächst *für* die Kriegskredite gestimmt

und wurden nun Anfang November 1939 zurückgepfiffen, um sich, so schwer es ihnen fiel, von nun an als »Kriegsgegner« zu beteiligen. Vgl. Alfred J. Rieber: Stalin and the French Communist Party, New York 1962, und Roy A. Medwedew: Die Wahrheit ist unsere Stärke. Geschichte und Folgen des Stalinismus, Frankfurt am Main 1973, S. 492.

17 Rauch, S. 385.

18 Ebenda, S. 386.

19 A. Sz. Jakovlev: Szárnyak, emberek. Egy repülögép-tervezö feljegyzései, Budapest 1968, S. 258.

20 Siehe ausführlich bei Philipp W. Fábry: Die Sowjetunion und das Dritte Reich. Eine dokumentierte Geschichte der deutsch-sowjetischen Beziehungen von 1933 bis 1941, Stuttgart 1971, S. 196 ff.

21 Über diese Verhandlungen siehe in Einzelheiten (samt Protokoll) bei Lew Besymenski: Sonderakte Barbarossa. Dokumente, Darstellung, Deutung, Stuttgart 1968, S. 98 ff.

22 N. Andrejewa und K. Dimitriewa: Zu den militärischen Verhandlungen zwischen der UdSSR, Großbritannien und Frankreich im Jahre 1939, in: »Deutsche Außenpolitik« (Berlin-Ost), Bd. 4., S. 541 ff.

23 G. Hilger: Wir und der Kreml, Frankfurt am Main 1956, S. 292.

24 Akten zur deutschen auswärtigen Politik 1918–1945. Aus dem Archiv des deutschen Auswärtigen Amtes, Serie D, Bd. 8, S. 250 ff. Baden-Baden/Frankfurt am Main 1950. (Fortan: ADAP)

25 N. vom Vormann: Der Feldzug in Polen, Weissenberg 1958, S. 153 ff.

26 Als Grund gibt das Standardwerk der Sowjetgeschichte über den Zweiten Weltkrieg folgende Erklärung ab: »Der Überfall Deutschlands auf Polen und die Kriegserklärung Englands und Frankreichs an Deutschland schufen eine neue Lage in Europa. Der Einfall deutscher Truppen in Polen und die Unfähigkeit der polnischen Regierung und des polnischen Oberkommandos, die Lage zu meistern, erweckte die ernste Besorgnis der Sowjetregierung um das Schicksal des polnischen Staates und Volkes ... Aus Sicherheitsgründen führte die Regierung der UdSSR Anfang September in sechs Militärbezirken eine umfangreiche Übung mit den Reservisten durch und versetzte zugleich die Truppen des Kiewer Besonderen und des Bjelorussischen Besonderen Militärbezirkes in Gefechtsbereitschaft.« Vgl.: Istorija Welikoj Otetschestwennoj Wojny Sowjetskogo Sojuza, Moskva 1960, Bd. 1, S. 246 (zit.: Istorija).

27 Istorija, S. 247.

28 Joachim von Ribbentrop: Zwischen London und Moskau. Erinnerungen und letzte Aufzeichnungen, Leoni am Starnberger See 1953, S. 207 ff.

29 Zitiert nach Alexander Werth: Rußland im Krieg, Darmstadt 1965, S. 67.

30 Werth, S. 72 ff.

31 Einzelheiten siehe Peter Gosztony: Der finnisch-sowjetische Krieg 1939/40, in: »Der Schweizer Soldat« (Basel), 15. November 1964.

32 Alfred Anderle, Werner Basler: Juni 1941. Beiträge zur Geschichte des hitlerfaschistischen Überfalls auf die Sowjetunion, Berlin-Ost 1961, S. 102.

33 A. Rossi: Zwei Jahre deutsch-sowjetisches Bündnis, Köln 1954, S. 90.

34 Es waren 119 Infanteriedivisionen, 10 Panzerdivisionen, 4 motorisierte Divisionen und 2 Waffen-SS-Divisionen.

35 Die heute gültige sowjetische Version über dieses Vorgehen Stalins lautet: »Die entsprechend dem Vertrag über gegenseitige Hilfe in Litauen stationierten sowjetischen Truppeneinheiten wurden wiederholt provoziert. Die litauische Regierung verhaftete ferner zahlreiche litauische Bürger und griff zu Repressalien gegenüber denjenigen, die Dienstleistungen für die sowjetischen Truppen verrichteten. In den Tagen vom 14. bis 16. Juni 1940 überreichte die Sowjetregierung Litauen, Lettland und Estland Noten, in denen sie ... eine Reihe von Forderungen erhob; unter anderem verlangte sie, sowjetische Truppen in solcher Stärke in das Land hineinzulassen, wie es für die Erfüllung der Verträge über die gegenseitige Hilfe nötig war. Die sowjetischen Forderungen wurden angenommen, und vom 15. bis 17. Juni marschierten sowjetische Truppen in die baltischen Republiken ein. G. A. Deborin: Wtoraja mirowaja wojna, Moskva 1958, S. 98.

36 Über die Vorgänge in Rumänien im Sommer 1940 siehe die sowjetische Version bei Deborin, S. 99, und den rumänischen Standpunkt bei G. Gafencu: Vorspiel zum Krieg im Osten, Zürich 1944, S. 389 ff.

37 Istorija, S. 305.

38 Zitiert nach Keesings Archiv der Gegenwart (Jahrgang 1940), das die Rede Molotows auszugsweise wiedergibt.

39 Ebenda.

40 Seraphim, S. 30.

41 Ebenda.

42 Vgl. G. A. Deborin, G. D. Komkow, A. F. Nikitin und A. E. Ekstein: Über die Außenpolitik der UdSSR in den Jahren 1940/41, in: Juni 1941, S. 104 ff.

43 Bereits nach der Kapitulation Frankreichs sagte Molotow, der natürlich wußte, daß alle seine Worte Hitler weitergemeldet würden, dem italienischen Botschafter in Moskau, die Sowjetunion halte den Krieg für praktisch beendet, die Interessen Rußlands lägen jetzt in der Hauptsache auf dem Balkan, wo er seinen Einfluß auf Bulgarien ausdehnen und den Türken die Alleinherrschaft über die Meerengen entwinden wolle. Zitiert bei Isack Deutscher: Stalin. Die Geschichte des modernen Rußlands, Zürich 1951, S. 466.

44 Ribbentrop, S. 230.

45 Der Brief ist in den Ribbentrop-Memoiren teilweise abgedruckt (S. 231 ff.).

46 Schmidt, S. 518. Siehe ferner: Staatsmänner und Diplomaten bei Hitler. Vertrauliche Aufzeichnungen über Unterredungen mit Vertretern des Auslandes 1939–1941. Herausgegeben und erläutert von Andreas Hillgruber, Frankfurt am Main 1967, S. 295 ff. (zit.: Staatsmänner).

47 Schmidt, S. 518.

48 Schmidt, S. 520.

49 Valentin Bereshkow: In diplomatischer Mission bei Hitler in Berlin 1940–1941, Frankfurt am Main 1967, S. 27.

50 Bereshkow, S. 37.

51 Siehe den Drahtbericht des deutschen Botschafters in der UdSSR an den

Reichsaußenminister vom 25. November 1940. Mitgeteilt bei Dr. Alfred Seidl: Die Beziehungen zwischen Deutschland und der Sowjetunion 1939–1941. 251 Dokumente aus dem Archiv des Auswärtigen Amtes, Tübingen 1949, S. 296 ff.

52 Die »Weisung Nr. 18« ist unter anderem bei Jacobsen, S. 153 ff. abgedruckt.

53 Greiner, S. 262.

54 Greiner, S. 273.

55 Andreas Hillgruber: Hitlers Strategie. Politik und Kriegführung 1940 bis 1941, Frankfurt am Main 1965, S. 228 (dort auszugsweise veröffentlicht). (zit.: Hillgruber I.)

56 Im Jahre 1190, nach einer Zeit ruhmreicher Herrschaft, nahm Friedrich Barbarossa der wohl populärste deutsche Kaiser, das Kreuz und führte sein Ritterheer ins Heilige Land gegen die Sarazenen.

57 Seidl, S. 298 ff.

58 Halder, Bd. 2, S. 261.

59 Zitiert bei Hillgruber I., S. 370.

60 Tagebuch von Bock. Zitiert bei G. E. Blau: The German Campaign in Russia. Planing and Operations (1940–1942), Washington D. C. 1955, S. 30.

61 Vgl. hierzu das ausgezeichnete Werk von Alexander Dallin: German Rule in Russia 1941–1945. A Study of Occupation Policies, New York 1956.

62 Halders Entwurf vom 7. April 1941 für die Reorganisation des Heeres nach Abschluß des Ostfeldzuges lautete folgendermaßen: Westeuropa: 6 motorisierte, 24 Infanteriedivisionen; Nordeuropa: 2 Gebirgsdivisionen, 6 Infanteriedivisionen; Osteuropa: 6 Panzer-, 6 motorisierte, 2 Gebirgs-, 20 Infanteriedivisionen; Südosteuropa: 6 Infanteriedivisionen; Operationsgruppe Spanien–Marokko: 3 Panzer-, 2 motorisierte, 2 Infanteriedivisionen; Operationsgruppe Nordafrika–Ägypten: 6 Panzer-, 2 motorisierte Divisionen; Operationsgruppe Anatolien: 6 Panzer-, 4 motorisierte, 4 Infanteriedivisionen; Operationsgruppe Afghanistan: 3 Panzer-, 4 motorisierte, 6 Gebirgs-, 4 Infanteriedivisionen. (Halder, Bd. 2, S. 354.)

63 Dr. Otto Dietrich: Zwölf Jahre mit Hitler, München 1955, S. 79 ff.

64 So hatte zum Beispiel das Oberkommando des Heeres am 22. April 1941 die Einberufung der Englandexperten angeordnet, um eine Invasion der britischen Inseln vorzutäuschen. Gleichzeitig wurden die Gewässer der Nordsee zum Sperrgebiet erklärt und Schiffe in den Kanalhäfen zusammengezogen.

65 Die Gesamtzahl der deutschen Divisionen an der Ostgrenze des Reiches betrug am 23. April 1941: 56; am 1. Mai: 60; am 14. Mai: 72; am 5. Juni: 93. Die Gesamtstärke der drei Heeresgruppen betrug (zusammen mit den im Anmarsch befindlichen Truppen) am 22. Juni 1941 141 Divisionen (wozu allerdings noch die Truppen der Bundesgenossen zu rechnen wären).

66 K. Simonow: Die Lebenden und die Toten, München 1960, S. 28.

67 Gerhard Thimm: Die letzten Tage in Moskau, in: »Die Gegenwart«, September 1947, S. 16.

68 Istorija, S. 542.

69 Viele Anzeichen wiesen darauf hin, daß die Säuberungen in der Roten Armee noch im Jahre 1941 fortgesetzt wurden. So wurde noch im Mai 1941 General Ernst Schacht, Leiter der Höheren Taktischen Fliegerschule, ein deutschstämmiger Altkommunist und »Held der Sowjetunion« verhaftet und als »Agent des deutschen Generalstabes« standrechtlich erschossen. Vgl. »Volksarmee« (Berlin-Ost), Nr. 49/1964.

70 Bezeichnend war zum Beispiel die Tatsache, daß am 15. Juni 1941 nur 27 % aller Panzer der alten Typen voll einsatzfähig waren.

71 Mitteilung eines ehemaligen sowjetischen Offiziers an den Verfasser.

72 Georgi K. Schukow: Erinnerungen und Gedanken, Stuttgart 1969, S. 228.

73 Wie kam Churchill zu dieser verblüffend genauen Nachricht? Erst 1965 lüftete sich das Geheimnis eines der bedeutendsten Spionagefälle des Zweiten Weltkrieges, der sogar in gewisser Hinsicht den Fall Richard Sorge überschattete. Paul Thümm hieß der Mann, der als Agent »A 54« für die tschechische Abwehr arbeitete und der als Träger des goldenen Parteiabzeichens der NSDAP, Duzfreund von Himmler und Hauptvertrauensmann der Gestapodienststelle in Prag jahrelang Beneš mit vertraulichem Material aus Nazideutschland versorgte. Über die Tätigkeit dieses Agenten siehe Rudolf Ströbinger: A 54, Spion mit drei Gesichtern, München 1966.

74 Schukow, S. 223.

75 Schukow, S. 228.

76 L. M. Sandalow: Pereshitoje (Erlebtes), Moskva 1961, S. 78.

77 I. Ch. Bagramjan: So begann der Krieg, Berlin-Ost 1972, S. 82.

78 R. J. Malinowskij: Dwadsatiletije natschala Welikoj Otetschestwennoj wojnü (Zwanzig Jahre seit Beginn des Großen Vaterländischen Krieges), in: »Wojenno-istoritscheskij shurnal« (zit.: WIZ), Nr. 6. 1961.

79 Schulenburgs Mitteilung an Thimm, vgl. Thimm, S. 19.

80 Ebenda.

Anmerkungen zum Kapitel II

1 Vgl. die Aufzeichnungen Bormanns über die Besprechung im Führerhauptquartier vom 16. Juli 1941. Abgedruckt bei Besymenski, S. 336 ff.

2 Zum Operationsentwurf des Generalmajors Marcks siehe: Der »Operationsentwurf Ost« des Generalmajors Marcks. In: »Wehrforschung«, Bonn, Nr. 4/1972. Die Operationsstudie des Gruppenleiters Heer in der Abteilung Landesverteidigung im OKW (»Lossberg-Studie«) vom 15. September 1940 ist abgedruckt bei Besymenski, S. 307 ff.

3 Die »Weisung Nr. 21« (Fall »Barbarossa«) ist abgedruckt bei Jakobsen, 1. Aufl., S. 180 ff.

4 Die Einverleibung der baltischen Staaten seitens der Sowjetunion hatte folgende Stationen:

   – Ende September und Anfang Oktober 1939 mußten die drei baltischen Staaten mit der Sowjetunion einen Beistandsvertrag abschließen. Demzufolge hatte die Rote Armee Militärbasen in diesen Ländern eingerichtet.

   – Mitte Juni 1940 stellte die Sowjetunion ein Ultimatum an die drei baltischen Regierungen; und mit der fadenscheinigen Erklärung, diese hätten den Beistandsvertrag verletzt, besetzten russische Truppen das Baltikum.

   – Die von der Sowjetregierung eingesetzten neuen, sogenannten »volkstreuen Regierungen« hielten im Juli und August 1940 »Wahlen« ab, wobei nur eine Partei zugelassen wurde. Danach verlangten die Regierungen, aufgrund des »Sieges« bei den Wahlen sich als »Sowjetrepubliken« der UdSSR anschließen zu können – was ihnen auch gestattet wurde.

5 Das kriegswichtige Metall veranlaßte sowohl die Deutschen als auch die Russen zum Handeln, von den Briten ganz zu schweigen (der Konzessionsinhaber war das kanadische Unternehmen The Mond Nickel Company). Schließlich einigte man sich auf die Verteilung des Nickels: Deutschland sollte 60 % und die Sowjetunion 40 % des Erzes erhalten. Im Winter 1940/41 verlangte die Sowjetregierung eine Regelung der Eigentumsverhältnisse zu ihren Gunsten und riet Helsinki zur Verstaatlichung der Nickelgruben, was jedoch abschlägig beschieden wurde.

6 Gustav Mannerheim: Erinnerungen, Zürich und Freiburg 1952, S. 430.

7 Zoltán Vas: Hazatérés, Budapest 1969, S. 22.

8 Burkhart Müller-Hillebrand: Die militärische Zusammenarbeit Deutschlands und seiner Verbündeten während des Zweiten Weltkrieges. Ein unveröffentlichtes Manuskript aus den Jahren 1948–1950, S. 405.

9 Aus Hitlers Weisung Nr. 21, vgl. Jacobsen, S. 180 ff.

10 Tuure Junnila: Freiheit im Vorfeld. Finnlands Kampf um Sicherheit und Neutralität, Wien, Köln, Stuttgart, Zürich 1965, S. 60.

11 Das Protokoll der Besprechung zwischen Vertretern der deutschen Wehrmacht und des finnischen Generalstabes in Salzburg und in Zossen über den Operationsplan und die militärischen Aufgaben Finnlands im bevorstehenden Ostfeldzug vom 25. und 26. Mai 1941 befindet sich in der ostdeutschen Dokumentenpublikation »Fall Barbarossa«. Dokumente zur Vorbereitung der faschistischen Wehrmacht auf die Aggression gegen die Sowjet-

union (1940/41), Berlin-Ost 1970, S. 182ff. (Fortan: »Fall Barbarossa«).
12 Zitiert bei Mannerheim, S. 435.
13 Ebenda, S. 438.
14 Ernst Klink: Deutsch-finnische Waffenbrüderschaft 1941–1944. In: »Wehrwissenschaftliche Rundschau«, Frankfurt am Main, Nr. 7/1958, S. 393. (Die Studie stützt sich auf das Tagebuch des Generals der Infanterie Dr. Waldemar Erfurth.)
15 Ebenda, S. 394.
16 Vgl. »Wehrforschung«, Bonn, Nr. 4/1972, S. 117.
17 Einzelheiten siehe bei Andreas Hillgruber: Hitler, König Carol und Marschall Antonescu. Die deutsch-rumänischen Beziehungen 1938–1944, Wiesbaden 1954, S. 70ff. (Fortan: Hillgruber II.)
18 András Hory: »Még egy barázdát sem ...!«, Wien 1967, S. 73.
18a I. V. Emilian: Les Cavaliers de l'Apocelypse, Paris 1974, S. 20.
19 Margot Hegemann: Einige Dokumente zur Deutschen Heeresmission in Rumänien (1940/1941). In: Jahrbuch für Geschichte der UdSSR und der volksdemokratischen Länder Europas, Berlin-Ost 1961, Bd. 5, S. 317.
20 Hillgruber II, S. 98.
21 Lucretiu Patrascanu: A vasgárda kormányzás öt hónapjáról. In: »Korunk«, Kolozsvár / Rumänien, Nr. 12/1970, S. 1908 pp.
22 Staatsmänner, Bd. I., S. 357.
23 Über die Lage in der rumänischen Armee berichtete am 6. Februar 1941 der nach Deutschland geflüchtete stellvertretende rumänische Ministerpräsident Horia Sima in einem Memorandum an den Reichsführer der SS Heinrich Himmler wie folgt:
»Das oberste Kommando der rumänischen Armee, die Mehrzahl der Chefs der großen Einheiten sind Freimaurer. Insbesondere die Luftwaffe, die Marine und Kavallerie sind vollkommen kompromittiert. Nahezu alle höheren Offiziere sind englandfreundlich und antideutsch. Wenn sie gegenwärtig irgendwelche Gefühle der Kameradschaft gegenüber den Deutschen bekunden, sind diese durch die Umstände bedingt. Die Soldaten werden schlecht behandelt, geschlagen und hungrig gehalten. Das rumänische Volk steht im Gegensatz zur Armee, weil seit zwei Jahren die Leute immer eingezogen waren und dennoch die Grenzen fielen. Obwohl nach dem 6. September sich die politische Lage in Rumänien verändert hatte, wurden die Legionäre in der Armee verfolgt wie zu Zeiten von König Carol II.« (Kopie von Teilen des Memorandums in Besitz des Autors.)
Obwohl Simas Bericht stark politisch gefärbt ist und deshalb nicht als historische Tatsache bewertet werden kann, entbehrt er dennoch nicht einiger interessanter Standpunkte!
24 Hillgruber II, S. 128.
25 Hegemann, S. 318.
26 »Fall Barbarossa«, S. 191.
27 Ion Gheorge: Rumäniens Weg zum Satellitenstaat, Heidelberg 1952, S. 150.
28 Staatsmänner, Bd. I., S. 594.
29 Zitiert aus »Fall Barbarossa«, S. 195.
30 Nikolaus von Horthy: Ein Leben für Ungarn, Bonn 1953, S. 219.

31 Hans Beyer: Der Südosten im Spiegel der Wilhelmstraße 1919–1939. In: »Südostdeutsche Heimatblätter«, München, Nr. 1/1954, S. 163.

32 Der Dreimächtepakt zwischen Deutschland, Italien und Japan wurde in Berlin am 27. September 1940 abgeschlossen. Der Zweck war, das Eingreifen der USA in den Krieg durch die Drohung mit einem Zweifrontenkrieg im Atlantik und Pazifik zu verhindern. Die Beziehungen der Signatarmächte zur UdSSR sollten unberührt bleiben. Reichsverweser v. Horthy äußerte sich zum Beitritt seiner Regierung zum Dreimächtepakt in den Memoiren wie folgt: »Ich muß ... darauf hinweisen, daß ein ›Bündnis‹ im Sinne des Dreibundes zwischen Deutschland, Österreich-Ungarn und Italien oder des deutsch-italienischen sogenannten Stahlpaktes zwischen Ungarn und dem Deutschen Reich nicht bestand. Der Dreimächtepakt, dem Ungarn am 20. November 1940 beitrat, verpflichtete nur dann zur Hilfeleistung, wenn eine der Unterzeichnermächte von einer der bei der Unterzeichnung nichtkriegführenden Mächte angegriffen würde!« Vgl. Horthy, S. 213.

33 Kiss Károly: Nincs megállás, Budapest 1974, S. 235 ff.

34 Horthy, S. 233. Vom 22. April 1941 datiert auch eine andere interessante Meldung der deutschen Gesandtschaft aus Budapest, die unter dem Titel »Verbreitung unwahrer Gerüchte durch Reichsdeutsche in Ungarn« folgenden Bericht nach Berlin sandte: »... So z. B. halten sich in Budapest Direktoren von ostmärkischen Cellulosefabriken auf, die es nun einmal ganz genau wissen, daß der Ostwall steht, dort sei eine deutsche Armee von fünf Millionen Soldaten konzentriert, und nun gehe es los gegen unseren Erzfeind Rußland ... Die Schauermärchen erzählen sie dem Generaldirektor Sónyi, der die in den Interessenkreis der Britisch-Ungarischen Bank gehörende jüdische Szentendreer Papierfabrik leitet. Generaldirektor Sónyi ist der Bruder des früheren ungarischen Armeeoberkommandanten, und man weiß von ihm, daß er alles, nur nicht deutschfreundlich ist!« Vgl. Auswärtiges Amt, Politisches Archiv / Inland II g., Nr. 167/1941 = Berichte und Meldungen zur Lage in und über Ungarn.

35 Juhász Gyula: Magyarország külpolitikája 1919–1945, Budapest 1969, S. 234.

36 Vgl. Auswärtiges Amt, Politisches Archiv / Inland II g., Nr. 467/1941 = Berichte und Meldungen zur Lage in und über Ungarn.

37 ADAP D XII/2, Dok. 631, S. 858.

38 Zitiert aus »Fall Barbarossa«, S. 177.

39 Ebenda, S. 270.

40 Kun József: A német hadvezetés magyarországi politikájához, 1941 március – julius. In: »Századok«, Budapest, Nr. 6/1965, S. 1239.

41 Staatsmänner, Bd. I., S. 317.

42 B'lgarska Akademija na Naukite / Institut za Istorija: B'lgarsko – Germanski otnoschenija i wraski, Sofija 1972, Bd. I., S. 218 ff.

43 Staatsmänner, Bd. I., S. 316.

44 Kossew, Christow, Angelow: Bulgarische Geschichte, Sofia 1963, S. 367.

45 Ein den damaligen bulgarischen Regierungskreisen sehr nahestehender Politiker, der heute im westlichen Ausland lebt, äußerte sich kürzlich zu dieser Frage in einem Privatbrief an den Autor wie folgt: »Als ich damals

ein Regierungsmitglied, das ich persönlich gut kannte, fragte, ob es denn nicht möglich wäre – da es schon klar war, daß die deutschen Armeen wegen der Bereinigung der Lage in Griechenland, das sich bereits im Krieg mit Italien befand, den Durchmarsch über Bulgarien vorbereiteten –, den deutschen Durchmarsch irgendwie zu erdulden bzw. zu regeln, ohne eine formelle Bindung an Deutschland einzugehen, war die Erwiderung: Das haben wir versucht. Die deutsche Antwort lautete, der Durchmarsch durch Bulgarien gegen Griechenland ist beschlossene Sache, wir müssen nur wissen, ob wir als Freunde oder Feinde durch Bulgarien marschieren werden. Es gibt keinen Mittelweg! – Die politischen Kreise Bulgariens aller Schattierungen hatten Verständnis für diese Lage. Auch die Linksstehenden, einschließlich der Kommunisten. Denn damals waren Deutschland und die Sowjetunion noch durch den Nichtangriffs- und Freundschaftspakt verbunden: Erst nach dem wenige Monate später erfolgten deutschen Angriff auf die Sowjetunion erklärten sich die Linksstehenden gegen die politische Konstellation Bulgariens.«

46 B'lgarsko-Germanski otnoschenija i wraski, Bd. I., S. 433.
47 »Neu-Bulgarien« bestand zum größten Teil aus dem Gebiet Mazedonien. Es war (und ist auch noch heute) ein Zankapfel zwischen Jugoslawien, Bulgarien und Griechenland.
48 Schmidt, S. 584.
49 Hillgruber I., S. 498.
50 Halder, Bd. II., S. 320.
51 Ludwig Krecker: Deutschland und die Türkei im Zweiten Weltkrieg, Frankfurt am Main 1964, S. 190 ff.
52 Die Slowakische Republik. Rückblick auf den Freiheitskampf und politisches Profil, Bratislava 1941, S. 73.
53 Jörg K. Hoensch: Geschichte der Tschechoslowakischen Republik 1918–1965, Stuttgart, Berlin, Köln, Mainz 1966, S. 117.
54 ADAP D XII/2, Dok. Nr. 406, S. 533.
55 Hillgruber I., S. 500.
56 Andreas Hillgruber: Japan und der Fall »Barbarossa«. In: »Wehrwissenschaftliche Rundschau«, Frankfurt am Main, Nr. 6/1968, S. 316.
57 Den Brief, der auch Hitlers Ausführungen im Detail wiedergibt, veröffentlichte Hillgruber als Anhang in seiner bereits erwähnten Studie »Japan und der Fall ›Barbarossa‹« auf S. 333 ff.
58 Abgedruckt bei Jacobsen, S. 200 ff.
59 Walter Warlimont: Im Hauptquartier der deutschen Wehrmacht 1939–1945, Frankfurt am Main 1962, S. 160.
60 Galeazzo Ciano: Tagebücher 1939–1943, Bern 1947, S. 337.
61 M. Toscano: L'Italia e gli accordi tadesco-sovietici dell' augusto 1939, Florenz 1952; M. Toscano: Una mancata intesa italo-sovietica nel 1940 e 1941, Florenz 1953.
62 Mitgeteilt in: Hitler e Mussolini, Lettere e documenti, Milano 1946, S. 38.
63 M. Toscano: Una mancata ..., S. 18 ff.
64 Ugo Cavallero: Comando Supremo, Diario 1940–1943 del Capo di S.M.G., Bologna 1948, S. 105.
65 Giovanni Messe: Der Krieg im Osten, Zürich 1948, S. 29.

66 G. Gorla: L'Italia nella seconda guerra mondiale. Diario di un milanese, ministro del re nel governo di Mussolini, Milano 1959, S. 216ff.
67 Rachele Mussolini: Mein Leben mit Benito, Zürich 1948, S. 153.
68 Ebenda.

Anmerkungen zum Kapitel III

1 Zitiert aus Pierre Rondiére: Der Angriff auf Sowjetrußland am 22. Juni 1941, Rastatt 1968, S. 20 ff.
2 Fall Barbarossa, S. 165.
3 Grigore Gafencu: Vorspiel zum Krieg im Osten. Vom Moskauer Abkommen (21. August 1939) bis zum Ausbruch der Feindseligkeiten in Rußland (22. Juni 1941), Zürich 1944, S. 412 ff.
4 Die Ereignisse in Moskau bei Molotow können nur durch Gafencus Memoiren – »Vorspiel zum Krieg im Osten« – rekonstruiert werden. Eine einschlägige sowjetische Darstellung darüber existiert bis heute nicht.
5 Gafencu, S. 415.
6 Schukow, S. 296.
7 Neue Zürcher Zeitung, vom 27. Juni 1941.
8 A. I. Pokriskin: Háborus égbolt, Budapest 1972, S. 26 ff. Der Verfasser benützte hierbei die ungarische Ausgabe des Buches.
9 Neue Zürcher Zeitung vom 27. Juni 1941.
10 Blau-Weiß-Buch der finnischen Regierung. Die Einstellung der Sowjetunion zu Finnland nach dem Moskauer Frieden, Helsinki 1941, Bd. II., S. 147.
11 Mannerheim, S. 441.
12 In der Budapester paramilitärischen Zeitschrift »Lobogó« vom 20. Februar 1974 wurde ein sowjetischer Artikel veröffentlicht, der sich mit der Geschichte der Luftstreitkräfte der Roten Armee im Zweiten Weltkrieg auseinandersetzt. J. Mesjacew, der Autor dieses Artikels, erwähnt dabei den Fall des Oberstleutnants A. Mironyenko, der am 22. Juni 1941 am frühen Morgen den Befehl erhielt, die Flugzeuge seiner Einheit zu alarmieren und sofort über den Finnischen Meerbusen zu fliegen, um dort gegnerische Schiffe zu bombardieren. »Für sie begann an diesem Tag der Krieg!« – Im Finnischen Meerbusen befanden sich am 22. Juni 1941 aber nur finnische Schiffe!
13 Mannerheim, S. 441.
14 Besymenski, S. 180.
15 Mannerheim, S. 441.
16 Leonard Lundin: Finland in the Second World War, Bloomington 1957, S. 81.
17 Välnö Tanner: Foreign Minister in Finland's Winter War, Stanford 1957, S. 97.
18 Wortlaut der Rede befindet sich in dem schon zitierten Blau-Weiß-Buch der finnischen Regierung, S. 147 ff.
19 Neue Zürcher Zeitung vom 26. Juni 1941.
20 A Finn Kommunista Párt története, Budapest 1963, S. 136.
21 Zitiert aus Waldemar Erfurth: Der finnische Krieg 1941–1944, Wiesbaden 1950, S. 41.
22 ADAP D XII, Dok. 661, S. 1070 ff.
23 ADAP D XII, Dok. 667, S. 1077 ff.
24 Béla von Lengyel: Die ungarischen Truppen im Rußland-Feldzug 1941, in: »Allg. Schweizerische Militärzeitschrift«, Nr. 10/1960, S. 869.

25 Neue Zürcher Zeitung vom 24. Juni 1941.
26 Aus Frau József Kristóffys Brief an den Verfasser vom 21. September 1971.
27 Horthy, S. 235.
28 Kun, S. 1240.
29 Juhász, S. 235.
30 Lengyel, S. 869.
31 Die genaue Schilderung des Vorfalles beruht auf der Dokumentation von Oberstleutnant i. G. a. D., Dipl.-Ing. Julián Borsányi, der 1941 von amtlicher Seite mit der Untersuchung der Bombardierung von Kassa beauftragt wurde. Die Untersuchungsergebnisse erschienen damals in der Zeitschrift »Légoltalmi Közlemények« (1. Juli 1941) und auf den neuesten Stand gebracht in »Uj Látóhatár«, München, Nr. 5 und 6/1970.
32 Erdmannsdorff-Telegramm nach Berlin vom 26. Juni 1941, Kopie im Besitz des Autors.
33 Vgl. die Literatur in Reihenfolge: C. A. Macartney: Hungary' Declaration of War on the U.S.S.R. in 1941, in: Studies in Diplomatic History and Historiography in Honor of G. P. Gooch, London 1961, S. 153 ff.; György Ránki: Ungarns Eintritt in den Zweiten Weltkrieg, in: Der deutsche Imperialismus und der Zweite Weltkrieg, Berlin-Ost 1962, Bd. III., S. 415 ff.; Franz von Adonyi-Naredy: Ungarns Armee im Zweiten Weltkrieg, Nekkargemünd 1971, S. 53.
34 Bokor László: Dobozba zárt háboru, Budapest 1973, S. 341.
35 Graf Galeazzo Ciano: Tagebücher 1939–1943, Bern 1946, S. 337.
36 ADAP D XIII. 1, Dok. 7, S. 7.
37 Mitgeteilt bei Messe, S. 30.
38 Enno von Rintelen: Mussolini als Bundesgenosse, Tübingen und Stuttgart 1951, S. 147 ff.
39 Messe, S. 37.
40 ADAP D XII. 1, Dok. 656, S. 883.
41 Dr. Josef Tiso: Die Wahrheit über die Slowakei. Verteidigungsrede, gehalten am 17. und 18. März 1947 vor dem »National«-Gericht in Bratislava. Herausgeber: Jon Sekera. In der Emigration 1948, S. 53.
42 Od Tatier po Kaukaz. Obrázkové dokumenty o bojoch slovenskej armady v rokoch 1941–1942, Bratislava 1942, S. 14.
43 Zitiert bei Ladislaus Hory, Martin Broszat: Der kroatische Ustascha-Staat 1941–1945, Stuttgart 1964, S. 68.
44 Ivan Babić: 369. verstärktes Infanterie Regiment (kroatisch), Manuskript im Besitz des Autors. (Ivan Babić, Oberstleutnant i. G., war ab April 1941 Chef des Militärbureaus des Marschalls Kvaternik. Er wurde Anfang Dezember 1941 »unerwartet und ohne gefragt zu sein« zum 369. Infanterie-Regiment (kroatisch) an die Ostfront versetzt. »Persönlichen Anweisungen des Marschalls Kvaterniks nach sollte ich dort als Militärbeobachter tätig sein, um alle Erfahrungen zu beobachten und diese nach Zagreb zu melden ...«
45 Mitteilung eines ehemaligen deutschen Generalstabsoffiziers (der nicht genannt werden möchte) aus dem Stab des Deutschen Bevollmächtigten Generals im Unabhängigen Staat Kroatien an den Verfasser vom 22. September 1971.

46 ADAP D XIII. 1, Dok. 46, S. 44.

47 Babić, S. 8.

48 Eine ausführliche, wissenschaftliche und in einer Gesamtkonzeption behandelnde Untersuchung der europäischen »Freiwilligen-Bewegung« gegen den Bolschewismus 1941–1945 existiert noch heute nicht. Mit Vorbehalt zu lesen, weil er das Thema politisch einseitig behandelt, Felix Steiner: Die Freiwilligen, Idee und Opfergang, Göttingen 1958.

49 Eberhard Jäckel: Frankreich in Hitlers Europa. Die deutsche Frankreichpolitik im Zweiten Weltkrieg, Stuttgart 1966, S. 182.

50 Zitiert bei Jäckel, S. 183.

51 Einzelheiten siehe Otto Abetz: Das offene Problem. Ein Rückblick auf zwei Jahrzehnte deutscher Frankreichpolitik, Köln 1951, S. 206.

52 Jäckel, S. 184.

474

IV. Kapitel

1 Halder, Band 3, S. 58.

2 »Am 8. Juli ergab sich für die deutsche Führung folgendes zahlenmäßiges Bild aufgrund der Meldungen von der gesamten Ostfront: Von den bisher exakt erfaßten 164 sowjetischen Schützenverbänden wurden 89 als ›vernichtet‹ gewertet; nur 46 galten noch als ›kampffähig‹, 18 befanden sich an Nebenfronten ... Der Verbleib von 11 Verbänden war der deutschen Seite unbekannt. Die sowjetische Luftwaffe ... hatte schon in den ersten Stunden des Krieges ein vernichtender Angriffsschlag getroffen, den sie erst nach mehreren Jahren überwinden konnte. Von den insgesamt etwa 10 000 Flugzeugen wurde fast die Hälfte vernichtet. Das durch die ersten Angriffsschläge angestrebte zahlenmäßige Übergewicht der deutschen Seite zu Lande und in der Luft schien damit in wenigen Wochen erreicht zu sein.« Vgl. Hillgruber I, S. 538.

3 Zitiert bei Hillgruber II., S. 135.

4 Akten der Deutschen Heeresmission Rumänien aus den Jahren 1941 und 1942: Deutsches Verbindungskommando 2 bei der rumänischen 4. Armee. Abschlußbericht vom 25. Oktober 1941. Bundesarchiv/Militärarchiv, Freiburg im Breisgau.

5 Messe, S. 52.

6 Arthur Gould-Lee: Crown Against Sickle. The Story of King Michael of Rumania, London 1950, S. 33.

7 P. A. Shilin: Die wichtigsten Operationen des Großen Vaterländischen Krieges 1941–1945, Berlin-Ost 1958, S. 151.

8 Friedrich Forstmeier: Odessa 1941. Der Kampf um Stadt und Hafen und die Räumung der Seefestung. 15. August bis 16. Oktober 1941, Freiburg 1967, S. 33.

9 Gheorghiu, S. 190.

10 Forstmeier, S. 85.

11 Akten der Deutschen Heeresmission Rumänien aus den Jahren 1941 und 1942: Bericht des Deutschen Verbindungskommandos 2 über den Feldzug der rumänischen 4. Armee vom 25. Oktober 1941. Bundesarchiv/Militärarchiv.

12 Gould-Lee, S. 35.

13 Hillgruber II, S. 141.

14 Aus dem Protokoll des ungarischen Abgeordnetenhauses, Band »1941«, zitiert von Josef Kun: Zur Vorgeschichte des Eintrittes Ungarns in den Krieg gegen die Sowjetunion. In: »Österreichische Militärische Zeitschrift«, Wien Nr. 3/1966, S. 192.

15 Die »Karpaten-Gruppe« setzte sich aus folgenden Verbänden zusammen: 1. Gebirgsbrigade, 8. Grenzjägerbrigade sowie aus der 1. und 2. motorisierten Brigade und der 1. Kavalleriebrigade. Dazu kamen noch einige Flugzeug-Geschwader und Flak-Truppen.

16 Einzelheiten vgl. Bokor László: Dobozba zárt háboru, Budapest 1973, S. 341.

17 Dombrády Lóránd: Adalékok a Horthy hadsereg gépesítésének történetéhez 1936–1940. In: »Hadtörténelmi Közlemények«, Budapest, Nr. 1/1971.

18 Béla von Lengyel: Die ungarischen Truppen im Rußland-Feldzug 1941. In: »Allgemeine Schweizerische Militärzeitschrift«, Frauenfeld, Nr. 10/1960, S. 881.

19 Ebenda, S. 950.

20 Juhász, S. 245.

21 Mitteilung Oberst i. G. a. D. Ferenc Koszorus an den Verfasser. Oberst Koszorus war 1941 der Leiter der Operationsabteilung des Schnellen Korps.

22 Aus den unveröffentlichten Schriften von Generaloberst Béla von Miklós. Fragmente im Besitz des Verfassers.

23 Franz von Adonyi-Naredy: Ungarns Armee im Zweiten Weltkrieg, Nekkargemünd 1971, S. 62 ff.

24 Tommaso Napolitano in »La Nuova Antologia«, Roma, Mai–August 1942.

25 Rintelen, S. 148.

26 Messe, S. 66.

27 Görlitz, Walter: Generalfeldmarschall Keitel. Verbrecher oder Offizier? Berlin, Frankfurt, Göttingen 1961, S. 283.

28 Filippo Anfuso: Die beiden Gefreiten. Ihr Spiel um Deutschland und Italien, München 1952, S. 161. – Die Meldung über die Einnahme von Odessa durch die Rumänen bekräftigte einerseits in Mussolini diesen seinen Entschluß, gab ihm aber andererseits zu denken: Sollten die Truppen Antonescus an der Ostfront eine größere Bedeutung gewinnen als die Italiener? Und hinzu kommt, daß ein vermehrter Einsatz italienischer Truppen an der Ostfront die deutsche Hilfe in Afrika kompensieren könnte.

29 Messe, S. 112.

30 Raymond Klibansky, Ed.: Benito Mussolini, Memoirs 1942–1943, London 1949, S. 12.

31 Alfred Philippi und Ferdinand Heim: Der Feldzug gegen Sowjetrußland 1941 bis 1945. Ein operativer Überblick, Stuttgart 1962, S. 87.

32 Messe, S. 119.

33 Ebenda, S. 121.

34 Ebenda, S. 131.

35 Ebenda, S. 131.

36 Ebenda, S. 139.

37 Abschlußmeldung über den Einsatz slowakischer Truppen in der Schlacht von Lipowic, Bundesarchiv/Militärarchiv, Bestand RH 31-Ic/1941.

38 Verhalten ungarischen Militärs im besetzten Gebiet, 24. Juli 1941. Geheim! Bundesarchiv/Militärarchiv, RH 31-IV/V.15 – 1941.

39 Bericht über den Einsatz der Schnellen Brigade am 22. Juli 1941 bei Lipowic. Bundesarchiv/Militärarchiv, RH 31-IV/V.15 – 1941.

40 Fritz Schlieper, Generalleutnant a. D., s. Zt. Deutscher General beim Oberkommando der slowakischen Wehrmacht: Militärische Gleichrichtung und Verbindung zwischen Deutschland und der Slowakei. In: Burkhart Müller-Hillebrand, S. 666.

41 Wolfgang Venohr: Aufstand für die Tschechoslowakei. Der slowakische Freiheitskampf von 1944, Hamburg 1969, S. 41.

42 Babić, S. 6.

43 Erfurth, S. 48 und S. 61.
44 Albert Seaton: Der russisch-deutsche Krieg 1941–1945, Frankfurt am Main 1973, S. 118.
45 Mannerheim, S. 445.
46 Ebenda, S. 445.
47 Wipert von Blücher: Gesandter zwischen Diktatur und Demokratie. Die Erinnerungen ... dem letzten deutschen Gesandten in Finnland, Wiesbaden 1951, S. 241.
48 Hjalmar J. Procopé: Sowjetjustiz über Finnland. Prozeßakten aus dem Verfahren gegen die Kriegsverantwortlichen in Finnland, Zürich 1947, S. 95.
49 Ebenda, S. 96.
50 Blücher, S. 244.
51 Mannerheim, S. 455.
52 Werth, S. 262.
53 Mannerheim, S. 455.
54 ADAP D XIII/1, Dok. Nr. 248, S. 324 ff.
55 Blücher, S. 246.
56 ADAP D XIII/2, Dok. Nr. 436, S. 588.
57 Mannerheim, S. 462.
58 Ebenda, S. 465.
59 Blücher, S. 269.

V. Kapitel

1 Andreas Hillgruber, Gerhard Hümmelchen: Chronik des Zweiten Weltkrieges, Frankfurt am Main 1966, S. 55.
2 Ebenda, S. 56.
3 Halder, Band 3, S.
4 Jacobsen, S. 263.
5 Erich Kordt: Wahn und Wirklichkeit, Stuttgart 1947, S. 342.
6 ADAP E I, Dok. Nr. 62, S. 108.
7 ADAP E I, Dok. Nr. 63, S. 113.
8 ADAP E I, Dok. Nr. 64, S. 116.
9 Hillgruber II, S. 144.
10 Ebenda, S. 145.
11 Staatsmänner, Bd. II, S. 53.
12 Juhász, S. 254.
13 Szombathelyi Ferenc vezérezredes, a magyar vezérkar volt fönökének védöirata, 1945 junius, Manuskript, S. 3.
14 ADAP E I, Dok. Nr. 156, S. 283. – Nach dem Krieg, am 25. September 1946, schilderte GFM Keitel in einem persönlichen Schreiben an seinen Rechtsanwalt die Modalitäten seiner Budapester Verhandlungen vom Januar 1942 wie folgt: »... am ersten Tag kam ich über einen Kuhhandel für die Gegenlieferung (der von den Ungarn geforderten Divisionen) eines erheblichen Waffenkontingents nicht hinaus. Ich machte hier natürlich Zugeständnisse, denn ohne Panzerabwehr-Geschütze, Infanterie-Geschütze und sonstigem modernem Gerät verschiedener Art konnten uns die ungarischen Verbände nichts nützen gegenüber den modern bewaffneten Russen«. Vgl. Görlitz, S. 280.
15 ADAP E I, Dok. Nr. 181, S. 332. Dazu GFM Keitel: »... Die Eitelkeit Mussolinis ertrug es nicht, daß Rumänien, aber auch Ungarn aufgrund meiner Abmachungen in Budapest ..., sich am Feldzug 42 in Rußland beteiligten. Italien durfte nicht zurückstehen. So bot er – unaufgefordert – ein Kontingent von ebenfalls 10 Divisionen an, die der Führer nicht ablehnen konnte ...«, vgl. Görlitz, S. 300.
16 Niederschrift über die Besprechung GFM Keitels mit Staatspräsident Dr. Tiso, Ministerpräsident Dr. Tuka, Wehrminister General Čatloš am 23. Februar 1942 in Preßburg. Abschrift. Bundesarchiv/Militärarchiv, Nr. E 362867/1942.
17 KTB/WFSt, Bd. 1942, S.
18 Andreas Hillgruber: Der Einbau der verbündeten Armeen in die deutsche Ostfront 1941–1944, in: »Wehrwissenschaftliche Rundschau«, Nr. 12/1960, S. 671.
19 Jacobsen, S. 265.
20 Hans Wimpffen: Die zweite ungarische Armee im Feldzug gegen die Sowjetunion. Ein Beitrag zur Koalitionsführung im Zweiten Weltkrieg. Teildruck einer Inaugural-Dissertation, Würzburg 1972, S. 47.
21 Horváth Miklós: A 2. magyar hadsereg pusztulása a Donnál, Budapest 1960, S. 370.

22 Karsai Elek (Hrsg.): Fegyvertelenül álltak az aknamezőkön …, Budapest o. J., S. XXV.

23 Karsai, S. CXXII., Anmerkung 211 vermerkt, daß es bis heute nicht gelungen ist, die genaue Anzahl der Arbeitsdienstler bei der 2. Armee festzustellen.

24 Über das Schicksal der Arbeitsdienstkompanien in Rußland gibt es eine reichhaltige Literatur. Der bereits zitierte Karsai bringt in seiner Dokumentation eine Fülle von Aussagen ehemaliger Arbeitsdienstler in Form von Briefen, Tagebuchaufzeichnungen und diversen Dokumenten. Diese erwecken beim Leser den Eindruck, als wären die Einsatzorte dieser Einheiten KZ-Lager und nicht Arbeitsstätten von Nachschub- und Pionierverbänden einer regulären Armee.

25 Messe, S. 210.

26 Ebenda, S. 211.

27 Ebenda, S. 211.

28 Ebenda, S. 212.

29 Ministero della Guerra, Stato Maggiore Esercito – Ufficio storico: l'8a Armata Italiana nella secondo battaglia difensiva del Don, Roma 1946, S. 6

30 Rintelen, S. 140.

31 Hillgruber II, S. 47.

32 M. I. Semirjaga (pod.red.): Strany central'noj i jugo-wostoschnoj Ewropy wo wtoroj mirowoj wojne. Woenno-istoritscheskij sprawotschnik, Moskwa 1972, S. 195.

33 Gheorghe Zaharia: Marea conflagratie a secolului XX. Al doilea ražboi mondial, Bucuresti 1971, S. 242.

34 ADAP E II, Dok. Nr. 231, S. 396.

35 Babić, S. 16.

36 Hans Baur: Ich flog Mächtige der Erde, Kempten 1956, S. 222.

37 Gerhard Rauchwetter: »U« über der Ostfront. Als deutscher Kriegsberichter bei einem Kampffliegerverband der kroatischen Legion, Zagreb 1943, S. 43.

38 Ludvik Svoboda: Von Busuluk bis Prag, Berlin o. J., S. 147.

39 Zunächst standen der Heeresgruppe Süd 68 deutsche Divisionen zur Verfügung. Davon waren 9 Panzerdivisionen und 7 motorisierte Divisionen. Bis auf ein Drittel der Infanteriedivisionen waren sie alle auf 80 Prozent der Sollstärke aufgefüllt worden, und nur 15 Divisionen waren aufgrund von Personalmangel und unvollständiger Bewaffnung und Ausrüstung nicht voll einsatzfähig. Im Juli wurde die Gesamtzahl von 68 auf 52 Divisionen herabgesetzt, aber dazu kamen noch 28 Divisionen der verbündeten Truppen, wobei beabsichtigt war, die Gesamtzahl der verbündeten Divisionen schließlich auf 44 erhöhen. Seaton: »Die Beteiligung so vieler nicht-deutscher Verbände gefährdete dann die Sicherheit der ganzen Südostfront.« (S. 202).

40 Gheorge, S. 248.

40a A. M. Vaszilevszkij: A vezérkar élén, Budapest 1976, S. 192. (Marschall Wasilewskij war 1942 der Generalstabschef der Roten Armee)

41 Hillgruber/Hümmelchen, S. 71.

42 Horváth, S. 27.

43 Gindert Károly: Az 1. páncélos hadosztály harcai a 2. magyar hadsereg doni hidfőcsatáiban 1942. julius–október. In:»Hadtörténelmi Közlemények«, Budapest, Nr. 2/1961, S. 482.

44 Einzelheiten siehe in Hitlers Weisung Nr. 45, bei Jacobsen, S. 266.

45 Karlheinrich Rieker: Ein Mann verliert einen Weltkrieg. Die entscheidenden Monate des deutsch-russischen Krieges 1942/43, Frankfurt am Main 1955, S. 125.

46 Marschall der Sowjetunion W. I. Tschuikow: Anfang des Weges, Berlin 1968, S. 64 ff., insb. S. 68.

47 Schukow, S. 362.

48 J. Baritz, ein ehemaliger Sowjetoffizier, über die Stalinsche Weisung Nr. 227, in »Sowjetstudien«, München, Nr. 14/1963, S. 114.

49 Mitteilung von Generaloberst a. D. Lajos von Veress, in jener Zeit Divisionskommandeur der 1. ungarischen Panzerdivision am Don, an den Verfasser.

50 General (Walter K.) Nehring: Die Geschichte der deutschen Panzerwaffe 1916 bis 1945, Frankfurt am Main 1969, S. 273.

51 »Auszug aus zensurierten Briefen slowakischer Soldaten«, Abschrift, ohne Datum, Bundesarchiv/Militärarchiv, Bestand 34583/6.

52 Nehring, S. 273.

53 Generalfeldmarschall Erich von Manstein: Verlorene Siege, Frankfurt am Main 1966, S. 290–292.

54 Hillgruber, Einbau der verbündeten Armeen ..., S. 672.

55 KTB/WFSt, Bd. II, S. 30f.

56 »Weisung für den Einsatz der italienischen 8. Armee zur Verteidigung am Don«, Ob. der H.Gr. B, Ia. Nr. 2254/42 g.Kdos vom 31. Juli 1942. Bundesarchiv/Militärarchiv, Bestand AOK 8/32166/1.

57 Messe, S. 228.

58 »Weisung des Oberbefehlshabers der Heeresgruppe B für die Verteidigung an Wolga und Don«, Ob. der H.Gr. B, Ia Nr. 2222/42 g.Kdos vom 26. Juli 1942. Bundesarchiv/Militärarchiv, Bestand AOK 8/32166/i.

59 Messe, S. 228.

60 Ebenda, S. 232.

61 Hillgruber/Hümmelchen, S. 73.

62 Messe, S. 240.

63 Lucio Lami: Isbuscenskij. L'ultima carica, Milano 1971. Das ganze Buch ist dieser Schlacht gewidmet.

64 Messe, S. 253.

65 Ebenda, S. 258.

66 Ebenda, S. 258. Siehe ferner: Le Operazioni del C.S.I.R. e dell' Armir dal Giugno 1941 all' Ottobre 1942, Roma 1947, S. 154–182.

67 Eine deutsche Nachkriegs-Untersuchung zu diesem Vorfall befindet sich bei Joachim Schwatlo Gesterding: Probleme der Naht. Eine Studie über die Koordinierung benachbarter Verbände. Beiheft Nr. 10 der »Wehrwissenschaftlichen Rundschau«, August 1959, S. 49 und 61.

68 Messe, S. 264. Nach diesen Geschehnissen forderte Hitler nun eindring-

lich, daß die 22. deutsche Panzerdivision endlich geschlossen hinter die italienische Front verlegt werden soll. KTB/WFSt, Bd. II/2, S. 642.

69 Messe, S. 266.

70 Messe, S. 266.

71 Das deutsche Generalkommando 17. setzte zur Unterstützung der Italiener seine 79. Infanteriedivision ein. Diese Division ist später bei Stalingrad vernichtet worden. Ein Kriegstagebuch existiert daher nicht. Die Divisionsgeschichte, zusammengetragen von ehemaligen Angehörigen der Division (»Der Weg der 79. Infanteriedivision«, Dorheim 1971) spricht nur von Abwehrkämpfen am Don bei Serafimowitsch zwischen dem 26. Juli–16. Oktober 1942, wobei die italienische Division »Celere« nur am Rande erwähnt wird (S. 176).

72 G. S. Filatow: Wostotschnyj pochod Mussolini, Moskwa 1968, S. 82.

73 Filatow, S. 83.

74 Messe, S. 268; Hillgruber/Hümmelchen, S. 74.

75 In den Erinnerungen von Messe ist diese Ansprache wörtlich wiedergegeben worden, S. 278 ff.

76 Kurt von Tippelskirch: Der Verbindungsdienst zum italienischen Expeditionskorps in der UdSSR 1941/42. In: Burkhart Müller-Hillebrand, S. 954.

77 Tippelskirch, S. 957.

78 Aldo Valori: La Campagna di Russia, CSIR–ARMIR: 1941–1943, Roma 1950–51, Bd. II, S. 665 ff.

79 Einzelheiten siehe bei Hermann von Witzleben: Bericht über Erkenntnisse und Erfahrungen bei der 2. ungarischen Armee, Herbst und Winter 1942/43, Manuskript S. 3; Kopie im Besitz des Verfassers.

80 Burkhart Müller-Hillebrand: Der Zweifrontenkrieg. Das Heer vom Beginn des Feldzuges gegen die Sowjetunion bis zum Kriegsende, Frankfurt am Main 1969, S. 67.

81 »Ausbinden« oder »Anbinden«: in der königlichen ungarischen Armee während der Frontdienste vorgesehene, besonders strenge Disziplinarstrafe, bei welcher der Schuldige mit auf den Rücken gebundenen Händen für einige Zeit (bis zu zwei Stunden) an einem Baum hochgezogen und so hängen gelassen wurde. Diese Strafe durfte nur bei gemeinen Soldaten angewendet werden!

82 Sulyok Dezsö: Magyar Tragédia, New York 1954, S. 385.

83 v. Witzleben, S. 14.

84 Gheorge, S. 237.

85 Ebenda, S. 250.

86 Fritz Wöss: Hunde, wollt ihr ewig leben! Hamburg 1958, S. 260. Der Verfasser, ein Wiener Leutnant, war im November–Dezember 1942 als deutscher Verbindungsoffizier bei der 20. rumänischen Infanterie-Division im Raum von Stalingrad tätig.

87 Erinnerungen eines ehemaligen kroatischen Offiziers (der ungenannt bleiben möchte) über den Marsch des 369. Infanterie-Regiments (kroatisch) bis Stalingrad, fortan zit. als Bericht eines kroatischen Offiziers.

88 Nach Mitteilungen eines ehemaligen Odessaer Einwohners, der heute in der Schweiz lebt.

89 Lévai Jenö: Feketekönyv a magyar zsidóság szenvedéseiröl, Budapest 1946, S. 81–84.
90 Hillgruber II., S. 230.
91 Erst im März 1944 wurden die Sicherungs-Divisionen umorganisiert und sollten bis zum Sommer 1944 statt aus zwei aus drei Infanterie-Regimentern bestehen. Ein Infanterie-Regiment einer Sicherungs-Division bestand aus 90 Offizieren und 2524 Unteroffizieren und Soldaten. Sie verfügten über 434 MPi und 1807 Gewehre. Einzelheiten siehe Dálnoki Veress Lajos: Magyarország honvédelme a II. világháboru elött és alatt (1920–1945), München 1974, Bd. II., S. 65 ff.
92 Adonyi-Naredy, S. 64.
93 Beide Dokumente zitiert die Studie Randolph L. Braham: The Kamenets-Podolsk and Délvidék Massacres. Prelude to the Holocaust in Hungary. In: Yad Veshem Studies, Jerusalem 1973, No. IX, S. 141.
94 Einzelheiten siehe Arthur D. Morse: While Six Million Died. A Chronicle of American Apathy, New York 1968, S. 304–305.
95 Adonyi-Naredy, S. 67.
96 Zitiert bei Harsányi János: Magyar szabadságharcosok a fasizmus ellen, Budapest 1966, S. 19.
96a Dr. Guido Piderman: Russische Kriegsgefangene in Finnland, Zürich 1942, S. 3–4.
97 Messe, S. 86.
98 Ebenda, S. 91.
99 Ebenda, S. 92.
100 Ebenda, S. 92.
101 Ebenda, S. 93.
102 Ebenda, S. 93.
103 Filatow, S. 97.
104 Messe, S. 94.

VI. Kapitel

1 Gould-Lee, S. 41.
2 Maximilian Fretter-Pico:»...verlassen von des Sieges Göttern«, Wiesbaden 1969, S. 101.
3 Gheorge, S. 241.
4 Gould-Lee, S. 42.
5 Hillgruber, Staatsmänner, Bd. II., S. 127.
6 Valori, Bd. II., S. 489.
7 Hillgruber, Staatsmänner, Bd. II., S. 114.
8 Rudolf Kiszling: Die Kroaten. Der Schicksalsweg eines Südslawenvolkes, Graz–Köln 1956, S. 188.
9 Persönlicher Bericht über den Kampfweg des verstärkten Infanterie-Regiments (kroatisch) 369, von Kroatien bis Stalingrad; Tonbandaufnahme aus dem Jahre 1972 im Besitz des Verfassers. (Zitiert als: Persönlicher Bericht.)
10 KTB/WFSt, 1942, Bd. II/a, S. 683.
11 St. Martin: Kroatische Marine-Legion. In:»Zeitschrift für Heereskunde« 1953, S. 108.
12 Persönlicher Bericht.
13 Anfuso, S. 191.
14 »Magyar Nemzet«, 19. März 1942.
15 Horthy, S. 252.
16 Einzelheiten siehe H. G. Lehmann: Der Reichsverweser-Stellvertreter, München 1975.
17 Zitiert bei Peter Gosztony: Miklós von Horthy, Admiral und Reichsverweser, Göttingen 1973, S. 101.
18 Louis P. Lochner: Goebbels' Tagebücher aus den Jahren 1942–43, Zürich 1948, S. 96.
19 Gosztony, Horthy, S. 102.
20 Mitteilung Generaloberst a. D. Lajos von Veress' an den Autor vom Oktober 1974. General Veress war im August 1942 Kommandeur der 1. ungarischen Panzerdivision und nahm am Angriff bei Uryw teil.
21 Mitteilung des Generalmajors a. D. Sándor András an den Autor vom April 1964. General (damals Oberst) András war im August 1942 Kommandeur der ungarischen Fliegerkräfte an der Ostfront.
22 Nagybaczoni Nagy Vilmos: Végzetes esztendök, 1939–1945, Budapest 1947, S. 87.
23 Nagy, S. 94ff.
24 Hans Baur: Ich flog Mächtige der Erde, Kempten 1956, S. 222.
25 Nagy, S. 104.
26 Wimpffen, S. 114.
27 Nagy, S. 107.
28 Ebenda, S. 108.
29 Generaloberst a. D. Gusztáv Hennyey: Bericht über die Besichtigung der 2. ungarischen Armee im Herbst 1942, Manuskript aus dem Jahre 1972, im Besitz des Autors.
29a Witzleben, S. 2.

30 Witzleben, S. 3.
31 Ebenda, S. 3.
32 Ebenda, S. 3.
33 Ebenda, S. 8.
34 Ebenda, S. 14.
35 Der Armee sollten danach folgende Verbände zugeführt werden: Panzer-verband 700; Sturmgeschützabteilung 190 und 242; Artillerieabteilung 136 (mot.); Panzerjägerkompanie 17, 106, 238 und 257; Pak-Abteilung 273 und 292; eine Panzerkompanie mit Panzer IV; die Lieferung von 250 Pak, Kaliber 3,7 cm, und 24 Pak schweren Kalibers. Zit. nach Szombathelyi von Wimpffen, S. 110.
36 Horthys Telegramm an Hitler vom 26. Dezember 1942. Telegramm: KR WBTD 1278B, G.Kdo. S 15 25, Chefsache, nur durch Offiziere. Kopie im Besitz des Autors.
37 Zitiert bei Wimpffen, S. 122.
38 Adonyi-Naredy, S. 91.
39 L'8a Armata Italiana ..., S. 7. Bei Schwatlo Gesterding wird der den Italienern anvertraute Verteidigungsabschnitt mit 230 Kilometer angegeben (S. 63).
40 KTB/WFSt, 1942, Bd. II, 2, S. 703.
41 L'8a Armata Italiana ..., S. 9.
42 Messe, S. 281.
43 Roberto Battaglia: A második világháboru, Budapest 1966, S. 215.
44 Geheime Kommandosache, OKH/GenStdH/Att. Abt. (VI) vom 21. 11. 1942, Bestand Bundesarchiv/Militärarchiv AOK 8/32166/1.
45 Ebenda.
46 Giusto Tolloy: Con l'armata italiana in Russia, Torino 1947, S. 17.
47 G. C. Fusco in »Il giorno«, 13. und 15. Januar 1961.
48 Telegramm Nr. 7177, Kr-Geheim, An Ital. AOK 8 über dtsch. Verb. Stab. Bundesarchiv/Militärarchiv, Bestand AOK 8/32166/i.
49 Oberkommando der Heeresgruppe B/Ia, Nr. 4468/42 g.Kdos, H.Qu., 6. 12. 1942, 18.00 Uhr. Bundesarchiv/Militärarchiv, Bestand AOK 8/32155/11.
50 L'8a Armata Italiana ..., S. 11.
51 Ebenda, S. 73.
52 Der Oberbefehlshaber der Heeresgruppe B, Ia Nr. 4469/42 g.Kdos, H.Qu. 6. 12. 1942, Bundesarchiv/Militärarchiv Bestand AOK 8/32166/1.
53 Semirjaga, S. 195.
53a Petre Dumitrescu: Consideratii i asupra bataliei din Cotul Donului. Noembrie 1942, Bucuresti 1945, S. 62. Der Unterschied zwischen den sowjetischen und den rumänischen Angaben kann teilweise auch daher rühren, daß der rumänische Oberbefehlshaber lediglich den Personalbestand der rumänischen Truppen angibt, während die Sowjets neben der rumänischen Armee auch die ihr unterstellten deutschen Verbände berücksichtigen. Wenn dies der Fall wäre, wäre die sowjetische Zahl auch viel zu hoch gegriffen, denn sie nimmt die »Soll«-Stärke der gegnerischen Truppen als effektive Grundlage.

54 Ebenda, S. 16. (Die im Kaukasus und auf der Krim verbliebenen insgesamt acht Divisionen wurden dem »Deutschen Militärbefehlshaber Krim« bzw. der Heeresgruppe A direkt unterstellt.)

55 Hillgruber/Hümmelchen, S. 77.

56 Manfred Kehrig: Stalingrad. Analyse und Dokumentation einer Schlacht, Stuttgart 1974, S. 49.

57 Walter Görlitz: Paulus und Stalingrad. Lebensweg des Generalfeldmarschalls Friedrich Paulus, Frankfurt am Main und Bonn 1964, S. 77.

58 Kehrig, S. 50.

59 Gheorge, S. 260.

60 Semirjaga, S. 195.

61 Nach Kehrig, S. 59, hatte die 4. rumänische Armee auf ca. 150 Kilometern »engere Feindberührung«, auf 100 km herrschte »lose Spähtrupptätigkeit«. Die Breite der Divisionsabschnitte schwanken zwischen 18 und 90 Kilometern!

62 Gheorge, S. 261.

63 Chirnoaga, S. 205.

64 Görlitz, S. 193.

64a Dumitrescu, S. 21.

65 Görlitz, S. 194.

65a Ebenda, S. 22.

65b Ebenda, S. 29.

66 Görlitz, S. 194.

67 Im einzelnen: die 14. Panzerdivision hatte 51 Panzer, die 22. Panzerdivision 40, die 1. rumänische Panzerdivision 108, darunter 87 Panzer 38 (t), also tschechische Skoda-Panzer, die für den Rußlandfeldzug viel zu leicht waren!

68 Sechs Infanterie- und motorisierte Divisionen sowie die Bereitstellung von Heerestruppen wurden versprochen. Vgl. Kehrig, S. 61.

69 Schukow, S. 368.

70 Ebenda.

71 N. Woronow: Operation »Ring«. In: »Zeitschrift für Militärgeschichte«, Nr. 2/1962, S. 118.

72 M. W. Sacharow (Red.): Die Streitkräfte der UDSSR. Abriß ihrer Entwicklung von 1918 bis 1968, Berlin 1974, S. 435.

73 Ebenda, wobei folgende Daten des Gegners genannt werden: 1 011 000 Mann, 675 Panzer und Sturmgeschütze, 10 300 Geschütze und Granatwerfer sowie 1216 Kampfflugzeuge. Dagegen steht fest, daß die beiden rumänischen Armeen und die italienische Armee mit ihren deutschen Truppen zusammen etwa 536 000 Mann stark waren und die 6. deutsche Armee bzw. die 4. deutsche Panzerarmee, nach den verlustreichen Schlachten um Stalingrad, höchstens 280 000 Mann. Insgesamt handelte es sich also um 816 000 gegnerische Soldaten!

74 Sacharow, S. 434.

75 Kehrig, S. 111.

76 Im Tagebuch des OKH, Ic (Offizier für Feindaufklärung und Abwehr) finden sich seit dem 26. Oktober 1942 wiederholte Notizen hinsichtlich eines bevorstehenden sowjetischen Angriffs auf die 6. Armee und die

3. rumänische Armee bzw. am 14. November ein Hinweis über gegnerische Verstärkungen bei Zaza vor der 4. rumänischen Armee. Hans Doerr: Der Feldzug nach Stalingrad, Darmstadt 1955, S. 60.
77 Zitiert bei Mario Fenyö: The Allied Axis Armies and Stalingrad. In:»Military Affairs«, Summer 1965, S. 65.
77aDumitrescu, S. 44.
78 Zitiert bei Fenyö, S. 64.
79 Ebenda.
80 Da ungefähr 39 000 Soldaten der Gruppe Lascar im Kessel eingeschlossen waren, muß angenommen werden, daß 33 000 bis 35 000 Soldaten den Tod fanden bzw. in sowjetische Gefangenschaft gerieten.
81 Chirnoaga, S. 216.
82 Gheorge, S. 266.
83 Es handelte sich hier um die 294. und die 62. Infanterie-Division.
83aDumitrescu, S. 52.
83bEbenda, S.53.
84 Fenyö, S. 64.
85 Veress, Bd. I., S. 364.
85aZitiert nach Dumitrescu, S. 57.
86 Wöss, S. 112.
87 Da der Stab der 4. Panzerarmee durch die sowjetischen Angriffsverbände abgeschnitten wurde, mußte General Constantinescu den Befehl über seine schwer angeschlagene 4. Armee übernehmen. Er war entschlossen, einen allgemeinen Rückzug bis Proletarskaja anzutreten. Nur unter großen Schwierigkeiten gelang es, Oberst i. G. Doerr, den Chef des Deutschen Verbindungskommandos bei der 4. rumänischen Armee, umzustimmen und den General der 6. deutschen Armee dazu zu bewegen, die neue Front mit einer möglichst weit vorgeschobenen Stellung zu halten.
88 Manstein, S. 340.
89 Es handelt sich hier um die 62. und 298. Infanteriedivision. Manstein, S. 352.
90 Aussage eines ehemaligen rumänischen Hauptmanns der 3. rumänischen Armee gegenüber dem Verfasser im Dezember 1972.
91 Albert Speer: Erinnerungen, Berlin 1969, S. 261.
92 Kriegstagebuch der Heeresgruppe B vom 5. Dezember 1942. Abschrift.
93 Vgl. L'8a Armata Italiana..., S. 9.
94 Der Kommandierende General des 29. Armeekorps an den Oberbefehlshaber der 8. italienischen Armee, Ia Nr. 2875/42 geh. vom 2. 12. 1942. Bundesarchiv/Militärarchiv, Bestand AOK 8/32166/3.
95 Institut für Marxismus-Leninismus beim Zentralkomitee der Kommunistischen Partei der Sowjetunion: Geschichte des Großen Vaterländischen Krieges der Sowjetunion, Berlin 1964, Bd. 3, S. 56, fortan zit. als GGVKdSU.
96 Rieker, S. 160.
97 GGVKdSU, Bd. 3, S. 56.
98 Vgl. L'8a Armata Italiana..., S. 30.
99 Ebenda, S. 31. Interessanterweise wurde dieser Rückzugsbefehl dem Führerhauptquartier nicht gemeldet. Im Kriegstagebuch des Oberkom-

mandos der Wehrmacht (Wehrmachtsführungsstab) Bd. 2 vom Jahr 1942, wo ein solcher Befehl doch vermerkt sein müßte, ist weder am 19. 12. noch später eine solche Order registriert worden. Nach dem Kriegstagebuch des Deutschen Generals beim italienischen AOK 8 erfolgte jedoch am 19. 12. 1942 durch General v. Tippelskirch fernmündlich die »Vororientierung« gegenüber Gariboldi: »Zurücknahme in Linie Meschkow–Radtschenskoje. Aufforderung, alle Maßnahmen zu treffen, Offiziere und Carabinieri an die Straße. Jede Ortschaft, die sich verteidigt, hilft. Befehl an alle: zum äußersten Widerstand aufzufordern!« (Bundesarchiv/Militärarchiv, Sign. RH 31 IX/1). Am gleichen Tage ging um 13.45 Uhr der folgende schriftliche Befehl der Heeresgruppe B von 13.25 Uhr beim italienischen AOK 8 ein: »Die Verteidigung des 29. und ital. 35. Armeekorps ist die Nacht vom 19./20. 12. beginnend, planmäßig und unter scharfer Steuerung schrittweise in die allgemeine Linie Tschir–Meschkow–Ticho Shurawskaja zurückzuverlegen. Am Feinde sind Nachrichtentruppen möglichst lange zu belassen.« (Bundesarchiv/Militärarchiv, Sign. RH 31 IX/16.)
Hitlers Weisung für die weitere Kampfführung im Bereich der 8. italienischen Armee vom 19. 12. 1942 legte als Ziel fest, »den feindlichen Einbruch in einer Linie zum Stehen zu bringen, die die sichere Benutzung der Bahnstrecke Millerowo–Rossosch, sowie den sicheren Anschluß an die Tschir-Riegelstellung« gewährleistet. Ausdrücklich behielt sich Hitler das Recht vor, die am Don stehenden Teile der 8. italienischen Armee zurückzunehmen (vgl. schriftliche Mitteilung des Militärgeschichtlichen Forschungsamtes der Bundeswehr an den Autor vom 4. 2. 1975).

100 Tolloy, S. 172/173.
101 Befehl der Heeresgruppe B Ia an italienisches AOK 8 über Deutschen General. Beschädigtes Schriftstück. Bundesarchiv/Militärarchiv, Bestand AOK 8/32166/1.
102 GGVKdSU, Bd. 3, S. 56.
102a Dumitrescu, S. 61.
103 L'8a Armata Italiana, S. 68.
104 Ebenda, S. 64.
105 Ebenda, S. 60.
106 Fretter-Pico, S. 114.
107 Ebenda, S. 114.
108 Ebenda, S. 115.
108a Kehrig, S. 235.
109 Ebenda, S. 467.
110 Ebenda, S. 469.
111 Zitiert bei Fenyö, S. 65.
112 Kehrig, S. 469.
113 Doerr, S. 104.
114 Ebenda, S. 104.
115 Semirjaga, S. 195.
116 Kriegstagebuch des Generalfeldmarschalls Maximilian Reichsfreiherr v. Weichs für die Zeit vom 1. Januar bis 21. Mai 1943, unveröffentlicht. Übertragungen der stenographischen Aufzeichnungen aus dem Notizka-

lender 1943. Bundesarchiv/Militärarchiv Bestand N 19/15 und N 19/17, S. 4. (Fortan zit. KTB v. Weichs).

117 Generalmajor a. D. Gyula Kovács' persönliche Mitteilung an Generaloberst a. D. Lajos v. Veress. Mitgeteilt in: Veress, Bd. 1, S. 369.

118 P. A. Shilin (Red.) Die wichtigsten Operationen des Großen Vaterländischen Krieges 1941–1945. Sammelband. Berlin 1958, S. 235.

119 W. P. Morosow: Westlich von Woronesh. Kurzer militärhistorischer Abriß der Angriffsoperationen der sowjetischen Truppen in der Zeit von Januar bis Februar 1943, Berlin 1959, S. 21.

120 K. S. Moskalenko: In der Südwestrichtung, Berlin-Ost 1975, S. 409 und 412.

120a Ebenda, S. 410.

120b Ebenda, S. 411.

121 Zitiert bei Wimpffen, S. 148.

122 Korody Béla: Orosz kenyér, Budapest 1946, S. 198.

123 Horváth, S. 148.

124 v. Tippelskirch, S. 279; Revelli, Bd. 5, S. 64.

125 Deutscher General beim italienischen AOK 8, Ia, Befehle OKH/Heeresgruppe B, Nr. 1–83 c, vom 14. 1. 1943, Bestand Bundesarchiv/Militärarchiv 32166/2.

126 KTB v. Weichs', S. 5, Eintragung vom 14. 1. 1943.

127 Horváth, S. 158. (Aus dem Kriegstagebuch des ungarischen Armeeoberkommandos 2, vom 15. 1. 1943.)

128 Ebenda.

129 Ebenda.

130 Horváth, S. 163. (KTB d. ung. AOK 2, vom 16. 1. 1943.)

131 Schriftliche Mitteilung Generalmajor a. D. Hermann v. Witzleben an den Autor 15. August 1973.

131a Moskalenko, S. 437.

132 Wimpffen, S. 258.

133 Horváth, S. 163. (KTB d. ung. AOK 2, vom 16. 1. 1943.)

134 Ebenda.

135 Horváth, S. 165. (KTB d. ung. AOK 2, vom 17. 1. 1943.)

136 General der Gebirgstruppen a. D. Winter, der in dieser Zeit als Oberst Ia der Heeresgruppe B war, bekräftigte diese Absicht v. Weichs' in einem Privatbrief vom 27. 11. 1962, in dem er schreibt: »Einen formalen Rückzugsbefehl in jener Lage zu geben, war die Heeresgruppe nicht befugt. Ich hoffte damals, daß die 2. ungarische Armee durch die Entwicklung der Lage eine vollendete Tatsache schaffen würde, die dann seitens der Heeresgruppe gedeckt werden konnte und mußte!« Vgl. Wimpffen, S. 271.

137 Andor von Döry: A nikolajewkai áttörés és a visszavonulás. Unveröffentlichtes Manuskript, erstellt am 18. März 1943, ohne Seitenzahl, eine Kopie im Besitz des Autors. Vgl. auch Wimpffen, S. 294.

138 Horváth, S. 202.

139 Wimpffen, S. 280. (Es handelte sich hier um die Masse der 387. deutschen und Teile der 385. deutschen Division und um die italienischen Divisionen »Julia« und »Cuneense«.)

140 Horváth, S. 240 und 234.

141 Horváth, S. 176. (KTB d. ung. AOK 2, vom 22. 1. 1943.)

142 KTB/WFSt, 1943, Bd. 1, S. 59.

143 Kónya Lajos: Hej, bura termett idö! Budapest 1956, S. 104. – Oberst Sándor Martsa, der mit seinem Regiment den Rückzug des 3. ungarischen Armeekorps mitmachte, nennt in seinen 1966 in der Bundesrepublik Deutschland verfaßten Erinnerungen drei Feinde der Truppe: die Kälte, der Hunger und der russische Feind bzw. der deutsche Verbündete! (»A szombathelyi III. hadtest visszavonulásának története a Don mellöl 1943. január 13–február 10-ig«. Manuskript S. 71. Eine Kopie im Besitz des Autors. Für die Vermittlung desselben möchte ich mich hier beim Major i. G. a. D. Ritter Karl von Kern bedanken.)

144 Görgényi Dániel: Signum Laudis. Egy katona emlékirata, Budapest 1968, S. 291 ff.

145 Sehr dramatisch schildert Major i. G. Ritter Karl von Kern den Rückzug in einem offiziellen Bericht, der bei Horváth, S. 218 ff. veröffentlicht wurde.

146 Wimpffen, S. 342.

146a Moskalenko, S. 439.

147 Horváth, S. 42.

148 Außerdem hatte die 2. ungarische Armee in den Kämpfen am Don und während ihres Rückzuges noch verloren: 32 000 Pistolen, 3500 Maschinenpistolen, 2900 leichte und 400 schwere Maschinengewehre, 380 Feldartilleriegeschütze, 110 Flak, 1000 Krafträder, 1600 Pkw, 4 000 Lkw, 56 000 Pferde, 16 000 Landwagen und 530 Feldküchen. Aus dem Bericht des Generaloberst Ferenc Szombathelyi über das Verhalten der 2. ungarischen Armee. Zit. bei Wimpffen, S. 343.

149 Horváth, S. 179. (KTB d. ung. AOK 2, vom 24. 1. 1943.)

150 Wimpffen, S. 336.

151 Bericht über die Verpflegungsstärke der 8. italienischen Armee. Verfaßt vom Deutschen General beim ital. AOK 8 am 21. 1. 1943. Fragmente. Bundesarchiv/Militärarchiv, Bestand AOK 8/Nr. 32167/3.

152 KTB/WFSt, 1943, Bd. 1, S. 90.

153 Eingekesselt wurden folgende deutsch-italienischen Verbände:
ital. Alpini-Division »Tridentina«,
ital. Alpini-Division »Cuneense«,
ital. Sich.-Division »Vicenza«,
ital. Alpini-Division »Julia«,
385. deutsche Infanterie-Division,
387. deutsche Infanterie-Division,
Teile der 27. deutschen Panzerdivision,
SS-Brigade Fegelein,
deutsches Führerbegleitbataillon,
201. deutsche Sturmgeschützabteilung.

154 Wimpffen, S. 324, und Manlio Barilli: Alpini in Russia sul Don, Milano 1954, S. 76.

155 Wimpffen, S. 324.

156 Siehe dazu die ausführliche Berichterstattung des Oberst i. G. Heidkämper über die Begleitumstände des Falles Eibl an den Chefadjutanten der

Wehrmacht beim Führer und Chef des Heerespersonalamtes, vom 18. Mai 1943, mitgeteilt als Anlage 9 bei Wimpffen, S. 410 ff.

157 Mario Rigoni-Stern: Alpini im russischen Schnee, Heidelberg 1954, S. 174.

158 Ernst Maisch: Die russische Tragödie. Unveröffentlichtes Manuskript, zit. bei Wimpffen, S. 324.

159 L'8 Armata, S. 53.

160 Wöss, S. 258.

161 Wolz, S. 176.

162 Adam, S. 242.

163 Wöss, S. 261.

164 Adam, S. 221.

165 Wöss, S. 387.

166 Babić, S. 12.

167 Persönlicher Bericht.

VII. Kapitel

1 Seaton, S. 263.

2 Rintelen, S. 186.

3 Deakin, S. 177.

4 Ebenda, S. 245.

5 Ebanda, S. 245.

6 Helmut Heiber (Hrsg.): Hitlers Lagebesprechungen. Die Protokollfragmente seiner militärischen Konferenzen 1942–1945, Stuttgart 1962, S. 184–188.

7 »Schnellbrief« des Chefs der Sicherheitspolizei und des Sicherheitsdienstes vom 5. April 1943, Sign. B Nr. 140/43 g – IV A 1 d. Kopie im Besitz des Autors.

8 Deakin, S. 247, und Roberto Battaglia; Giuseppe Garritano: Der italienische Widerstandskampf 1943–1945, Berlin 1970.

9 Klibansky, S. 304.

10 Ádám Magda; Juhász Gyula; Kerekes Lajos: Magyarország a második világháboruban, Budapest 1959, S. 415.

11 Bárciházi Bárczy István: Feljegyzések Kállay Miklós miniszterelnökségének idejéröl. Unveröffentlichtes Manuskript, S. 59. Der Verfasser dieses Manuskriptes war während des Krieges als Staatssekretär der jeweiligen ungarischen Regierungen für die Protokolle der Ministerratsbesprechungen verantwortlich.

12 Merkblatt, siehe im Anhang.

13 C. A. Macartney: October Fifteenth. A History of Modern Hungary, Edinburgh 1961, Bd. 2, S. 138.

14 Staatsmänner, Bd. 2, S. 238.

15 Ebenda, Bd. 2, S. 248.

16 Adonyi-Naredy, S. 68.

17 Ebenda, S. 69.

18 Veress, Bd. 2, S. 87.

19 Zitiert bei Veress, Bd. 2, S. 85.

20 Ebenda, Bd. 2, S. 93.

21 Ebenda, Bd. 2, S. 98.

22 Juhász, S. 267.

23 Szinai Miklós; Szücs László: Horthy Miklós titkos iratai, Budapest 1962, S. 400.

24 Radó Sándor: Dóra jelenti … Budapest 1971, S. 268.

25 Juhász, S. 299.

26 Zitiert bei Veress, Bd. 2, S. 31.

27 Lochner, S. 447.

28 Die Verordnung zitiert St. Martin in seinem Aufsatz »Die Fahne der kroatischen Legion« in: »Zeitschrift für Heereskunde«, Jg. 1953, S. 91.

29 KTB/WFSt, 1943, Bd. 3/II, S. 1166.

30 Memoari Patrijarha sprskog Gavrila, Paris 1974, S. 550.

31 Andrej Hreblay: A szlovák hadsereg megszervezése és annak a második világháboruban való részvétele. Manuskript, Kopie im Besitz des Autors, S. 8, (Oberstleutnant i. G. Hreblay war zu dieser Zeit der 1. Generalstabsoffizier der 1. slowakischen Infanterie-Division.)

32 Fragmente einer Meldung des deutschen Verbindungsoffiziers bei der 1. slowakischen Infanterie-Division (Aktennotizen vom Februar 1943, Bundesarchiv/Militärarchiv, Bestand »Slowakische Divisionen an der Ostfront«.)

33 »Volksarmee«, Berlin-Ost Nr. 40/1974.

34 Fernschreiben des Kdr. der 1. slowakischen Infanterie-Division, Ia – Az 12 Nr. 193/43 geh. Bundesarchiv/Militärarchiv, Bestand Nr. 34583/11.

35 Heeresadjutant bei Hitler 1938–1943. Aufzeichnungen des Majors Engel. Herausgegeben und kommentiert von Hildegard von Kotze, Stuttgart 1974, S. 114.

36 »Staatsmänner«, Bd. 2, S. 264.

37 Fernschreiben des Befehlshabers »Westtaurien«, Abt. Ia, Nr. 3297/43 geh. vom 31. 10. 1943, Bundesarchiv/Militärarchiv, Bestand RH 31-IV/v. 22.

38 Hreblay, S. 10.

39 Čatloš zu Dr. Wolfgang Venohr im Frühjahr 1964. Mitgeteilt bei Venohr, S. 42.

40 Hreblay, S. 10.

41 Venohr, S. 42.

42 Der ehemalige Oberst der tschechoslowakischen Volksarmee Dr. M. Stemmer bemerkt dazu in einem persönlichen Brief an den Autor, daß diese Überläufer im November 1943 im KGF-Lager Nr. 82 in Usmanj in der Nähe von Woronesch interniert worden waren und sich nach einigen Wochen bereit erklärten, gemeinsam mit Oberstleutnant Lichner in die tschechoslowakischen Einheiten in der UdSSR einzutreten. Mit ihnen wurde dann im folgenden Jahr die 2. tschechoslowakische Fallschirmjägerbrigade in der UdSSR gebildet.

43 Svoboda, S. 223.

44 Ebenda.

45 Hreblay, S. 11.

46 Kriegstagebuch der 1. slowakischen Infanterie-Division. Fragment. Bundesarchiv/Militärarchiv, Bestand RH 31-IV/1. v. 18.

47 Venohr, S. 43. Im Jahre 1942 liefen 210 Slowaken zur Roten Armee über; Anfang November 1943 waren es bereits 2800. Außerdem kämpften 1943 1250 Soldaten in den verschiedenen sowjetischen Partisanenabteilungen in der Ukraine, in Bjelorußland, auf der Krim und in Odessa. Zu den Partisanen in der UdSSR liefen auch jene Slowaken über, die in der ungarischen Armee mobilisiert worden waren. Jiri Dolezal, Jan Kren: Die kämpfende Tschechoslowakei 1938–1945, Prag 1964, S. 93.

48 Nemci a Slovensko 1944. Slovenské narodné povstanie, Dokumenty. Bratislava 1971, S. 75 ff.

49 Ebenda, S. 33 ff.

50 Gould-Lee, S. 46.

51 Gheorge, S. 276.

51a Arhiva Dinisterului Apararii Nazionale al R. S. Romania, Mappa 309, F. 221.

52 Staatsmänner, Bd. 2, S. 197.

53 KTB/WFSt, 1943, Bd. 3, S. 1508.

54 Hillgruber, Der Einbau der verbündeten Armeen ..., S. 676.
55 Staatsmänner, Bd. 2, S. 233.
56 Hillgruber II, S. 170.
57 Maxime Mourin: Le drame des Etats satellites de l'Axe, de 1939 á 1945, Paris 1957, S. 128.
58 Alexander Cretzianu: The Lost Opportunity, London 1957, S. 117.
59 Gould-Lee, S. 40.
60 Cretzianu, S. 117.
61 V. L. Iszraeljan, L. N. Kutakov: A diplomácia kulisszái mögül. A tengely-hatalmak agressziója és egymás elleni titkos diplomáciai háboruja, Budapest 1969, S. 363.
62 Hillgruber II, S. 330.
63 Ebenda, S. 172.
64 Beim 5. deutschen Armeekorps die 6. rum. Kavallerie- und die 3. rum. Gebirgs-Division; beim 49. deutschen Gebirgskorps die 10. und 12. rum. Infanterie- und die 9. rum. Kavallerie-Division sowie das 1. rum. Gebirgskorps mit der 1. und 2. rum. Gebirgsdivision. Andreas Hillgruber: Die Räumung der Krim 1944, Frankfurt am Main 1959, S. 118.
65 Gheorge, S. 340.
66 Hillgruber/Hümmelchen, S. 114.
67 Hillgruber II, S. 185.
68 Staatsmänner, Bd. 2, S. 392.
69 Zitiert bei Hillgruber II, S. 194, und Georg Mergl: Rumänien – der Weg zur Kapitulation. In:»Osteuropa«, Nr. 2/1952.
70 Einzelheiten bei Aszódy János: 1944 forró augusztusa. In:»Korunk«, Koloszvár Nr. 7/1974.
71 Erfurth, S. 102.
72 Ebenda, S. 99.
73 Hillgruber, Der Einbau der verbündeten Armeen ..., S. 674.
74 Über den Staatsbesuch siehe ausführlich bei Blücher, S. 281 ff., und bei Mannerheim, S. 483.
75 Engel, S. 113.
76 Mannerheim, S. 485.
77 Ebenda, S. 485
78 Ebenda, S. 489.
79 Ebenda, S. 491.
80 Hillgruber, Der Einbau der verbündeten Armeen ..., S. 675.
81 Procopé, S. 182.
82 Mannerheim, S. 498.
83 Erfurth, S. 159.
83ªWaldemar Erfurth: Militärische Gleichrichtung und Verbindung zwischen Deutschland und Finnland. In: Burkhart Müller-Hillebrand, S. 503 ff.
84 Mannerheim, S. 501.
85 K. A. Merezkow: Im Dienste des Volkes, Berlin 1972, S. 395.
86 So verlangten die Sowjets nicht, daß die Finnen die deutsche Wehrmacht angreifen sollten, und sie wollten auch nicht das Recht haben, Finnland militärisch zu besetzen.

87 Zitiert bei Eino Jutikkala und Kauko Pirinen: Geschichte Finnlands, Stuttgart 1964, S. 388.
88 Lundin, S. 201, und Mannerheim, S. 502.
89 Iszraeljan, Kutakov, S. 407.
90 Einzelheiten bei Thede Palm: The finnisch-soviet armistice negotiations of 1944, Stockholm 1971.
91 Kristina Nyman, Comp.: Finland's War Years 1939–1945, Mikkeli 1973, S. XXVI.
92 Merezkow, S. 373.
93 Heiber, S. 696.
94 Mannerheim, S. 506.
95 Ebenda, S. 507.
96 Erfurth, S. 228.
97 Mannerheim, S. 509.
97a S. M. Schtemenko: Im Generalstab, Band 2, Berlin-Ost 1975, S. 440.
98 Blücher, S. 371 ff.; Lundin, S. 213; Mannerheim, S. 514. Der Kernpunkt dieser Zusicherung lautete: »In Anbetracht der waffenbrüderlichen Hilfe, die Deutschland Finnland in seiner schweren gegenwärtigen Situation gewährt, erkläre ich als Staatspräsident des Finnischen Staates, daß ich ohne die Zustimmung der deutschen Reichsregierung keinen Frieden mit der Sowjetunion schließen und nicht zulassen werde, daß die von mir ernannten finnischen Regierungen oder sonstige Persönlichkeiten Waffenstillstandsverhandlungen oder Friedensbesprechungen oder diesen Zwecken dienende Verhandlungen ohne Zustimmung der Deutschen Reichsregierung führen!« Zitiert bei Klink, S. 410.
99 Merezkow, S. 392.
100 Karl Lennart Oesch: Finnlands Entscheidungskampf 1944, Frauenfeld 1964, S. 391.
101 Merezkow, S. 392.
102 Mannerheim, S. 517.
103 Ebenda, S. 523.
104 Zitiert bei Klink, S. 411.
104a Die Vernehmung von Generalfeldmarschall Keitel durch die Sowjets. Übersetzt von Wilhelm Arenz. In: »Wehrwissenschaftliche Rundschau«, Nr. 11/1961, S. 662.
105 Palm, S. 58.
106 Der Brief ist in den Memoiren Mannerheims veröffentlicht, S. 526.
107 Merezkow, S. 494.

VIII. Kapitel

1 Für Einzelheiten vgl. Hans Frießner: Verratene Schlachten. Die Tragödie der deutschen Wehrmacht in Rumänien und in Ungarn, Hamburg 1956; Hans Kissel: Die Katastrophe in Rumänien 1944, Stuttgart 1964.
2 Staatsmänner, Bd. 2, S. 498.
3 Frießner, S. 58.
4 Ebenda, S. 53.
5 GDGVK, Bd. 4, S. 293.
6 Frießner, S. 67, und Fretter-Pico, S. 153
7 Frießner, S. 69.
8 Ebenda, S. 80.
9 Ebenda, S. 85.
10 R. J. Malinowskij: Jaschi-Kischinewskie Kanny, Moskwa 1964.
11 Hillgruber II, S. 217.
12 Gould-Lee, S. 68 ff.
12a Der große Weltbrand des 20. Jahrhunderts: Der Zweite Weltkrieg, Bukarest 1975, S. 415.
13 Cretzianu, S. 244.
14 Tippelskirch, S. 428.
15 Frießner, S. 87.
16 Peter Gosztony: Endkampf an der Donau 1944/45, Wien 1970, S. 19.
17 România hozzájárulása a fasizmus felett aratott gyözelemhez, Bukarest 1965, S. 73.
18 W. A. Mazulenko: Die Zerschlagung der Heeresgruppe Südukraine. August–September 1944, Berlin 1959, S. 103.
19 Gosztony, Endkampf, S. 20.
20 Mazulenko, S. 91 ff.
21 GDGVK, Bd. 4, S. 314.
22 Orosz-román fegyverszüneti egyezmény, Kolozsvár 1945.
23 »Am 9. Mai 1945, am Tage des Sieges, standen folgende rumänische Streitkräfte an der Antihitlerfront: 2 Armeeoberkommandos, 4 Armeekorps-Oberkommandos, 16 Infanterie- und Kavallerie-Divisionen, 1 Luftwaffenkommando, 1 Flak-Division, die Donauflottille, 1 Panzerregiment, 1 Eisenbahnbrigade sowie andere Einheiten und Formationen.« Vasile Anescu; Eugen Bantea; Ion Cupsa: Die Teilnahme der Rumänischen Armee am Antihitlerkrieg, Bukarest 1966, S. 98 ff.
24 Ebenda, S. 101.
25 Der Betreffende heißt Gheorge Zaharia, ist Generaloberst in der Reserve und stellvertretender Direktor des rumänischen Parteihistorischen Institutes in Bukarest.
26 Történelmi Szemle, Nr. 3–4/1973, S. 383.
27 Semirjaga, S. 195.
28 Einzelheiten vgl. Peter Gosztony: Der 9. September 1944. Eine Studie zur Frage der Neutralität und Wehrbereitschaft am Beispiel der September-Ereignisse 1944 in Bulgarien. In: Neutrale Kleinstaaten im Zweiten Weltkrieg. Versuch einer vergleichenden Beurteilung der kriegsverhütenden Wirkung ihrer militärischen Bereitschaft, Münsingen 1973, S. 85 ff.

29 Einzelheiten vgl. Peter Gosztony: Der Krieg zwischen Bulgarien und Deutschland 1944/45. In:»Wehrwissenschaftliche Rundschau«, Nr. 1/1967 ff. sowie von bulgarischer Seite S. Atanasoff; L. Daniloff usw.: Kratka istorija na Otoschestwanata Wojna, Sofia 1958.

30 Ebenda, S. 291.

31 Die ungarische Armee war im Februar 1944 450 000 Mann stark, davon waren 360 000 in der Heimat, 90 000 an der Ostfront bzw. im rückwärtigen Gebiet zweier deutscher Heeresgruppen.

32 Einzelheiten vgl. Ránki György: 1944. március 19. Magyarország német megszállása, Budapest 1968, und Andreas Hillgruber: Das deutsch-ungarische Verhältnis im letzten Kriegsjahr. In:»Wehrwissenschaftliche Rundschau«, Nr. 10/1960.

33 Miklós Kállay:»Come Over«, in:»The Hungarian Quarterly. The Voice of Free Hungarians«, Nr. 1–2/1962, S. 5 ff.

34 Veress, Bd. 2, S. 199.

35 Die Verluste der 1. Armee an der Ostfront bis Ende Mai 1944 schätzten deutsche Wehrmachtsstellen auf 17 000 Mann. Hillgruber: Das deutsch-ungarische Verhältnis ..., S. 86.

36 In dieser Zeit bestand die Armee aus folgenden Truppen (Aufzählung erfolgt von links nach rechts):
Das 7. ung. Armeekorps (16. ung. Inf.Div., 68. deutsche Inf.Div.),
Das 9. ung. Armeekorps (24. ung. Inf.Div., 101. deutsche Inf.Div.,
18. ung. Reserve-Div., 25. ung. Inf.Div.),
Das 6. ung. Armeekorps (1. und 2. ung. Geb.Brig. und 66. Geb.Jäger-Gruppe).
Armeereserve: 2. ung. Pz.Div., 1. deutsche Pz.Div., 19. ung. Reserve-Div., 7. ung. Inf.Div.
Vgl. Adonyi-Naredy, S. 120.

37 Im Sommer 1944 befanden sich 4¹/₂ deutsche Divisionen in Ungarn, und zwar die 389. Inf.Div., 18. SS-Pz.Gren.Div., 8. SS-Kav.Div. und die in Aufstellung befindliche 22. SS-Kav.Div. sowie eine Waffen-SS-Geb.Brigade.

38 Das private Kriegstagebuch des Chefs des ungarischen Generalstabes vom Jahr 1944. Eingeleitet, aus dem Ungarischen übersetzt und mit Anmerkungen versehen von Dr. Peter Gosztony. In:»Wehrwissenschaftliche Rundschau«, Nr. 12/1970, S. 706.

39 Ebenda, S. 708, Anm. Nr. 75.

40 Einzelheiten vgl. Gömöri György: Magyar-lengyel tárgyalások a varsói felkelés megsegitésére, in:»Uj Látóhatár«, Nr. 2/1974.

41 Gusztáv Hennyey: Magyar eröfeszitések a második világháboru befejezésére, Köln 1965, S. 13.

42 Vgl. den Telegrammwechsel zwischen Budapest und Bern Ende August und im September 1944, Dokumente, mitgeteilt bei János Csima: A horthysta diplomácia elözetes fegyverszüneti tárgyalásai Bernben, in:»Hadtörténelmi Közlemények«, Nr. 4/1965, S. 734.

43 Ebenda, S. 734.

44 Ignác Ölvedi: A budai Vár és a debreceni csata. Horthyék katasztrófapolitikája 1944 öszén, Budapest 1974, S. 43.

45 Bognár Károly: Országvédelem – korszerü honvédelem, Budapest 1974, S. 67.

46 Horthy, S. 276.

47 GGVKdSU, Bd. 4, S. 429 ff.

48 Vattay Antal altábornagy, föhadsegéd »Visszaemlékezéseim«, Manuskript aus dem Jahr 1965, S. 28.

49 Horthy, S. 281.

50 Einzelheiten vgl. Péter Gosztonyi: Magyar-szovjet fegyverszüneti tárgyalások (1944 október), in: »Uj Látóhatár«, Nr. 5/1969.

51 Dabei hoffte der Reichsverweser, daß es ihm möglich sein würde, die deutschen Truppen kampflos aus Ungarn abziehen zu lassen. Noch am 12. Oktober 1944 sagte er dem Kommandierenden General des 1. ungarischen Armeekorps, Generalleutnant Béla Aggteleky: »Ich werde versuchen, diese sowjetische Forderung irgendwie zu überspielen!« Aggtelekys Mitteilung an den Autor (1969).

52 Hennyeys Mitteilungen an den Autor (1971).

53 Über die Panzerschlacht bei Debrecen vgl. Ölvedi und Hans Kissel, Die Panzerschlachten in der Pußta, Stuttgart 1960.

54 Wortlaut der Proklamation bei Horthy, S. 323 ff.

55 Vgl. dazu Géza Lakatos' eigene Erklärung in »Kossuth Népe« vom 20. Februar 1946.

56 Einzelheiten bei Teleki Eva: Nyilas uralom Magyarországon, 1944 október 16.–1945 április 4., Budapest 1974.

57 Bognár, S. 67.

58 Einzelheiten vgl. Peter Gosztony: Die Debrecener Regierung und ihre militärischen Anstrengungen im Frühjahr 1945, in: »Österreichische Militärische Zeitschrift«, Nr. 3/1965, S. 158 ff.

59 »Statisztikai Szemle«, Nr. 2/1955, S. 18.

60 Semirjaga, S. 70.

61 Siehe Stalins Tagesbefehl vom 13. Februar 1945. Mitgeteilt in: Felszabadulás. 1944. szeptember 26–1945. április 4. Dokumentumok hazánk felszabadulásának és a magyar népi demokrácia megszületésének történetéböl, Budapest 1955, S. 256.

62 Einzelheiten vgl. Gosztony, Endkampf ..., S. 318, und Magyar Harcosok Bajtársi Közössége Hadifogolyszolgálata: Fehér Könyv a Szovjetunióba elhurcolt hadifoglyok és polgári deportáltak helyzetéröl, Bad Wörishofen 1950. (Dieses »Weiß-Buch« des Verbandes ehemaliger ungarischer Frontkämpfer des Zweiten Weltkrieges gibt die Zahl der in sowjetische Gefangenschaft geratenen ungarischen Soldaten mit 325 000 Personen an; S. 18.)

63 György István: Kétezerötszázan voltak, Budapest 1970, S. 14 und »Magyar Nemzet«, 3. Januar 1975.

64 Venohr, S. 118.

65 Ebenda, S. 122.

66 Ebenda, S. 117.

67 Gustáv Husák: Der Slowakische Nationalaufstand, Berlin 1972, S. 92.

68 Čatloš schriftliche Mitteilung an den Autor (1970).

69 Hans Dress: Slowakei und faschistische Neuordnung Europas, Berlin-Ost

1972, S. 163. Ferner den Bericht Karmasins an Himmler vom 19. 8. 1944, abgedruckt in: Die Deutschen in der Tschechoslowakei 1933–1947. Dokumentensammlung, Praha 1964, S. 526.

70 Das Čatloš-Memorandum ist in deutscher Übersetzung bei Venohr, S. 119, wiedergegeben.

71 S. M. Schtemenko: Offensive bis zum Sieg! Der Generalstab im Großen Vaterländischen Krieg, in: »Presse der Sowjetunion«, Nr. 11/1975, S. 45.

72 Ebenda.

73 M. I. Semirjaga: Antifasiszta népfelkelések 1941–1945, Budapest 1968, S. 194.

74 Venohr, S. 154.

75 Ebenda, S. 154.

76 Semirjaga, S. 201.

77 Ebenda, S. 212.

78 Ebenda, S. 212.

79 Ebenda, S. 213.

80 General Marko in der westdeutschen TV-Sendung »Der Slowakische Nationalaufstand 1944«, ARD Köln vom 29. August 1969.

81 Hreblay, S. 13.

82 Schtemenko, in: »Presse der Sowjetunion«, Nr. 17/1975, S. 46.

83 OKW-Weisung Nr. 50 vom 28. September 1943. Abgedruckt im Operationsgebiet östliche Ostsee und der finnisch-baltische Raum 1944, Stuttgart 1961, S. 168 ff.

84 Lothar Rendulic: Gekämpft, gesiegt, geschlagen, Wels-Heidelberg 1952, S. 238.

85 Bernhard Watzdorf: Das finnische Volk hat die Operation »Birke« nicht vergessen. In: »Mitteilungsblatt der Arbeitsgemeinschaft ehemaliger Offiziere«, Berlin-Ost, Nr. 11/1965, S. 14.

86 Schtemenko, in: »Presse der Sowjetunion«, Nr. 17/1975, S. 47.

87 Dolmányos, S. 387.

88 Mikola, S.XXXII.

89 Oesch, S. 157.

90 Die finnischen Offiziersverluste im 2. Krieg gegen Rußland, 1941–1945, in: »Allgemeine Schweizerische Militärzeitschrift«, Frauenfeld Nr. 11/1958, S. 865.

Dokument 1

Deutsche Anweisung zur Befehlsführung bei der 8. italienischen und 2. ungarischen Armee beim Don am 6. Dezember 1942

Abschrift

Der Oberbefehlshaber der Heeresgruppe B

H.Qu., 6. 12. 1942

Ia Nr. 4469/42 g.Kdos.
4. Ausfertigungen
1. Ausfertigung
Betr.: Befehlsführung
An den
Herrn Oberbefehlshaber der kgl.ital. 8. Armee
Herrn Oberbefehlshaber der kgl.ung. 3. Armee

Ich bin mir bewußt, daß durch Anordnungen des Okdos. der Heeresgruppe vielfach in Einzelheiten der Armeeführung eingegriffen wird, und daß das den Führungsgrundsätzen der kgl.ital. und der kgl.ung. Armee nicht entspricht.

Auch die deutschen Führungsgrundsätze streben in der freien Operation danach, möglichst wenig in die Einzelheiten der Ausführung einzugreifen und sich bis zum Generalkommando herunter auf die Auftragserteilung zu beschränken.

Der Stellungskrieg hat jedoch andere Voraussetzungen zur Grundlage, als der Bewegungskrieg. Das hat sich schon im Ersten Weltkrieg gezeigt und hat im vergangenen Winterfeldzug im Osten seine volle Bestätigung gefunden.

Stellungskämpfe erfordern straffe zentrale Führung nicht nur, weil die Bildung von Waffenschwerpunkten nur von den oberen Kommandobehörden / A.O.K., Heeresgruppe / geleitet und nur von ihnen die Munitionstaktik gesteuert werden kann, sondern vor allem auch, weil bei der Methodik der feindl. Angriffsführung Stärke und Gliederung der Besetzung des Hauptkampffeldes nicht dem Ermessen der unteren, örtlichen

Führung überlassen werden kann. Erfahrungen an anderen Fronten können nur durch die obere Führung ausgewertet und ihre schnelle Nutzanwendung nur durch sie auf die eigenen Fronten übertragen werden.

Nur die obere Führung kann ein umfassendes Feindbild haben und aus den Veränderungen der Feindlage die Folgerungen für die eigene Kampfführung ziehen.

Was in einem einzelnen Frontabschnitt heute noch richtig war, kann morgen aufgrund der veränderten Feindlage falsch sein. Dann ist es unerläßlich, daß die obere Führung an Ort und Stelle eingreift und die für richtig befundene Gliederung – gegebenenfalls auch gegen eine abweichende Auffassung der örtlichen Führung – erzwingt.

Die rücksichtslose Entblößung nicht bedrohter Fronten zu Gunsten solcher, vor denen feindliche Angriffsvorbereitungen erkannt werden, ist allein Sache der oberen Führung und in der Verteidigung auf weitgespannten Fronten letztlich ihr einziges operatives Führungsmittel.

Jede untere Führung hat das begreifliche und durchaus anzuerkennende Bestreben, ihre Truppe möglichst weitgehend zu schonen. Das führt dann meist zu örtlich tiefer Gliederung, um einen möglichst regelmäßigen Ablösungsturnus zu gewährleisten. In der H.K.L. bleiben bei diesem Verfahren vielfach nur völlig unzureichende Sicherungen zurück. Das Maß der zu gewährenden Schonung darf aber nicht vom vermeintlichen Bedürfnis der Truppe – das zudem noch je nach den Persönlichkeiten der örtlichen Führer ganz verschieden sein wird –, sondern muß einzig und allein von der Kampflage bestimmt werden. Hier mit rücksichtsloser Härte einzugreifen und die Sicherheit zu erzwingen, die für erforderlich gehalten wird, ist Pflicht der oberen Führung.

Die Neigung der mittleren / Generalkommandos / und unteren Führung zu schematischer Gliederung muß bekämpft werden. An allen Kampfabschnitten sind unterschiedliche Voraussetzungen / Gelände, Panzerhindernis, Feindverhalten usw. / gegeben. Dieser Umstand erfordert die ständige Überwachung

der Front bis herunter zu den Btls.-Abschnitten und das jewei-
lige Eingreifen durch die obere Führung.

Es ist ferner fast immer das Bestreben der mittleren Führung,
sich möglichst starke Eingreifreserven zurückzuhalten. Das ist
richtig, wenn man über genügend starke Kampfbesatzungen in
der HL. verfügt, grundfalsch, wenn das nicht der Fall ist.
Erste Forderung ist, daß der Feindangriff vor der H.K.L. zerschlagen oder doch spätestens im Hauptkampffeld aufgefangen
wird. Es hat sich bisher noch immer gezeigt, daß bei ungenügend starker Besetzung des Hauptkampffeldes Eingreifreserven von gelungenen Feinddurchbrüchen schon innerhalb
weniger Stunden ›aufgefressen‹ werden. Einem gelungenen
Feinddurchbruch kann nur mit operativen Reserven begegnet
werden. Die mittlere Führung bildet taktische Reserven, die so
dicht heranzuhalten sind, daß sie innerhalb von 2 Stunden, zum
Gegenstoß gegliedert, in den Kampf eingreifen und etwa ins
Wanken gekommene Teile der Hauptkampffeldbesetzung auf-
fangen können.

Ich bin überzeugt, daß den Herren Oberbefehlshabern diese
und alle sonstigen für die Abwehr geltenden Grundsätze bekannt sind.

Es liegt mir aber daran, aufzuzeigen, wie notwendig ständige
Überwachung der Fronten und örtliches Eingreifen durch die
obere Führung sind. Auch im deutschen Heer haben sich die
Erkenntnisse nach den Bewegungsfeldzügen der Jahre 1939,
40 und 41 erst durchsetzen müssen, und es hat dort, wo sie nicht
rechtzeitig erkannt wurden, Lehrgeld zahlen müssen. Man muß
bei der Verteidigung weitgespannter Stellungsfronten gegen
alle überkommenen Anschauungen zu scharfer Zentralisierung
in der Führung kommen.

Es ist nicht etwa meine Absicht, die Herren Oberbefehlshaber der verbündeten Armeen zu belehren. Vielmehr möchte
ich nur erläutern, warum vom deutschen O.K.H. und vom
Okdo. der Heeresgruppe in viele Einzelheiten hineinbefohlen
wird und möchte den verbündeten Armeen Erfahrungen
übermitteln, die wir mit Blut haben bezahlen müssen, das den

verbündeten Armeen erspart bleiben kann, wenn sie ihre Führungsgrundsätze auf diese Erfahrungen abstellen.

gez. Frhr. v. Weichs

F.d.R.d.A.

Abdruck:

Chef Gen.St. d. H.

über OKH GenStdH/Op.Abt. – 3. Ausf.

Hauptmann

Ia/Kr.Tgb. – 4. Ausf.

Dokument 2

Kampfstärkemeldung der 8. italienischen Armee am 14. Dezember 1942

F S von AOK 8
an OKH/GenStdH/Op.Abt.
OKH/GenStdH/Org.Abt.
Betreff: Kampfstärkemeldung per 14. 12.

XXIX A.K.
- Div. Sforzesca: 6 starke Batl.
     9 le. Batt., beweglich
     3 mittlere Batt., beweglich
     (seit 5. 11. von der Armee als Verstärkung zugeteilt)
     3 le. Batt., beweglich
     (seit 1. 11. von der Armee als Verstärkung zugeteilt)
     einsatzbereite Pak: 32 mittlere, 4 schwere
     Bedingt für Angriffsaufgaben geeignet.
- Div. Celere: Meldung 02/6787 vom 7. 12. unverändert.
- Div. Torino: 6 starke Batl.
     9 le. Batt., beweglich
     3 mittlere Batt., beweglich
     (seit 21. 9. von der Armee als Verstärkung zugeteilt)
     2 mittlere Batt., beweglich
     (seit 9. 8. vom II A.K. als Verstärkung zugeteilt)
     einsatzbereite Pak: 32 mittlere, 6 schwere
     Für jede Angriffsaufgabe geeignet.

XXXV A.K.:	4 starke Batl., 1 mittelstarkes, 1 Durch-
– Div. Pasubio:	schnittsb.
	9 le. Batt., 80 % beweglich
	2 le. Batt. (6 Geschütze) 80 % beweglich
	(seit 12. 11. von der Armee als Verstär-
	kung zugeteilt)
	2 mittl. Batt., 76 % beweglich
	1 schw. Batt., 76 % beweglich
	(seit 25. 11. von der Armee als Verstär-
	kung zugeteilt)
	einsatzbereite Pak: 19 mittlere
	(4 als Verstärkg.)
	6 schwere
	Bedingt für Angriffsaufgaben geeignet.
– 298. I.D.:	Meldung 02/6787 vom 7. 11. 42 unverän-
	dert.

II A.K.:	6 starke Batl.
– Div. Ravenna:	9 le. Battr. beweglich
	5 mittl. Battr. (18 Geschütze) beweglich
	(seit 13. 10. vom A.K. als Verstärkung zu-
	geteilt)
	einsatzbereite Pak:36 mittlere, 13 schwere
	Für jede Angriffsaufgabe geeignet.

– Div. Cosseria:	6 starke Batl.
	3 starke Batl.
	(seit 9. 12. als Verstärkung vom I.R. 318
	zugeteilt)
	9 le. Battr., beweglich
	3 le. Battr. (10 Geschütze) beweglich
	(seit 22. 10. von der Armee als Verstär-
	kung zugeteilt)
	einsatzbereite Pak: 40 mittlere, 15 schwere
	Für jede Angriffsaufgabe geeignet.
385. I.D.:	3 Durchschnittsbatl. 45 %

1 Durchschnittsbatl. 53 %

1 schwaches Batl. 40 %

1 schwaches Batl. 37 %

1 starkes Ski-Batl.

Nach Vervollständigung der Winterausstattung 100 Prozent beweglich.

2 le. Batt. 48 %

2 le. Batt. 50 %

1 le. Batt. 60 %

1 le. Batt. 66 %

2 s. Batt. 50 %

1 s. Batt. 56 %

2 Neb.Werfer Battr. 40 %

10 mittlere Pak

15 schw. Pak

1 mittleres Pi.-Batl. 60 Prozent

Besonders starkes Fehl:

8 s. GR.W.

17 l. GR.W.

14 s. MG.

67 l. MG.

1371 Pferdew.

Letzte Kampfausfälle noch nicht eingeschlossen.

Zur Abwehr voll, zu Angriff bedingt geeignet.

Aufgrund der hohen Pferdeausfälle ist die Div. zu längeren Märschen nicht mehr befähigt.

ALPINI-
KORPS:

Div. Cuneense:

6 starke Batl.

8 le. Batt., beweglich

2 le. Batt., beweglich
(des Rgts. berittene Truppen, seit 1. 12. als Verstärkung von der Armee zugeteilt)

3 mittl. Batt., beweglich

(seit 11. 11. vom A.K. als Verstärkung zugeteilt)
einsatzbereite Pak: 45 mittlere, 36 schwere
Für jede Angriffsaufgabe voll geeignet.

Div. Julia: 6 starke Batl.
9 le. Batt., beweglich
einsatzbereite Pak: 44 mittlere, 6 schwere
Für jede Angriffsaufgabe voll geeignet.

Div. Tridentina: 6 starke Batl.
1 starke Abt. zu Fuß
(seit 2. 12. als Verstärkung von Kav.Brig.
zugeteilt)
8 le. Batt., beweglich
4 le. Batt., beweglich
(seit 1. 12. von der Kav.Brig. – Armee-
Reserve-Einheit – zugeteilt)
einsatzbereite Pak: 40 mittlere, 15 schwere
Für jede Angriffsaufgabe voll geeignet.

SCHWARZHEMDEN-VERBAND   *»3. Januar«*   (XXXV
A.K.)
4 starke Batl.
einsatzbereite Pak: 11 mittlere
2 Batl. für die Abwehr voll geeignet
2 Batl. für Angriffsaufgaben geeignet.
SCHWARZHEMDEN-VERBAND »23. März« (II A.K.)
4 starke Batl.
einsatzbereite Pak: 16 mittlere
Für jede Angriffsaufgabe geeignet.
ARMEE-RESERVEN
Kav.Regt. SAVOIA und NOVARA: Meldung 02/6787 vom
7. 12. unverändert.

GRUPPE ROSSI:
1 Batl. Kradschützen (Div. Celere)
1 Pz.Batl. – 40 Panzerkampfwagen (Div. Celere)
1 Abt. SFL 4,7 cm (11 Stück einsatzfähig) (Div. Celere)
Für jede Angriffsaufgabe geeignet.
DIV. VICENZA:
27. Pz.DIV.:
Kampfstärkemeldung wird nach Eintreffen nachgereicht.
gez. i. A. Generalstabschef Malaguti No. 02/7112 vom
17. 12. 42
f.d.R.d.Ü.

Dokument 3

Deutsche Anweisung zum Verhältnis zur 2. ungarischen
Armee nach dem großen Rückzug vom Don, 26. Februar 1943

Armee-Oberkommando 2
Ia Nr. 322/43 g.Kdos.
Betr.: Verhältnis zur kgl.ung. Armee

A.H.Qu., 26. 2. 1943
28 Ausfertigungen
Pr.Nr. ...

Der Zusammenbruch der kgl.ung. Armee, der sich zum Teil
im Rahmen unserer Armee abspielte, hat zu Verhältnissen geführt, die zwar nicht zu entschuldigen sind, aber bis zu einem
gewissen Grade verstanden werden können. Für unser Verhalten gilt der bekanntgegebene Führerbefehl, wonach die Ungarn als Bundesgenossen jederzeit kameradschaftlich und
hilfsbereit zu behandeln sind. Als Material zur Belehrung des
Offizierskorps gebe ich nachstehend einige Punkte bekannt,
welche den raschen Zusammenbruch verständlich machen sollen:

Die *Hauptgründe der Niederlage* sind die Folgen jahrzehnte-
langer Versäumnisse, mangelhafter Ausbildung und Bewaffnung, fehlender wehrgeistiger Erziehung, fehlender Aufklärung und Vorbereitung für den Kampf gegen den Bolschewismus. Sie beruhen zum Teil auf der bis jetzt vorherrschenden
politischen Meinung des Mutterlandes. Die Folge ist, daß die
Armee keine volle materielle und physische Unterstützung aus
der Heimat bekommen hat.

Das *Offizierskorps* war zum Teil überaltert und in seiner
Ausbildung sehr unausgeglichen. Das Verhältnis zwischen
Offizier und Mann, auf alten Anschauungen beruhend, war un-
gesund, so daß es einem großen Teil der persönlich tapferen

Offizieren nicht gelang, durch sein Beispiel und tapferen Einsatz die Truppe zum Widerstand anzufeuern. Daß dies schließlich auf die Einsatzfreudigkeit des Offizierskorps demoralisierend wirken mußte, ist zu verstehen. Einen *Unteroffizier* in deutschem Sinne gibt es bei den Ungarn überhaupt nicht. Kompanien hatten 2–4 Unteroffiziere. Die *Truppe* war bei der Kampftruppe bis zu 25 %, bei den Besatzungsdivisionen bis zu 50 % mit nationalen Minderheiten vermischt, welche sich nur widerwillig für die Ungarn schlugen und die, wie z. B. die Ruthenen, die Russen besser verstehen als die Ungarn selbst. Die *Bewaffnung* der Ungarn war mit der deutschen nicht vergleichbar. Die Ausstattung mit schweren Infanterie-Waffen, besonders aber mit panzerbrechenden Waffen, war erheblich geringer. Große Teile der Trosse waren nicht mit Gewehren versehen. Gerade zu Beginn der Kämpfe kamen etwa 25 000 Mann als Marschkompanien ohne Bewaffnung zur Ablösung mit Waffenaustausch an die Front. Als Folge befanden sich etwa 10 Bataillone ohne Gewehre auf dem Rückmarsch zusammen mit den ungenügend bewaffneten Angehörigen der Trosse. Ihnen sind größtenteils die Bilder der waffenlos zurückströmenden Ungarn zuzuschreiben. Daß daneben auch in erheblichem Umfang Waffen weggeworfen wurden, weil Offiziere immer wieder Bewaffnete zum Widerstand zusammenpackten, läßt sich nicht leugnen. *Der Bestand der kgl.ung. 2. Armee* betrug etwa 205 000 Köpfe. Bis 7. 2. waren festgestellt: etwa 20 000 Tote, rd. 16 000 Verwundete und Erfrierungen und nach russischer Meldung etwa 23 000 Gefangene. Augenblicklich sind rd. 100 000 Mann der ungarischen Armee wieder erfaßt. Nach Abzug von rd. 10 000 Urlaubern bleiben noch 30 000 Mann, deren Verbleib unklar ist, die aber in der Masse als gefallen gelten müssen. Die starken und beklagenswerten Verluste der Kampftruppe sind daraus ersichtlich, daß unter den noch vorhandenen 100 000 Mann sich nur 15–20 000 Mann aus der kämpfenden Truppe befinden.

Es muß anerkannt werden, daß an einzelnen Stellen tatsächlich lange und hartnäckig Widerstand geleistet wurde, so von der 20. le. Div. bei Storoshewoje, bei 13. le. Div. bei Ostrogoschsk, bei 19. le. Div. bei Marki. Diese Fälle lassen sich, wenn die Verhältnisse einmal genau bekannt werden, bestimmt noch erheblich vermehren. *Die ungarische Führung* ist durchaus positiv eingestellt. Sie ist bereit und in der Lage, aus den ihr verbleibenden Truppen und Waffen neue Kampfverbände und darüber hinaus wertvolle Besatzungstruppen und Baueinheiten aufzustellen. *Es kommt darauf an,* daß Führung und Truppe der Ungarn das verlorene Vertrauen zu sich selbst wieder gewinnen. Eine Voraussetzung dazu ist es, daß wir den ungarischen Truppen das Unglück, das sie betroffen hat, nicht entgelten, sondern durch unser Verhalten den ungarischen Offizieren und Mannschaften gegenüber zeigen, daß wir gewillt sind, ihnen den schweren Wiederaufbau zu erleichtern. Ich erwarte, daß die einwandfreie Grußdisziplin gegenüber unseren Verbündeten wieder hergestellt wird. Ich erwarte, daß alle abfälligen und unbedachten Äußerungen, die schon zur Trübung des Verhältnisses geführt haben, in Zukunft unterbleiben. Ich erwarte, daß den ungarischen Offizieren und Soldaten gegenüber die gleiche Kameradschaftlichkeit und Hilfsbereitschaft gezeigt wird, wie sie unter deutschen Kameraden üblich ist. Ich habe das ungarische A.O.K. gebeten, mir in Zukunft alle Klagen mit Namensnennung zur Kenntnis zu bringen.

Verteiler:
bis zu Div.Kdr. Pr.Nr.   1–13
Nachr.:
Befehlshaber Heeres-
gebiet B Pr.Nr.   14
Bef. Heeresgebiet
Mitte Pr.Nr.   15
Dtsch. Verb.Stab
b. ung. A.O.K. Pr.Nr.   16

A.O.K. 2:

Ia	17
Id	18
01/KTB	19
O.Qu.	20
Kdt. r. A. 580	21
IIa	22
Ic/A.O.	23
Höh. Art.Kdr. 308	24
A.N.F.	25
A.Pi.F.	26
Res.	27–28.

Dokument 4

Reichsverweser Miklós von Horthys Rundfunk-Aufruf vom 15. Oktober 1944, in dem er der Nation mitteilt, das Deutsche Reich habe den Krieg verloren, Ungarn müsse – um zu überleben – mit den bisherigen Gegnern Frieden schließen.

Budapest, 15. Oktober 1944

Seitdem mich der Wille der Nation an die Spitze des Landes gestellt hat, war die wichtigste Zielsetzung der ungarischen Außenpolitik zumindest eine teilweise Aufhebung der Ungerechtigkeiten des Friedensvertrages von Trianon durch eine auf friedlichem Wege zu erreichende Revision. Die an die Tätigkeit des Völkerbundes geknüpften Hoffnungen haben sich auf diesem Gebiet nicht verwirklicht. Auch beim Eintritt der neuen Weltkrise hat Ungarn nicht das Streben nach Gewinnung fremder Gebiete geleitet. Auch auf die tschechoslowakische Republik hatten wir keine Angriffsabsichten, und nicht durch einen Krieg wollten wir von ihr die früher weggenommenen Gebiete wiedergewinnen. Auch in das Gebiet des Bácska sind wir erst nach dem erfolgten Zusammenbruch der damaligen jugoslawischen Regierung zum Schutz unseres eigenen Blutes einmarschiert. Was die uns durch Rumänien 1918 weggenommenen Gebiete anbetrifft, so haben wir sie auch durch den von Rumänien erbetenen friedlichen Schiedsspruch der Achsenmächte angenommen. In den Krieg gegen die alliierten Staaten ist Ungarn durch unsere geographische Lage, durch den auf uns lastenden deutschen Druck verwickelt worden, und auch in seinem Rahmen hatten wir keinerlei Machtziele und wollten von niemandem auch nur einen Quadratmeter Boden wegnehmen. Heute besteht für jeden nüchtern Denkenden kein Zweifel mehr, daß das Deutsche Reich diesen Krieg verloren hat. Die für das Schicksal ihrer Heimat verantwortlichen Regierungen müssen daraus die Konsequenzen ziehen, denn wie es der große

Staatsmann Bismarck gesagt hat: Ein Volk kann sich nicht auf dem Altar der Bündnistreue opfern. Im Bewußtsein meiner historischen Verantwortung muß ich jeden Schritt in der Richtung tun, um weiteres überflüssiges Blutvergießen zu vermeiden. Ein Volk, das in einem bereits verlorenen Krieg aus Kriecherei den von seinen Vätern ererbten Boden zum Schauplatz der Nachhutkämpfe zum Schutze fremder Interessen machen läßt, würde vor der Weltöffentlichkeit seine Ehre verlieren.

Voller Trauer muß ich feststellen, daß das Deutsche Reich die Bündnistreue uns gegenüber von seiner Seite schon lange gebrochen hat. Schon seit längerer Zeit hat es gegen meinen Wunsch und Willen immer neue Teile der ungarischen Armee jenseits der Landesgrenzen in den Kampf geworfen. Im März dieses Jahres aber hat mich der Führer des Deutschen Reiches gerade wegen meines Drängens auf Zurückholung der ungarischen Armee zu Verhandlungen nach Klessheim gerufen und mir dort mitgeteilt, daß deutsche Truppen Ungarn besetzen, und dies trotz meines Protestes durchgeführt, während man mich dort festhielt. Zur gleichen Zeit ist auch die deutsche politische Polizei in das Land eingedrungen und hat zahlreiche ungarische Staatsbürger verhaftet, darunter mehrere Mitglieder der gesetzgebenden Körperschaft sowie den Innenminister der damaligen Regierung; der Ministerpräsident konnte seiner Verhaftung nur entgehen, indem er in eine neutrale Gesandtschaft flüchtete.

Auf das vom Führer erhaltene bestimmte Versprechen, daß er, wenn ich eine Regierung ernenne, die das Vertrauen der Deutschen besitze, die Verletzungen und Beschränkungen der ungarischen Souveränität aufheben werde, ernannte ich die Regierung Sztójay. Die Deutschen aber hielten ihr Versprechen nicht. Unter dem Schutz der deutschen Besetzung nahm die Gestapo, unter Benutzung der auf diesem Gebiet auch anderswo angewandten Mittel, die Lösung der Judenfrage in der im Gegensatz zur Menschlichkeit stehenden, bekannten Weise in die Hand. Als sich der Krieg den Grenzen des Landes näherte, ja, sie auch überschritt, versprachen die Deutschen wiederholt entsprechende Hilfe, aber sie hielten dieses Versprechen nicht in der zugesagten Art und dem Umfang. Bei ihren Rückzügen machten sie das Gebiet des Landes zum Schauplatz von Plünderungen und Zerstörungen.

Alle diese im Gegensatz zur Bündnistreue stehenden Taten krönten sie schließlich mit der offenen Herausforderung, daß die Agenten der Gestapo den Armeekorpsbefehlshaber von Budapest, Szilárd Bakay, während seiner Maßnahmen zur Aufrechterhaltung der inneren Ordnung, an einem nebligen Oktobermorgen unter Ausnutzung der schlechten Sichtverhältnisse vor seinem Haus beim Aussteigen aus dem Auto hinterrücks angriffen und verschleppten. Danach wurden von deutschen Flugzeugen Flugblätter gegen die heutige Regierung abgeworfen. Ich habe zuverlässige Informationen, daß deutsche Truppen politischen Charakters durch gewaltsamen Umsturz beabsichtigten, ihren eigenen Leuten an die Macht zu helfen, während sie das Landesgebiet zum Schauplatz der Nachhutkämpfe des Deutschen Reiches machen wollten.

Ich habe mich entschlossen, auch gegenüber dem ehemaligen Verbündeten die Ehre der ungarischen Nation zu bewahren, da dieser, statt der in Aussicht gestellten entsprechenden militärischen Hilfe, die ungarische Nation ihres größten Schatzes, ihrer Freiheit, ihrer Unabhängigkeit für immer berauben will. Daher habe ich dem hiesigen Vertreter des Deutschen Reiches mitgeteilt, daß wir mit unseren Gegnern einen vorläufigen Waffenstillstand schließen und ihnen gegenüber alle Feindseligkeiten einstellen. Im Vertrauen auf ihr Gerechtigkeitsgefühl möchte ich dem künftigen Leben der Nation den Fortbestand und die Verwirklichung friedlicher Ziele im Einverständnis mit ihnen sichern. Ich habe die Befehlshaber der Honvédarmee entsprechend angewiesen, daher sind die Truppen, getreu ihrem Eid, im Sinne des von mir gleichzeitig erlassenen Armeebefehls verpflichtet, den von mir ernannten Befehlshabern Gehorsam zu leisten.

Jeden aufrichtig denkenden Ungarn aber rufe ich auf, mir auf dem opferreichen Weg zur Rettung des Ungarntums zu folgen!

Bibliographie

A finn kommunista párt története, Budapest 1963.

Abetz, Otto: Das offene Problem. Ein Rückblick auf zwei Jahrzehnte deutscher Frankreichpolitik, Köln 1951.

Ádám, Magda; Juhász Gyula; Kerekes Lajos: Allianz Hitler–Horthy–Mussolini. Dokumente zur ungarischen Außenpolitik, Budapest 1966.

Ádám, Magda; Juhász Gyula; Kerekes Lajos: Magyarország a második világháboruban, Budapest 1959.

Adonyi-Naredy, Franz von: Ungarns Armee im Zweiten Weltkrieg, Neckargemünd 1971.

Akten der Deutschen Heeresmission Rumänien aus den Jahren 1941 und 1942, (Bundesarchiv/Militärarchiv).

Akten zur Deutschen Auswärtigen Politik 1918–1945. Aus dem Archiv des Deutschen Auswärtigen Amtes, Baden-Baden/Frankfurt am Main 1950ff.

Allard, Sven: Stalin und Hitler. Die sowjetrussische Außenpolitik 1930–1941, Bern, München 1974.

Anderle, Alfred; Basler, Werner: Juni 1941. Beiträge zur Geschichte des hitlerfaschistischen Überfalls auf die Sowjetunion, Berlin-Ost 1961.

Anescu, Vasile; Bantea, Eugen; Cupsa, Ion: Die Teilnahme der rumänischen Armee am Antihitlerkrieg, Bukarest 1966.

Anfuso, Filippo: Die beiden Gefreiten. Ihr Spiel um Deutschland und Italien, München 1952.

Aszódy János: 1944 forró augusztusa. In:»Korunk«, Kolozsvár, Nr. 7/1974.

Atanosoff, S.; Daniloff, L.: Kratka istorija na Oteschestwanata Wojna, Sofia 1958.

Babić, Ivan: Das 369. verstärkte Infanterie-Regiment (kroatisch), Manuskript aus dem Jahr 1972.

Badoglio, Pietro: Italien im Zweiten Weltkrieg. Erinnerungen und Dokumente, München 1947.

Bagramjan, I. Ch.: So begann der Krieg, Berlin-Ost 1972.

Bárczy, István bárcziházy: Feljegyzések Kállay Miklós miniszterelnöksége idejéröl, Manuskript aus dem Jahr 1945.

Barilli, Manlio: Alpini in Russia sul Don, Milano 1954.

Battaglia, Roberto: A'második világháboru, Budapest 1966.

Battaglia, Roberto; Garritano, Giuseppe: Der italienische Widerstandskampf, 1943–1945, Berlin 1970.

Bäumler, Alfred: Alfred Rosenberg und der Mythos des 20. Jahrhunderts, München 1943.

Baur, Hans: Ich flog Mächtige der Erde, Kempten 1956.

Bereschkow, Valentin: In diplomatischer Mission bei Hitler in Berlin 1940–1941, Frankfurt am Main 1967.

Berichte und Meldungen der slowakischen Truppen im Feldzug gegen die Sowjetunion 1941/42 (Bundesarchiv/Militärarchiv).

Bessarabien, Ukraine, Krim. Der Siegeszug deutscher und rumänischer Truppen. Ein Bilderbuch, bearbeitet und herausgegeben von der Abt. Ic einer Ost-Armee, Berlin 1943.

Besymenski, Lew: Sonderakte Barbarossa. Dokumente, Darstellung, Deutung, Stuttgart 1968.

Beyer, Hans: Der Südosten im Spiegel der Wilhelmstraße 1919–1939. In:»Südostdeutsche Heimatblätter«, München, Nr. 1/1954.

Blau, G. E.: The German Campaign in Russia. Planing und Operations (1940–1942), Washington D.C., 1955.

Blauweiß-Buch der finnischen Regierung. Die Einstellung der Sowjetunion zu Finnland nach dem Moskauer Frieden, Helsinki 1941.

B'lgarska Akademija na Naukite / Institut za Istorija: B'lgarsko – Germanski otnoschenija i w'aski, Sofija 1972.

Blücher, Wipert von: Gesandter zwischen Diktatur und Demokratie. Die Erinnerungen ... des letzten deutschen Gesandten in Finnland, Wiesbaden 1951.

519

Brahm, Randolph L.: The Kamenets-Podolsk and Délvidék
Massacres. Prelude to the Holocaust in Hungary. In:»Yad
Vashem Studies«, Jerusalem, Nr. 9/1973.
Bognár Károly: Országvédelem – korszerü honvédelem, Bu-
dapest 1974.
Bokor László: Dobozba zárt háboru, Budapest 1973.
Brügel, J. W.: Das sowjetische Ultimatum an Rumänien im
Juni 1940. In:»Vierteljahreshefte für Zeitgeschichte«,
München Nr. 4/1963.

Cavallero, Ugo: Commando Supremo. Diario 1940–1943 del
Capo di S.M.G. Bologna 1948.
Chirnoaga, Platon: Istoria politica si militaria a rasboiului Ro-
maniei contra Rusei Sovietice, 22 Iunie 1941 – 23 August
1944, Madrid 1965.
Ciano, Galeazzo: Tagebücher 1939–1943, Bern 1947.
Cioranesco, G.; Filiti G.; Floresco, R. etc.: Aspects des real-
tions russo-roumaines. Rétrospective et orientations, Paris
1967.
Clark, W.: Barbarossa and the German Campaign in the East
1941–1945, London 1965.
Cretzianu, Alexander: The Rumanian armistice negotions,
Cairo 1944. In:»Journal of Central European Affairs«, Nr.
10/1951.
Cretzianu, Alexander: The lost opportunity, London 1957.
Csima János: A horthysta diplomácia elözetes fegyverszüneti
tárgyalásai Bernben. In:»Hadtörténelmi Közlemények«,
Budapest, Nr. 4/1965.

Dallin, Alexander: German Rule in Russia 1941–1945. A
study of occupation policies, New York 1956.
Deakin, F. W.: Die brutale Freundschaft. Hitler, Mussolini und
der Untergang des italienischen Faschismus, Köln 1964.
Deborin, G. A.; Komkow, G. D.; Nikitin, A. F. etc.: Über die
Außenpolitik der UdSSR in den Jahren 1940/41. In: Juni
1941, Berlin-Ost 1958.

Deborin, G. A.: Wtoraja mirowaja wojna, Moskwa 1958.

Der Prozeß gegen die Hauptkriegsverbrecher vor dem Internationalen Militärgerichtshof, Nürnberg 1949.

Der Weg der 79. Infanterie-Division, Dorheim 1971.

Die Deutschen in der Tschechoslowakei 1933–1947. Dokumentensammlung, Prag 1964.

Die finnischen Offiziersverluste im 2. Krieg gegen Rußland. In: »Allgemeine Schweizerische Militärzeitschrift«, Frauenfeld Nr 11/1958.

Die große Weltbrand des 20. Jahrhunderts: Der Zweite Weltkrieg, Bukarest 1975.

Die Slowakische Republik. Rückblick auf den Freiheitskampf und politisches Profil, Bratislava 1941.

Die Vernehmung von Generalfeldmarschall Keitel durch die Sowjets. Übersetzt von Wilhelm Arenz. In: »Wehrwissenschaftliche Rundschau«, Frankfurt a. M., Nr. 11/1961.

Dietrich, Otto: Zwölf Jahre mit Hitler, München 1955.

Doerr, Hans: Der Feldzug nach Stalingrad. Versuch eines operativen Überblickes, Darmstadt 1955.

Dolezal, Jiri; Kren, Jan: Die kämpfende Tschechoslowakei 1938–1945, Prag 1964.

Dolmányos István: Finnország története, Budapest 1972.

Dombrády Lóránd: Adalékok a Horthy hadsereg gépesitésének történetéhez 1936–1940. In: »Hadtörténelmi Közlemények«, Budapest, Nr 1/1971.

Döry, Andor: A nikolajevkai áttörés és visszavonulás, Manuskript aus dem Jahre 1943.

Dress, Hans: Slowakei und faschistische Neuordnung Europas, Berlin-Ost 1972.

Dumitrescu, Petre: Consideratii asupra bataliei din Cotul Donului. Noembrie 1942, Manuskript aus dem Jahr 1945.

Emilian, I. V.: Les Cavaliers de l'Apocalypse, Paris 1974.

Erfurth, Waldemar: Der finnische Krieg 1941–1944, Wiesbaden 1950.

Ernsthausen, Adolf von: Wende im Kaukasus. Ein Bericht, Neckargemünd 1958.

Ernsthausen, Adolf von: Die Wölfe der Lika, Neckargemünd 1959.

Fabry, Philipp W.: Die Sowjetunion und das Dritte Reich. Eine dokumentierte Geschichte der deutsch-sowjetischen Beziehungen von 1933–1941, Stuttgart 1971.

Faldella, Emilio: Revisione di Giurdizi. L'Italia e la seconda guerra mondiale, Rom 1960.

Felszabadulás. 1944 szeptember 26.–1945 április 4. Dokumentumok hazánk felszabadulásának és a magyar népi demokrácia megszületésének történetéből, Budapest 1955.

Fenyö, Mario: The Allied Axis Armies and Stalingrad. In:»Military Affairs«, Washington, Nr. 29/1965.

Fenyö, Mario: Hitler, Horthy, and Hungary. German-Hungarian Relations, 1941–1944, New Haven – London 1972.

Fiala Ferenc: Vádló bitófák, London 1958.

Filatow, G. S.: Wostotschnyj pochod Mussolini, Moskwa 1968.

Forstmeier, Friedrich: Odessa 1941. Der Kampf um Stadt und Hafen und die Räumung der Seefestung, 15. August bis 16. Oktober 1941, Freiburg i. Br. 1967.

Förster, Gerhard; Gröhler, Olaf: Der Zweite Weltkrieg. Dokumente, Berlin-Ost 1972.

Förster, Jürgen: Stalingrad. Risse im Bündnis 1942/43, Freiburg i. Br. 1975.

Fretter-Pico, Maximilian:»... verlassen von des Sieges Göttern!«, Wiesbaden 1969.

Frießner, Hans: Verratene Schlachten. Die Tragödie der deutschen Wehrmacht in Rumänien und in Ungarn, Hamburg 1956.

Gafencu, Grigore: Vorspiel zum Krieg im Osten. Vom Moskauer Abkommen (21. August 1939) bis zum Ausbruch der Feindseligkeiten in Rußland (22. Juni 1941), Zürich 1944.

Gheorge, Jon: Rumäniens Weg zum Satellitenstaat, Heidelberg 1952.

Gindert Károly: Az 1. páncélos hadosztály harcai a 2. magyar

522

hadsereg doni hidfőcsatáiban, 1942. julius–október. In: »Hadtörténelmi Közlemények«, Budapest, Nr. 2/1961.

Gorla, G.: L'Italia nella seconda guerra mondiale, Milano 1959.

Gosztony, Peter: Der Krieg in Ungarn 1944/45. In: »Östereichische Militärische Zeitschrift«, Wien, Nr. 3/1964.

Gosztony, Peter: Der finnisch-sowjetische Krieg 1939/40. In: »Der Schweizer Soldat«, Basel, Nr. 10/1964.

Gosztony, Peter: Der Krieg zwischen Bulgarien und Deutschland 1944/45. In: »Wehrwissenschaftliche Rundschau«, Frankfurt am Main, Nr. 1/1967ff.

Gosztony, Peter: Die Debrecener Regierung und ihre militärischen Anstrengungen im Frühjahr 1945. In: »Österreichische Militärische Zeitschrift«, Wien, Nr. 3/1965.

Gosztony, Peter: Magyar-szovjet fegyverszüneti tárgyalások (1944 október). In: »Uj Látóhatár«, München, Nr. 5/1969.

Gosztony, Peter (Hrsg.): Das private Kriegstagebuch des Chefs des ungarischen Generalstabes, Generaloberst János Vörös, vom Jahr 1944. In: »Wehrwissenschaftliche Rundschau«, Frankfurt am Main, Nr. 11/1970ff.

Gosztony, Peter: Endkampf an der Donau 1944/45, Wien 1970.

Gosztony, Peter: Der 9. September 1944. Eine Studie zur Frage der Neutralität und Wehrbereitschaft am Beispiel der Septemberereignisse 1944 in Bulgarien. In: Neutrale Kleinstaaten im Zweiten Weltkrieg, Münsingen 1973.

Gosztony, Peter: Über die Entstehung der Nationalkomitees und nationalen Militärformationen der osteuropäischen Nationen in der Sowjetunion während des Zweiten Weltkrieges. In: »Militärgeschichtliche Mitteilungen«, Freiburg i. Br., Nr. 2/1973.

Gosztony, Peter: Miklós von Horthy, Admiral und Reichsverweser, Göttingen 1973.

Gould-Lee, Arthur: Crown against Sickle. The story of King Michael of Rumania, London 1950.

Gömöri György: Magyar-lengyel tárgyalások a varsói felkelés megsegitésére. In: »Uj Látóhatár«, München, Nr. 2/1974.

Görgényi Dániel: Signum Laudis. Egy katona emlékirata, Budapest 1968.

Görlitz, Walter: Generalfeldmarschall Keitel. Verbrecher oder Offizier? Erinnerungen, Briefe, Dokumente des Chefs des OKW, Berlin, Frankfurt, Göttingen 1961.

Görlitz, Walter: Paulus und Stalingrad. Lebensweg des Generalfeldmarschalls Friedrich Paulus, Frankfurt am Main 1964.

Greiner, Helmuth: Die oberste Wehrmachtführung 1939–1943, Wiesbaden 1951.

Gretschko, A. A.: Die Schlacht um den Kaukasus, Berlin 1969.

Gretschko, A. A.: Über die Karpaten, Berlin-Ost 1972.

Grozeanu, Romulus: Ofensiva sovietica dela Stalingrad. In:»Stindardul«, Fürstenfeldbruck, Nr. 120/1974ff.

Guderian, Heinz: Erinnerungen eines Soldaten, Neckargemünd 1960.

György István: Kétezerötszázan voltak, Budapest 1970.

Halder, Franz: Kriegstagebuch. Tägliche Aufzeichnungen des Chefs des Generalstabes des Heeres 1939–1942, Stuttgart 1963.

Harsányi János: Magyar szabadságharcosok a fasizmus ellen, Budapest 1966.

Hegemann, Margot: Einige Dokumente zur Deutschen Heeresmission in Rumänien (1940/41). In: Jahrbuch für Geschichte der UdSSR und der volksdemokratischen Länder Europas, Berlin-Ost 1961.

Heiber, Helmut (Hrsg.): Hitlers Lagebesprechungen. Die Protokollfragmente seiner militärischen Konferenzen 1942–1945, Stuttgart 1962.

Helmert, Heinz; Helmut, Otto: Zur Koalitionskriegführung Hitler-Deutschlands im Zweiten Weltkrieg am Beispiel des Einsatzes der ungarischen 2. Armee. In:»Zeitschrift für Militärgeschichte«, Potsdam, Nr. 3/1963.

Hennyey, Gusztáv: Magyar eröfeszitések a második világháboru befejezésére, Köln 1965.

Hennyey, Gusztáv: Bericht über die Besichtigung der 2. ungarischen Armee im Herbst 1942 am Don, Manuskript aus dem Jahr 1972.

Herberth, Franz: Neues um Rumäniens Frontwechsel am 23. August 1944, Stuttgart 1970.

Hilger, G.: Wir und der Kreml, Frankfurt am Main 1956.

Hillgruber, Andreas: Hitler, König Carol und Marschall Antonescu. Die deutsch-rumänischen Beziehungen 1938–1944, Wiesbaden 1954.

Hillgruber, Andreas: Die Räumung der Krim 1944. Eine Studie zur Entstehung der deutschen Führungsentschlüsse, Frankfurt am Main 1959.

Hillgruber, Andreas: Das deutsch-ungarische Verhältnis im letzten Kriegsjahr. In:»Wehrwissenschaftliche Rundschau«, Frankfurt am Main, Nr. 10/1960.

Hillgruber, Andreas: Der Einbau der verbündeten Armeen in die deutsche Ostfront 1941–1944. In:»Wehrwissenschaftliche Rundschau«, Frankfurt am Main, Nr. 12/1960.

Hillgruber, Andreas: Hitlers Strategie. Politik und Kriegsführung 1940–1941, Frankfurt am Main 1965.

Hillgruber, Andreas: Japan und der Fall»Barbarossa«. In:»Wehrwissenschaftliche Rundschau«, Frankfurt am Main, Nr. 6/1968.

Hillgruber, Andreas (Hrsg.): Staatsmänner und Diplomaten bei Hitler. Vertrauliche Aufzeichnungen über Unterredungen mit Vertretern des Auslandes 1939–1944, Bd. I. u. II., Frankfurt am Main 1967 bzw. 1970.

Hillgruber, Andreas; Hümmelchen, Gerhard: Chronik des Zweiten Weltkrieges, Frankfurt am Main 1966.

Hitler e Mussolini. Lettere e documenti, Milano 1946.

Hitler, Adolf: Mein Kampf, München 1941.

Hoensch, Jörg K.: Geschichte der Tschechoslowakischen Republik 1918–1965, Stuttgart, Berlin, Köln 1966.

Horthy, Nikolaus von: Ein Leben für Ungarn, Bonn 1953.

Horváth Miklós: A 2. magyar hadsereg pusztulása a Donnál, Budapest 1960.

Hóry András:»Még egy barázdát sem …!«, Wien 1967.

Hory, Ladislaus; Broszat, Martin: Der kroatische Ustascha-Staat 1941–1945, Stuttgart 1964.

Hreblay, Andrej: A szlovák hadsereg megszervezése és a második világháboruban való részvétele, Manuskript aus dem Jahr 1958.

Husak, Gustáv: Der Slowakische Nationalaufstand, Berlin-Ost 1972.

Institut für Marxismus-Leninismus beim ZK der KPdSU (Hrsg.): Geschichte des Großen Vaterländischen Krieges der Sowjetunion 1941–1945, Berlin-Ost, Bd. I–IV, 1962–1968.

Institut Marxisma-Leninizma prick KPdSU: Itorija Welikoj Otetschestwennoj Wojny Sowjetskogo Sojuza 1941–1945, Moskwa, tom 1–6, 1960–1965.

Irving, David: Hitler und seine Feldherren, Frankfurt am Main 1975.

Iszraeljan, V. L.; Kutakov, L. N.: A diplomácia kulisszái mögül. A tengelyhatalmak agressziója és egymás elleni titkos diplomáciai háboruja, Budapest 1969.

Jacobsen, Hans-Adolf: Der Zweite Weltkrieg in Chronik und Dokumenten, Darmstadt 1959.

Jaeckel, Eberhard: Frankreich in Hitlers Europa. Die deutsche Frankreichpolitik im Zweiten Weltkrieg, Stuttgart 1966.

Jakovlev, Sz. A.: Szárnyak, emberek. Egy repülögéptervezö feljegyzései, Budapest 1968.

Juhász Gyula: Magyarország külpolitikája 1919–1945, Budapest 1969.

Junnila, Tuure: Freiheit im Vorfeld. Finnlands Kampf um Sicherheit und Neutralität, Wien, Köln, Zürich 1965.

Just, Günther; Alfred Jodl: Soldat ohne Furcht und Tadel, Hannover 1971.

Jutikkala, Eino; Pirinen, Kauko: Geschichte Finnlands, Stuttgart 1964.

Kállay, Nicholas: Hungarian Premier, New York 1954.

Kállay, Miklós:»Come Over«. In:»The Hungarian Quarterly«, New York, Nr. 1–2/1962.

Karsai, Elek: Fegyvertelenül álltak az aknamezökön ..., Budapest o. J.

Kasakow, M.: Die Abwehrkämpfe der Brjansker Front vor Woronesch im Juni–Juli 1942. In:»Wehrwissenschaftliche Rundschau«, Nr. 8/1966ff.

Kehrig, Manfred: Stalingrad. Analyse und Dokumentation einer Schlacht, Stuttgart 1975.

Kiss Károly: Nincs megállás, Budapest 1974.

Kissel, Hans: Die Katastrophe in Rumänien 1944, Stuttgart 1964.

Kissel, Hans: Die Panzerschlachten in der Puszta, Stuttgart 1960.

Kiszling, Rudolf: Die Kroaten. Der Schicksalsweg eines Südslawenvolkes, Graz–Köln 1956.

Klibansky, Raymond (Ed.): Benito Mussolini, Memoirs 1942–1943, London 1949.

Klink, Ernst: Deutsch-finnische Waffenbrüderschaft 1941–1944. In:»Wehrwissenschaftliche Rundschau«, Frankfurt am Main, Nr. 7/1958.

Klink, Ernst: Die deutsch-finnische Zusammenarbeit 1944. In: Operationsgebiet östliche Ostsee und der finnisch-baltische Raum 1944, Stuttgart 1961.

Kónya, Lajos: Hej bura termett idö, Budapest 1956.

Kordt, Erich: Wahn und Wirklichkeit, Stuttgart 1947.

Korhonen, Arvid: Barbarossaplanen och Finland, Stockholm 1963.

Koródy, Béla: Orosz kenyér, Budapest 1946.

Kossow; Christow; Angelow: Bulgarische Geschichte, Sofia 1963.

Kotze, Hildegard von (Hrsg.): Heeresadjutant bei Hitler 1938–1943. Aufzeichnungen des Majors Engel, Stuttgart 1974.

Kovács, Gyula: Emlékezés a doni csatára. In:»Hadak Utján«, München, Nr 2/1958.

Krecker, Ludwig: Deutschland und die Türkei im Zweiten Weltkrieg, Frankfurt am Main 1964.

Kriegstagebuch des Generalfeldmarschalls Maximilian Reichsfreiherr von Weichs für die Zeit vom 1. Januar bis 21. Mai
1943. Übertragungen der stenographischen Aufzeichnungen aus dem Notizkalender 1943, Manuskript (Bundesar-
chiv/Militärarchiv).

Kriegstagebuch des Oberkommandos der Wehrmacht (Wehrmachtführungsstab) 1942–1945. Hrsg. von P. E. Schramm
in Zusammenarbeit mit A. Hillgruber, W. Hubatsch und
H.-A. Jacobsen, 4 Bde., Frankfurt am Main 1961 bis
1965.

Kun József: A német hadvezetés magyarországi politikájához,
1941 március–julius. In:»Századok«, Budapest. Nr. 6/1965.

Kun, Joseph: Zur Vorgeschichte des Eintrittes Ungarns in den
Krieg gegen die Sowjetunion. In:»Österreichische Militärische Zeitschrift«, Wien, Nr. 3/1966.

Lachnit, Ingo; Klein, Friedrich: Der»Operationsentwurf Ost«
des Generalmajor Marcks vom 5. August 1940. In:»Wehrforschung«, Bonn, Nr. 4/1972.

Laeun, H.: Marschall Antonescu, Essen 1943.

Lami, Lucio: Isbuschenskij. L'ultima carica, Milano 1971.

Le operazione del C.S.I.R. el dell ›ARMIR‹ dal giugno 1941 all
ottobre 1942. Hrsg. vom Stato Maggiore Esercito, Ufficio
Storico, Roma 1947.

Lehmann, H. G.: Der Reichsverweser-Stellvertreter, München
1975.

Lengyel, Béla von: Die ungarischen Truppen im Rußlandfeldzug 1941. In:»Allgemeine Schweizerische Militärzeitschrift«, Frauenfeld, Nr. 10/1960.

Lévai, Jenö: Feketekönyv a magyar zsidóság szenvedéseiröl,
Budapest 1946.

Lochner, Louis P. (Hrsg.): Goebbels Tagebücher aus den Jahren 1942/43, Zürich 1948.

Longo, Luigi; Secchia, Pietro: Der Kampf des italienischen
Volkes für seine nationale Befreiung 1943–1945, Berlin-Ost
1959.

Lundin, Leonard: Finland in the Second World War, Bloomington 1957.

L'8a Armata Italiana nella secondo battaglia difensiva del Don. Hrsg. vom Ministero della Guerra/Stato Maggiore Esercito, Ufficio Storico, Roman 1946.

Macartney, Carlile Aylmer: October Fifteenth. A History of Modern Hungary 1929–1945, 2 Bde., Edinburgh 1961.

Macartney, Carlile Aylmer: Hungary' Declaration of War on the U.S.S.R. In: Studies in Diplomatic History and Historiography in Honor of G. P. Gooch, London 1961.

Magyar Harcosok Bajtársi Közössége, Hadifogolyszolgálat (Hrsg.): Fehér Könyv a Szovjetunióba elhurcolt hadifoglyok és polgári deportáltak helyzetéröl, Bad Wörishofen 1950.

Malinowskij, R. J.: Dwadsatiletije natschala Welikoj Otetschestwennoj Wojny. In:»Woenno-istoritscheskij shurnal«, Moskwa, Nr. 6/1961.

Malinowskij, R. J.: Jaschi-Kischinewskie Kannye, Moskwa 1964.

Mannerheim, Gustav Freiherr von: Erinnerungen, Zürich und Freiburg 1952.

Manstein, Erich von: Verlorene Siege, Frankfurt am Main 1966.

Martin, St.: Die Fahne der kroatischen Legion. In:»Zeitschrift für Heereskunde«, Jg. 1953.

Martin, St.: Kroatische Marine-Legion. In:»Zeitschrift für Heereskunde«, Jg. 1953.

Mast, H.: Die kgl. rumänische Kriegsmarine. In:»Stindardul«, Fürstenfeldbruck, Nr. 78/1964 ff.

Mazulenko, W. A.: Die Zerschlagung der Heeresgruppe Südukraine, August–September 1944, Berlin-Ost 1959.

Medwedew, Roy A.: Die Wahrheit ist unsere Stärke. Geschichte und Folgen des Stalinismus, Frankfurt am Main 1973.

Memoari Patrijarha sprskog Gavrila, Paris 1974.

Mendelsohn, Peter de: Design for Agression, New York 1946.

Merezkow, K. A.: Im Dienste des Volkes, Berlin-Ost 1972.

Mergl, Georg: Rumänien – der Weg zur Kapitulation. In:
»Osteuropa«, Stuttgart, Nr. 2/1952.

Messe, Giovanni: Der Krieg im Osten, Zürich 1948.

Miklós Lajos dálnoki: Visszaemlékezések dálnoki Miklós Bé-
lára, Manuskript aus dem Jahr 1965.

Mikola, K. J.: Finland's Wars during World War II
(1939–1945), Mikkeli 1973.

Ministerium der Auswärtigen Angelegenheiten (Hrsg.): Blau-
weiß-Buch der finnischen Regierung. Die Einstellung der
Sowjetunion zu Finnland nach dem Moskauer Frieden, Helsinki 1941.

Morosow, W. P.: Westlich von Woronesh. Kurzer militärhistorischer Abriß der Angriffsoperationen der sowjetischen
Truppen in der Zeit von Januar bis Februar 1943, Berlin-Ost
1959.

Morosow, W. P.: Warum der Angriff im Frühjahr 1943 im Donezbecken nicht zu Ende geführt wurde (Aus der sowjetischen Kriegsliteratur). In: »Wehrwissenschaftliche Rundschau«, Frankfurt am Main, Nr. 7/1964ff.

Moskalenko, K. S.: In der Südwestrichtung, Berlin-Ost 1975.

Mourin, Maxime: Le drame des Etats satellites de l'Axe, de
1939 á 1945, Paris 1957.

Mueller-Hillebrand, Burkhart (Hrsg.): Die militärische Zusammenarbeit Deutschlands und seiner Verbündeten während des Zweiten Weltkrieges. Manuskript aus den Jahren
1948–50.

Mueller-Hillebrand, Burkhart: Der Zweifrontenkrieg. Das
Heer vom Beginn des Feldzuges gegen die Sowjetunion bis
zum Kriegsende, Frankfurt am Main 1969.

Mussolini, Rachele: Mein Leben mit Benito, Zürich 1948.

Nagy Vilmos, nagybaczoni: Végzetes esztendők 1939–1945,
Budapest 1947.

Nehring, Walter K.: Die Geschichte der deutschen Panzerwaffe
1916 bis 1945, Frankfurt am Main 1969.

Nemci a Slovensko 1944. Slovenské národné povstanie, Dokumenty, Bratislava 1971.

Nemeskürty István: Requiem egy hadseregért, Budapest 1973.

Nicolae, C.; Asandei, S.; Condurachi, N.: A német militarizmus és Románia. Történelmi visszapillantás, Bukarest 1963.

Niederschrift über die Besprechung GFM Keitel mit Staatspräsident Dr. Tiso, Ministerpräsident Dr. Tuka und Wehrminister General Čatloš am 23. Februar 1942 in Preßburg (Bundesarchiv/Militärarchiv).

Nyman, Kristina (Comp.): Finlands War Years 1939–1945, Mikkeli 1973.

Od Tatier po Kaukaz. Obrázkové dokumenty o bojoch slovenskej armády v rokoch 1941–1942, Bratislava 1942.

Oesch, Karl Lennart: Finnlands Entscheidungskampf 1944, Frauenfeld 1964.

Ölvedi Ignác: A budai Vár és a debreceni csata. Horthyék katasztrófapolitikája 1944 öszén, Budapest 1974.

Orosz-román fegyverszüneti egyezmény, Kolozsvár 1945.

Palm, Thede: A finnish-soviet armistice negotiations of 1944, Stockholm 1971.

Patrascanu, Lucretiu: A vasgárda kormányzás öt hónapjáról. In:»Korunk«, Kolozsvár, Nr. 12/1970.

Persönlicher Bericht über den Kampfweg des verstärkten Infanterie-Regiments 369 (kroatisch) von Kroatien bis Stalingrad. Tonbandaufnahme aus dem Jahr 1972.

Philippi, Alfred; Heim, Ferdinand: Der Feldzug gegen Sowjetrußland 1941–1945. Ein operativer Überblick, Stuttgart 1962.

Picker, Henry (Hrsg.): Hitlers Tischgespräche im Führerhauptquartier, Bonn 1951.

Piderman, Guido: Russische Kriegsgefangene in Finnland, Zürich 1942.

Pokriskin, A. I.: Háborus égbolt, Budapest 1972.

Procopé, Hjalmar J.: Sowjetjustiz über Finnland. Prozeßakten aus dem Verfahren gegen die Kriegsverantwortlichen in Finnland, Zürich 1947.

Radó Sándor: Dóra jelenti ..., Budapest 1971.

Ragionieri, Ernesto: Italien und der Überfall auf die UDSSR. In:
»Zeitschrift für Geschichtswissenschaft«, Berlin-Ost, Nr.
4/1961.

Ránki, György: Ungarns Eintritt in den Zweiten Weltkrieg. In:
Der deutsche Imperialismus und der Zweite Weltkrieg, Berlin-Ost 1962, Bd. 3.

Ránki, György: 1944 március 19. Magyarország német megszállása, Budapest 1968.

Ránki, György: A második világháboru története, Budapest
1974.

Rauchwetter, Gerhard: »U« über die Ostfront. Als deutscher
Kriegsberichter bei einem Kampffliegerverband der kroatischen Legion, Zagreb 1943.

Rauch, Georg von: Geschichte des bolschewistischen Rußlands, Wiesbaden 1955.

Rendulic, Lothar: Gekämpft, gesiegt, geschlagen, Wells-Hei-
delberg 1952.

Ribbentrop Joachim von: Zwischen London und Moskau. Erinnerungen und letzte Aufzeichnungen, Leoni am Starnberger See 1953.

Rieber, Alfred J.: Stalin and the French Communist Party, New
York 1962.

Rieker, Karlheinrich: Ein Mann verliert einen Weltkrieg. Die
entscheidenden Monate des deutsch-russischen Krieges
1942/43, Frankfurt am Main 1955.

Rigoni-Stern, Mario: Alpini im russischen Schnee, Heidelberg
1954.

Rintelen, Enno von: Mussolini als Bundesgenosse. Erinnerungen des deutschen Militärattachés in Rom 1936–1943, Tübingen und Stuttgart 1951.

Románia hozzájárulása a fasizmus felett aratott győzelemhez,
Bukarest 1965.

Rondiére, Pierre: Der Angriff auf Sowjetrußland am 22. Juni
1941, Rastatt 1968.

Rossi, A.: Zwei Jahre deutsch-sowjetisches Bündnis, Köln
1954.

Rotkirchen, Livia: Hungary – an Asylum for the Refugees of Europe. In:»Yad Vashem Studies«, Jerusalem, Nr. 7/1968.

Rumäniens heiliger Krieg im Spiegel der deutschen Presse, Bukarest 1972.

Russo, Mariano: Il Don senza pace, Brescia 1969.

Sacharow, M. W. (Red.): Die Streitkräfte der UdSSR. Abriß ihrer Entwicklung von 1918 bis 1968, Berlin 1974.

Salvatores, Umberto: Bersaglieri sul Don, Bologna 1958.

Sandalow, L. M.: Pereshitoje, Moskwa 1961.

Schmidt, Paul: Statist auf diplomatischer Bühne 1923–1945, Bonn 1950.

Schramm, Percy Ernst: Hitler als militärischer Führer, Frankfurt am Main 1965.

Schtemenko, S. M.: Offensive bis zum Sieg. Der Generalstab im Großen Vaterländischen Krieg. In:»Presse der Sowjetunion«, Berlin-Ost vom Januar 1975 ff.

Schtemenko, S. M.: Im Generalstab, Bd. 2, Berlin-Ost 1975.

Schukow, Georgi: Erinnerungen und Gedanken, Stuttgart 1969.

Schwatlo-Gesterding, Joachim: Probleme der Naht. Eine Studie über die Koordinierung benachbarter Verbände, Frankfurt am Main 1959.

Seaton, Albert: Der russisch-deutsche Krieg 1941–1945, Frankfurt am Main 1973.

Seidl, Alfred: Die Beziehungen zwischen Deutschland und der Sowjetunion 1939–1941. 251 Dokumente aus dem Archiv des Auswärtigen Amtes, Tübingen 1949.

Semirjaga, M. I. (Red.): Strany central'noi i jugo-wostoschnoj Ewropy wo wtoroj mirowoj wojne. Woenno-istoritscheskij sprawotschnik, Moskwa 1972.

Szemirjaga, M. I.: Antifasiszta népfelkelések 1941–1945, Budapest 1968.

Seraphim, Hans-Günther: Die deutsch-russischen Beziehungen 1939–1941, Hamburg 1949.

Shilin, P. A. (Red.): Die wichtigsten Operationen des Großen Vaterländischen Krieges 1941–1945, Berlin-Ost 1958.

Simonow, Konstantin: Die Lebenden und die Toten, München 1960.

Simonsits, Attila; Kövendy, Károly: Harcunk ... 1920–1945. A Hazáért mindhalálig!, Etobicoke, Ont., 1975.

Speer, Albert: Erinnerungen, Berlin 1969.

Sulyok Dezsö: Magyar tragédia, New York 1954.

Svoboda, Ludvik: Von Busuluk bis Prag, Berlin-Ost o. J.

Szinai Miklós; Szücs, László (Hrsg.): Horthy Miklós titkos iratai, Budapest 1962.

Szombathelyi Ferenc vezérezredes, a magyar vezérkarifönök védöirata, Manuskript aus dem Jahr 1945.

Tanner, Väinö: Foreign Minister in Finland's Winter War, Stanford 1957.

Teleki, Eva: Nyilas uralom Magyarországon, 1944 október 16.–1945 április 4., Budapest 1974.

Thimm, Gerhard: Die letzten Tage in Moskau. In:»Die Gegenwart«, Stuttgart, Nr. 9/1947.

Tiso, Josef: Die Wahrheit über die Slowakei. Verteidigungsrede, gehalten am 17. und 18. März 1947 vor dem»National«-Gericht in Bratislava, o. O. 1948.

Tolloy, Giusto: Con l'Armata italiana in Russia, Torino 1947.

Toscano, M.: Una mancata intesa italo-sovietica nel 1940 e 1941, Florenz 1953.

Toscano, M.: L'Italia e gli accordi tedesco-sovietici dell' augusto 1939, Florenz 1952.

Tóth Sándor: A Horthy hadsereg szervezete. In:»Hadtörténelmi Közlemények« Budapest, Nr. 1–4/1958.

Tschuikow, W. I.: Anfang des Weges, Berlin-Ost 1968.

Turla, Guido Maurilio: Sette rubli per il Cappellano. Con gli alpini della Cuneense sui campi di battaglia e poi nei campi di prigionia rusi dal '42 al '46, Milano 1970.

Valori, Aldo: La Campagne die Russia, C.S.I.R. – ARMIR: 1941–1943, Roma 1950–1951, 2 Bde.

Vattay, Antal: Visszaemlékezéseim, Manuskript aus dem Jahr 1965.

Vaszilevszkij, A. M.: A vezérkar élén, Budapest 1976.

Venohr, Wolfgang: Aufstand für die Tschechoslowakei. Der slowakische Freiheitskampf von 1944, Hamburg 1969.

Veress, Lajos dálnoki: Magyarország honvédelme a II. világháboru elött és alatt (1920–1945), München 1972–1974, 3 Bde.

Vielvölkerheer und Koalitionskriege, Darmstadt 1952.

Vormann, N. von: Der Feldzug in Polen, Weissenberg 1958.

Wagner, Ernst; Cortigiano, Franco: Im Schatten der Vergangenheit. Deutsche Soldaten in der Propaganda der italienischen Kommunisten, Köln 1969.

Warlimont, Walter: Im Hauptquartier der deutschen Wehrmacht 1939–1945, Frankfurt am Main 1962.

Watzdorf, Bernhard: Das finnische Volk hat die Operation »Birke« nicht vergessen! In:»Mitteilungsblatt der Arbeitsgemeinschaft ehemaliger Offiziere«, Berlin-Ost, Nr. 11/1965.

Werth, Alexander: Rußland im Krieg, Darmstadt 1965.

Wimpffen, Hans: Die zweite ungarische Armee im Feldzug gegen die Sowjetunion. Ein Beitrag zur Koalitionsführung im Zweiten Weltkrieg, Würzburg 1968 (Phil. Diss. Manuskript).

Witzleben, Hermann von: Bericht über Erkenntnisse und Erfahrungen bei der 2. ungarischen Armee im Herbst und Winter 1942/43, Manuskript aus dem Jahr 1956.

Wöss, Fritz: Hunde, wollt ihr ewig leben! Hamburg 1958.

Woronow, N.: Operation »Ring«. In:»Zeitschrift für Militärgeschichte«, Berlin-Ost, Nr. 2/1962.

Zaharia, Gheorghe (Red.): Marea conflagratie e secolului XX. Al de razboi mondial, Bucaresti 1971.

Register

536

545

Werner Maser
Hitlers Briefe und Notizen
Sein Weltbild in handschriftlichen Dokumenten
400 Seiten mit zahlreichen Abbildungen
und Faksimiles, gebunden

»Ein Quellenwerk von erstrangiger Bedeutung, und wem als Zeitgenosse an der Kenntnis eines von phantasievollen Zutaten freien authentischen ›Führer‹-Bildes liegt, wer Fülle und Zuverlässigkeit der Fakten höher schätzt als schriftstellerische Eloquenz, der wird die Bücher Masers auch künftig erscheinenden Hitler-Biographien vorziehen.«

Westermanns Monatshefte

»Die in diesem Buch gesammelten Dokumente einer Selbstdarstellung, stehen oft in krassem Gegensatz zu dem Bild, das Hitler aus propagandistischen Gründen von sich entwarf. Werner Maser legt mit diesem Buch ein kritisches Werk vor, das über die bisherigen Biographien hinausgeht und für die Geschichte des Dritten Reiches unerläßlich bleiben wird.«

Merkur

ECON Verlag · Postfach 9229 · 4000 Düsseldorf 1

Walter Görlitz
Geldgeber der Macht
Wie Hitler, Lenin, Mao Tse-Tung, Mussolini, Stalin und Tito
finanziert wurden
Mit einem Vorwort von Werner Maser
260 Seiten, 6 Fotos, gebunden

»Hier werden interessante Einblicke gewährt in das Machtstreben von Politikern, Finanzkreisen und Militärs, die glaubten, auf ihre Weise Einfluß auf die Diktatoren unserer Zeit zu gewinnen. Sie wurden dabei allerdings oft zu Werkzeugen von Entwicklungen, die ihren Absichten zuwiderliefen.«
Hamburger Abendblatt

»Walter Görlitz liefert eine ungemein interessante, oft spannende und manchmal geradezu amüsante Darstellung dieser bis heute weitgehend unbekannten Ursprünge.«
Münchner Merkur

Günter Alexander
So ging Deutschland in die Falle
Anatomie einer Geheimdienst-Operation
320 Seiten, 16 Seiten Bildteil, gebunden

Die verantwortlichen Abwehroffiziere rühmten sich ihrer »Superagenten«: doch die »wertvollen Meldungen« waren falsch.
– Spannung, Dramatik und bisher unbekannte Informationen: eine brisante Publikation über Hintergründe und Kampf der Spionage- und Abwehrdienste während des 2. Weltkrieges.

»Mit seltener Akribie erforscht Günter Alexander seit 15 Jahren die Geschichte des deutsch-britischen Spionagekrieges.«
Der Spiegel

ECON Verlag · Postfach 9229 · 4 Düsseldorf 1

Sir Basil Henry Liddell Hart

Liddell Harts Geschichte des Zweiten Weltkrieges

Die großen strategischen Entscheidungen

892 S. mit 38 Karten im Text, gebunden 2 Bände im Schuber

»Wer an den militärischen Details des Zweiten Weltkrieges interessiert ist, wird an dem Werk Liddell Harts nicht vorbeigehen können, dessen kritische Kommentare zur Geschichte des Ersten Weltkrieges seinen Weltruhm begründeten. Der Autor erweist sich auch in diesem Buch als kenntnisreicher und objektiver Betrachter des militärischen Geschehens.«

Handelsblatt

»Der Militärhistoriker Liddell Hart hat sich in seiner Geschichtsschreibung des Zweiten Weltkrieges nicht damit zufriedengegeben, strategische Vorgänge und Dimensionen nachzuzeichnen, sondern versucht, auch ihre politischen Hintergründe und deren Verwobenheit in das Geschehen auf den Schlachtfeldern und Meeren aufzuhellen.«

Bayernkurier

ECON Verlag · Postfach 9229 · 4 Düsseldorf 1

Weswegen und unter welchen
Voraussetzungen entschlossen
sich Finnland und Rumänien,
am Ostfeldzug teilzunehmen?
Warum wurde Ungarn in den
osteuropäischen Krieg einbezogen?
Welche Sonderstellung nahmen Italien und die Slowakei
und Kroatien ein?
Warum nahmen die Türkei
und Japan am Ostfeldzug nicht
teil?
Was geschah mit den führenden Militärs der Verbündeten
nach dem Krieg?
An der Seite der deutschen
Wehrmacht haben verschie-
dene Truppen aus zahlreichen
Ländern am Ostfeldzug Hitlers
teilgenommen.
Der bekannte Militärhistoriker
Dr. Peter Gosztony schildert
die Geschichte dieser Truppen
unter politischen, sozialen und
militärischen Gesichtspunkten.
Er deckt auf, wie und warum
durch diplomatische Machen-
schaften und politischen Ehr-
geiz die verschiedenen Länder
zur Teilnahme an Hitlers Feldzug gegen die Sowjetunion gebracht wurden.